'한국근대문학과 중국' 자료총서 ⑮

정론·실기·수필·희곡 I

김 강·김병민 엮음

역락

『'한국근대문학과 중국' 자료총서』 편찬위원회

위원장: 김병민

위　원: 이광일 최창륵 최　일 장영미 박설매 김　강

편찬자 소개

김병민 연변대학교 조선언어문학학과 교수. 문학박사.

이광일 연변대학교 조선언어문학학과 교수. 문학박사.

최창륵 남경대학교 한국어문학과 교수. 문학박사.

최　일 연변대학교 조선언어문학학과 교수. 문학박사.

장영미 연변대학교 조선어학과 교수. 문학박사.

박설매 연변대학교 조선언어문학학과 부교수. 문학박사.

김　강 연변대학교 조선언어문학학과 전임강사. 문학박사.

배　홍 연변대학교 조선언어문학학과 전임강사. 문학박사.

김은자 하얼빈이공대학교 조선어학과 전임강사. 문학박사.

조영추 연세대학교 국어국문학과 박사.

박미혜 성균관대학교 국어국문학과 박사과정 수료.

'한국근대문학과 중국' 자료총서 15

정론·실기·수필·희곡 I

김 강·김병민 엮음

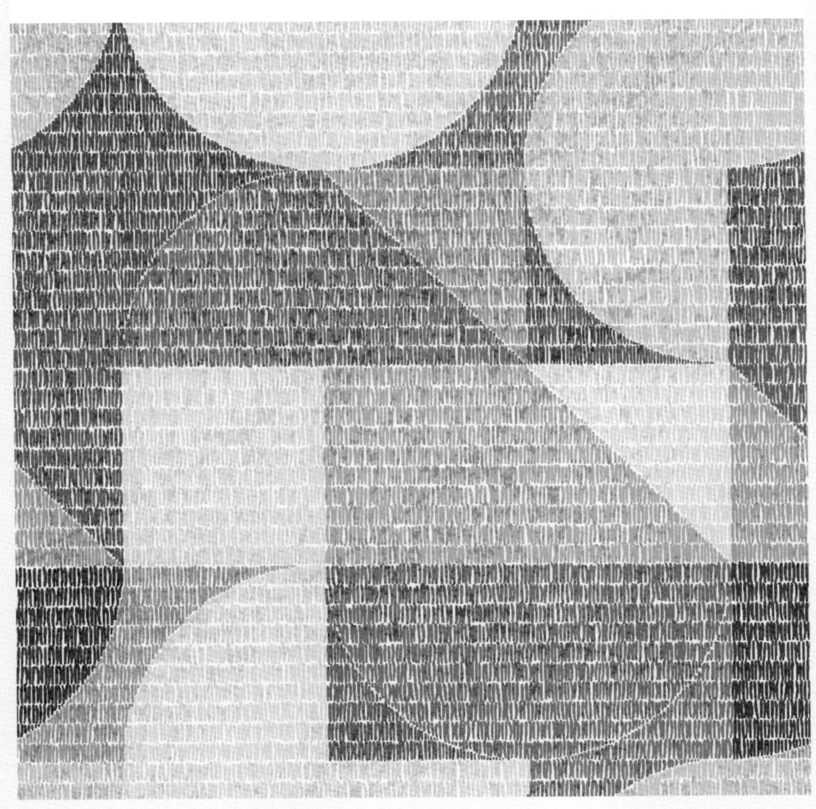

역락

한국근대문학과 중국체험서사

— 서문을 대신하여 —

김병민

1. 중국체험의 의미

한·중 문화 교류는 수천 년의 유구한 역사를 가지고 있다. 특히 한국은 한자, 유·불·도, 각종 문물제도를 중국으로부터 수용함으로써 한(漢)문화권에 편입된 뒤 한(漢)문화를 중심으로 한 동아시아문화권의 형성과 발전에 중요한 역할을 하게 되었다. 따라서 한국문학의 발전 역시 중국문학 및 문화와 불가분의 관계에 놓이게 되었다.

한국문학의 발전에 있어서 역대 한국인들의 중국체험은 한국 한(漢)문학 전통의 확립에 결정적인 역할을 했다. 한국문인들의 중국체험은 다양한 양상을 보이고 있는바 최치원 등을 비롯한 문인들의 유학(留學)체험, 혜초, 의상 등을 비롯한 불교 문인들의 구도(求道)체험, 정도전, 허균, 김만중, 홍대용, 박지원 등을 비롯한 문인들의 사행(使行)체험 등을 들 수가 있다. 이들은 중국을 체험하는 과정에 중국의 문인들과 다양한 교류를 진행하게 되었고 한중 문학의 쌍방향적 영향관계를 밀접히 했다. 실제로 한국문학에서 굴지의 작가로 불리는 최치원, 이제현, 허균, 김만중, 박지원 등의 문학은 중국 문학 및 문화와 깊은 연관성을 보여주고 있다. 한국문인들은 중국체험을 통해 자신들의 창작을 전개해갔고 또한 창작을 통해 그들의 문화의식 즉 세계인식과 시대인식을 구축해 가기도 했다. 최치원의 한시가 『전당시』에, 이제현의 사가 『강촌총서』에 수록되었으며 김만중의 경우 중국체험과 중국문화 수용을 통해 세계적 영향을 지닌 『구운몽』을, 박지원의 경우는 사행체험을 통해 세계 기행문학의 백미로 불리는 『열하일기』를 창작했다. 최치원, 이제현, 김만중, 박지원의 문학이 세계적인 명작이 되기에 손색이 없다고 할 때, 한국문학 발전에 있어서 중국체험은 큰 의미를 가진다고 할 수 있다.

중국체험은 한국 문인들에게 시간과 공간에 대한 새로운 인식을 심어주었고 자아와 타자에 대한 새로운 인식을 불러일으키기도 했다. 예를 들어 18세기 후반기 '북학파'의 맹주들인 박지원, 박제가 등이 중국체험을 통해 전통적인 문화의식에서 탈피하여 자본시장의 형성과 과학문명에 대한 인식을 얻고 중세의 몰락과 근대의 여명을 확인한 것은 시대를 앞서나간 문화적 초월이라고 할 수 있다. 그것은 말 그대로 국가 간의 경계, 문화 간의 경계, 민족 간의 경계를 넘어설 수 있었던 탈경계 체험의 산물이라고 하겠다.

20세기를 전후하여 한국은 근대 식민지체계에 편입되기 시작하여 1910년 '한일합방'으로 일제의 식민지로 전락되고 말았다. 망국을 전후한 시기부터 중국은 한국독립투사들의 항일투쟁의 정치적 공간과 근대적 이민의 생활공간이 되기도 했다. 따라서 한국근대문학은 중국의 문학 및 문화와 더욱 밀접한 연관을 맺게 되었고 보다 더 새롭고 다양한 발전 양상을 보여주게 된다.

따라서 한국근대문학과 중국과의 관련양상에 대한 연구는 비단 한·중 근대문학교류사 연구뿐만 아니라 한국문학사 연구에 있어서도 지극히 중요한 가치가 있다고 할 수 있다. 현재까지 이에 대한 한국 학계의 연구는 대체적으로 한국근대문학의 공간적 이동이라는 시각에서 접근하여 중국에서 벌어졌던 한국문인들의 문학을 '이민문학' 혹은 재외 한국근대문학의 범주에 두고 고찰하였다. 반대로 중국 학계에서는 중국에 이주한 한국문인들의 문학을 '조선족문학' 혹은 그 전사(前史)로 범주화하고 연구를 해왔다. 이러한 연구는 한민족문학의 연구에서 극히 중요한 작업임이 분명하며 또한 현재까지 괄목할 만한 성과를 거두었다. 하지만 한국문학의 공간적 이동으로만 접근하게 되면 인적 교류, 이론과 사상의 유동 내지는 상상력의 탈경계 등 한·중 근대문학 교류의 보다 다양한 차원의 문제들을 간과하게 된다. 한 마디로 한·중 근대문학 교류는 문학의 공간적 이동의 시각보다는 탈경계 연구(Border—crossing studies)의 시각에서 접근하는 것이 더 효율적이라고 할 수 있다. 이른바 탈경계 연구는 민족, 국가, 언어, 문화, 이데올로기 및 윤리 등의 탈경계 그리고 그 과정에서 문화적 재건, 융합 및 가치창조를 밝히는 새로운 연구 시각이다.

근대 전환기 및 근대과정에서 이루어진 한국문학의 중국과의 교류는 고금의 인류문학사에서 보기 드문 문학적 현상이었으며 일종의 '증후성(Symptomatic)'을 가진 문학적 사건이라고 할 수 있는바 다음과 같은 특징을 띠고 있다. 우선, 교류의 지속시간이 길고 방대한 양의 텍스트를 형성하였다. 다음으로 그 교류는 일방적인 영향관계가 아닌 쌍방향적인 상호작용의 관계였다. 끝으로 그 교류는 '중심'과 '주변'의 관계가 아닌 '주변'과 '주변'의 관계였다. 그중 탈경계 서사(beyond boundaries narrative)로 특징지어지는 한국근대문학의 중국체험서사는 한국문인들의 중국을 매개로 한 전통, 근대 그리고 미래와의 대화였다. 바로 이러한 의미에서 한국근대문학과 중국과의 문학·문화적 대화는 지극히 생산적인 것이었으며 근대 동아시아의 정신적 가치를 보여주는 소중한 유산이라고 할 것이다.

한국문학의 근대화 과정에서 일본을 통한 서양문학사조, 유파, 관념, 형식 등의 수용이 큰 역할을 하였음은 분명하나 식민지 출신의 한국문인들에게 있어 식민 종주국 일본이 생산적 가치를 가진 이상적인 공간이 될 수는 없었다. 오히려 비슷한 운명에 처한 중국이 생산적인 정치·문화공간이자 생존·생활공간이 될 수 있었다. 중국에 대하여 느낄 수 있었던 시대적 동질감과 유대감은 일본이 갖추지 못한 요소들이었다. 따라서 한국인들은 중국을 독립투쟁의 전장, 근대문명의 '박물관', 평등한 대화와 교류의 장소로 인식하였던 것이다. 한국근대문학과 중국과의 교류는 한국문학의 근대화 과정을 이해하는 데 있어 중요한 가치가 있을 뿐만 아니라 나아가 오늘날 한국과 주변의 관계를 이해하는 데 있어서 상당한 현실적 가치가 있다고 해야 할 것이다. 이에 『'한국근대문학과 중국' 자료총서』는 한국문인들이 중국과의 교류 과정에서 생산한 중국서사와 한국문인들에 의한 중국문학 번역과 소개 등 텍스트를 그 대표성과 중요도에 따라 선별적으로 수록하였다.

2. 저항과 항일체험서사

항일서사는 한국의 독립투사들이 중국에서의 반일활동에 근거한 탈경계 서사로서 의열단(義烈團), 한국애국단(韓國愛國團), 독립군(獨立軍), 유격대(遊擊隊), 조선의용대/의용군(朝鮮義勇隊/義勇軍), 한국청년전지공작대(韓國青年戰地工作隊), 한국광복군(韓國光复軍), 중국국민군(中國國民軍), 팔로군(八路軍), 항일연군(抗日聯軍) 등 항일부대의 활동과 밀접히 연관되어 있으며 소설, 시, 수필 등 장르를 포함하고 있다.

소설로는 중국에서 전개된 한국의 반일독립운동을 소재로 한 신채호, 최서해, 강경애, 심훈, 장지락 등의 작품이 있다. 우선 아나키즘계열의 항일투쟁을 반영한 소설로는 신채호의 「용과 용의 대격전」, 장지락의 「기묘한 무기」 등이 대표적이다. 신채호의 소설 「용과 용의 대격전」은 환상적인 구조 속에서 일제 침략자를 상징하는 미리와 한국 민중을 상징하는 드래곤 사이의 격전을 그리면서 민중의 승리를 확인하고 있다. 「꿈하늘」(1916)에서 신채호가 국민국가 상상을 보여주었다면 「용과 용의 대격전」에서는 무산민중 주체의 민족국가 상상을 보여주었다고 할 수 있다. 장지락의 소설 「기묘한 무기」는 1922년 김익상 등 한국의 반일지사들이 상하이 황포공원에서 일제 육군대장 다나카를 저격한 사건을 다룬 단편소설로 1930년 북경에서 창작된 작품이다. 이 소설에는 사회주의, 아나키즘, 인도주의 등 다양한 사상들이 혼재되어 있다. '만주'지역에서 전개되고 있던 독립투쟁을 소재로 한 소설로 최서해의 「해돋이」와 강경애의 「모자」, 「축구전」 등이 있다. 「해돋이」는 생활에 시달리다 독립운동에 투신한 주인공 만수의 형상을 통하여 '만주' 지역 한국 이주민들의 일제와 그 주구들에 대한 분노와 항거를 보여주고 있다. 강경애의 「모자」는 간도지역에서 벌어진 항일유격투쟁을 배경으로 하면서 희생된 남편의 못 이룬 뜻을 어린 아들로 하여금 이어가게 하겠다는 한 어머니의 불굴의 의지를 보여주고 있고 「축구전」은 일제의 주구들이 조직한 축구경기에 참가하여 경기는 졌지만 민중들에게 반일정신이 살아있음을 보여준 진보적인 한국 이주민 중학생들을 그리고 있다.

반일투쟁 승리의 강력한 의지를 표출한 시작품으로는 신채호의 「매암의 노래」, 이육사의 「청포도」, 김창숙의 「넋이여 돌아오라」, 이두산의 「당신은 의용의 전사래요」, 문정진의 「4명의 열사를 추모하여」 등을 들 수 있다. 이두산의 시 「당신은 의용의 전사래요」는 중국에서 활약하고 있는 항일부대 '조선의용대'의 영용한 모습과 필승의 신념을 노래하면서 항전의 승리와 조국 귀환의 절절한 정감을 읊고 있다. 김창숙의 시 「넋이여 돌아오라」는 중국

하르빈에서 독립운동을 지도하다 일경에 체포되어 옥사한 독립투사 김동삼을 기린 시로 일제에 대한 불타는 적개심과 구국의 염원을 노래했다. “신계(神溪)는 목 메이고/ 한수(漢水)는 슬픈데/ 한 치의 묻을 땅이 없어/ 다비(茶毘)에 부치더니/ 아, 나라 찾을 그날/ 다가오리니/ 넋이여 돌아오라/ 주저치 말고”라고 하면서 전편에 걸쳐 혁명동지에 대한 뜨거운 애도 그리고 원수격멸의 의지를 그려내고 있다.

이밖에 항일투쟁의 제일선에서 싸운 군인들의 실기, 수필 등은 실제적인 체험을 기록했다는 의미에서 상당한 가치를 가진다. 예를 들면 ‘조선의용대’ 대원들이 창작한 「전선에서의 조선의용대」, 「중국 전장에서의 조선의용대」, 「화평촌통신」 등은 항일전장에서 조선인 대원들의 대적 무장선전, 중국 항일부대와의 협동작전, 민중교육 등 상황을 그려내고 있는바 한국 근대 독립투쟁의 역사와 한중관계를 조명함에 있어서도 중요한 가치를 가진다고 할 수 있다. 중국에서 전개된 한국인들의 독립투쟁을 반영한 작품 『청산리 혈전실기』, 「조선혁명일사」 등과 신채호의 수필 「단아잡감록」, 「조선의 지사」, 이두산의 연작수필 「억(憶)」(「산중 40일」, 「중국 항전에 참가하다」 등 11편) 등 작품들은 중국에서 한국 독립지사들의 투쟁과 생활 그리고 그들의 정신적 궤적을 반영하고 있다는 의미에서 높은 문학적 가치를 가진다고 할 수 있다.

3. 정착과 이민서사

한국근대문학의 탈경계 서사에서 가장 많은 비중을 점하는 작품은 한국 이주민들이 중국에서의 생존체험을 소재로 한 이민서사로 그 주제적 경향에 있어서도 다양성을 보이고 있다.

우선, 한국 이주민과 중국인들과의 갈등은 이민서사에서 가장 많이 보이는 소재이다. 토지의 주인인 중국인들은 '지주'의 신분으로 등장하여 민족·계급이라는 이중적인 갈등구조를 이룬다. 최서해의 소설 「홍염」, 강경애의 소설 『소금』 등이 대표적이다. 「홍염」의 중국인 지주 '은 서방', 『소금』의 중국인 '팡둥'은 토지의 주인이라는 절대적 우위를 이용하여 한국 이주민들을 억압하고 있고 극한적인 생존환경에 처한 한국인 이주민들의 자연발생적인 항거가 계급적 인식으로 나아가게 된다. 이런 의미에서 중국으로의 이주는 한국작가들로 하여금 계급적 대립에 의한 억압의 보편성을 확인할 수 있게 하였고 나아가 현실 인식에 대한 깊이와 정확도를 획득할 수 있게 하였다.

다음으로, 중국에서 새로운 삶의 터전을 건설하려는 정착의식을 그린 작품들이 많이 있다. 안수길의 「벼」, 「북향보」 등과 현경준의 「선구시대」, 이기영의 『대지의 아들』, 『처녀지』 등 소설이 대표적이다. 안수길의 「북향보(北鄕譜)」는 주인공 정학도를 비롯한 이주민들이 어려운 여건 속에서 '북향농장'을 운영하는 과정을 통해 '만주'에 뿌리를 내려야 한다는 정착의식 혹은 지역의식(locality)을 상징적으로 보여주고 있다.

하지만 '만주'의 실질적인 지배자가 일제였기 때문에 '만주'를 향한 정착의식은 '상상적인 탈식민'으로 흐르게 되고 자칫하면 '만주'에서의 일제의 식민주의 담론에 포섭되게 된다. 마약중독자들을 '만주국' 건설에 필요한 인재로 '갱생'시키는 과정을 그린 현경준의 「유맹」, '내부 식민주의'적인 시각에서 원시적인 초원에 사는 몽고인들을 '개량' 하는 주인공의 노력을 그린 한찬숙의 「초원」 등이 대표적이다. 이러한 정착의식은 일제에 대한 철저한 순응으로 타락하는 경우도 있어 박영준의 「밀림의 여인」과 같은 노골적인 친일문학작품을 낳기도 했다. 그럼에도 이러한 작품들은 '태평양전쟁' 이후 일제의 전시총동원체제 등 특수한 시대적 상황 속에서 한국문학의 현실대

응의 다양한 예시를 보여준다는 점에서는 상당한 가치가 있다.

중국 도시에서의 한국 이주민들의 삶을 그린 작품으로는 주요섭의 「봉천역식당」, 김광주의 「북평서 온 영감」, 「남경로의 창공」 등 소설이 있다. 주요섭의 「봉천역식당」은 화자가 봉천역 식당에서 우연하게 만난 한 한국 여인의 10년간의 변화를 그리고 있다. 처음 만났을 때 이 여인은 행복이 넘쳐흐르던 처녀였으나 점차 남성의 노리개로 전락하여, 나중에는 우울한 모습으로 목석처럼 변해버리고 만 비참한 운명을 그리고 있다. 김광주의 「북평서 온 영감」은 살 길을 찾아 '만주'와 북경 등지를 전전하다가 상하이에 온 한국 이주민의 정신적 소외를 보여준 작품으로서 식민주의와 봉건주의의 이중적 억압 하에 놓인 한국 이주민의 삶을 그리고 있다.

한국 시인들의 중국체험도 주목되는 바이다. 백석, 유치환, 이용악, 서정주 등은 중국체험을 통해 상상력의 확장, 이미지의 다양화 나아가 민족적, 시대적 인식의 전환을 이루게 되었다. 백석은 「조당(澡堂)에서」란 시에서 목욕탕의 벌거벗은 중국인들을 보면서 이방인인 '나'와 중국인들 사이의 역사와 문화, 언어와 몸짓, 그리고 표정 등의 차이를 느끼다가 인간은 결국 벌거벗은 우스운 몸에 지나지 않는다는 초월적 인식에 이르고 있다. 서정주는 취직을 위해 8~9개월 간 중국에 있었던 체험을 바탕으로 "저 만치의 쑥대밭 언덕에서는/ 역시나 때 절은 靑衣의 한 滿洲國 아줌마가/ 누구의 것인가 새 棺널 하나를 앞에 놓고/ <끅! 끅! 끄르륵……/ 끅! 끅! 끄르륵……>/ 꼭 그런 소리로 울고 있었다./ 우리 단군할아버님의 아내가 되신/ 그 잘 참으신 암곰님처럼/ 씬 쑥과 매운 마늘 많이 자신 소리 같었다."(「만주제국 국자가(局子街)의 1940년 가을」) 등 살아서 숨 쉬는 이국 이미지를 창조했다. 또 이용악은 중국 '만주'에서 목격한 망국노의 슬픈 모습을 "울 듯 울 듯 울지 않는 전라도 가시내야/ 두어 마디 너의 사투리로 때 아닌 봄을 불러줄게/ 손때 수집은 분홍

댕기 휘 휘 날리며/ 잠깐 너의 나라로 돌아가거라."(「전라도 가시내」)와 같은 주옥같은 시구에 담아내고 있다. 그런가 하면 유치환은 중국체험을 바탕으로 대체로 여성적인 한국 근대 시단에서 「생명의 서」, 「바위」와 같이 단연 돋보이는 역동적인 시를 써낼 수 있었다.

4. 타자와 중국서사

한국문인들의 중국체험은 중국과 중국인을 소재로 한 다양한 문학작품들의 출현을 가능토록 하였다. 이러한 작품은 중국에서의 전통문화체험을 통한 동양문화의 가치에 대한 재인식, 자본주의적 근대체험을 통한 서양적 가치에 대한 비판, 반식민지 반봉건 사회체험을 통한 현실사회의 부조리에 대한 비판, 항일투쟁체험을 통한 한·중 연대의식 등 다양한 주제를 표현하고 있다.

우선, 전통문화체험을 통한 동양적 가치의 재발견을 보여준 작품으로는 정래동의 수필집 『북경시대』, 한설야의 수필 「연경의 여름」 등과 주요섭의 소설 「진화」, 「죽마지우」 등을 들 수가 있다. 정래동과 한설야 등은 수필창작을 통하여 중국 전통문화의 거대한 힘에 대하여 예찬하였고 주요섭은 소설 「진화」에서 중국문화의 전통성을 인정하면서 동양의 정신적 가치를 발견하려고 했으며 소설 「죽마지우」에서는 북경을 자신의 정신적 고향으로 묘사하는 등 다원적인 문화정체성을 보이기도 했다.

다음으로, 반식민지 반봉건 사회체험을 통한 현실비판을 보여준 작품으로 심훈, 피천득, 박세형 등의 시편들과 최독견의 「벌금」, 주요섭의 「살인」, 「인력거꾼」, 강노향의 「상해야화」 등 소설 작품들을 들 수가 있다. 심훈은 시

「북경의 걸인」에서 걸인의 형상을 통해 하층민에 대한 동정을 보여준 동시에 동등한 운명에 놓인 자기 민족의 고통도 하소연하고 있다. 피천득의 시 「1930년 상해」는 옷을 전당 잡혀 먹을거리를 사야 하는 현실과 곧 팔려갈 어린 생명을 시적 대상으로, 하층민들의 비참한 생활에 대해 공소하였고 박세영의 시 「북해와 매산」은 군벌혼전으로 피폐해진 북경의 암울한 현실을 비판하였다.

이와 더불어, 최독견과 주요섭은 소설 창작을 통해 제국주의 침략과 문화헤게모니로 하여 식민지화된 상하이 도시문명의 가치결손에 대하여 비판함과 동시에 하층민들의 소외를 적나라하게 폭로하고 있다. 이러한 소설들은 참신한 시각과 심각한 문제의식을 보여주고 있는바, 최독견은 소설 「벌금」에서 중국옷을 입고는 공원으로 들어갈 수가 없는 현실과 서양 여인이 개에게 먹이던 빵조각을 고맙다고 받는 중국인 여성을 통해 굴욕적으로 살아가야 했던 하층민에게 연민의 정을 보이고 있으며 중국의 반식민지 사회현실을 신랄하게 비판하고 있다. 또한 강노향은 소설 「상해야화」에서는 조계지 프랑스인 집에서 노예살이를 하는 중국인과 프랑스 여인의 부정당한 관계 등을 통해 서양의 가치결손과 식민지 조계지에서의 남성의 소외 내지는 타락을 보여주기도 했다. 한편, 주요섭은 소설 「살인」에서 도시 최하층 기생인 우뽀의 형상을 통해 버림받고 소외당한 하층민들의 운명을 보여주면서 그들의 각성을 촉구하기도 했다. 작가의 다른 한 소설인 「인력거꾼」 역시 자본주의 문명이 최하층 인간에게 들씌운 불행에 대하여 묘사하고 있다.

이처럼 상기 다양한 소설작품들은 근대 도시인 상하이를 배경으로 그 속에서 살아가는 하층민들의 불행한 운명, 특히는 생존권을 박탈당하고 소외되어가는 인물들을 통해 식민주의의 죄행을 공소하고 있다. 물론 이러한 문제의식은 한국문인들의 중국에서의 근대적 도시체험에서 얻어진 것이라 해야 할 것이다.

또한, 유자명, 이두석, 이관용, 문일평, 이광수, 최남선, 주요섭, 김광주, 정래동, 강경애 등 쟁쟁한 한국문인들의 수백 편의 기행문들에서는 중국체험과 시대인식이 다양하게 보이고 있다. 즉 이러한 기행문은 중국전통문화와 서양문명에 대한 새로운 인식, 시국에 대한 인식과 비판, 망국 국민으로서의 애환, 민족에 대한 뜨거운 사랑, 민족독립에 대한 열망 등으로 일관되어 있다. 특히 이러한 기행문들은 근대 중국사회를 인식하는 역외시각(域外視角)으로서 귀중한 문헌적 가치가 돋보이는 바이다.

5. 가치 수용으로서의 번역과 비평

한국근대문학과 중국의 관련 양상은 중국근대문학에 대한 번역과 비평에서도 잘 드러나고 있다. 한국에서의 중국근대문학작품에 대한 번역은 주로 양건식, 정래동, 유수인, 이육사, 김광주 등 중국 유학경력이 있는 문인들에 의해 전개되었다. 소설로는 루쉰의 「아Q정전」, 「광인일기」, 「고향」, 궈모뤄(郭沫若)의 「목양애화(牧羊哀話)」, 딩링(丁玲)의 「떠나간 후」, 위다푸(郁達夫)의 「피와 눈물」, 린위탕(林語堂)의 「북경호일」, 샤오쥔의 「사랑하는 까닭에」 등이 있으며, 시작품으로는 후스(胡適)의 「등산」, 「11월 24일 밤」, 궈모뤄(郭沫若)의 「봄 맞은 여신의 노래」, 「죽음의 유혹」, 쉬즈모(徐志摩)의 「가거라」, 「우연」, 주즈칭(朱子淸)의 「잠자라, 작은 사람아」, 저우쭤런(周作人)의 「소하」 등이 있으며, 연극으로는 궈모뤄(郭沫若)의 「탁문군 삼경」, 톈한(田漢)의 「상상의 비극」, 어우양위첸(歐陽予倩)의 「반금련」 등이 있다. 그 외에도 루쉰 등의 산문이 번역 소개되었다.

이외, 중국근대문학과 관련된 비평으로는 양건식의 「호적 씨를 중심으로 한 중국의 문학혁명」(1920, 번역문), 김태준의 「문학혁명 후의 중국문예관」(1930), 정래동의 「중국 양대 문학단체 개관」(1931, 번역문), 「노신과 그의 작품」(1931), 「중국문단의 신작가 파금의 창작태도」(1933), 김광주의 「중국 좌익문예운동의 과거와 현재」(1931), 이육사의 「노신 추도문」(1936) 등이 있다.

이러한 중국근대문학 작품의 번역과 비평을 통해 한국 근대 문인들의 중국문학에 대한 인식과 수용 자세, 한국 근대에 있어서의 중국의 사회사상과 미학사상이 미친 영향, 나아가서 한국 근대 문학번역사와 문체의 변천과정도 이해할 수가 있다. 주지하다시피, 한국 근대 문인들은 대부분 일본을 통해 서구문학을 수용하였고 또한 서구문학에 대한 번역과 소개도 적지 않게 진행한 바이다. 그럼에도 프로문학 등 특수한 영역을 제외하고는 한국 근대 문단에서 일본문학이 별로 번역·소개되지 않았음은 주목이 필요한 대목이다. 이에는 식민지시기라는 특수한 시대적 상황 속에서 형성된 이질감과 거부감이 작용했을 것이다. 이러한 점을 염두에 둘 때 한국에서의 중국 근대문학의 전파와 수용은 근대 한국 문인들이 중국 근대작가들과 함께 20세기의 동아시아적 가치를 창출하고 공유하고자 한 시대의식과 무관하지 않을 것이다. 바로 이런 의미에서 중국근대문학에 대한 번역·소개와 비평은 한국근대문학과 중국근대문학, 나아가 중국과의 관련을 해명하는 데 불가결한 중요한 영역이기도 하다.

6. 편찬 동기와 총서의 구성

일찍 2014년 연변대학 통문화센터에서는 중국어로 된 『'중국현대문학과 한국' 자료총서』(1~10권)를 간행한바 있다. 베이징에서 열린 이 총서의 출판기념 좌담회에서 중국의 근대문학 연구자들은 필자에게 『'한국근대문학과 중국' 자료총서』를 편찬할 것을 제안한 바가 있다. 이에 상기 자료집 편찬의 중요성과 절박성을 깊이 인식하게 된 나머지 편찬위원회를 묶어 총서의 편찬사업을 시작했다. 한국근대문학과 중국 관련 자료는 이미 적지 않은 자료집에서 수록되기도 한 바이다. 예하면 연변대학 문학연구소에서 편찬한 『중국조선족문학대계』, 북경민족출판사에서 편찬한 『중국조선족 문학유산 정리편찬』 등에 수록된 적지 않은 작품들은 편찬자 나름의 시각에 따라 중국 조선족문학의 출발점으로 인식되어 중국 조선족문학 권역에 귀속시켰지만, 한국근대문학사에 있어서도 중요한 작가와 작품들이다. 물론 상기 자료집들은 한국근대문학과 중국 관련 연구를 위해 정리된 자료 총서가 아니며 한국근대문학과 중국과의 관련 양상을 살피기에는 전체적이지 못함도 짚고 넘어가야 할 것이다.

한국근대문학과 중국 관련 연구는 1990년대부터 학계의 주목을 받기 시작하여 적지 않은 연구 성과를 내고 있다. 그럼에도 아직까지 중요한 자료들에 대한 발굴과 정리가 진일보 요청되고 있으며 일부 연구들은 충분한 자료적 검토가 확실하지 못한 점도 없지 않다. 이러한 상황은 한국근대문학과 중국 관련양상의 전반적 검토와 연구의 심화에 장애로 작용하고 있으며, 이에 본 자료집은 그에 대한 극복을 목적으로 하고 있다.

『'한국근대문학과 중국' 자료총서』는 편찬 의도를 구현하기 위해 작품 선정에서 첫째로, 한국근대작가들의 중국체험을 바탕으로 중국의 시간과 공간에서 벌어진 인물과 사건들이어야 하며, 둘째로, 중국인들의 생활 혹은 중국에서의 한국인들의 생활을 소재로 해야 하며, 셋째로, 중국체험을 기반으로 하는 동서양 관련 문화인식을 다룬 작품도 가능하다는 원칙을 지키고자 했다. 한편, 편찬과정에서 적지 않은 애로에도 봉착하였는바, 일부 작품들은 당시의 중국 경내에서 꾸려진 신문, 잡지들에 발표되었으나 신문과 잡지의 보존상태가 완전치 못하여 그 전모를 알 수가 없으며, 아울러 신문, 잡지의 경우 여러 곳의 도서관과 서류관에 분산되어 있었다. 또한 일부 작품들은 유고로서 분실된 것도 있었기 때문에 편집자들은 이러한 난제를 풀기 위해 국내외 도서관들을 찾아다녀야 했고 따라서 관련 인사들을 찾아 방문하기도 해야 했다. 비록 편찬자들이 많은 노력과 심혈을 기울였지만 아직 미비한 점이 적지 않다.

본 총서는 총 16권으로서 창작편 11권(소설 4권, 시 3권, 기행문 2권, 정론·실기·수필·희곡 2권)과 비평집 5권이다. 편집과정에서 편찬자는 발표 당시의 원본 형태를 그대로 보여주기에 노력을 경주하였으며, 섣불리 개정이나 첨삭을 시도하지 않았다.

본 총서는 편찬과정에서 국내외 많은 한·중 문학관계를 연구하는 전문가들의 열정적인 관심과 도움을 받았으며 특히 국내외 도서관, 서류관의 지지와 성원을 받은 바 있다. 총서의 편집에 도움을 주신 모든 이들에게 진심으로 되는 감사를 드리는 바이다. 앞으로 본 총서가 한·중 문학관계 연구자들과 독자들에게 도움이 되기를 진심으로 바라며, 미진한 점에 대해 전문가들과 독자들의 기탄없는 비평을 기대하는 바이다.

2020년 2월 1일

차례

신채호 편

김구 편

조소앙 편

류자명 편

이범석 편

조선의용대 편

일러두기

1. 본 총서는 1919년 중국의 '5.4운동' 전후시기부터 시작하여 1948년 남북한 단독정부 수립에 이르기까지 중국인 및 중국에서의 체험을 소재로 창작한 문학작품 중 문헌적, 문학적 가치가 높은 작품들을 수록하였다.
2. 본 총서는 총 16권으로 구성되었는바 소설(1~4권), 시(5~7권), 기행문(8—9권), 평론(10—14권), 정론·수필·실기·희곡(15—16권)으로 나누었다.
3. 초간본을 저본으로 하여 원본의 표기를 최대한 보류하는 것을 원칙으로 하였으나 일부 초간본을 확인할 수 없는 작품의 경우 초간본에 가장 가까운 판본을 수록하였다.
4. 독자들의 읽기와 이해를 돕기 위하여 표기법은 아래와 같은 원칙을 적용하였다.
   - 근대 모음을 현대 모음으로 바꿨다.

     예: ㆍ→ㅏ
   - 근대 겹자음을 현대 겹자음으로 바꿨다.

     예: ㅺ→ㄲ, ㅽ→ㅃ
   - 띄어쓰기는 현행 한국어 표기법의 기준을 따랐다.
   - 소설의 경우 문장부호를 현행 한국어 표기법의 문장부호로 통일하였다. 대화는 " ", 간행물과 단행본의 명칭은 『』, 기사와 작품의 명칭은 「」, 음악작품의 제목은 <>, 연극작품은 ≪ ≫로 통일하였고, 명확하지 않으면 《 》를 사용하였다.
   - 기행문, 평론, 수필, 정론, 시가, 희곡의 경우 원본의 문장부호를 보류하였다.
   - 원본에서 판독이 불가한 문자는 □로 표시하고 판독 불가한 문자가 1행 이상일 경우에는 주해에 "이하 × 자 판독 불가"를 밝혔다.
   - 원본의 오탈자, 오식은 보류하고 해석이 필요한 경우에는 주해에 "편자 주"를 밝혔다.

     예: 1) "淅江"은 "浙江"의 오식 — 편자 주
5. 외래어는 원본의 표기를 보류하였다.
6. 인명, 지명 등 고유명사는 원본의 표기를 보류하였다.
7. 한자는 원본의 표기를 보류하였다.
8. 잘못된 인명, 작품명, 신문·잡지명 등과 한자들을 중국어 원문과 대조해 바로잡았다.

신규식 편

통언

(일명 《한국혼》)

백두산에서 바람 일어 하늘땅은 시름짓고 검푸른 파도 굽이치니 거북과 용이 꿈틀거린다. 캄캄한 이 장밤은 언제 가서 지새려나 비바람만 모질게 휘몰아치는구나. 5,000년 역사를 자랑해온 이 나라는 오랑캐 왜놈의 땅이 되어버리고 3,000만의 동포들은 노예로 떨어졌다. 아아, 슬프도다. 내 나라는 망했구나. 그래 우리는 영원히 망국의 백성이 된다는 말인가?

마음이 죽어버린 것보다 더 큰 슬픔이 없나니 우리나라가 망한 것은 마음이 죽었기 때문이다. 오늘날 망국의 백성이 되어 참혹한 학대를 받으면서도 우매하여 깨닫지 못하고 있으니 이것이야말로 죽음위에 또다시 죽음을 더하는 것이다. 아! 우리나라는 끝내 당하고 말았구나.

가령 우리들의 마음이 아직 죽지 않았다면 비록 나라의 지도가 그 색갈을 달리하고 역사가 그 칭호를 바꾸어 우리 대한이 망하였을지라도 우리들의 마음속에는 스스로 하나의 대한이 살아있을 것이다. 그럴진대 우리들의 마음은 곧 대한의 영혼인 것이다. 사람들의 마음이 죽지 않았을진대 영혼은 살아 돌아올 날이 있을 것이다. 힘쓸 지어라, 우리 동포들이여! 다함께 대한의 영혼을 소중히 여겨 사라지지 않도록 할 것이며 그러자면 먼저 저마다 자기의 마음을 구원하여 죽지 않도록 해야 할 것이다.

아, 동포들이여! 이제 우리는 망국의 백성이 되어 소와 말 같은 노예로서의 능욕을 받고 있다. 밖으로 정세는 긴박하고 몸에는 기한이 사무치는데 망국 이전의 정형에만 사로잡혀 아무런 느낌이 없단 말인가?

로씨야는 폴란드를 점령한 후 폴란드의 귀족과 평민의 어린이들을 씨비리에 귀양 보내어 추위와 기아에 허덕이다 죽게 하였다. 그때 어린이들을 태운 열차가 떠나려 할 때 부모들은 함께 갈 것을 애걸하였으나 허락되지 않았다. 그리하여 부모들은 수레바퀴에 매어 달리고 철도위에 드러누워 열차가 떠나는 것을 막으려 하였다. 그러나 어린이들을 호송하는 까자흐 병사들은 채찍으로 때리고 발길로 차면서 부모들을 철도 밖으로 내몰았다. 열차가 떠날 무렵 부모들이 아들을 부르고 딸을 찾는 피눈물이 얽힌 통곡소리는 처참하였다. 씨비리로 가는 길에서 어린이들에게 주는 음식은 근근히 거치른 검은 빵 뿐이었다. 병들어 앓게 되면 들판에 되는대로 던져버려 철도연선에는 죽은 어린이들의 시체가 헤아릴 수 없이 많았다. 어떤 어린이는 빵조각을 손에 쥐고 먹으려고 애쓰다가 목숨이 끊어져 눈을 감지 못한 채 쓰러져 있었다. 이것은 폴란드가 망한 후의 뼈아픈 이야기다.

망국의 유민들의 울부짖는 소리 아직도 귀전에 들려오는데 결국에는 우리들도 폴란드와 같은 신세가 되고 말았다. 지난날에는 폴란드 사람들을 위하여 슬퍼한 우리들이였지만 지금에 와서는 우리들 자신을 위해 슬퍼하기에도 겨를이 없게 되었다. 슬프고 슬프다! 아, 동포들이여! 우리들은 폴란드 백성과 마찬가지로 되어버린 채 영영 떨치고 일어날 수 없단 말인가? 우리들은 원수들의 참해를 받으면서도 다시는 자기들을 구원하려고 하지 않는단 말인가? 우리 성스런 조상의 자손들은 그저 앉아서 나라가 멸망하는 것을 보고만 있으면서 자연도태에 맡기고만 말 것인가? 아, 동포들이여! 잠간만이나 시간을 내여 나의 눈물 나는 통언을 들어달라!

눈물은 마를 수 있어도 말은 다함이 없고 말은 다함이 있어도 마음은 죽지 않을 것이다. 옛날 오(吳)나라의 왕 부차(夫差)는 자기 아버지가 비참하게 죽은 것을 원통히 여겨 사람을 시켜 뜰에 서 있도록 하고 매양 그가 출입할 때면 그 사람이 "부차야, 너는 월(越)나라의 왕이 너의 아버지를 죽인 것을 잊었느냐?"하고 묻도록 하였다. 그러면 그는 "예, 잊지 않고 있습니다." 하고 대답하군 하였다.

이것은 진실로 천고의 비통한 이야기인 것이다. 부차는 이렇게 함으로써 영혼을 불러일으키려 하였다. 또 초(楚)나라 사람들은 "초나라는 비록 삼호(參戶)라 할지라도 장차 진(秦)나라를 멸망시킬 자는 반드시 초나라일 것이다."라고 하였다. 이것 역시 진실로 비통한 이야기로서 이것으로 그들의 종지(宗旨)를 굳게 하려는 것이었다. 사람들의 마음이 죽지 않았고 비장한 말로써 늘 경종을 울린 것이 바로 오나라가 월나라를 보복하고 초나라가 진나라를 멸망시킨 까닭이 되는 것이다. 아, 한(漢)나라는 비록 망하였어도 아직 장자방(張子房)의 철추(鐵錘)는 남아있고 초나라는 없어졌어도 아직 포서(包胥)의 눈물은 마르지 않았다. 이제 통언(痛言)을 하게 됨은 바로 그들의 영혼을 불러일으키고 그들의 뜻을 이어받고자 함이다.

이제 막상 통언을 쓰려고 하니 마음속은 한없는 고통이 용솟음친다. 어디로부터 어떻게 쓸 것인가? 마음속에 생각나는 대로 쓸 뿐이다. 핏물인지 눈물인지 모르겠다. 원컨대 이 글을 읽는 동포 여러분, 느낀 고통을 가슴속 깊이 오래도록 간직하기 바란다. 그래서 망국의 치욕을 벗은 다음 잊어버리도록 하라.

아, 우리나라가 망하게 된 데는 쌓이고 쌓인 원인이 있다. 법치(法治)의 문란, 기력의 쇠약, 지식의 우매, 아첨과 게으름, 자만과 자비심, 그리고 당파분쟁과 사욕, 이러한 것들은 족히 나라를 망하게 한 원인이 된다. 그러나 나는 이러한 종종의 원인들은 한 가지에 귀결된다고 생각한다. 그것인즉 '하늘이 준 양심을 잊은 것이다.' 그러기에 양심을 잃게 되여 모든 것에 무감각한 건망증에 걸리게 된 것이다. 첫째는 선조의 교화와 그 종법을 잊어버렸고, 둘째는 선민들의 공렬(功烈)과 이기(利器)를 잊어버렸고, 셋째는 국사(國史)를 잊어버렸고, 넷째는 국치(國恥)를 잊어버렸다. 이렇게 사람들이 잊어버리기를 잘하여 나중에는 나라까지 잃어버리게 되었던 것이다.

왜 이렇게 말할 수 있는가? 나라의 백성들이 선조의 교화와 종법을 잊어버렸으니 말이다. 하늘의 뜻을 본받아 도를 닦고 나라를 세웠으며 천지를 개벽하여 자손들에게 전해준 이가 바로 5천 년 전 동방의 태백산에 강림한 우리의 시조 단군이 아니란 말인가? 인간을 교화하여 신도(神道)의 교를 베풀어주었고 하느님께 제사지내 은혜를 보답하는 예(禮)를 세웠으며 벌레와 짐승을 몰아내고 산천을 평정하였으며 구족(九族)을 탄복시키고 만방(萬方)을 화목케 하였으며 의식(衣食)과 정교(政教)를 고르게 한 이 모든 것은 바로 선조들이 물려준 것이다. 그리하여 성철(聖哲)은 대를 이어 계승됐고 토지는 날로 넓어졌으며 문화는 융성, 번영하였고 무치(武治)는 강대해졌다.

옛날에 우리나라를 신인국(新人國)이니 군자국(君子國)이니 부여대국(夫餘大國)이니 예의동방(禮儀東方)이니 해동승국(海東勝國)이니 부모국(父母國)이니 상국(上國)이니 신성족(神聖族)이니 상무족(尙武族)이니 하며 여러 가지로 칭하였는데 이것도 우리 선조들이 물려준 것이다. 나라에는 충성하며 집에서는 효도하며 벗에게는 신의를 지키며 싸움터에 나가서는 후퇴하지 않으며 살생(殺生)을 하되 가림이 있어야 한다는 이 5조목의 가르침은 우리가 대대로 지켜야 할 종법이다. 덕을 갚으려고 한다면 하늘과 더불어 끝이 없을 것이며 자손만대에 영원토록 종법을 잊어버릴 수 없는 것이다.

그러나 세상은 변하고 어지러워져 나라에 요사한 것이 생겼고 실없이 자기 스스로를 천하게 생각하여 모든 종법을 쓸모없는 것으로 여기는 버릇이 몇백 년 동안 길러져 마침내는 만악의 결과를 맺게 되었다. 종묘와 사직은 없어지고 신령에게 제사지내지 않으며 그 옛날 빛나던 삼신사(三神祠)와 숭령전(崇靈殿)은 모두 황폐되어 무성한 잡초 속에 묻혀버리고 말았다. 옛글에 말하기를 "나라는 반드시 천지간에 더불어 서야 할 것이니 이것은 예의인 것이다."라고 하고 또 말하기를 "근본이 기울어지면 그 가지는 거기에 따르는 법이니 이 어찌 슬프지 않으랴."라고 하였다. 아사달(阿斯達)의 산마루와 왕검성(王儉城)의 옛터를 바라볼 때마다 나는 눈물이 비 오듯 쏟아지는 것을 금할 길 없다.

무엇 때문에 선민들의 공렬(功烈)과 이기(利器)를 잊어버렸다고 하는가? 하늘이 내신 절세의 영웅이며 위인으로서 만난에 당하여 중흥(中興)의 업적을 이룬 이는 3백 년 전 벽파정(碧波亭) 한산도(閑山島)에서 적을 무찌르고 순국(殉國)하신 충무공(忠武公) 이순신 장군이 아닌가? 한 몸을 바쳐 만 백성을 소생케 하였으며 사나운 오랑캐를 섬멸하여 이웃나라까지 편안하게 하였으니 그 높은 공렬은 천세에 빛나는 것이다. 옛날 명나라의 제독(提督) 진린(陳璘)은 늘 사람들에게 말하기를 "이순신은 하늘이 내린 장군이다"라고 하였다. 그가 나라에 보내는 보고에는 "이순신은 경천위지(經天緯地)의 재능과 보천욕일(補天浴日)의 공훈을 세웠다."라는 말들이 들어있었다. 또한 적들도 이순신 장군을 하늘이 내려준 신이라고 일컬었다. 그러므로 「일본해군찬기(日本海軍攢記)」에는 "이순신은 고금의 해전에서 첫 번째로 꼽히는 위인으로서 영국의 넬슨보다 훨씬 뛰여나다."라고 하였으며 근래에 와서 일본인 해군대좌 나베다(邊田)가 쓴 전기에는 "토요토미 히데요시(豊臣秀吉)의 지력과 고니시 유끼나가(小西行長)의 용력으로 조선을 위협하고 명나라를 쳐들어가는 것은 막을 수 없는 대세였는데 갑자기 한 사람의 위인을 만나 좌절되었으니 그는 누구인가? 조선의 수군통제사 이순신인 것이다. 이순신은 영국의 넬슨과 일본의 토고 헤이하치로(東鄕平八郞)와 더불어 세계의 3걸이다. 그의 성격과 지략에 대해서는 더욱 잴 수 없었다."라고 하였다. 그리고 영국의 「해군기(海軍記)」에는 "조선의 전선(戰船)은 철판으로 싼 것이 거북이의 등과 같은데 이것으로써 일본의 목조선을 대파하였다. 세계에서 가장 오랜 철갑선을 조선에서 창조하였다."라고 하였다.

아, 임진왜란 때 이순신과 거북선이 없었다면 한국은 벌써 폐허가 되고 말았을 것이며 중국도 또한 편안할 수 없었을 것이다. 그 당시 명나라 장수들 가운데 충무공의 공적을 시기하여 매사마다 말썽을 일으켰던 진린(陳璘)과 같은 자도 이순신을 그처럼 진심으로 탄복하였고 일본은 10만 수군이 하루아침에 섬멸되어 원한이 뼈에 사무쳤지만 이순신을 그처럼 숭배하였고 영국은 세계해군의 지도권을 잡고 있음에도 이순신을 그처럼 찬미하였다.

결국 중국이 이순신을 잊지 않았고 일본이 이순신을 잊지 않았고 세계가 이순신을 잊지 않았다. 지어는 어용(魚龍)과 초목(草木)에 이르기까지 그의 정성과 충의에 감동되었으나 (충무공의 시에 "나라일 지극히 위급하여졌으나 이 난국 열어 나갈 사람은 없네. 산을 두고 큰 뜻 다짐하니 풀과 나무도 이 마음 알아주리. 國有蒼黃勢, 人無任轉危. 誓海魚龍動, 盟山草木知. 라는 구절이 있다.) 우리나라 사람들만이 잊어버린 것이다. 잊어버리기만 한 것이 아니라 도리어 재난을 안기였으니 그야말로 사람이 망하게 되면 나라도 없어지는 법이다.

아, 슬프다! 그 당시 삼도(三都)가 함락되고 임금이 수레를 타고 피난 가고 여러 고을이 와해되고 뭇 장수들이 패배하여 흩어져 달아날 때 공은 한 몸으로 맞서 싸워 거듭 승전을 하였다. 〔역사의 기록에는 다음과 같이 씌어있다. "왜구가 전쟁을 도발하고 있음에도 조야는 태연히 있으면서 각성하지 못하였다. 오로지 이순신만이 이를 깊이 걱정하여 날마다 방어공사를 수축하고 쇠사슬을 구조하여 항구주변의 바다를 둘러막았으며 거북선을 창안, 제조하였다. 거북선은 철판으로 둘러싼 것이 거부기 등과 같았으며 뱃머리는 용두, 뱃꼬리는 귀미(龜尾)처럼 만들고 대포를 장치하였다. 배의 좌우에는 대포구멍들을 내여 병사들이 선창에 숨어 포를 쏘도록 하였고 팔면에는 모두 창을 꽂았다. 거북선은 그 진퇴가 자유롭고 빠르기가 나는 새와 같아 적선을 마구 무찌르고 불살라버림으로써 승리를 거두었다."〕 그런데 간사한 자들이 이를 질투하여 병권을 빼앗고 그를 옥에 가두었다. 적을 무찔러 원수를 갚은 것이 도리어 중죄가 되었던 것이다. 때마침 적의 세력이 다시 쳐들어가 나라가 위태롭게 되자 충무공을 다시 옥중에서 불러내어 적을 막아 싸우도록 하였다. 그때 마침 충무공은 모친의 상사를 당하여 제사에 가차 떠나기 직전에 탄식하며 "한마음의 충효가 이에 이르러 모두 헛되게 되었구나!"라고 말하였으며 또 "맹세코 원수를 소멸하면 죽어도 한이 없다."라고 비장한 결심을 내렸다. 충무공은 한산도에 이르기까지 싸움판을 돌아치며 거듭 싸워 드디어 대승리를 거두어 적병을 거의 섬멸시켰다. 그러나 공은 철갑선에서 끝내 나라를 위하여 한 몸을 바치었다. 이는 천고에 가장 비통한 일이다.

아, 공의 한 몸에 이렇듯 나라의 존망이 얽매어 있었건만 그를 모함하려는 자들은 실로 그 무슨 마음에서인지 알 수가 없다. 그럼에도 그들은 도리어 그가 임금과 어깨를 겨루고 공로를 홀로만 차지하였기에 시기를 불러오게 된 것이라고 말하였다. 그로부터 얼마 안 되어 공이 손수 만든 거북용 철갑선을 이상한 물건이라고 배척하면서 썩어버리도록 하였다. 국방의 유력한 무기를 그처럼 귀중하게 여겨야 할 것인데 도리어 헌신짝 버리듯이 경중을 가리지 못하였으니 드디어는 영국인이 해상의 패권을 잡게 되였고 왜놈들이 그 찌꺼기를 훔쳐다가 도리어 우리를 업신여기게 되였다. 이는 참으로 슬픈 일이다.

우리의 조국은 예로부터 끊임없이 융성하여왔다. 삼국시대에 이르러서는 무력을 숭상하여 강토가 날로 개척되었으며 위만(衛滿), 한나라, 수나라, 당나라의 침입과 거란, 몽골의 침략소란, 그리고 홍두(紅頭), 흑치(黑齒) 두 비적의 외환을 겪어왔으나 신무영걸(神武英傑)의 임금들인 고구려의 대무신왕(大武神王)과 광개토왕, 백제의 위덕왕(威德王)과 동성왕(東城王), 신라의 태종왕(太宗王)과 문무왕(文武王), 발해의 대씨(大氏)와 고려의 왕씨(王氏)가 대를 이어 궐기하여 그 위엄을 국외에 떨쳤던 것이다. 충성과 용맹, 지혜와 모략이 겸비한 장군으로 신라의 김유신(金庾信)과 장보고(張保皐), 고구려의 을지문덕(乙支文德)과 양만춘(楊萬春), 고려의 강감찬(姜邯贊)과 김방경(金方慶) 같은 인재들을 배출하여 나라의 간성(干城)이 되었기에 천하가 두려워하여 강국이라고 일컫게 되었다.

고려가 쇠망하고 이조가 흥하자 태조(太祖)가 나라를 평정한 이래로 뛰어난 재능과 원대한 계략을 지닌 태종과 세조(世祖) 같은 분이 나타났고 또 장상(將相)들이 보필하여 안으로 다스리고 밖으로는 방어하여 한때 국운이 크게 융성하였다. 그러나 그 후 승평(升平)을 누린지 오래되니 문무의 벼슬아치들이 주색에 빠지고 붕당을 무어 권력다툼만 하며 국방을 돌보지 않았다.

임진년에 일본이 침입해오자 온 나라가 창황하여 조정의 신하들은 서로 쳐다보며 안색만 변하였을 뿐 꼼작하지도 못하였다. 다행히 이순신과 권율(權慄), 곽재우(郭再祐), 조헌(趙憲), 김천일(金千鎰) 등 여러 이들이 몸을 바치어 나라를 구함으로써 위태로움에서 벗어나 나라의 안정을 가져오게 되었던 것이다. 그러나 나라가 평안하기에 이르자 벼슬아치들은 또다시 쓸모없는 문장구절과 어의(語義)에만 매달리어 한 푼 어치의 가치도 없는 공담(空談)으로 허송세월하여 마침내 나라는 또 위축하게 되고 병자호란의 해를 입게 되었던 것이다.

이조의 말엽에 이르러서는 강화(講和)의 굴욕을 겪으면서도 오히려 태연하여 수치로 여기지 않고 하루하루 나날을 허송하였다. 이에 나라를 걱정하는 사람들은 그들의 마음을 벌써 알았던 것이다. 대개 나라를 다스리는 정신을 잃게 되면 그 나라는 망하게 되는 것이니 어찌 경술년에 와서야 나라가 비로소 망하기 시작했다고 할 수 있으랴. 다만 주인이 노예로 떨어지고 제자가 스승에게 칼을 겨누게 된 것만이 부끄러움 치고도 큰 부끄러움이요, 아프고도 또 아픈 일이다. 〔첨해왕(沾解王) 2년 신라의 신하 석어로(昔於老)는 왜의 사신에게 "조만간에 너희 국왕을 노예로 만들고 왕비를 식모로 삼을 것이다."라고 하였다. 벌휴왕(伐休王) 10년에는 일본에 큰 기근이 들어 신라에 식량을 구걸하러 왔던 것이다. 그리고 고려 문종(文宗)때는 일본의 사쯔마주(薩摩主)와 쯔시마도주(對馬島主)가 번번히 방물(方物)을 바쳤으며 백제 고이왕(古爾王) 50년에는 왕자 아직기(阿直岐)와 박사 왕인(王仁)이 처음으로 일본에 건너가서 경전(經典)과 논어(論語), 천자문을 가르치고 또 각종 공업을 전하였다. 또 백제 무녕왕(武寧王) 11년에는 박사 단양이(段楊爾)로 하여금 일본에 오경을 전하게 하고 위덕왕(威德王) 23년에는 불경과 더불어 승니(僧尼), 불공(佛工), 사리(舍利), 승사(僧師)와 토목공(土木工), 와공(瓦工), 화공(畵工)을 보내어 이를 교수하였으며 무왕(武王) 2년에는 역서(曆書), 천문학 등을 전하여 이를 가르쳤던 것이다.〕

문(文)을 중히 여기고 무(武)를 가볍게 보는 버릇은 족히 국가에 위태로움과 허약함을 가져오게 하는 것이다. 그 폐단이 극단에 이르러서는 적들로 하여금 무로써 자기를 기르게 하는데 명나라가 망한 까닭이 바로 여기에 있는 것이다. 하물며 이것은 마치 날새가 없어지자 좋은 활을 던져버리고 교활한 토끼가 죽자 사냥개를 삶아 먹은 것과 같으니 그 사기를 꺾어줌이 이에서 더 심한 것이 있겠는가? 김경손(金慶孫), 한희유(韓希愈), 김덕배(金德培), 이방실(李芳實), 정세운(鄭世雲), 안우경(安遇慶) 등 이들은 모두 우리 한국의 명장들이였으나 몽골의 난을 평정하고 왜구를 격파하고 홍두적(紅頭賊)을 소멸하여 나라가 안정되자 공로를 평가하고 상을 수여함에 있어서 혹은 귀양 보내고 혹은 노예로 삼고 혹은 죽이기도 하였다. 또 군사를 이끌고 동정(東征)하여 섬나라 괴수를 크게 무찌른 정지원수(鄭地元帥)는 나중에 옥에 갇힌 몸이 되었고 명나라를 막아내고 왜구를 쳐 부셔 나라에 공훈을 떨친 최영도통(崔瑩都統)은 목을 잘리고 말았다. 송악산이 괴로워서 슬퍼하고 박연폭포도 울부짖거늘 아, 한양(漢陽)의 일이야 차마 말인들 할 수 있으랴. 호익장군(虎翼將軍) 김덕령(金德齡)은 마침내 쇠뭉치와 칼날 밑에서 죽었고 바다에서 첩보를 올린 정문부(鄭文孚)는 문자옥(文字獄)으로 목을 매게 되었으며 장군이 된 지 10년에 도주병 하나를 목 벤 것으로 벼슬에서 쫓겨난 권언신(權彦愼)의 불평의 울부짖음은 천년이 지났음에도 탄식소리로 들려오고 있다.

곽재우는 의병을 일으킬 때 "위에 있는 자들이 나라의 존망을 생각하지 않으니 초야에 있는 자는 죽을 수밖에 없다."고 말하였으며 또 그는 벼슬에서 물러날 때 "군신상하가 마땅히 뉘우치고 분발하여 동심협력으로 국력의 회복을 도모해야 한다. 만약 이대로 현명한 신하를 멀리하고 간신을 가까이하며 당파를 묶고 사리사욕에만 힘쓴다면 반드시 나라는 위망에 빠지고 말 것이다."라고 하였다.

송나라가 망한 것은 진회(秦檜)의 하늘에 사무친 죄와 관련된다. 만약 그때 종택(宗澤)과 악비(岳飛)로 하여금 조금이라도 그 심력(心力)을 발휘하게 하였더라면 어찌 조정이 한 귀퉁이에 쫓기여 끝내 다시는 일떠서지 못하게 되겠는가? 행주(幸州)에서 큰 승전을 한 도원수 권율(都元帥權慄)은 진중(陣中)에서 파직되었고 하늘이 내린 홍의장군 곽재우(紅衣將軍郭再祐)는 마침내 귀양살이로 늙게 되였으며 나라의 위기를 건지고 명나라가 망하는 것을 구원한, 천하를 평정할 큰 뜻을 품은 임경업(林慶業)도 또한 간신 김자점(金自點)의 손에 죽게 되었다. "백두산의 돌은 칼을 갈아 없어지고 두만강의 물은 말이 마셔 말랐어도 남아 스물에 아직 나라를 평정하지 못하였으니 후세에 뉘라서 대장부라 칭하리오?"라고 읊은 남이장군(南怡將軍)은 한수의 시에 의해 살신(殺身)의 화를 입게 되었다. 간신들이 활개를 치고 열사들이 명분을 지킨 데서 죽음을 당하게 됨으로써 나라의 원기가 꺾이게 되는 것은 이처럼 그 내력이 있는 것이다. "현신을 가까이하고 소인을 멀리한 것은 전한(前漢)이 흥성하게 된 까닭이 되는 것이며 현신을 멀리하고 소인을 가까이한 것은 후한(後漢)이 기울어진 까닭으로 되는 것이다."라고 말한 중국의 제갈무후(諸葛武候)의 말을 외워보며 눈물이 빗발치듯함을 금할 수가 없다.

우에서 말한 것은 승냥이가 길을 막게 된 것은 임금이 현명하지 못한데 있다는 것이다. 나의 친구인 육군참령(參領) 이조현(李祖鉉)은 장수가문의 아들로서 용맹이 뛰어나 스무 살도 못 되어 능히 맨주먹으로 호랑이를 때려잡을 수 있었다. 이에 친척들이 놀라 힘센 송아지가 수레를 끄는 격으로 장차 가문에 화가 될까 두려워하여 몰래 그를 없애버리려고 하였다. 그 어머니가 울면서 그를 구했으나 조현을 얽어매서 쇠저가락에 약을 바른 다음 불에 달구어 온몸을 지짐으로써 근육이 줄어들어 힘을 못 쓰게 하였다. 어느 날 옷을 벗고 나에게 보이는데 화저가락으로 지진 자국이 겹쳐있어 몸에 온전한 피부라곤 없었다. 그는 지난날을 이야기할 때마다 치를 떨곤 하였다. 후일 그는 개혁에 뜻을 둔 탓으로 죄를 입어 귀양살이로 떠돌다가 서글피 세상을 떠나고 말았다. 아마 마지막순간까지도 가슴을 어루만지며 원통함을 참지 못하였을 것이다. 아, 인재를 박해함에 있어서 조야(朝野)가 이처럼 마찬가지였으니 나라가 망하지 않을 도리가 있는가?

인재가 이미 박해를 당했는데 이기(利器) 또한 온전한 보존을 바랄 수 있겠는가? 여기까지 써내려오니 가슴이 미여질듯 아파나 미칠 것만 같다.

대개 박랑사(博浪沙)에서 진시황에게 던져진 철추(鐵錘), 무등산(無等山)의 왜놈을 베이던 서리발치는 칼, 박서(朴犀)가 몽골을 격파하던 포차(砲車)와 철액(鐵液), 조언(趙彦)이 서경 평양을 평정하던 포기(砲機)와 화구(火球), 박의장(朴毅長)의 진천뢰(震天雷), 김시민(金時敏)의 현자총(玄字銃) 등은 세월이 오래되어 남김이 없고 백 년 전 우리나라에서 세상 처음으로 창조한 철갑선과 비행차〔비행차의 역사는 신경준(申景濬)의 「비거설(飛車說)」에 상세히 기록되었다.〕마저도 흙을 버리듯 버리고 말았으니 우리나라 사람들의 마음이 어디에 쏠렸는지 알 수가 없다. 권세 때문인가? 망국의 벼슬이 영광스러울 수 없다. 금전 때문인가? 나라가 망하고 집안이 무너졌으니 금전은 적들에게 식량만을 보태어 줄 뿐이다. 사리사욕이 총명함을 가리움이 이 지경까지 이르렀단 말인가?

아, 장성(長城)이 스스로 무너지니 오랑캐들이 활개를 치며 죄 없는 무고한 백성들로 하여금 칼도마 위에서 목숨을 애걸하게 하고 고통스럽게 독사의 밑에서 죽음을 당하게 하였다. 서리가 쌓이어 굳은 얼음이 되듯이 나라가 쇠하여 모욕을 당함은 우리 스스로 불러온 까닭이다. 총이며 칼을 빼앗기고 난 뒤에 오랑캐들의 난폭함을 통탄한들 무슨 소용이 있으랴? 돌이켜보건대 백성들의 기운이 수차 누누이 좌절을 당하였음에도 아직 오랑캐들이 두려워하는 것이 남아있으니 그것이 한성(漢城)의 곤봉전(棍棒戰)과 평양의 석괴전(石塊戰)과 호중(湖中)의 수박전(手搏戰)이다. 그밖에도 씨름, 뛰어넘기, 줄다리기 등의 민간유희들이 있다. 여기에는 우리 민족의 상무정신(尙武精神)이 깃들어있는, 아직 없어지지 않은 소중한 것들이다. 그러나 지금에 와서 이것마저도 위정자들의 금지하는 바가 되고 말았다. 그야말로 '자유'란 두 글자는 한국의 사전 속에 마땅히 있어야 할 것이 아닌 모양이다.

슬프다! 나라의 역사를 잊었다함은 무엇을 말하는 것인가? 나라의 문헌은 곧 나라의 정신이다. 문헌은 어디에서 찾아야 하는가? 그것은 여러 국사(國史)에서 찾아야 할 것이다. 아, 우리 한국은 지금부터 다시는 역사가 있을 수 없는 것이며 비록 있었다고는 하더라도 없는 것과 다름이 없다.

우리나라는 5,000년 역사를 내려오면서 경적(經籍)과 문자가 네 번이나 큰 화를 입었다. 첫 번째 당나라 총관(總管) 이세적(李世績)이 사고(史庫)를 불태워 버린 것이고 두 번째는 원나라 세조 구비라이(忽必烈)가 고려사를 삭제한 것이며 세번째는 견훤(甄萱)의 군대에 의하여 신라의 경적이 모두 불에 타버린 것이며 네번째는 연(燕)나라의 난리에 기자(箕子)의 역사가 흔적도 없이 된 것이다. 아, 슬프다! 단군사(檀君史), 단조사(檀朝史), 신지서운관비기(神志書雲觀秘記), 안함로원동중삼성기(安含老元董仲三聖記), 표훈천사(表訓天詞), 지공기(志公記), 도증기(道證記), 동천록(動天錄), 통천록(通天錄), 지화록(地華錄), 고흥(高興)의 백제사, 이문진(李文眞)의 고구려사, 거칠부(居柒夫)의 신라사, 발해사 등은 그 이름만이 남아있을 뿐 그 책은 얻어 볼 수가 없다. 조국이 이미 쇠잔해지고 국학이 날로 미약해지자 후세의 역사학자들은 나라의 특성을 잃어버리고 조상을 멸시하며 외국에 아첨하였다. 그리하여 정치와 관련된 문자, 전장(典章)과 법도(法度)의 변천과 이해(利害)를 거울로 삼아 볼만한 것은 없애버린 것이 많고 더욱 심한 것은 옛날의 역사책 가운데 외국을 비판한 언어문자만 있어도 그것을 고치거나 삭제해버렸다. 옛날 도의(道義)를 교화(敎化)하던 문자로서 국수(國粹)가 남아있는 것은 이단으로 몰아 싣지 않았다. 적을 토벌하고 나라 땅을 넓히는 것은 패도(悖道)라고 하였고 이웃나라를 사귐에 있어서 자기를 낮추고 겸손한 것을 지켜야 할 본분이라고 하였다. 한우충동(汗牛充棟) 할 만큼 전해 내려오는 것이란 일가 성씨의 가승(家乘)이며 대대로 내려가며 종노릇을 하는 자들의 노비문서 따위뿐이다.

개인의 저술로 어쩌다 그 참된 것이 보존된 것이 있으면 억눌러 유전 되지 못하게 하였다. 병사유(兵事類)로서 병학통(兵學通), 무예보(武藝報), 연기신편(演機新編), 위장필람(爲將必覽) 등과 전기유(傳記類)로서 삼년이십사걸(三年二十四傑), 신라수이전(新羅殊異傳), 각간선생실기(角干先生實記), 이충무공전서(李忠武公全書), 해동명장전(海東名將傳) 등과 지리지도유(地理地圖類)로서 여지승람(與地勝覽), 택리지(擇里志), 산수경(山水經), 도리표(道里標), 아방강역고(我邦疆域考), 대동여지도(大東輿地圖), 대동열읍지도(大東列邑地圖), 청구도(靑邱圖), 근역도일람(槿域圖一覽) 등과 국어문유(國語文類)로서 훈민정음(訓民正音), 동언해(東言解), 동언고(東言考), 훈민정음도해(訓民正音圖解) 등과 만기요람(萬機要覽), 성기운화(星機運化), 인정(人政), 천학고(天學考), 외국풍토지(外國風土誌), 해동제국기(海東諸國記) 등의 서적은 태반이나 없어지고 말았다. 또 근세에 이익(李瀷), 정약용(丁若鏞), 류형원(柳馨遠), 박지원(朴趾源)과 같은 여러 선철(先哲)들이 찬술한 역사, 지리, 정치, 학술 등에 관한 여러 위대한 논술과 걸작들도 모두 세상에 퍼지지 못하고 있다. 그리고 한대연(韓大淵)의 해동역사(海東繹史), 신경준(申景濬)의 비거책대(飛車策對), 이규경(李圭景)의 오주연문(五洲衍文), 윤종의(尹宗儀)의 벽위신편(闢衛新編) 등은 늦게 지금에 이르러서야 비로소 발견되었다.

본 세기의 역사적 조류 속에서 태어나 외래의 심한 타격을 받고 있음으로 하여 옛 문헌으로써 조상을 추도하여 선열들을 빛내며 후인들을 격려하려고 하여도 잔편단간(殘編短簡)만 있을 뿐 완전한 것은 없다. 이리하여 외국의 기록을 빌어 우리 옛날의 묵은 자취를 엿보자니 또한 슬픈 일이 아닐 수 없다. 그나마 흩어진 것을 모으고 없어진 것을 살펴서 그 속에서 진수를 찾으려고 애쓰는 자는 새벽하늘의 별과 같이 드문 것이다. 근년에 몇몇 사람들의 역술(譯述)가운데 봄직한 것이 있기는 하나 다만 사설(史說)을 찾아 인용함에 그쳤고 또한 그 당시의 망필(妄筆)을 그대로 답습하였으므로 잘못된 것이 있음을 면할 수가 없게 되였다. 이것은 대개 문헌을 찾을 길이 없기 때문이다. 그야말로 우리나라에는 오랫동안 믿을만한 역사가 없었다.

나는 외로운 몸으로 중국을 떠돌면서 중국에서 학문의 거장으로 일컫고 있는 장병린과 같은 학자를 만나보았는데 그도 한나라 때 현도(玄菟), 악랑(樂浪), 림둔(臨屯), 진번(眞番)의 4군을 설치한 것이 다만 위만(衛滿)이 할거하고 있던 한 모퉁이의 땅인 줄을 모르고 있었다. 대개 그 당시 열수(洌水) 이남은 이전과 같이 여러 나라가 독립하고 있었던 것이다. 스스로 다문박식(多聞博識)하다고 자칭하는 양계초(梁啓超)와 같은 이도 아무런 고증 없이 조선은 "국문이 없는 나라이기에" "망하지 않을 수 없다"고 사실에 맞지도 않는 논단을 내렸다.

슬픈 일이다. 우리를 모욕함이 지나친 것이다. 하건만 나로서는 장병린, 양계초를 나무람 할 수도 없는 일이다. 왜냐 하면 우리나라의 역사적 문헌이 없기에 그들이 살펴볼 수가 없고 다만 한서(漢書)가운데 나타나는 짤막한 역사와 몇 마디의 말, 그리고 일본인들이 써놓은 허튼소리를 옮겼을 따름이기 때문이다. 우리에게 국사(國史)가 없으니 무엇으로써 변명할 것이며 우리의 나라가 이미 망하였으니 무엇으로써 논박할 수 있겠는가?

슬프고 슬픈 일이다. 우리들이 모욕을 받은 것은 우리들이 스스로 받도록 마련한 것이다. 장병린과 양계초는 중국 사람이니 그 두 사람이 우리나라의 역사를 모르는 것은 당연한 일이라 하겠다. 그러나 우리나라의 구학선생(舊學先生)임에도 불구하고 도읍의 건설을 말할 것 같으면 능히 제요도당(帝堯陶唐)의 산동 평양(山東平陽)은 말할 수 있어도 신조(神祖) 단군(檀君)의 평양(平壤)을 모르고 있으며 또 나라를 되찾은 것을 말할 것 같으면 능히 명태조 주원장(朱元璋)은 말할 수 있어도 동명성제(東明聖帝) 고주몽을 모르고 있다. 방목을 하거나 목탄을 굽는 아이들까지도 능히 위수(渭水)에서 낚시질하던 강태

공(姜太公)의 노래는 부르고 있지만 유명한 선비들임에도 위주(渭洲)에서 적을 무찌른 강태사(姜太師)를 아는 사람이 적다.

신지식을 아노라는 학자들도 고적을 말하게 되면 마니산(摩尼山)의 제천단(祭天壇)은 모르면서도 애급의 금자탑을 자랑으로 말하고 새로운 기구(器具)를 말하게 되면 정평구(鄭平九)가 창조한 비행기는 모르면서도 멩보르가 발명한 기구를 과장하여 말하며 인쇄의 활자를 말할 때면 반드시 독일과 화란만을 말할 뿐 그보다 수백 년이나 앞서 창조한 신라와 고려에 대하여 아는 사람은 드물다. 또한 문장을 배우고 글귀를 인용함에 있어서 번번히 이태백과 두자미(杜子美)만 숭상할 뿐 우리나라 고유의 학설과 문자는 대수롭지 않게 여기고 있으며 위인의 언행을 말할 때면 반드시 워싱톤이나 넬슨만 말할 뿐 우리나라 기왕의 명인지사들은 말할만한 것이 없다는 것이다.

나도 이백과 두보의 문장을 아끼지 않는바가 아니고 워싱톤과 넬슨의 큰 업적을 우러러보지 않는바가 아니다. 하지만 우리 동포들이 자기의 것은 버리고 남의 것만을 좇는 것만은 원하지 않는다. 어찌하여 우리나라의 사람들은 망령되게 자기 스스로를 얕잡아보는 근성과 책은 보면서도 자기 조상을 잊어버리는 기풍을 지금까지도 고치지 않는 것인지 참으로 슬픈 일이다.

아, 나는 이제 우리나라의 사정을 서술하고 있으면서도 부득불 남의 서적을 빌리고 남의 말을 중하게 여기지 않을 수 없게 됨으로 하여 더욱 부끄럽고 가슴이 아프다. 예를 들면 우리나라의 교화(教化)의 원류(源流)를 말함에 있어서 부득불 명사(明史)와 한서(漢書)를 인용하지 않으면 안 되게 된 것이다. [명사의 왕감주(王弇州) 속완위여편(續宛委餘編)에는 "동방에 단군이 처음 나타나서 신성(神聖)의 교(教)로써 백성을 근후히 가르쳐 대대로 강족이 되였는데 그 교명(教名)을 부여에서는 대천교(代天教)라 하였고 신라에서는 숭천교(崇天教)라 하였으며 고구려에서는 경천교(敬天教)라 하였고 고려에서는 왕

검교(王儉敎)라 하여 매년 10월에 제사를 지냈다."라고 말하고 있고 한서에는 "사마상여(司馬相如)가 한무제에게 '폐하께서는 겸양(謙讓)하시여 나타나지 마시고 삼신(三神)의 즐거워함을 받으소서'라고 하였는데 그 주해에 삼신은 하느님"이라고 하였다.]

요사(遼史), 금사(金史), 만주지(滿洲志)를 살펴보면 다음과 같은 기록들이 있다. 요사에는 "신책 원년(神冊元年), 영주 목엽산(永州木葉山)에 종묘를 세웠는데 동쪽 방향으로 천신(天神)의 위패를 설치하고 정원에는 단수(檀樹)를 심어 임금의 나무라고 일컬었다. 황제가 친히 제사를 지냈는데 출사할 때면 반드시 먼저 종묘에 고하였다. 이에 삼신(三神)을 세워 주로 제사지냈다."라고 씌어있고 금사에는 "대정(大定) 12년 12월에 단군을 예(禮)로써 흥국령응왕(興國靈應王)으로 높이 추대하였고 명창(明昌) 4년 10월에는 다시 개천홍성제(開川弘聖帝)로 책봉하였다."라고 씌어있으며 만주지에는 "부여족의 종교는 하늘을 숭배하는 것이다."라고 씌어있다. 이러한 말들은 비록 짤막하기는 하지만 구슬과 같이 귀중한 말들이다. 그러나 "남들에게도 이러루한 말이 있는 것이고 아무개 사기(史記)에도 또한 이러루한 일들이 씌어있다."느니 하며 지껄여대는 사람들이 있으니 참으로 슬픈 일이 아닐 수 없다.

아, 우리나라 국민들은 만약 신인(神人)이 태백산의 단목(檀木)아래 강림하였다는 한 줄의 문자기록이 없었다면 아마 갈천씨(葛天氏)의 백성이 되거나 무회씨(無懷氏)의 백성이 되였을지 스스로도 알 수 없는 것이다. 또한 만약 환인상제(桓仁上帝)의 이야기가 전하는 것이 없고 마니산(摩尼山)의 제천행사에 관한 기록이 없었더라면 시(詩), 서(書), 전(傳)이나 신구성서에서 이야기하는 것에만 의존해야 할 것이다. 만약 성호 이익(星湖李瀷)과 다산 정약용(茶山丁若鏞) 두 선생의 종교론과 삼신설(三神說)이 없었더라면 우리들은 무턱대고 선교(仙敎)라고 자칭하는 무술(巫述)에만 매어달려 영원히 무당들의 손에서 더

럽혀졌을 것이다.

고구려 광개토왕(廣開土王)의 옥새(玉璽)가 안휘(安徽)의 정씨(程氏) 집에 소장되어 있다는 소문을 처음 들었는데 신해년(1911년)에 나는 북경에서 정씨 가성(家桎)을 만나 알게 되였다. 그때 정씨는 "광개토왕의 옥새를 동북3성의 어떤 시골 노인한테서 얻었는데 이를 대단한 보배로 여기고 있다."고 말하면서 꺼내어 보이려고 하였다. 마침 손님들이 밀려들어오는 바람에 다음날 보이기로 미루면서 "오록정(吳祿貞)장군이 동북에 있을 때 귀국의 옛날 도장과 기물 몇 가지를 얻어 보관하고 있는데 모두 진품이다."라고 하였다. 그 다음날 나는 다른 일이 있어 남쪽으로 떠나게 되어 훗날 다시 만나기로 하였다. 아, 지금은 그 두 사람이 다 세상을 떠났으니 어디서 다시 그 사람들과 그 물건을 찾아본단 말인가?

만주에서 공물을 바친데 관한 표문(表文)은 호남(湖南)의 송씨유록(宋氏遺錄)에 처음 보이는데 송교인(宋教仁)의 필기에도 다음과 같은 기록이 있다. "동북3성과 다른 여러 곳에 있을 때 만청(滿清)이 아직 입관하기전의 비사(秘史)를 많이 얻었는데 지금은 다 동경에 보존해 두었다. 그 가운데서 만주가 고려에 바친 표문이 있는데 표문에는 후금국노재(後金國奴才)라고 자칭한다. 이것을 보면 노재(奴才)라는 두 글자는 내력은 만주가 상국에 대하여 부르는 데서부터 왔다는 것을 알 수 있다. 그것이 후에까지 그대로 전습이 된 것이다." 그런데 유감스러운 것은 송군에게서 한 번도 그 자초지종을 들어보지 못한 것이다.

봉천성(奉天省)에 있는 기공비(記功碑)는 청인들이 발견한 것으로 나는 처음 들었다. 광개토왕(廣開土王)이 북으로 거란(契丹)을 정벌하여 수 천리의 땅을 넓히고 남으로 왜구를 정벌하여 신라를 구하였다고 씌어있는 이 비석은 지금 봉천성의 집안현(輯安縣)에 세워져있다. 거기에는 "은택(恩澤)이 황천(皇

天)에 미치고 위무가 사해(四海)에 떨쳤다."라는 글귀가 씌어있는데 그 자획이 힘차서 중국의 금석가들도 한(漢), 위(魏)와 겨룰만한 것이라고 하면서 탁본(拓本)하는 자가 대단히 많다.

명석포(明石浦)의 백마총(白馬冢)은 왜인들이 그렇게 지칭하기에 나도 비로소 알게 되었는데 김세렴(金世濂)의 해사록(海槎錄)에는 "「일본년대기(日本年代記)」에 오진천황(應神天皇) 22년에 신라가 명석포를 정벌하여 왔는데 오사까(大阪)에서 겨우 백리밖에 안된다고 실려 있다."라고 하였으며 또 "아카세끼(赤關) 동쪽에 언덕이 하나 있는데 왜인들이 이를 가리켜 '이것은 백마분(白馬墳)이라고 하는데 신라병이 일본에 깊숙이 쳐들어왔을 때 일본이 화해를 청하게 되자 흰 말을 잡아 그 피로써 맹세를 하고 말머리를 이곳에 묻어두었다.'라고 한다."고 씌어있다.

그리고 신숙주(申叔舟)의 해동제국기(海東諸國記)에 "신라 진편왕 4년, 즉 일본 빈다츠천왕(敏達天王) 20년에 신라가 왜군을 서쪽 변방에서 정벌하였다."라고 씌어있으며 순암 안정복(順菴安鼎福)의 기록(紀錄)에는 "지금 동래(東萊)바다의 절영도(絶影島)에 옛 보루가 있는데 일본에서는 신라의 태종이 왜를 정벌할 때 쌓은 것이라 하여 태종단(太宗壇)이라고 부른다."라고 씌어있다.

우리 해군의 뛰어난 인물들을 말하려면 일본 역사를 인용해야 하고 우리의 철갑선을 말하려면 영국인의 기록을 보아야 하며 지어는 우리나라 국문의 간편함을 말하려고 해도 미국 선교사들의 말을 빌어야 하니 슬픈 일이 아닐 수 없다. 이토록 우리의 문헌을 찾을 수 없는 것은 우리의 죄인가?

나는 이제 큰 소리로 우리나라 사람들에게 고한다. 중국사, 요사, 금사, 만주사, 일본사, 영국사 같은 것을 원컨대 모두 갖추도록 할 지어다. 만약 그 당시 그들이 대신하여 기록한 것이 없었더라면 우리들은 우리 조상의 교화와 종법을 알지 못할 것이며 우리 선민들이 세운 위대한 공적을 알지 못할 것이며 우리나라가 자기의 역사와 어문이 있었음을 알지 못할 것이다.

우리들의 어리석고 깨우치지 못함이 어찌하여 이렇게도 심한 것인가? 대개 우리들은 5,000년의 역사를 거치면서 이 땅에서 성장하였고 이 땅에서 먹고 입고 하면서 버젓이 나라를 세워 다른 나라와 더불어 어깨를 겨루어왔다. 예의도 없고 교육도 없고 또 덕망이 높은 인물이 없었다면 어떻게 우리의 역사를 빛내며 면면히 대를 이어왔겠는가?

어쩌다가 다른 나라가 대신하여 기록해준 것마저 버리고 있으니 우리나라 사람들은 혼연히 아무것도 모르고 있는 것이다. 우리나라 사람들이 잘 잊어버리는 것이 그야말로 한심하기 짝이 없는 지경에 이르고 있으니 국사마저도 잊어버리고 만 것이다. 이대로 오랫동안 흐리멍텅하게 지내다나면 옛날부터 전해 내려오는 잔편 기록은 물론 지금 보배처럼 여기고 있는, 타국인들이 기록한 얼마 안 되는 기록도 얼마 가지 않아서 잊어버리고 말 것이다. 이렇게 되면 단군의 자손이요 부여민족이니 하는 것은 근근히 멸망한 나라의 대명사로서 타국의 역사에만 남아있을 것이고 우리들의 마음속에는 '대한(大韓)'이라는 두 글자가 영원히 사라지고 말 것이다.

슬프고도 가슴이 아프구나! 아정 이덕무(雅亭李德懋)는 "발해사를 편찬하지 않은 것을 보면 고려가 떨치지 못하였다는 것을 알 수 있다."라고 하였다. 또 중국의 공인화(龔仁和)는 "남의 나라를 멸망시키고 남의 터전을 흔들며 남의 인재가 끊어지도록 하고 남의 교화(敎化)를 없애버리며 남의 법도를 무너뜨리고 남의 조상을 짓밟아버리려면 먼저 그 역사를 없애버려야 한다."라고 하였다. 아, 동포들이여! 오늘에 이르러서야 역시 이 말이 얼마나 통절한 것인가를 가늠할 수 있으리라.

아, 우리들은 선명(神明)의 자손으로서 다 함께 생(生)을 타고났고 기(氣)를 품고 있으면서도 앉아서 망하기만 기다렸으니 이제 와서 후회한들 무슨 소용이 있으랴! 그렇다고 아주 멸망하여 없어지는 것을 달갑게 여기고만 있을 것인가?

금협산인(錦頰山人)은 하동(河東)의 썩은 뼈를 꾸짖으면서 대동사(大東史)를 썼고 곡교소년(曲橋少年)은 서산의 기우는 해를 탄식하면서 광문회(光文會)를 만들었으며 홍암나자(紅岩羅子)는 대종교리(大宗敎理)를 밝히고 주시경(周時經)은 조국의 언어를 연구하였다. 이와 같이 우리의 도(道)는 외롭지 않아 이처럼 다행스런 일이 있는 것이니 바라는 바는 그것을 이어받을 사람들이 나타나서 서로 돕고 호응을 한다면 이것이 망한 것을 뉘우치는 하나의 징표가 되여 족히 장차 죽어가려는 인심을 만회할 수 있을 것이며 나라의 얼을 불러일으켜 없어지지 아니하게 할 것이다.

아, 동포들이여! 지금은 어떠한 때인가? 종놈아래의 종놈이 되었고 옥중의 옥에 갇혀있는 신세가 된 때이다. 그래도 꿈에서 깨어나지 못하고 그대로 맥이 빠진 채로 있고 게으르고 뿔뿔이 흩어진 채로 있는다면 망국의 죄를 덮어 감출 수 없는 것은 물론 눈 깜짝할 사이에 멸종의 화를 면치 못하게 될 것이다.

나 자신도 리학(理學)은 마땅히 숭배해야 하고 철학도 마땅히 연구해야 한다는 것을 알고 있다. 하건만 오늘과 같은 세월에 태어나서 치욕을 씻고 죽음에서 헤어나기에 겨를이 없는데 언제 성명(性命)을 지껄이고 사물을 분석할 여지가 있겠는가?

내가 가장 경애하는 선배학자, 그리고 선진학도들이여! 자양주자(紫陽朱子)에게 두 무릎을 꿇고 감히 스스로 한발자국도 내디디지 못하는 것은 겨우 남이 배앝은 침을 핥는 것에 지나지 않으며 온몸을 백조(白潮)에 적시는 것은 그 껍데기를 알기도 전에 자기의 영혼을 장사 지내는 것과 마찬가지인 것이다. 원수들이 멸망되지 않았는데도 주자의 죄인이 될가봐 저어하며 문명을 몽상한다면 끝내는 벽안(碧眼)의 참된 벗이 되지 못할 것이다. 아, 제군들이여! 한번 꼼꼼히 생각해볼지어다.

아, 단군의 문명은 그 관념조차 노인들과 장년들의 머릿속에는 남아있지 않구나! 오직 일본의 진무천황이나 메이지천황만이 우리 어린 자제들의 머릿속을 차지하고 있을 뿐이다. 분명히 우리의 조상, 우리의 역사, 우리의 글, 우리의 말이지만 감히 국조(國祖)니, 국사니, 국문이니, 국어니 하며 말하지를 못하고 겨우 선사(鮮史)니, 선문(鮮文)이니, 선어(鮮語)니 하며 말할 수밖에 없게 되었으니 이러다가는 장차 선인(鮮人)이라는 말도 또한 전멸되고 말 것이다.

그렇게 된다면 우리나라가 망한 뒤의 그 얼은 무엇에 의탁할 것이며 어디에 접근할 것인가? 아, 동포들이여! 모름지기 조그마한 곳이라도 개척하여 의지할 곳 없는 나라의 얼을 용납해야 하지 않겠는가? 내가 이런 말을 하는 것은 감히 덕을 갖춘 여러 군자들을 책망하려는 것도 아니며 또 우리들의 단점을 끄집어내기 즐겨함도 아니며 일부 말을 꾸미여 우리나라 사람들을 모욕하려 함도 아니다. 참으로 긴박한 정세에 처하여 무엇을 분식하거나 꺼려할 때가 아니므로 하는 말이다. 눈에 보이고 귀에 들리는 것이 모두 가슴이 터질듯이 분한 것들이어서 참을래야 참을 수가 없다. 하기에 말을 가리여 할 겨를이 없이 슬픔만이 고할 뿐이다.

나라의 치욕을 잊었다는 것은 무엇을 말함인가? 우리들의 불공대천의 원수는 저 만악의 일본이 아닌가? 그자들은 멀리 삼국시대로부터 우리를 도적질하고 침범한 일이 여러 번 있었다. 임진년에 이르러서는 강권만을 믿고 우리를 유린하였고 을미년에는 우리의 왕후를 시해하였으며 갑진년과 을사년에는 우리의 주권을 빼앗아갔다. 병오년과 정미년에는 우리의 군주를 협박하여 양위케 하였고 우리의 군대를 해산시켰으며 또 우리의 의병을 학살하고 우리의 생령을 어육으로 만들었으며 경술년에는 우리나라를 멸망시키고 우리 동포들을 소나 말처럼 만들었다.

생각만 하여도 저놈들이 전후하여 저지른 죄악은 목멱(木覓)의 대나무와 한강의 물을 다 써도 이루 다 기록해낼 수 없는 것이다. 아, 우리나라 사람들의 건망증이여! 우리가 몸소 그 해독을 받고도 일이 지나가고 환경이 바뀌면 막연히 대할 뿐이로구나, 우리나라 치욕사의 기록을 읽어보는 사람이면 누구나 눈을 부릅뜨고 이를 갈며 크게 슬퍼하며 통탄할 것이나 지나쳐버리면 까마득히 잊어버리니 그 건망증이 심하다고 하겠다.

화친사절(和親使節)을 만나면 잊어버리고 선물만 받으면 잊어버리고 대낮에 검을 쥐면 잊어버리고 밤중에 돈을 주면 잊어버리고 오사까(大阪)의 대포공장을 보고서는 잊어버리고 교주만(膠州灣)의 선전문을 보고서는 잊어버리고 고관대작에 후한 봉록을 주면 쾌히 잊어버리고 관광을 시키어 영화를 누리게 하면 놓칠까 근심하여 잊어버리고 지어 한심한 것은 채찍으로 갈겨도 잊어버리고 우리들을 어육으로 만들어도 잊어버리고 마는 것이니 이처럼 잊어버림이 많고서는 나라의 치욕은 영원히 씻어버릴 수 없는 것이다.

"계림(鷄林)의 개나 돼지나 될지언정 왜국(倭國)의 신하는 되지 않을 것이요, 계림에서 채찍과 망치에 맞을지언정 왜국의 작록은 원치 않는다."라고 한 것은 신라 박제상(朴堤上)이 왜왕을 꾸짖은 통쾌한 말이다. "빨리 나를 베여라. 우리 백만의 의병이 나의 머릿속에 있다!"라고 이남규(李南珪)가 일본 관리를 꾸짖은 통언이다. 그들은 조금이라도 그 절개를 굽혔더라면 목숨을 살릴 수 있는 것은 물론 벼슬과 녹(祿)도 또한 받을 수도 있었건만 그렇게 하지 않은 것은 부끄러움을 잊지 않았기 때문이다. 불침을 받으면서도 굽히지 않고 난도질을 당하면서도 후퇴하지 않았으니 그 늠름한 기절은 오늘에도 생기가 뻗쳐있다.

단 한사람의 충성과 의분에 넘친 기개로도 오랑캐를 족히 삼킬 수 있었거늘 하물며 애국의 마음으로 치욕을 잊어버리지 않은 자들에게 있어서야. 아, 동포들이여! 몸이 아직 썩지 않고 기가 아직 꺾이지 않고 피가 아직 식지 않고 마음이 아직 죽지 않았는데 임진년 4월에 우리가 적을 격파하던 기념의 날을 잊었단 말인가? 그때는 국민이 치욕을 알았기에 적들이 아끼고 공훈을 세웠던 것이다.

을미년 8월 20일을 잊었단 말인가? 갑진년 3월 20일을 잊었단 말인가? 그리고 을사년 11월 17일을 잊었단 말인가? 병오년 7월 19일, 24일, 31일을 잊었단 말인가? 정미년 8월 10일을 잊었단 말인가? (8월 10일은 나 개인이 당한 바를 말한 것이지만 이해에 노략질을 당한 참화는 이루 말할 수 없다. 피가 뿌려지고 혼이 날려지고 온 들판이 수라장이 되였으니 어찌 우리 신씨 가문만이 당한 참화라고 할 수 있겠는가?) 또한 경술년 8월 29일을 잊었단 말인가? 이날들은 모두 우리 3천만 동포들이 일본인들에게 학대를 받은 기념일이다. 동포들은 이러한 치욕을 알고 있는지?

치욕을 알면 피로써 주검을 안길 수 있고 치욕을 씻자면 피로써 씻어야 할 것이다. 치욕을 잊어버린 자는 오직 피가 식은 자가 아니면 피가 없는 자이다. 치욕을 아는 자는 피를 알지 못하니 어찌 치욕을 씻어버릴 수 있는 피가 있기를 바랄 수 있으랴! 아, 동포들이여! 피가 있는가. 아니면 없는가!

을미년 이충헌(李忠憲)과 홍충의(洪忠毅)의 피는 우리들이 혹 잊을 수도 있으리라, 을사년이후 순국한 여러 선열들의 피도 우리들은 장차 모두 잊어버리고 말 것이다. 슬프도다. 민충정(閔忠正)의 피여! 5조목의 통감협약(統監協約)이 강제핍박으로 이루어지자 서울로 달려가 협약의 폐기를 간권하였었다. 허나 군신상하의 심리가 일치하지 않고 사회의 결합이 견고하지 못한 탓으로 뜻을 이루지 못하자 칼로 자기의 목을 찔러 목에서 가슴까지 내리 베었다. 피부와 살이 한데 헝클어지고 땅바닥에 붉은 피를 낭자하게 흘리며 그는 돌아가셨다.

슬프다, 박참령(朴參領)이 흘린 피여! 장군의 심사를 아는 사람이 적으리라, 그는 을미년 이후로 원수를 무찌르고 울분을 풀고자 하는 뜻을 품어오다가 마침내 광무(光武)가 양위하고 군대가 해산되는 때를 당하게 되었다. 그 며칠 전에 그는 대궐 안에 들어가 있다가 몸을 바치어 추악한 무리들을 없애 버리려고 하였다. (그때 일본 장령들은 임금의 가까이에 있었다.) 그러나 매양 지척에서 임금에게 화가 미칠가봐 끝내는 뜻을 이루지 못하고 울분을 품은 채 군영으로 돌아갔다. 그때 각 부대의 탄환은 모조리 거둬들였던 것이다. 갑자기 한국 군부대신과 일본군 사령관이 황제의 칙서를 전달하며 각 장령들을 대관정(大觀亭)에 불렀다. 박승환만은 그 자리에 나아가지 않았다. 일본교관이 독촉을 하고 일본병사들이 그를 겹겹이 에워쌌다. 놈들의 심사는 명백한 것이었다. 단번에 적을 무찌르려 하여도 고립무원으로 어찌할 수가 없었다. 그는 차마 뜬눈으로 서울의 참상을 볼 수가 없었다. 쾅 하는 소리와 함께 그는 스스로 자기 몸에 총을 쏘아 피를 솟구치며 즉사하였다. 우리의 사졸들은 이에 의분을 참지 못하여 즉시에 적들을 수없이 죽여버렸다. 박참령은 살아서는 광무조(光武朝)의 일류의 대대장이었고 죽어서는 한반도의 천세백세의 영령이 되였다.

슬프다, 안중근의사(義士)가 흘린 피여! 마음속으로 조국을 뼈아프게 여기며 여러 해 동안 민중을 호소하며 다녔다. 마침내는 결사적 동지 몇 사람을 만났다. 그는 병든 국민들과는 거사를 할 수 없음을 느끼고 홀로 할빈까지 추적하여 팔을 들어 분연히 쏜 것이 여섯 발이나 명중하였던 것이다. 참으로 통쾌하고 위대한 거사였다. 그는 먼저 원수의 피를 마시고 그다음에야 죽을 길을 찾았다.

슬프다. 홍범식군수(洪範植郡守)가 흘린 피여! 국운이 이미 기울어지고 혼자의 힘으로 어쩔 수 없음을 느끼자 거짓유조(諭詔)를 땅에 던지고 벽에다는 '임금이 능욕을 당하고 나라가 없어졌는데 살아서 무엇하랴(君辱國破, 不死何爲.)'란 여덟 자를 크게 써 붙이고는 스스로 목매여 죽었다.

아, 그때 360개 고을의 군수들이 저마다 금산(錦山)의 홍군수와 같았던들 우리들은 어찌 그처럼 쉽게 망하랴. 이밖에도 대마도의 최면암(崔勉庵)이 흘린 피, 원주대(原州隊)의 민긍호(閔肯鎬)가 흘린 피, 헤그(海牙)평화회의의 이밀사(李密使)가 흘린 피, 종현(鐘峴)의 이재명(李在明)이 흘린 피, 창의장군(倡義將軍) 이강년(李康秊)과 허위(許蔿)가 흘린 피여! 반학영(潘學榮) 같은 이는 80 고령에 배를 가르고 자살하였고 김천술(金天述)은 20세의 청년으로 우물에 몸을 던져 자결하였다. 이처럼 충성과 정의는 천지에 가득 찼던 것이다.

아, 우리 동포들이여! 치욕을 알만한 피는 여러 선열들이 이미 뿌리고 돌아가셨다. 이제는 치욕을 씻기 위하여 흘려야 할 피는 뒤에 죽을 사람들의 책임인 것이다.

동포들이여! 나라는 광복하지 못하고 국치만이 지극하구나. 제군들은 이것을 잊었느냐 아니면 잊지 않았느냐?

기억하고 있는가? 30년 전 개혁당의 수령이었던 고균(古筠)을. 아, 춘포(春浦)에 피가 뿌려지고 양화(楊花)에 살덩이가 날려도 처음 뜻한 바를 펴지 못하였으니 그 심적을 밝힐 길 바이없구나! 오늘도 그곳을 지날 때마다 천고의 긴 한숨을 금할 길 없어라.

김옥균이 처음으로 정치의 개혁을 부르짖었으나 드디어는 난당이란 악명을 쓰게 되였으니 전제시대에는 있을 법한 것이라고 해야 할 것이다. 이미 역적이란 누명을 썼으니 죽는 것도 지당한 일이다. 그러나 국민들은 곰곰히 생각해 볼 바가 있는 것이다. 그날 칼을 들어 찌른 자와 도와나선 자들이 나라를 위한 충성에서 그렇게 한 것인가? 그것은 친구 한사람을 죽임으로써 개인의 영화와 이익을 얻자는데 지나지 않은 것이다. 이 일이 있은 뒤 나라가 망하기까지 뉘라서 그의 시퍼런 피를 생각인들 하였느냐? 오직 일본사람들만이 영웅으로 숭배하여 위대하다고 칭찬하였으나 이것은 도리어 옥균의 이른바 죄를 더 증가하였을 뿐이었다. 그 누가 옥균을 독립의 허영을 꿈꾸는 자라고 꾸짖을 것이냐? 그 누가 옥균을 부귀를 도모하는 자라고 꾸짖을 것이냐? 김옥균과 홍영식(洪英植) 등은 명문의 족속으로서 이름이 높아 얼마든지 부귀를 누릴 수 있는 사람들이였다. 그런데 어찌하여 위험을 무릅쓰고 악명까지 들쓰면서 그런 일을 하였겠는가? 아, 혁명선구자의 피를 사람들은 욕할 대로 다 하였다. 그런데 어찌하여 냉혹한 무함까지 들씌워가면서 영원히 잊어버려야 한단 말인가?

정재홍(鄭在洪)이 자살하였을 때 사람들은 그 죽음을 헛된 죽음이라고 말하였는가 하면 지어는 무엇 때문에 자살해야 하는지 알 수가 없다고 하였다. 아, 나는 그의 유고인 「사상칠변가(思想七變歌)」와 그의 아들에게 주는 글을 읽어보았다. 거기서 나는 그가 죽지 않으면 안 되었던 사정을 알게 되었다. 그는 '죽음을 두려워하지 말라(勿怕死)'라는 세 글자를 남기어 국민들을 깨우쳐주었다. 국민들이여! 정씨가 흘린 피도 또한 자유를 키우는데 바쳐져 비료가 되었던 것이다.

어떤 사람은 "피를 흘리는 것이 망국에 도움이 없다."고 말하고 있다. 이 말은 옳은 것 같기도 하다. 허나 치욕을 모르는 것이 나라의 광복에 해가 되는 것일진대 치욕을 알아야 한다는 것은 반드시 피를 흘려야만 된다는 것으로 된다. 그들의 말대로 피를 흘리는 것을 두려워하는 마음이 옳다고 한다면 뻔뻔스럽게 얼굴을 들고 다니며 머리가 어리석고 둔해져서 부끄러움을 모르는 데까지 이르게 된다. 국민들이 이처럼 어리석고 둔하여 부끄러움을 모르게 된다면 원수를 쳐 없애고 나라를 중흥시킬 희망이 있겠는가? 선열들이 목숨을 끊으면서까지 급격한 유혈의 행위를 하게 된 것은 국민이 치욕을 모르고 있기 때문이다. 아, 주나라 장홍(萇弘)이 흘린 피가 나라에 도움 됨이 없다고 하니 어찌 가슴이 아프지 않으랴?

우리 선열들이 나라를 위해 흘린 피를 두고 우리 한인들이 잠시도 잊지 않고 있다고 나는 감히 말할 수 없다. 하지만 중국 사람이 목숨을 던져가면서 국민들에게 깨닫기를 촉구한 사실을 나는 한사람에게서 보았다. 반열사(潘烈士) 종예(宗禮)가 바로 그러한 사람이다.

을사년 겨울에 반공(潘公)은 인천에 왔다가 일본사람들이 우리나라를 협박하여 조약을 맺었다는 소식을 듣고 나서 민충정공(閔忠正公)의 유서를 읽게 되였다. 그는 비분을 참을 길이 없었으며 중국도 장차 한국과 같은 처지에 처하게 된다는 것을 깊이 심려한 나머지 바다에 몸을 던져 죽었다. 그는 죽기 전에 유서 14개 조목을 중국정부에 보냈는데 실행되었는지는 알 수 없다. 나로서도 일본의 야심은 장차 이런 따위의 강박적인 조약을 중국정부에도 제출할 날이 있을 것이라는 것을 알 수가 있다. 입술이 없어지면 이가 시려난다는 것을 반공은 미리 짐작했던 것이다. 원컨대 우리 동포들은 국가의 치욕을 잊지 말 것이며 원컨대 중국 사람들은 국가의 치욕을 닥쳐올 것을 미리 예견하고 경각성을 높이기를 바라는 바이다.

아, 산천은 여전하고 사람들도 그 사람들이다. 그 언제 삼각산기슭의 건천동(乾川洞)과 대동강변의 석다산(石多山)에 다시금 신령이 나타나 고고의 소리를 지르려는지? 상당산성(上堂山城)의 국토봉(國土峰)에 다시금 조문열(趙文烈)을 이어 일어날 자는 없는가? 영양강(榮陽江)의 정충신(鄭忠信)과 추풍역(秋風驛)의 정기용(鄭起龍)을 다시는 볼 수 없는가? 창해역사(滄海力士)는 그 누구이며 함흥삼걸(咸興三傑)은 또한 그 누구인가? 안중근은 다시금 황해에서 부활할 수 없는가? 소나용사(素那勇士) 가림열부(加林烈婦)와 황진장군(黃進將軍)

의 촉석의기(矗石義妓)는 천고에 홀로만 있을 것인가? 태백산기슭의 우리의 아름다운 강산과 우리의 우수한 남녀들 가운데는 반드시 인물이 있어 부르면 곧 뛰어나올 것이다. 이 나라에 사람이 없다고 하지를 말라!

정암(精庵)과 율곡(栗谷)은 우리나라의 공자이다. 정암은 항상 "나라를 근심하는 것을 항상 자기 집 근심하듯 하여라."라고 하였고 율곡은 양병십만론(養兵十萬論)을 주장하여 국민의 뒤로 물러서고 나른해하는 성격을 만구하려고 하였으며 나아가서는 국방을 공고히 할 것을 미리 헤아려 생각하였다. 서산(西山)과 사명(四溟)은 우리나라의 석가(釋迦)이다. 서산은 의병을 거느리고 산에서 내려와 한번 싸워 삼경(參京)을 회복하였다. 임진왜란 때 서산이 싸워서 승리를 거두자 명나라장수 이여송(李如松)은 글을 보내어 칭송하기를 "나라를 위하여 적들을 토벌하니 그 충의가 하늘에 사무치매 나는 흠모하여 마지 않는다."고 하였고 또 시를 지어보내기를 "공리에는 뜻이 없고 일심으로 불공만 닦았는데 오늘날 나라가 위급하니 승병을 거느리고 산마루를 내려섰구나."고 하였다.

사명은 칼을 차고 바다를 건너가 한마디의 말로 왜국을 항복시켰다. [사명이 일본에 사신으로 갔는데 토요토미 히데요시(豊臣秀吉)는 수많은 위병을 줄느런히 세워놓고 그를 영접하였다. 그러나 사명은 거들떠보지도 않고 태연자약해하였다. 이에 히데요시가 조용히 "귀국에는 귀중한 물건이 많다는데 무엇이 가장 귀중한 것이요?" 하고 묻자 사명은 "우리나라에서는 왜인들의 두골을 귀중한 보배로 여기오." 하고 말하였다. 이 말을 듣고 히데요시는 머리가 쭈뼛해났다.]

이렇게 선비들과 승려들 속에서 대대로 인물이 배출되었는데 오늘날 이을 자가 있는지? 우리나라의 종교는 지금에 와서 보잘것없지만 옛날에는 훌륭한 교를 자립한 자도 있었다. 뉘라서 우리나라에는 십자가(十字架)가 없다고 할 소냐? 세월은 화살과 같아 지나간 때는 다시 오지 않는 법이다. 머리를 추켜들고 동녘하늘을 보라. 아무 소리도 아무 냄새도 없지 않는가. 어찌 하늘이 우리 조선을 버렸다고 할 수 있는가!

아, 나는 크롬웰과 단떼를 한반도에서 불러일으키고 싶다. 관서(關西)의 홍경래(洪景來), 호중(湖中)의 신천영(申天英)과 같은 그러한 사람이 혹 소리치며 나오지나 않을까? 나는 황화강 72귀웅(黃花崗七十二鬼雄)을 한국에 맞아들이고 싶다. 금산(錦山) 7백 의사(義士)와 같은 사람이 소매를 걷어 올리고 일어나지나 않을까?

예로부터 망하지 않는 나라가 없고 죽지 않는 사람도 없다. 망하고 죽는 것도 또한 그 도(道)가 있는 것이니 적과 대적하여 화해를 구하며 경보를 듣고는 도망치고만 말 것인가? 오늘날의 일은 놈들과 싸우지를 않으면 화해를 하는 것뿐이다. 그런데 한결같이 화해를 주장하는 자는 나라를 팔아먹는 것과도 같다고 대원군이 침통하게 말하였다. 그리하여 그는 굳세게 결단을 내리고 나라의 위신을 빛냈던 것인데 후진의 못난 것들이 그를 배외(排外)라고 비방하기도 하고 완고파라고 비웃기도 하였다.

그런데 막상 적들의 경보가 접해오자 당국의 대관들은 임금을 다른 곳으로 피난하게 하고 화해한 것을 부르짖었으며 그 당시 인사들도 움츠러들고 엎드리어 쥐구멍을 찾아 숨지 않는 자가 없었다. 소위 개명하였고 시무(時務)를 안다는 것이 진실로 이러한 것들뿐인가? 그때 대원군이 내정을 개혁하고 국방을 공고히 하여 프랑스 군대와 미국군함을 물리치지 않았더라면 우리 한국의 기울어져가는 역사에 어찌 한줄기의 빛인들 남아있을 수 있겠는가?, 대원군은 참으로 쇄국시대의 한 영웅이었다. 만약 20년을 더 있었더라면 혹 망하지 않았을지도 모르며 망하더라도 큰소리치며 빛을 내면서 망하였을 것이다.

나는 오늘날 우리나라의 고상하고 명철한 인사들과 허심탄회하게 의논을 하고 싶다. 나는 원컨대 우리 동포들이 다시는 큰소리로 떠들지 말기를 바란다. 소위 극단적인 이상주의이니, 또는 극단적인 사회주의이니 하는 것은 언급하지 않기로 하자. 그런데 오늘의 세기는 국가주의와 민족주의가 서로 경쟁하는 철혈(鐵血)의 세계인 것이다. 멀리 서구세계를 바라보건대 전화가 바야흐로 급박하여 혈육지참이 되고 대포 한발에 지축도 흔들릴 것만 같다. 독일, 영국, 프랑스, 로씨야, 오지리, 세르비아, 게르만과 슬라브 등이 같은 주에 살면서 서로 경쟁을 멈추지 아니하고 있다. 그리하여 정세는 더욱 급박해지고 있으며 각 세력은 서로 충돌이 심해지고 권력의 아귀다툼이 생겨 미증유의 대전란을 빚어가고 있는 것이다. 우리들은 비록 나라를 잃은 사람들이기는 하지만 세계조류의 흐름 속에서 자포자기 할 수 없다고 느낀다면 반드시 현실주의로써 우리들의 머리를 무장해야 할 것이다.

아, 고상하다고 하는 것은 무엇을 말함인가? 그것은 바로 냉철하게 관찰한다는 것이다. 또한 안락이란 무엇을 말함인가? 그것은 바로 구차하게 생명을 부지해간다는 것이다. 나도 또한 일찍 몽상에 잠겨보기도 하였다. 그리하여 갑자기 보살도 되어보고 천당에도 가보고 신선도 되어보고 산림의 처사(處士)로도 되어보고 바다를 유람해보기도 하고 세상을 등져보기도 하였다. 그러나 아무리 몽상에 잠겨보아도 실현하지 못할 것이고 또 실현할 수도 없는 것들이었다. 나라가 이미 망하고 민족이 장차 소멸되려는데 망국의 죄를 걸머쥐고 어찌 편안히 천국의 행복을 누릴 수가 있으며 또 망국의 노예로서 어찌 사회와 더불어 평등하게 지낼 수가 있겠는가?

머리를 들어 동해를 바라보니 우리를 용납하여줄 한조각의 깨끗한 땅도 없구나! 평민이건 귀족이건 모두 우마와 같은 고통과 어육과 같은 비참한 나날이 날따라 심해가고 있다. 씨비리를 달리는 긴 열차의 기적소리는 순식간에 서울의 남대문밖에 울릴 것이다. 가죽이 남지 않았는데 털인들 남아 붙어있을 수가 있는가? 아, 우리 망국의 백성들이여! 어찌 참고 견디어낼 것인가? 우리 동포들이여, 그래도 모든 것을 잊어버리고 있는단 말인가?

아, 우리 한국을 영원토록 광복하지 못한단 말인가? 우리들의 신성한 역사는 영원히 남아있을 것이다. 널리 세계 각국의 역사를 펼쳐볼진대 흥망성쇠의 역사가 덧없이 반복되었던 것이다. 오직 국민들의 애국심이 남아있어 일치단결하고 백절불굴하며 끝까지 버티어 나간다면 인심이 죽지 않는 한 비록 나라가 망하였다고 하여도 아직 망하지 않은 것과 같이 될 것이다.

나라의 얼은 어디에 있는가? 나는 여기서 사면팔방으로부터 나라의 얼을 부르노라. 우리의 신성한 역사는 또다시 빛을 뿌릴 날이 있을 것인가? 아, 동포들이여, 궐기하라!

아, 망국의 원인은 위에서 말한바와 같은 것이다. 망국의 원인을 알았다면 장차 어떻게 나라를 건질 것인가? 나는 감히 우리 동포들에게 고하노니 아직 죽어버리지 않은 사람들의 마음을 수습하고 지금까지의 건망을 뉘우치며 이제부터는 영원히 잊어버리지 말아야 할 것이다.

대무신왕(大武神王)은 조그마한 한쪽 귀퉁이에서 뜻을 가다듬고 예기를 길러 여러 나라를 통일하여 대 고구려를 세웠으며 또 온조(溫祚)는 열사람, 백사람의 힘을 합하여 능히 백제(百濟)의 국가를 이룩하였다. 그리고 하(夏)나라 소강(小康)은 일성(城) 일족(族)으로써 중흥하였고 제(齊)나라 전단(田單)은 거(莒)와 즉묵(卽墨) 2성(城)으로써 나라를 부흥시켰으며 프로이센은 견인성과 무비의 용감성으로써 프랑스 사람들이 자취를 옮겨가게 하였고 미국은 강의성과 불굴성으로써 영국인의 군대를 막아냈다. 오직 우리들이 원한을 가슴에 새기고 마음과 힘을 기르며 만민이 한사람처럼 단결되어 끝까지 나라를 구원하려고 한다면 우리 대한의 전도는 참으로 큰 희망이 있는 것이다.

혹 어떤 사람들은 이렇게 비난할 것이다. "우리 조상들의 신화공덕(神化功德)을 누가 감히 모르겠는가? 그러나 오늘날과 같이 서로 물고 뜯고 하며 경각에도 만 번이나 변화하는 날에 옛날의 묵은 자취를 밝혀낸다는 것은 완고하고 우매한 짓이 아니겠는가? 이충무공(李忠武公)도 옛날사람이며 철갑 거북선도 이미 썩어서 없어졌는데 아직도 그것을 자랑삼아 말하는 것은 꿈속의 잠꼬대와 같지 않는가? 백성들의 마음은 사나운 위험에 움츠러들고 백성들의 기운은 가난에 쪼들린 나머지 끊어졌으며 남은 목숨이란 실날과 같아 연명해 가기도 어려운 판국인데 어디 사상을 운운할 겨를이 있겠는가? 우리 백성들 가운데서 남달리 총명하여 두각을 나타내는 자들을 일본이 모조리 제거하였고 그 밖의 전도가 있을만한 자들은 모두 제멋대로여서 통솔할 사람이 없으므로 실력을 준비할 수가 없는 것이다. 게다가 나라는 작고 백성들은 적으니 이른바 각성이니, 결심이니, 결합이니, 실행이니, 전도와 희망이니 하는 따위의 이론은 어리석은 사람들의 어리석은 생각이 아닐 수가 없다."

아, 슬프다! 우리 망국의 백성들은 하고 싶은 일들을 마음대로 못하고 하고 싶은 이야기도 마음대로 할 수 없구나. 나는 여기서 눈물이 어디로부터 솟구쳐 흐르는지 알 수가 없다. 슬프다, 우리 동포들이여! 나의 완고하고 우매함과 나의 잠꼬대는 나로서는 나의 마음을 억눌러 죽어버리게 하는 것을 못해서 그러는 것이다. 그리하여 나에게 있어서는 완고한 것과 우매한 것과 그리고 잠꼬대, 어리석은 생각들을 잠시라도 떼어버릴 수 없는 것이다.

종법(宗法)도 우리들의 종법이며 선철(先哲)도 우리들의 선철이며 희망은 더욱 우리들의 희망인 것이다. 흐르고자 하는 물의 원천을 막아버리고 바야흐로 잎이 피어나려고 하는 나무의 뿌리를 뽑아버린다면 어찌 옳다고 할 수 있는가? 비록 오늘날 우리 국민들의 의지와 기력이 쇠미하고 나른해져 떨쳐 일어나지 못하고 있지만 희망을 내다보며 스스로 고무하고 채찍질하면 마침내는 대안(對岸)에 도착할 날이 오게 될 것이다. 하물며 아직 국민들의 기력이 완전히 쇠진한 것이 아님에 있어서야.

을사년에 일본사람들이 강제로 조약을 맺을 때 그들은 군함으로 인천 항구를 막아놓고 대포를 서울을 향해 포치해놓았다. 그때 우리나라의 군대는 만 명도 안 되었고 외교로서는 더욱 상의해 볼 여지가 없었다. 그러나 원로 군인들, 서울과 시골의 지사들은 서로 호응하여 몸 바쳐 싸웠다. 을사, 병오, 정미, 무신의 4년간에 곳곳에서 의병들이 궐기하여 일어나 앞사람이 넘어가면 뒷사람이 이어서 결사적으로 싸웠다. 이러한 사실은 극단적인 압력 하에서도 민심은 조금도 굴복하지 않았다는 것을 보여주고 있다. 또한 지난날 국채(國債)를 갚아버리자는 호소가 전국에 퍼지자 아동, 부녀, 상인, 병사들 할 것 없이 눈물을 뿌리며 주머니를 헤쳐 마침내 큰돈을 마련하게 되었다. 이러한 사실은 극단적으로 궁핍할 때에도 국민들의 기력은 아직 근절되지 않았다는 것을 보여주고 있다.

나는 또한 나의 부르짖음이 반드시 귀머거리들을 불러일으키지 못함을 잘 알고 있다. 그러나 우리 동포 귀머거리들을 그대로 둔 채 한 번도 떨쳐 일어나도록 부르지 않는다면 이는 달갑게 망국의 백성으로서 한평생을 끝맺는 것이니 우리는 무엇으로써 사람노릇을 했다고 할 수 있는가?

아, 우리 선민들의 웅위롭고 장대한 넋은 천지에 뻗쳐 있어 만세가 지나도록 길이 살아있을 것이다. 선민들의 기묘한 물건은 세계에 차고 넘치어 사방에 다함이 없을 것이다. 어찌하여 두 번째로 영웅호걸이 나타나지 못한다고 할 수 있으며 구국의 이치를 밝혀내지 못한다고 할 수 있는가? 나는 믿을 수가 없다. 이것은 오직 우리 후인들이 노력하여 나가는데 달려있는 것이다.

나는 여기서 옛날 우리 선조들이 대내와 대외로 이룬 문치(文治)와 무공(武功)의 역사를 예를 들어 우리 동포들을 분발시키려고 한다. 우리나라의 문명이 강성하던 때는 흑수(黑水)와 한남(漢南)의 여러 종족들이 합치여 나라를 세우고 밖으로는 고신(高辛)과 당우(唐虞)의 임금과 때를 같이 하니 여러 종족들이 귀화하여 북해에까지 인덕(仁德)의 교화(教化)가 미치었던 것이다. 뒤이어 기자(箕子)가 와서 귀화하고 성인 공자도 와서 살고 싶어 하였으며 불가(佛家)에서 환인제석(桓因帝釋) 위(位)를 받들게 되고 중국의 유생들도 성인 단군의 교화를 칭송하였었다. 요(遼)와 금(金)에서는 섬기기를 부모와 같이 하였고 만주에서는 상국(上國)이라 칭하여 표문(表文)을 바치곤 하였다. 수나라 양제(煬帝)의 강대한 병력으로 일국의 군사를 동원하였지만 패서(浿西)에서 복멸을 당하였고 당태종의 웅심은 십만의 군사를 동원하였지만 요동에서 패배하고 돌아갔다. 일본의 사쯔마(薩摩)에서 공물을 바쳐왔고 쯔시마도에서 내조(來朝)하였다. 원나라는 우리를 10년간이나 침략하였지만 우리는 수응함에 지치지 않았고 왜인들은 8년간이나 우리를 어지럽혔으나 마침내는 이들을 굴복시켰다. 3,000 부하를 거느리고 성인의 백성이 되기를 원한 것은 사야가(沙也可)의 귀화하는 항복서였고 10만 대병이 객지에서 마른 뼈가 된 것은 토요토미 히데요시의 최후의 비명이었다.

오늘날 땅도 그때의 땅이고 인민도 또한 그대로 있는데 계속 나약하여온 나머지 넘어진 채 일어나지 못하는 것이 어찌 우리들이 조상들의 무덕(武德)을 이어받지 못한 죄가 아니라고 할 수 있겠는가?

나라를 춰 세우는 것은 땅이 넓고 사람이 많은데 있는 것이 아니라 정신에 달려있는 것이다. 2억이나 되는 인도인은 영국에 병합되었고 7억 평방리나 되는 중국은 일본에게 곤욕을 당하고 있다. 그런가 하면 구라파의 몬테네그로는 면적이 겨우 600평 방리이고 인구가 약 25만 명밖에 안되는데도 용감무쌍하고 굴하지 않는 것으로 이름이 높고 마레스나토와 같은 나라는 7,000평방마일의 면적과 3,000명뿐인 인민으로 자립하여 절대 남의 제재를 받지 않고 있으며 이딸리아의 어떤 해안에는 1평방리에 주민이 400~500밖에 없는 독립적인 공화국이 있다는 말이 있다. 세르비아가 오지리를 대항해 나서고 벨기에가 독일을 대항해 나선 사실, 그리고 독일이 혼자서 열강을 대적해 나선 사실들은 최근의 분명한 증명인 것이다. 아, 우리 21만 평방키로의 땅을 가진 3,000만의 인민들도 정신을 가다듬고 일어서지 못할까!

가령 우리들의 전도가 없다고 하더라도 어찌 편안히 앉아서 스스로 죽어가는 것을 보고만 있을 것이냐? 늙으신 아버님이 병에 걸렸는데 그가 반드시 죽을 것을 알고 돈을 아끼며 집안에 인삼과 록용도 쓰려하지 않고 이웃에 훌륭한 의사가 있어도 부르려 하지 않는다면 어찌 사람의 마음을 가진 자라고 할 수 있는가?

사람이 죽으면 무덤을 만들어 장사를 지내고 추도를 하고 제사를 지내는 것은 그 영혼을 위안시키려는 것이다. 만약 유명(幽明)을 달리하였다고 시체를 시궁창이나 골짜기에 내버려 들짐승들의 밥이 되게 한다면 어찌 마음이 편안할 것인가? 대개 자식 된 도리로서 비록 그 병을 구할 수 없다는 것을 안다고 하더라도 마땅히 방법을 대여 구원해보아야 할 것이며 불행히 죽게 되면 또한 반드시 발을 구르며 곡을 하는 것이 마땅한 것이다.

인민이 나라에 대하여선들 무엇이 다르랴. "큰집이 장차 넘어가려고 하는데 기둥 하나만으로도 이를 족히 버틸 수도 있고 창해의 넘쳐흐르는 물결도 쪽배로 가히 이를 건늘 수도 있으니 이것은 사람이 하기에 달렸다."라고 한 것은 우리 선민들이 한 말이 아니더냐? 우리들은 어찌하여 이 말을 세 번 다시 외워보지 못하는가?

슬프다! 우리들이 제각기 일을 꾸미여 한 가지도 성취된바가 없는 것은 우리 민족이 당한 화가 아직 모자라서 그러한 것인가? 아니면 하늘이 우리 한국을 보좌하지 않아서 그러한 것인가? 그렇지 않으면 어찌하여 이렇게 흩어지고 시들어졌는가? 진실로 아무런 희망도 없고 구할 수 없는 지경에 이르렀다고 생각하고 늘 소극적 주장을 하는 자들은 말끝마다 이젠 불가능하다고 할 뿐만 아니라 또 그렇게들 행동하고 있으니 그들과 항변하기도 힘든 것이다.

그러나 나는 그렇지 않다고 생각한다. 참으로 무슨 방법이 없는 것도 아닌데 감히 대담하게 그들과 결렬한다고 운운하는 것도 역시 부족한 것이다. 우리들이 스스로 말하여 앞으로의 전도를 생각한다고 하는 것은 무엇을 두고 하는 말인가? 국가와 민족을 두고 말하는 것이 아니고 무엇인가? 이것을 전제와 근본으로 삼는다면 그것을 실행하는 주장은 비록 다르더라도 결국은 여러 길로 해서 한곳에 이르게 되는 것이니 과히 옳지 않다고 할 수 없는 것이다.

대개 국가주의와 민족주의가 하나의 집합적으로 되는 것이니 이것을 비유한다면 어떠한 곳을 향하여 가는데 혹자는 육로를 주장하고 혹자는 수로를 주장하지만 결국 목적지에 닿는 것은 하나인 것과 마찬가지이다. 우리나라 속담에 "모로 가나 기어 가나 서울에만 가면 그만이다"라고 한 것이 바로 이러한 사정을 두고 하는 말이다. 갑이 을에게 강제로 배를 함께 타자고 못할 것이고 을이 갑에게 강제로 차를 함께 타자고 못할 것이다. 사람들은 지금의 불평등한 지위에서 벗어나 오늘에 비하여 장래가 좋아질 것을 바라고 있을 뿐이다. 계급이 같지 않으면 희망도 다를 것이며 뜻을 세움이 고상하고 비렬한 구분이 있고 보면 일을 하는데 있어서도 경중과 완급의 차이가 있을 것이다. 우리나라 속담에 "목이 마른 자가 물을 마시는데 청탁을 가리랴", "말을 타면 경마 잡히고 싶다"라고 한 것이 바로 이런 것을 말해준다.

또 루이의 「연방국가」, 루쏘의 「민권자유」와 같은 사상이 있는가 하면 허유(許由)는 필부(匹夫)로서 천하를 사양하였고 한(漢)나라의 무제(武帝)는 만승

천자(萬乘天子)로서 신선을 찾았고 석가모니는 "중생이 곧 나요, 내가 곧 중생이다."라고 하였고 마호메트는 "칼날이 번쩍이는 가운데 천국이 있다."라고 한 것 등 사상이 만 가지로 다른데 강제로 사람마다 똑같게 할 수는 없는 것이다.

우리들이 바라는 것은 다만 대다수의 국리(國利)와 민복(民福)에 준하여 그것을 전제와 근본으로 삼고 능히 그 정신을 떨쳐 일으켜 집합점에 도달할 수 있도록 하는 것이다. 그렇다면 주장이 비록 다르다 하더라도 별로 크게 걱정할 것은 없는 것이다.

옛날 우리나라에 있어서 노소(老少)와 남북으로 갈라진 당쟁은 정권과 세도를 잡기 위한 것이었고 병호(屛湖)와 호낙(湖洛湖洛)의 당쟁은 지위와 이론으로써 서로 갈려진 것이다. 지금 우리들은 다 같은 망국의 백성이 되여 하나도 자랑할만한 일이 없는 것이니 어찌 서로 다투고 서로 깔보는 싸움이 있을 수 있는가? 국가의 흥망은 필부에게도 책임이 있는 것이니 원컨대 각기 그 직책을 다하여 사사로운 견해로써 공중의 이익을 어지럽히며 빼앗지를 말 것이다.

프랑스에 자유종이 울리자 전국이 두 차례의 유혈을 사양치 않았고 아메리카에 독립의 기발이 날리자 각 주에서는 다투어 8년이나 진행되는 전쟁에 나아가면서도 같지 않은 이론으로 전쟁을 그르치게 하였다는 것은 듣지 못하였다.

일본사람들은 이익을 탐내고 소견이 좁으나 그들의 유신사(維新史)를 들추어보면 제1기로 유신당이 결성되었을 때 번방(藩邦)과 막부(幕府)가 이를 원수같이 여겼으며 정검회(靜檢會)니 중립사(中立社)니 하는 것이 세워져 서로 헐고 뜯고 하며 편안할 날이 없던 것이 국회가 성립되자 도리어 일치하게 행동하였다. 최근 중국의 혁명사를 보더라도 정부에서 없애버린다, 종사당(宗

社黨)이 성토를 한다, 보황당이 반박을 한다, 기타 형형색색의 당파들이 뭉쳤다가 흩어졌다 하며 어지럽기 짝이 없었으나 대세의 흐름에 따라 마침내는 공동한 이론에 굴하는 바가 되였다.

대개 우리들의 구국의 종지는 비록 같다고 하더라도 그 주장하는바가 끝내 사사로운 견해를 버리지 못하게 되어 일치함을 가져오지 못하게 된다면 쓸데없는 말썽이 생기여 일을 진행하는데 방해가 될 것이며 또한 지체가 될 것이다. 활짝 피어난 숯불도 점점이 흩어지면 어린아이라 할지라도 능히 발로 차서 꺼버릴 수가 있는 것이다. 외줄의 실이 어찌 능히 동아줄을 이룰 수 있겠는가? 이와 같이 맥이 없이 박약한 힘으로 한갖 사치스런 희망을 품는다는 것은 너무나 자기를 헤아리지 못하는 짓이다. 우리나라 속담에 "감나무 밑에 누워서 저절로 감이 떨어져 입에 들어오기를 바란다.", "돼지발쪽 하나와 한 잔의 술로 수레에 가득 실리기를 빈다."라는 속담이 있는데 이것과 다를 것이 무엇인가? 이것은 또한 순우(淳于)씨가 비웃는 바이다. 그러므로 사사로운 견해를 없애어 근본을 주장하고 인심을 단결하는 것으로서 전제를 삼아야 한다. 주요하게는 통솔자 문제가 가장 해결하기 어려운 것이라고 말들을 하나 나의 좁은 생각으로서는 그렇게 걱정할 필요가 없다고 생각된다. 대개 오늘날과 같은 경우와 시세와 자격으로서 진실로 하나의 통솔자를 얻어 추대할 수가 없다면 다른 시대로 거슬러 올라간 한 마음으로 얽어맬만한 자를 얻어내어 그에게 복종하고 뜻을 정하는 것이 어떠한가?

우리의 개국시조 단군은 곧 우리들의 주재(主宰)인 것이다. 그리고 우리의 구국원훈인 이순신은 곧 우리들의 통제사인 것이다. 우리들은 진실로 민족주의를 품고 조국의 광복에 뜻을 두어 실력을 키워야 하며 간난신고를 회피하지 말아야 한다. 이러한 사람들은 관적, 교파(教派), 노소, 남녀, 원근(遠近), 친소(親疎)를 가릴 것 없이, 또한 유명하건 무명하건, 단체이건 단독이건, 온

건하건 급진하건, 비밀이건 공개이건, 공이건 상이건, 농이건 사이건 관계할 것 없이 모두 우리의 동지인 것이다. 우리의 동지들 가운데서 백성들의 심부름꾼이 될만한 자를 서로 추천하여 그들에게 일을 맡기고 시키며 감독하고 애호하고 도와주고 믿고 복종해야 할 것이다. 그에게 부당한 것이 있으면 그것을 배척할 것이로되 다만 서로 의심하고 시기하고 알륵을 일삼아서는 안 될 것이다. 사람마다 법칙의 다스림을 받게 되면 당사자들도 또한 어느 범위 내에서 함부로 벗어나지를 못하게 될 것이다. '실력준비'를 운운하는 데는 마땅히 국민들의 의지가 상실되어 묘연해 하는 정신을 회복시킨 다음 다시 올바르고 굳은 의지를 세우도록 해야 할 것이다. 십년간 단합시키고 십년간 교훈하는 것은 우리들의 책임인 것이다.

아, 오늘이 어떤 날인가? 우리들이 지난날을 뉘우치고 장래를 채찍질하는 기념일인 것이다. 우리 민족은 우리들의 조상을 잊지 말아야 한다. 우리 시조가 신으로 강림하여 개국하던 달에 우리의 이충무공이 나라를 구하다가 순사하였다. 또한 우리 시조가 어천(御天)하던 달에 이충무공이 탄생하였다. 우리들은 시월 삼일로서 민족의 대 기념절을 삼아야 할 것이다.

기념이라는 것은 잊어버리지 않는다는 징표이며 우리들의 정신이 얽혀있는 것이다. 우리의 조상들은 신성하고 영명하고 걸출한 분들이 대를 이어왔지만 특별히 우리의 단군을 추앙하는 것은 그가 바로 백성을 키우고 가르침에 있어서 시조였기 때문이다. 우리 조상의 자손들로 어질고 명철한분이 대대로 없었던 바는 아닌지 이충무공을 추대하는 것은 충효와 문무로 몸과 마음을 다 바쳐 나라에 충성한 분이 오로지 공(公) 한 분 뿐이기 때문이다.

우리 자손 된 국민들이 여기에 귀착하고 여기에 의거하고 여기에 모범을 삼고 여기에 이름을 걸고 여기에 단합되고 여기에 정성을 바치고 여기에 복을 구한다면 황천후토(皇天后土)도 실로 그 뜻을 좇아 순순히 명하기를 "가서 쳐라! 내 반드시 너로 하여금 이기게 할 것이다."고 할 것이다. [묵자(墨子)가 말하기를 "주나라 무왕이 은나라를 치려고 할 때 꿈에 삼신(參神)이 나타나 '내가 이미 은나라 주왕(紂王)을 주덕(酒德)에 빠지게 하였으니 네가 가서 그를 치면 내가 반드시 너로 하여금 크게 이기게 할 것이다.'라고 말하였으므로 무왕이 은나라를 쳐서 이겼다." 하였다.] 이리하여 우리 자손들이 장차 옛 도읍을 다시 세우게 될 것이다. [동사(東史)에 말하기를 "부여의 상신(相臣) 아란불(阿蘭佛)이 꿈에 천제(天帝)를 보았는데 천제가 '나의 자손이 장차 옛 도읍을 세우게 될 것이다.'라고 하였다. 왕 해모수(解慕漱)가 나라 동쪽에서 류화(柳花) 부인을 만나 주몽(朱蒙)을 낳았는데 이가 고구려의 시조가 된 것이다." 하였다.] 우리 신명(神明)의 자손들이여! 힘쓰지 않을 것인가? 힘쓸 지어다!

갑인년 단군 개천건국 기원절후 16일 (1914년 11월 18일), 이충무공 한산도 순국일에 단군의 후예인 한사람이 애오산(愛吾汕) 초가에서 씀.

신규식 저, 김동훈 등 편역,
『신규식 시문집』, 민족출판사, 1998.8, pp.20-65.

벽랑호반의 원한 품은자의 설토

(벽랑호는 오흥성 밖에 자리 잡고 있는데 진영사 묘지 앞에 있다. 진공의 이름은 기미이고 호는 영사이다. 본문에 나오는 '미'는 기미의 자칭이다.)

진공영사의 공적에 대해서는 행인들까지도 말할 수 있으므로 구태여 내가 찬양할 필요가 없는 것이다. 이 글에서는 나 자신이 벗을 사귀는 과정에 얻어들은 소리와 그 소감을 두서없이 대략적으로 서술할 따름이다. 나는 제1차 혁명시기에 영사를 벗으로 사귀었다. 그때 옛 도읍을 떠난 나는 상해에서 군과 상봉하여 흉금을 털어놓기도 하고 세상일을 말하기도 하였는데 군은 고맙게도 나를 참된 벗으로 삼고 날이 갈수록 더 예대해주고 관심을 돌려주었으며 번마다 각계의 인사들 앞에서 나를 추어주고 과분하게 칭찬해주었다. 군은 나에게 이런 말을 한 적이 없다. 우리나라의 혁명이 성공하였다고는 하지만 청조의 폐단이 고질로 되였으므로 내정과 외교 면에서 국가의 기틀이 잡히지 못하였다. 그렇기 때문에 그 부정부패를 근본적으로 청산하지 않는다면 이른바 성공이라는 것은 거울에 비친 꽃과 물에 비낀 달에 불과한 것이다. 우리가 혁명에 종사한지는 10년이 된다. 만일 하늘이 20년이란 시일을 줌으로써 건설에 진력하도록 한다면 민국의 앞날은 창창하게 되고 동아의 큰 국면은 3개의 세력이 맞서는 형세가 이루어지며 열강에 대항할 수 있게 될 것이다. 그러니 우방의 동지들은 시종일관 서로 협조하면서 힘차게 일해 나가야 할 것이다. 그는 계속하여 다음과 같이 말하였다. 미는 일평생 위기를 만회하고 약자를 구조하는 것을 천직으로 삼아왔으므로 항상 자국을 사랑하는 마음으로 귀국을 사랑하였으며 중국을 우려하는 마음으로 한국을 우려하였다. 귀국뿐만 아니라 안남과 인도를 생각할 때마다 역시 가슴이 아픈 것이다. 이것은 과장이 아니라 실로 양심에서 우러나온 것이다. 그리고 귀국의 사태를 생각하면 더더구나 살점을 저미는듯한데 이것은 일시적인 위안의 말이 아니다. 어느 날 공은 고맙게도 나를 초대하고 연설을 하였다. 나는 그 거침없는 연설을 이미 적어놓았으므로 오늘 죄다 공개하지 않아도 될 것이다. 그 연설의 줄거리는 다음과 같다. 남아라면 목적을 달성하기 전에는 쉬지 말고 사업해나가야 할 것이다. 지금 세계의 풍운은 순식간에 천변만화하고 있으며 모 국가는 15년 안으로 꼭 내란이 일어나게 될 것이다. 게다가 시국을 조성할 줄 아는 제군이 있지 않은가. 제군이 노력해나간다면 나도 제군의 뒤를 따라 미력하나마 방조를 주려고 한다. 귀국의 인사들 중에서 모모(소인을 가리킴.)와의 교분이 가장 두텁다. 귀국의 많은 동지들과의 한자리에서 즐겁게 모인 다음에야 비로소 오늘이 있게 된 것이다. 구국에 뜻을 둔자가 없는 것이 아니다. 삼한을 광복하는 중책은 오늘 이 자리에 모인 여러 동지들이 떠메야 한다. 책임을 맡으라는 당부를 사절하기는 어려운 것이다. 어느 날 집필 장소(모 신문사)에 있는 나를 방문한 공은 위문, 면려하고 나서 심지어는 침식형편이 어떤가 하고 물어보기까지 하였다. 이튿날 나는 랄급교(垃圾橋)로 가서 공을 방문하였는데 공은 나를 그 방안으로 안내하더니 이렇게 말하는 것이였다. 군은 이곳으로 이사하는 것이 좋을 것이다. 비록 집회장소로 삼기는 마뜩잖지만 군의 비밀처소로, 사무장소로 쓸 수는 있는 것이다. 급양 등 문제는 집안사람들이 의례히 돌보아줄 것이므로 사절하지 말기를 바란다. 사의를 표하고 돌아온 나는 이 정황을 동지들에게 알렸더니 어떤 동지는 이렇게 말하였다. 그분이 이처럼 정성을 기울이고 있으며 또 군은 거처가 불편하니 계속 어려움을 이겨내지 말고 셈평이 펴이도록 이사하는 것이 좋을 것이다. 나는 이렇게 말하였다. 우리가 이번에 온 것은 혁명에 열중하기 위해서이다. 우리는 혁명을 실행하는 자로서 자기의 모든 것을 내바쳐야 하지 사소한 일로 하여 그분에게 폐를 끼칠 수는 없는 것이다. 그리고 이레동안 울어야 발붙일 곳을 얻게 되고 베푸는 은혜를 먼저 입고 싶지는 않다. 그래서 이 일을 방치하고 말았다. 하루는 공이 또 나에게 이런 말을 하였다. 귀국의 비장한 역사에 빛났던 열사들의 전기 및 잡지 등을 발행할 타산이 있다면 흉허물 없이 찾아와서 상론하기 바란다. 그러면 의당 협조해줄 것이다. 그리고 이전에 자영하던 민성총보의 기계가 아직도 남아있는데 그것을 점검보수 한다면 여전히 쓸 수 있다. 이것 역시 기부하는 것이다. 그때 공의 의로운 뜻을 감득한 나는 이렇게 말하였다. 나라가 망한 것을 수치로 생각하고 있는 우리로서 자신의 비통한 역사와 전기를 간행하기 위하여 남에게 청탁하는 것은 부끄러운 일이다. 자체로 간행할 수 있으니 사절하는 바이다. 다만 잡지를 꾸리게 된다면 가르침을 받으려 한다. 또 어느 날 공은 국민당 교의부에서 이야기를 나누자고 하면서 나더러 자동차에 타라는 것이었다. 내가 사절하자 공은 오늘이 무슨 날인가, 우리는 절대 허례로써 귀중한 시간을 허비할 수 없다고 말하더니 나를 부축하여 차에 태웠다. 차안에서는 다름 아닌 정의감에 넘치는 말을 하였는데 그것은 지금도 귀에 쟁쟁하다. 그 이야기는 사소한 일을 언급한데 불과하지만 나는 지금까지 기억에 생생하여 말살할 수 없는 것이다. 그 당시 중앙에서는 총장으로, 지방에서는 도독으로 있었을 뿐더러 당수로도 있은 공은 공부가 번하다고 명망이 높았는데 어찌하여 이 죄인을 이렇듯 사랑해주는 것일까. 세인은 업신여기나 공은 사랑해주고 세인은 깔보나 공은 동정해주었다. 어찌하여 공은 여윈 몸에 사팔눈을 가진 사람을 사랑해주는 것일까. 국사에 진력하고 인재를 아끼는 것은 오랜 기풍이기는 하지만 지력이 좀 있거나 미관말직을 가졌다고 분별없이 자고자대하는 자들과 위구심을 가지고 주저하거나 강자에게 아부하고 약자를 모욕하는 자들이 이것을 보면 어떤 생각을 품게 될 것인가. 나와 한 고향인 정모라는 학생이 어린 시절에 상해로 오자 공은 그를 부양하였고 조종이라는 이름가지 지어주었다. 공은 이 학생이 한국열사의 아들(정모는 시국에 분개하여 자총하여 죽었다.)이기 때문에 각별히 사랑하여 왔으며 앞으로 등용하기 위하여 인재로 키워왔다고 나에게 말하였다. 공은 정모를 모 학교에 보내어 과정을 수료시키기까지 하였다.

동북3성에 거류하고 있는 우리 교포와 관련한 문제들에 관해서도 많이 지시하고 기획해주었다. 그리고 중앙에 임직하게 된다면 방법을 강구하여 편안히 살게 하겠다고 말하였다. 이전에 길림성의 모 관리가 학교를 금지하고 대종교(조선의 오랜 종교)를 폐쇄하며 교회당을 폐지하는 사건이 발생하였을 때도 공은 그 성의 장관에게 서한을 보내어 그 이유를 언명하였고 조선교민들을 보호하며 그 교육 사업을 교란하지 말라고 당부하였는데 이것 역시 그 일례로 된다.

오래지 않아서 공은 공상총장으로 되었다. 어느 날 나는 군을 만나서 이야기를 나누다가 그 이유를 물었다. 군은 다음과 같이 개연히 말하였다. 참으로 말하기가 거북하다. 오늘의 시국은 가짜공화정체에 불과하며 우리 동배는 값없는 죽음을 하게 될 것이니(뜻밖에도 참회의 말로 되었다.) 재야하여 필부의 책임을 다하려고 한다. 혹은 외국으로 가서 정치와 실업을 고찰할 결정을 지으려 한다. 그런데 이때 따라 몽골사건이 다급해지여 조야가 사태를 만회하게 되였으므로 당분간 출국할 수 없게 되였었다. 송교인피격사건이 발생한 후에, 즉 제2차 거사를 며칠 앞두고 나는 몇몇 동지들과 함께 카드로(卡德路)로 가서 공을 방문하였다. 그때 군은 이렇게 말하였다. 막부득이하여 다시 무기를 들기로 결정하였다. 그러니 동지들이 협력해주기 바란다. 군은 자기 자신을 걷잡을 수 없을 정도로 강개하고 격양되었다. 제2차 거사가 실패하자 공은 해외로 나갔다. 뒤미처 나와 동지들이 북경에서 협의를 받고 하마트면 뜻밖의 사고에 걸려들번한 것은 가소로운 일이였다. (그때 북부에 있는 동지인 한모도 체포 대상으로 되었으나 요행 도피하였다.) 중국 관할구역을 위험한 곳으로 보고 감히 상해 밖으로 한걸음도 내디디지 못하였다. 그리고 모 처는 내가 적대하는 곳이었으므로 왕래할 수 없었다. 그 후부터 서로 멀리 떨어지여 간혹 서신왕래를 하였을 따름이다. 일본에 체류 중인 군이 병석에 누웠을 때 나의 벗이 군에게 병문안을 하자 군은 나와 동지들의 형편을 물어보면서 지극한 관심을 발로하였다. 그 후 공이 위험을 무릅쓰고 상해로 돌아왔을 때 겨우 한번 대면하였다. 그때 형사순경이 사처에 널려있었기에 공은 날마다 위경에 처해있었다. 그리고 공은 자기의 우소(寓所)도 불편하였으므로 긴요한 일이나 토의를 위한 서신을 제외하고는 거처지로 찾아오지 말라고 알리었다. 그래서 좀 오랫동안 만나보지 못하다가 5월 17일에 공의 최후의 유묵인 친필편지를 받았으니 통탄하지 않을 수 없다. 기획이 수포로 돌아가고 통곡이 쓸데없게 되었다는 것을 차마 말할 수 없는 것이다. 비보를 접한 나는 급급히 신민리로 갔다. 영체는 침상에 누워있었는데 미처 염습하지 못하였으며 얼굴부터 머리까지 총상이 나있어서 차마 볼 수가 없었다. 나는 궤연일곡을 하고 혼자말로 쾌재를 불렀다. 훌륭한 남아는 나라를 위해 죽었다. 생전에는 영웅이요 사후에는 영령이로다. 오랜 당인들중에서 영사와 같은 분은 드문 것이다. 전후하여 나라를 위하느라고 집이 망하는 것도 돌보지 못하였고 선뜻이 위험 속에 뛰어들었다. 그리고 모씨(某氏)의 반모(叛謀)를 남 먼저 발각, 파탄시키고 시종일관 반대하였다. 또한 고관후록 앞에서 마음이 동하지 않았으며 강의한 필부로서 백절불굴의 정신으로 대국에서 쉼 없이 항전을 진행하여오다가 죽은 다음에야 전투를 멈추었다. 영사의 학문과 풍채가 남보다 월등할 수도 있겠지만 그 정열과 기백은 시종여일하였으니 진정한 혁명가의 본색을 가진 분은 영사뿐이다. 민당은 용장을 잃었고 민국은 영재를 여의었으니 애석하기 그지없다. 왕년에 내가 중국으로 건너왔을 때 처음으로 차례차례 사귄 벗들로는 둔초(遁初)(즉 송교인), 극강(克强)(즉 황흥), 영사, 중산(즉 손일선) 등 여러분이었다. 그런데 이분들 가운데서 가장 오랫동안 의좋게 사귀고 나를 가장 이해해주고 우리의 전도를 가장 관심한분은 영사뿐이다. 오늘 여기에서 고이 잠들었으니 누가 함께 돌아갈 수 있으랴. 당년의 지기들은 얼마 남지 않았다. 중원을 돌이켜보니 실로 처창하기 그지없다. 오호, 공연히 민국을 위하여 슬퍼하고 개인적인 교제를 가슴 아파하는 것이 아니로다. 공의 1주기, 5월 18일 안장일에 공의 친우인 청구 한인이 벽락호반에서 울음을 설토함.

신규식 저, 김동훈 등 편역,
『신규식 시문집』, 민족출판사, 1998.8, pp.152-157.

영사 진기미 선생을 위한 제문

(제문앞에 서문을 적음)

영사 진기미 선생은 중국 국민당의 거벽으로서 식견이 탁월하고 재능이 기발하였으며 의론이 종횡무진하고 기상이 호매하였다. 그와 교제하는 사람들은 예외 없이 그가 사랑스럽고 존경 할 만 하다는 것을 감득하였다. 선생의 재능은 하늘이 부여한 것으로서 인간의 힘으로는 바랄 수도 미칠 수도 없는 것이다. 나는 제1차 혁명시기에 선생과 친교를 맺게 되였다. 그날 나는 험난한 먼 길을 지나왔고 또 울적한 마음을 풀 수가 없었다. 그런데 선생은 초면인데도 구면이나 다름없이 진심으로 대해주었다. 좀 오랫동안 사귀게 되자 선생의 포부를 대략 감지할 수 있었다. 선생은 파괴하는 데만 힘쓴 것이 아니라 건설 사업이 용이하지 않다는데 대해서도 고려하여 왔으며 중국에만 주의력을 돌린 것이 아니라 동아의 평화를 도모하는 것도 자신의 과업으로 삼아왔다. 민생을 염려하는 그 마음은 시시로 언론에서 발로되었을 뿐더러 교민을 보호하고 유학을 부조하는 데서도 발로되었다. 선생이 우리를 후대하여주는 거동은 어디까지나 공리와 정의에 부합되므로 나에게만 개인적인 정의를 준 것이 아니다. 그런데 나와의 교분이 유달리 두터웠으며 나는 당시의 많은 사실들을 일일이 노트에 적어놓았는데 선생을 추모하면서 지난날의 노트를 펼쳐보니 망연자실하지 않을 수 없었다. 제2차 혁명이 실패한 후 선생은 일본으로 건너갔으므로 나와의 왕래가 드물어졌던 것이다. 지난 겨울에 선생이 상해로 돌아온 다음에야 또다시 한자리에 모여 앉게 되었다. 선생이 마지막으로 나에게 통신한 것은 바로 희생되기 전날이었으니 나의 답신을 받아보지 못했을 수도 있다. 나의 마음은 애통하다. 나는 개인적인 교분을 위해서 뿐만이 아니라 중국을 위해서 선생의 서거를 슬퍼하는 것이다. 내가 심절하게 상념하고 있는 것은 바로 이것이다. 그리하여 제문을 올리는 바이다.

공은 슬기로웠고
자태가 영매했으며
대국의 안위를
한 몸에 지녔어라
오래 사귀노라니
희망이 끝없었고
일심으로 협력하여
난국을 이겨냈다네
야망을 품은 자가
분별없이 날뛰니
공은 국난 앞에서
개혁을 실행했어라
중생은 도탄 속에서
헤매고 허덕이거니
능력이 제한되어
도움을 청했도다
변고 많은 중국에

뒤늦게 찾아왔다만
심후한 안정을
어찌 저버리랴
사태가 급박하여
눈물을 흘리면서
애달픈 심정을
달래주기 바라는데
악귀의 모략으로
독수에 걸렸구나
천민의 어질음은
담담하고 가긍한데
사자는 사라졌으나
충신을 알고 있다네
철인은 세상 떴으니
슬픔이 북받치네
각국은 사욕 채우는데
정초자 그 누구이뇨
애도자는 사유할
겨를이 없구나
날개가 꺾이었으니
어느 누가 부축하랴
비보를 접하여
창자가 끊어지고
정분을 생각하니

눈물이 쏟아지네
이 땅에 둔 몸은
나그네와 다름없는데
암담한 풍운은
가실 날이 없구나
(지제 정)

신규식 저, 김동훈 등 편역,
『신규식 시문집』, 민족출판사, 1998.8, pp.157-159.

인형 영사의 영전에

생전과 사후에
훈업은 길이 빛나도다
공은 개인의 일을 끝장내었으니
중국의 전도를 일시 말하지 마시라
왕년에 긴밀한 동맹을 맺은 동지들
민중의 행복을 다지고서 약조하네

사랑이냐 참됨이냐
울음소리 사방에서 터지네
묻노니, 하늘은 무슨 마음 쓰느뇨
또다시 신민교택을 지날 수 없으니
편지를 받은 지 겨우 하루 지났는데
창졸간에 영결할 줄 어찌 알았으랴

(공의 벗인 청구한인이 애도하노라)

창해가 황류하니
퇴풍을 막아버리고

인격을 되찾고자 약속하네

장성이 급서하니
원수를 전멸하고
요사한 기운 가시게 되리라

생전에는 오수경, 송어부처럼 이름 날렸고
사후에는
오수경, 송어부와 함께 있다네
장한 뜻 못 이루었으나
일편단심은 천고에 길이 빛나리라

대혁명은 진행하기 힘들어도 이룩되고
진정한 공화주의는 시일이 오래면 정초되리라
만방은 다난한데
끓는 피 남기고 황천으로 갔구나

신규식 저, 김동훈 등 편역,
『신규식 시문집』, 민족출판사, 1998.8, pp.159-161.

향후 우리의 책임
《진단주간》(震壇週刊) 창간사

유럽전쟁(세계 1 차대전)이 종식되자 평화에 대한 논의가 거세게 일어나 발칸반도 분쟁의 원인이 드디어 종말을 고하게 되었다. 그러나 세계적 흐름은 나날이 괴이하게 흘러 공산주의는 동유럽으로 세력을 뻗어가고 노동문제는 세계를 소란스럽게 했다. 목리이랑(木履爾郞)의 아시아주의는 더욱 기세등등한 추세로 퍼져나가 막을 수 없는 상태로 접어들었다. 이같은 패권주의는 세계적 추세로 보면 이미 열강이 자살의 길로 들어섰음을 의미하는 것이며 항구적인 평화의 입장에서 보자면 무력에 호소하는, 이러한 질 낮은 수단의 존재는 더 이상 용납될 수 없음이다. 아시아에서 나고 자랐으며 아시아 땅에서 살고 있는 우리는 마침내 자유를 유린당하는 비참한 상태에 빠져들게 되었다. 이것이 우리가 통곡하고 눈물 흘리며 탄식하는 이유이다.

우리 한민족은 어디에도 구속받지 않는 독립된 민족으로 굳세고 과감하며 일찍부터 백절불굴의 특징을 지녔다. 설사 동방의 도이치 일본이 제멋대로 협박을 가해온다 해도 한국인은 예전처럼 용맹스럽게 전진하며 분투할 것이다. 여러 민족의 생존 원칙대로 우리 한국 역시 남에게 지배당할 이유가 없다. 또 장차 평화가 실현된 뒤로는 민족자결주의야말로 피할 수 없는 자연스러운 원칙이 될 것이다. 이러한 즉, 우리 한국인이 또 어찌 생존원칙을 위반하고 세계의 정의를 등질 수 있겠는가. 더욱이 세계에서 우리의 지위란 발칸반도 문제와 대등하다. 만일 우리 한국이 일본에게 유린당하게 되면 극동의 문제는 더욱 혼란스러워져 비단 중국의 멸망 위기라는 문제에서 그치지 않고 곧바로 열강의 기회 균등이라는 정세마저 여지없이 깨지고 마는 지경에 이를 것이다.

작금의 상태를 살펴보면 중국 북부의 광산권·도로 부설권 등은 모두 열강이 침을 흘리는 이권임에도 불구하고 결과적으로 일본인들이 독차지해버리고 말았다. 유럽 전쟁이 한창일 무렵 열강은 극동의 문제를 고루 돌보기가 어려웠다. 일본은 이 틈을 타 이권을 가로챘는데 이는 열강들로서는 몹시 원통한 일이었지만 어찌해 볼 도리가 없었다. 이제 무력주의가 이미 타파되었으므로 세계 평화에 대한 소망은 동아시아의 영구적인 평화 유지로부터 시작되어야 할 것이며, 동아시아에 영구적인 평화를 존속시키기 위해서는 패권주의를 쓸어내는 일에서 시작되어야 하고, 패권주의를 청산하고자 한다면 반드시 우리 한국의 독립으로부터 시작해야 할 것이다.

일본이 동아시아를 석권하고 독차지하려는 야심으로 먼 나라와는 외교관계를 맺고 가까운 나라는 침략함으로써 오래 전에 이미 아시아를 독차지하는 패권국가가 되었다. 하지만 우리 한국이 독립해 그들의 침략을 막아낸다면 비단 세계로 뻗치는 그들의 야심을 제어할 수 있을 뿐만 아니라 중국의 안전도 보장될 것이다. 유럽에서의 전쟁이 종식된 뒤 일본이 비록 전쟁으로 스스로 망할 수 있다는 교훈을 얻었다 하더라도 그들의 해군력은 여전히 확장되고 있으며 시베리아에서의 병력 또한 여전히 증강되고 있다. 그들의 의도를 짐작해보건대 동아시아를 하나의 커다란 전쟁터로 만드는데서 그치지는 않을 것이다. 그러므로 우리 한국의 독립문제는 다만 일본의 무력정책을 깨뜨려 버리는 것에서 끝나는 것이 아니라 동아시아의 항구적인 평화는 물론 영원한 세계평화를 위해서도 중대한 문제가 될 것이다.

이제 우리 한국이 합병된 역사를 회고해 보노라면 일본이 폭력적으로 약속을 어긴 일에 대해서는 논할 가치도 없다. 일본은 중국과 영국, 미국 등과 외교관계를 맺었듯이 우리와도 외교관계를 수립해 자못 성실한 척 여러 조약을 맺음으로써 세계의 거센 반대에도 불구하고 폭력적인 합병정책을 추진했다. 그러나 중국과 영국, 미국은 모두 늦가을 매미처럼 아무 말도 못하고 공리(公理)를 주장할 수도 없었다. 내막을 알고 있는 사람들은 그제야 속으로 끙끙 앓았다. 재난의 시대에 태어난 우리가 나라의 치욕을 씻어버릴 것을 맹세하며 온갖 어려움을 달게 여기고 고달픈 생활도 감수하며 십 년 동안의 참담함을 이기고 독립의 뜻을 세운 것은 다른 이유가 있어서가 아니다.

작년 3월에 독립을 선포하자 세계인들이 비로소 우리 민족의 정신이 망하지 않았다는 인식을 갖게 되었는데도 일본은 식민지 정책을 조금도 거두어들이지 않고 여전히 폭력적인 방법으로 잔학하게 구니 인도주의는 발붙일 곳이 없었다. 그런데도 오히려 우리 한국인은 죽지 않고 한층 더 분발하였다. 앞사람이 넘어지면 뒷사람이 그 뒤를 이어나가고 뒤돌아보는 법이 없었다. 민족을 위해, 조국을 위해, 정의를 위해, 정당한 진리를 위해 싸웠다. 마지막 한 사람이 남더라도 살아서 항복하는 날은 없을 것이다. 이것이야말로 진정 우리 한국 독립혁명의 슬픈 역사이며 또 세계가 우리를 지목하는 이유이다. 기세가 들불처럼 퍼져나가자 우방국의 인사들이 우리를 돕고자 나서니 어떤 이는 양을, 어떤 이는 음으로 독립을 지지하고 도와주었다. 그들의 진심 어린 동정은 우리를 감동시켜 더 분발하게 하였다. 본 잡지는 이런 상황에 부응하고자 탄생한 것이다. 발행 첫머리에 향후 우리의 책임을 명시한다.

(1) **민족자결을 발휘한다**

민족자결은 윌슨이 주창하고 세계가 그에 호응한 것인데 야심에 찬 국가의 침략을 막는 정책으로 이보다 나은 것은 없다. 뿐만 아니라 영구적인 세계 평화를 보장하는 데도 이보다 나은 것이 없다. 나혁이(那赫爾)씨는 다음과 같이 말했다. "세계평화는 반드시 민족의 구분에 따라 국가를 건설하는 일로부터 시작해야 하고 또 이미 나라를 잃은 민족으로 하여금 본래 있던 국가를 회복하게 하는 데서 시작해야 한다." 또 고노(苦魯)씨는 "세계가 전쟁에 휩싸인 근본적인 원인은 민족주의로써 아직 나라를 구획하지 못했기 때문이다."라고 말했다.

민족이 존재하면 국가가 비록 망했더라도 아직 망한 것이 아니지만 민족이 사라지면 국가가 비록 존재한다 하더라도 이미 망한 것이나 다름없다. 관건은 패권국가의 압제에 달려 있는 것이 아니라 민족이 자결할 수 있느냐에 달려 있다. 파미르고원에 올라가 좌우를 돌아보면 광활한 평원이 펼쳐지는데 우리와 그들 중 누가 영웅인가? 러시아 민족은 자결을 알았기 때문에 자신들의 모국을 되찾을 수 있었다. 대만민족은 자결을 알지 못했기 때문에 여전히 다른 나라에 운명을 맡기고 있다. 벨기에 민족은 자결을 알았기 때문에 옛 제도를 회복할 수 있었다. 헝가리 민족은 자결을 알았기 때문에 완전한 독립을 이룰 수 있었다. 이들 중 자결을 주장해 실행에 옮긴 나라는 바로 지난 세기 대란의 화근이 되었다. 그런데 혹시 이미 자결을 주장했음에도 여전히 열강들에게 압제를 당하고 있다면 미래 대란의 화근이 될 것이다. 그러므로 우리들은 이제 신속히 그것을 제거해야만 한다. 아마 평등·자유·박애 세 가지를 표방하는 국가는 민족의 결집된 의견을 저버리는 악수는 결코 두지 않을 것이다. 그러므로 민족을 단위로 국가의 경제를 구획 짓는다면 세계는 영원히 평화로울 것이다. 이리하여 설령 대동주의로 먼저 국가제일주의를 타파하는 것을 전제로 하더라도 과도기에는 민족자결을 자치(自治)를 실행하는 방안으로 삼아야 한다.

(2) **독립과 평등을 주장한다**

우리 한국은 오천 년의 위대한 문명을 지닌 나라로 독립국가의 단단한 기반을 가지고 있으니 이 점은 세상 사람들이 공인하는 바일 것이다. 시조 단군께서 처음으로 백성을 존중하는 정치로 호소하였으니 사람들은 덕치에 감화되어 독립의 정신을 우뚝 세워 강권에도 꺾이지 않았다. 중세에는 중국에 조공을 바쳤다는 역사적 기록이 있지만 이는 단지 왕실의 전례를 나타낸 것이지 결코 우리 삼한 민족의 결집된 의견은 아니었다. 또 완전히 독립되어 중국의 간섭을 받지 않았으니 구속받지 않는 우리 민족의 특징은 여기에서 보듯 더욱 분명하다. 근대에 들어 일본, 거란, 몽고 등에게 침략을 당했으나 그때마다 불굴의 의지로 이들을 물리쳤다. 영광스러운 역사를 우리는 당연히 기억해야 할 것이니 이민족으로부터 침략을 당하면 민중의 기세는 격앙되어 결코 폭력에 항복해 무릎을 꿇는 일은 없었다. 미국의 박덕(박덕) 씨는 "삼한 민족은 남에게 구속받지 않는 독립적인 정신을 가지고 있다."라고 하였다. 이는 우방국 인사의 관찰이라고 하지만 또한 우리 민족이 스스로 자신하는 바이다. 더구나 오늘날 자유와 평등이 이미 한 국가의 통치 원리가 된 경우임에랴! 우리가 세계적 조류에 따라 할 수 있는 일은 독립된 국가의 국민이 되는 것이고 더욱이 굴레를 벗어버린 국민이 되어야만 하는 것이다. 나아가 근본적으로 자신의 생존은 자기 스스로 책임진다는 각오를 가진 국민이 되지 않으면 안 된다. 그러므로 국가의 평등문제는 응당 완전한 독립의 문제와 동시에 해결해야 한다. 무릇 독립되지 못한 상황에서의 평등이란 국민이 여전히 남의 밑에 굴복되어 있는 경우요, 불평등한 독립이라면 그 국제

적 지위는 여전히 낮다. 그러므로 일본으로부터 완전한 독립을 쟁취하고 동시에 세계를 향해 평등을 요구하는 것은 국가를 위한 방책이라고 할 수 있으니 부득불 수많은 동포의 피로써 그 대가를 지불해야 할 것이다.

(3) 국제적인 우호관계를 형성해야 한다

강자와 강자가 부딪히면 정의가 이기고 강자와 약자가 부딪히면 강한 자가 이긴다. 오늘날 정의는 비록 크게 천명되었다고는 하나 연회 석상에서 방패와 창에 맡겨지기 일쑤이고 외교는 여전히 병력과 군비에 의존하니 저들 열강들의 시대적 흐름에 역행하는 정책은 세계를 처참한 전쟁터로 만들어 버렸다. 하물며 우방 중에는 우리나라를 여전히 관망만 하는 나라가 있는데, 관계가 가장 밀접한 중국은 보금자리가 위태로워졌음에도 불구하고 희희낙락하며 즐거움에 빠져 있다. 우리는 남을 슬퍼할 겨를도 없이 우리를 슬퍼해야 하니 그 괴로움이란 방관자라 하더라도 차마 들을 수 없는 것이다. 게다가 일본은 우리 한국을 대함에 무력적인 방법만을 내세우니 세계에서 우리 한국의 고통에 대해 그 진상을 제대로 아는 자는 정말 적다. 이러한즉 이번에 독립을 선포한 일은 우리 민족이 무수한 피를 흘린 결과이다. 그러나 일본의 선전 기관은 단지 소소한 부분만을 언급할 뿐 사태의 심각성을 제대로 인식하지 못하고 있다. 상황이 제대로 이해되지 못한 채 드디어 구미 각국에 알려졌으나 그들에겐 독립민족의 진정한 정신을 이해할 방법이 없었다. 이것이야말로 우리가 골수에 사무치도록 원망하지 않을 수 없는 까닭이다. 이제 그 해결방법을 말한다면 다음과 같다.

(갑) 미국과 유럽 여러 나라에 우리나라의 독립 사실을 알린다.
(을) 중국과 한국의 제휴를 주장한다.

미국과 유럽의 여러 나라들은 일본의 야심에 대해서 이미 눈을 부릅뜨고 보았지만 지리적으로 멀리 떨어져 있어 극동의 정세에 대하여 여러 가지 혼동을 초래하였고 우리 한국의 독립에 대해 본래 깊은 동정심을 가졌으나 여전히 머리에 깊이 새겨두고 생각한 자는 없었으니 사람이 없어서가 아니었다. 내 몸 같은 중국으로 말하자면 지금 국민들은 깊은 잠에서 깨어나고 있으나 정치하는 자들은 예전처럼 잠들어 있어 입술과 이처럼 서로 의지하고 있는 우리 민족에 대해서는 강 건너 불구경하듯 우리가 아프고 간지러워하는 것에 대하여 전혀 개의치 않고 있다. 그러므로 우리는 지금부터 온 힘을 다해 제일 먼저 글로 우방에게 알려야 한다. 둘째, 함께 원수를 갚는다는 기상으로 중국과 한국은 서로 손을 맞잡아야 한다. 진리에 호소하고 마음에 호소하면서 힘을 합해 서로 도와야 한다. 우리가 중국 및 미국과 유럽에 바라는 것은 바로 남을 구제하는 것이 곧 자기를 구제하는 것이며, 장차 세계를 구원하는 것이므로 자기문제로만 그쳐서는 안 된다는 것이다.

(4) 세계문화를 받아들인다

선부혜령(善夫惠靈)씨는 "문화야말로 세계를 진보시키는 어머니이다"라고 말했다. 또 "문화는 인류의 영혼에 영감을 부여하고 사회의 행복을 증진시킨다"라고도 했다. 우리 한국은 이미 역사적으로 문명을 가졌지만 발을 깎아 신발에 맞추듯 더러 시절에 맞지 않는 것도 있다. 게다가 세계의 새로운 사조는 해가 막 동쪽에서 떠오르듯 어두운 숲을 비추고 있다. 그러므로 우리는 이제 생존을 위해 문화를 수입해 문명을 촉진시켜야 한다. 이것이 우리가 짊어진 책임이다. 덧붙이자면 러시아의 부흥은 문화의 보급에 있었고 프랑스가 승리할 수 있었던 것은 그들의 문화를 선전했기 때문이다. 그러므로 우리 한국의 조국을 되찾겠다는 생각은 그 자체로 나라를 여는 기념비적 출발인 것이다.

(5) 광복의 실상을 알린다

우리는 생명을 버려 옛 땅을 되찾아야 한다. 이는 선열과 지사들에게 있어 참으로 가슴 아픈 일이다. 일본은 '지방자치'와 '교육평등'이라는 사악한 명분으로 우리나라 사람과 우방국들을 속이고 있다. 이런 풍문이 퍼져나가자 몇 번이나 우리의 목숨과 맞바꾸어 이룩한 독립의 실상이 은폐되어 버리니 한마디로 슬픈 일이다. 우리 한국인의 교양 있는 행동거지나 거침없는 태도는 한국을 경험해본 외국인들이면 모두 목격한 사실이다. 비록 흉측한 일본인들이라 하더라도 그것을 제지할 수는 없다. 그러므로 모든 상세한 정황을 신속한 방법으로 우방에 알려 정의가 무너지지 않고 나라가 망하지 않았으며 인도주의와 민족이 사라지지 않았음을 세계인들이 알게 해야 한다. 뿐만 아니라 일본인들의 잔학무도한 진상을 남김없이 폭로해야 한다.

이상의 각 항목은 본보의 중요한 요소이자 우리들이 책임져야 하는 향후의 문제들이다. 우리는 이제 감히 우방에게 고한다. '동아시아의 평화', '무력제거', '인도주의', '정의', '박애', '평등'과 같은 입으로만 떠드는 문명을 우리는 이미 귀 아프도록 들어왔다. 그러나 믿음을 주도록 실행하는 것은 여러 우방국들의 최후 결심에 달려 있다고 본다. 나아가 바라는 것은 중국과 미국은 앞장서 인도주의를 견지하면서 동시에 뗄려야 뗄 수 없는 관계이니 만일 강한 자를 억누르고 약한 자를 돕겠다는 신념으로 동아시아의 항구적인 평화를 보장한다면 우리 한국이 그 혜택을 누리게 될 뿐만 아니라 동아시아는 물론 세계도 그 혜택을 얻게 될 것이다. 우리는 다시 우방의 인사들에게 소리 높여 외친다. 천하의 흥망에는 필부에게도 책임이 있는 법, 하물며 독립은 우리의 생존문제이니 결정적인 중요한 시기를 조금만 늦추어도 기회는 가버릴 것이다. 만일 정의가 널리 퍼져 다행히 큰 나라의 도움을 받게 된다면 이는 우리가 바라던 것이다. 설령 그렇지 않더라도 우리는 한 마음으로 협력하여 세계 평화와 인도주의를 위해 싸워야 할 것이다. "이 태양은 언제 망하는가. 너와 나 같이 망하자"와 같은 절망적인 상황에서도 철석같은 굳은 마음으로 길이 빛나도록 행동하자. 저들이 속임수로 나오면 우리는 진실로 맞서고 저들이 폭력으로 나오면 우리는 인의(仁義)로 맞선다. 저들의 군대가 비록 뛰어나다고 하나 우리는 기꺼이 목숨을 내놓을 준비가 되어 있다. 저들의 무기가 날카롭다 하더라도 우리는 피를 뿌릴 각오가 되어 있다. 산하는 우리의 요새요 초목은 모두 우리의 무기이다. 우리가 오래 버티면 저들은 끝내 스스로 망할 것이고 모든 일을 책임진 일왕(日王)일지라도 어찌 그 자리를 영원히 차지하고 죽지 않을 수 있겠는가? 국민들이여! 국민들이여 ! 뙤약볕이 한창 이글대는데 언제 함께 오려는가 !

石源華·金俊燁 共編, 『申圭植·閔弼鎬와 韓中關係』,
나남출판, 2003.4, pp.239-247

민족자결과 한국독립

테오도르 루스벨트는 이렇게 말했다. "세계에는 두 종류의 민족이 있다. 하나는 달갑게 다른 민족의 노예가 되어 독립의식이 없는 민족이고, 또 하나는 이민족의 꼬임에 빠져 동포끼리 서로를 해치는 민족이다."

후세 사람들이 민족주의를 논할 때 충분히 근거로 삼을 수 있는 뛰어난 말이다. 그런데 우리 한국 사람들은 어떠하기를 원하는가? 일본에게 나라를 빼앗긴 이후로 우리 한국의 지위는 자연 인도나 남미와 그 운명을 같이하고 있다. 그러나 나라가 망하자 빈손으로 봉기했으니 비록 일본군대가 사방으로 강력한 무력을 써 진압한다 해도 우리의 뜨거운 애국심은 시종 식을 줄을 모른다. 날카로운 병기나 강력한 군대에 의지하지 않고 애국의 뜨거운 피로 동방의 도이치인 일본제국과 맞서 싸웠다. 그러므로 루스벨트의 말대로 한국인은 세계에서 단연코 독립적이고 남에게 구속당하지 않는 민족이라는 것이 실증되었다.

남에게 구속받지 않는다고 했으니 일본이 나라를 뺏은 일에 대해 한국인은 응당 정의로써 물리쳐야 할 것이며, 독립이라고 했으니 비합법적 합병문제에 대해서 우리 한국인은 정당한 도리로 해결해야 한다. 일본의 기세등등한 야심과 상관없이 우리 한국인의 독립성을 표현하기는 쉽지 않지만 정의는 악을 물리치고 적을 꺾을 수 있으므로 우리 한국인이 어떻게 그것을 추진하고 어떻게 결심할 것인지, 단지 이것만을 물어야지 그 성공과 실패, 순조로움과 난관에 대해서는 생각할 것이 못된다.

이 문제를 생각하면 어떤 방식을 채택해야만 할 것인지 이것을 연구하지 않을 수 없다. 그러니 우리가 세계적 추세에 발맞추어 국가의 운명을 결정한다면 오늘 의당 가장 먼저 해야 할 일은 민족자결(民族自決)이다. 민족자결이라는 말은 19세기에 나온 것으로 우리 또한 늘 주장하는 것이다. 어떤 경우는 민족자주(民族自主)라는 말과 혼동되기도 한다. 이제 특별히 두 가지의 학설을 소개해서 참고하려고 한다.

(갑) 민족자주란 자기가 자기 운명을 지배하는 것이다. 민족자결이란 곧 자기가 자기의 운명을 해결하는 것이다. 민족자결이란 곧 자기가 자기의 운명을 해결하는 것이다. 전자는 이미 독립된 국가에 해당되는 것이고, 후자는 아직 독립하지 못한 나라에 해당되는 말이다.

(을) 세계대동(世界大同)은 개개인의 자치에서 시작되고 각 개인의 자치는 민족자치(民族自治)에서 시작된다. 그리고 민족자치는 민족자결에서 발원된다. 그러므로 세계대동을 바란다면 반드시 민족자결로부터 시작해야 한다.

(병) 민족자결에는 두 가지 요소가 필요하다. 하나는 무력간섭을 받지 않는 것이고 또 하나는 민족정신을 잃지 않는 것이다. 그러므로 이 두 가지 의미에 합치되는 것을 민족자결이라고 말한다. 이것과 배치되지만 형식이 유사한 것을 노예자결(奴隸自決)이라고 한다.

오늘 우리 한국인은 세계대동을 위한 준비기에 서 있을 뿐만 아니라 모두가 미워해 용서하지 않는 일본에 의해 합병되었으니 민족자결이라는 네 글자는 신성해 침범할 수 없는 우리들의 구명부(救命符)이다. 우리 한국이 설령 자결을 실행하려해도 오래도록 한 성씨만을 천왕으로 추대해온 왜놈들은 결코 그것을 용납하지 않고 있다. 그러므로 이제 민족정신을 완성하고 무력간섭으로부터 벗어나기 위해서는 우리 한국이 독립하는 길 외에 다른 방도가 없다.

우리가 독립을 요구하는 것은 단지 한국민족만을 위해서가 아니요 아시아와 세계를 위해서이다. 중국과 일본 간의 충돌, 러시아와 일본간의 전쟁, 열강의 세력균형 문제 등은 모두 하나같이 우리 한국과 중대한 관련이 있다. 그러므로 우리 한국이 독립하지 못하면 일본의 군국주의는 장차 동아시아 전체로 파급될 것인즉 중국의 멸망은 그저 작은 일에 불과할 뿐이다. 우리 한국이 일단 독립하게 되면 중국의 안전은 한층 더 보장되어 입술과 이가 서로 의지하듯 친선관계는 날로 증진될 것이다. 그러나 이 말은 그저 우리 한국 한쪽만이 떠드는 말일 뿐이다.

만일 세계적 안목으로 살펴본다면 사반 세기 동안 세계를 휩쓸고 있는 이 흐름은 바로 민족자결이란 강줄기가 흘러드는 최대의 바다로 잉글랜드와 아일랜드문제 그리고 미국과 필리핀 문제 등이 모두 민족자결의 쟁점이 된다. 다시 말하면 인도와 남미 역시 이 네 글자를 기치로 광복의 물꼬를 텄다.

우리 한국 사람들은 불행을 만났으나 그것은 인도나 남미사람들에 비하면 낫다고 할 수 있다. 그들은 어떻게 그토록 오랜 세월을 한결같이 줄곧 국가의 혼을 쟁취해야 한다고 생각했을까? 그런데 우리 한국은 합병된 지 불과 10년 만에 그것을 잊어버렸단 말인가! 만일 이제 독립하지 않으면 10년 뒤에는 이러한 분위기가 널리 파급되어 진나라의 분서갱유(焚書坑儒)보다도 더 심각한 결과를 초래할 것이다. 그러므로 그때에는 스스로 민족을 왕성하려고 생각해도 불가능할 것이니 하물며 독립이랴!

덧붙여 우리 한국의 독립을 표면적으로 말하자면 세계를 위해 안전을 도모하는 것이요, 실질적 관점에서 말한다면 또한 일본을 위해 안전을 도모하는 것이다. 일본이 동아시아로부터 멀리 있게 되면 세계 여러 나라와 결코 크게 충돌하는 일은 없을 것이다. 뜻밖에 한국이 합병되자 그 뒤로 미국의 태평양주의, 영국의 일본과의 동맹폐기, 러시아의 일본복수결의대회 등이 모두 이 조류와 함께 나타났다. 그러므로 그 가장 큰 원인을 추측해 보면 누구를 막론하고 모두 한국의 멸망이야말로 중국의 멸망으로 이어져 전 세계로까지 영향을 미치는 확실한 징표라고 인식하고 있다.

그러므로 일본이 전 세계의 질시를 받게 되는 것은 우리 한국문제로부터 발단되는 것이다. 이제 한국이 완전히 독립된다면 양식 있는 일본인은 좋은 친구가 될 수 있을 것이며 책망하지 않을 것이다. 또한 각국이 일본을 제압하기 위해 채택한 방책들도 반드시 남김없이 소멸될 것이다.

미국의 미래학자 기삼(崎森) 박사는 “미래 세계대전은 일본열도에서 시작된다. 평화적 해결을 위해서는 한국독립을 돕는 것이 유일한 방법이다”라고 말했다.

이로써 우리 한국이 세계대전의 씨앗임을 알 수 있으니 동아시아 평화를 위해서 반드시 독립해야만 하며, 세계평화를 위해서도 반드시 독립해야 한다. 더욱이 일본의 평화를 위해서도 반드시 독립해야 한다. 세계적인 통례상 독립은 민족자결보다 나중 문제로 대개 국민이 우선 자결의 기회를 얻은 뒤에야 비로소 독립을 이룰 수 있다. 우리 한국의 경우는 그 정반대이니 오늘날의 지위로 본다면 탐욕에 물든 일본은 독점해 말아먹으려는 계략으로 정신이 없어 마음속에 우리 한국민족이 있다는 것조차 모르는 형편이다. 그러니 어찌 우리의 자결을 허용할 수 있겠는가? 그러므로 반드시 먼저 독립을 쟁취한 뒤에 다시 자결을 이룬다면 비로소 그 희망을 이룰 수 있을 것이다.

과거 로마에서는 시민들의 투표로 자기의 운명을 스스로 결정한 일이 있고 중세의 스페인 또한 국민들의 투표로 나라의 운명을 결정한 일이 있다. 그러나 이 두 경우 모두 무력의 감시를 받아 자유롭게 행동할 수 없었으니 그런 이유로 명분상으로는 민족자결이라고 하지만 사실은 여전히 노예자결일 뿐이었다. 이제 우리 한국이 노예자결을 타파하고 진정한 민족자결을 요구해 독립을 실행할 계획이라면 무력간섭을 몰아내야 한다. 그렇다면 그 방법은 무엇인가? 고노(苦魯) 씨가 제시한 조건을 잠시 표본으로 삼아본다.

(1) 인도주의를 창과 방패로 삼아 무력을 갖지 않는다.
(2) 뜨거운 피를 희생하여 거국적으로 싸운다.
(3) 형식적 독립의 방법을 쓰지 않고 혼으로써 맞선다.
(4) 결전에 임했을 때는 겁먹지 않고 강인하고 굳세게 싸운다.
(5) 백절불굴의 자세를 갖는다.
(6) 투쟁이 거듭될수록 더 분발하는 용맹한 마음을 갖는다.
(7) 글을 이용한 선전으로 중외인사들이 독립의 필요성을 절감하도록 한다.
(8) 우리 단독의 힘으로 복수해 세계의 모든 사람들에게 한국의 민족정기가 아직 죽지 않았음을 알린다.

이상의 여덟 가지는 세계혁명에 대해 고노(苦魯) 씨가 주창한 독립의 조건이다. 그 말이 깊이 있고 절실하며 분명해 일체의 무력주의를 배제하고 있다. 이제 우리 한국이 세계를 향해 나아가고 혁명을 위해 공헌하기 위해 소중히 지켜야 할 조건으로 이 여덟 가지를 능가하는 것은 없다.

이제 감히 우리 이천만 동포들에게 부르짖노니 사리에 어두우면서도 욕심에만 눈 먼 왜놈들이 정의와 인도주의를 제쳐놓고 돌아보지 않으니 우리 한국인은 스스로 생존을 위해 계획을 세워 병기를 들고 일어나 적과 죽음을 불사한 결전을 치러야 한다. 우리의 혼을 위해 계획하는 것이니 성패란 생각할 겨를이 없다. 자유롭지 못하느니 차라리 죽겠노라. 우리 국민들이여 이 말을 깊이 새겨야 할 것이다!

石源華·金俊燁 共編, 『申圭植·閔弼鎬와 韓中關係』,
나남출판, 2003.4, pp.249-254

신채호 편

朝鮮革命宣言

1

强盜 日本이 우리의 國號를 없이하며, 우리의 政權을 빼앗으며, 우리의 生存的 必要條件을 다 剝奪하였다. 經濟의 生命인 山林·川澤·鐵道·礦山·漁場……乃至 小工業 原料까지 다 빼앗아 一切의 生産機能을 칼로 베이며 도끼로 끊고, 土地稅·家屋稅·人口稅·家畜稅·百一稅·地方稅·酒草稅·肥料稅·種子稅·營業稅·淸潔稅·所得稅 其他 各種 雜稅가 逐日 增加하여 血液은 있는 대로 다 빨아가고, 如干 商業家들은 日本의 製造品을 朝鮮人에게 媒介하는 中間人이 되어 차차 資本集中의 原則하에서 滅亡할 뿐이오, 大多數 人民 곧 一般農民들은 피땀을 흘리어 土地를 갈아, 그 終年 所得으로 一身과 妻子의 糊口거리도 남기지 못하고, 우리를 잡아 먹으려는 日本 强盜에게 進供하여 그 살을 찌워 주는 永世의 牛馬가 될 뿐이오, 乃終에는 그 牛馬의 生活도 못하게 日本 移民의 輸入이 年年 高度의 速率로 增加하여 「딸깍발이」 등쌀에, 우리 民族은 발 디딜 땅이 없어 山으로 물로 西間島로 北間島로 西比利亞의 荒野로 몰리어 가 餓鬼부터 流鬼가 될 뿐이며,

强盜 日本이 憲兵政治·警察政治를 勵行하여 우리 民族이 寸步의 行動도 任意로 못하고, 言論·出版·結社·集會의 一切 自由가 없어, 苦痛과 憤恨이 있으면 벙어리의 가슴이나 만질 뿐이오, 幸福과 自由의 世界에는 눈 뜬 소경이 되고, 子女가 나면 「日語를 國語라, 日文을 國文이라」 하는 奴隷養成所—學

校로 보내고, 朝鮮 사람으로 或 朝鮮史를 읽게 된다 하면 「檀君을 誣하여 素戔鳴尊의 兄弟」라 하며 「三韓時代 漢江 以南을 日本 領地」라 한 日本놈들의 적은 대로 읽게 되며, 新聞이나 雜誌를 본다 하면 强盜政治를 讚美하는 半日本化한 奴隸的 文字뿐이며, 똑똑한 子弟가 난다 하면 環境의 壓迫에서 厭世絶望의 墮落者가 되거나 그렇지 않으면 「陰謀事件」의 名稱下에 監獄에 拘留되어, 周牢·枷鎖·단근질·채찍질·電氣질·바늘로 손톱 밑과 발톱 밑을 쑤시는·手足을 달아매는·콧구멍에 물붓는·生殖器에 심지를 박는 모든 惡刑, 곧 野蠻 專制國의 刑律辭典에도 없는 갖은 惡刑을 다 당하고 죽거나, 僥倖히 살아서 獄門에 나온대야 終身 不具의 廢疾者가 될 뿐이라. 그렇지 않을지라도 發明 創作의 本能은 生活의 困難에서 斷絶하며, 進取 活潑의 氣象은 境遇의 壓迫에서 消滅되어 「찍도 짹도」 못하게 各 方面의 束縛·鞭笞·驅迫·壓制를 받아, 環海 三千里가 一個 大監獄이 되어, 우리 民族은 아주 人類의 自覺을 잃을 뿐 아니라, 곧 自動的 本能까지 잃어 奴隸부터 機械가 되어 强盜手中의 使用品이 되고 말 뿐이며,

强盜 日本이 우리의 生命을 草芥로 보아, 乙巳 以後 十三道의 義兵나던 各 地方에서 日本軍隊의 行한 暴行도 이루 다 적을 수 없거니와, 即 最近 三·一運動 以後 水原·宣川…… 등의 國內 各地부터 北間島·西間島·露領沿海州 各處까지 到處에 居民을 屠戮한다, 村落을 燒火한다, 財産을 掠奪한다, 婦女를 汚辱한다, 목을 끊는다, 산 채로 묻는다, 불에 사른다, 或 一身을 두 동가리·세 동가리로 내어 죽인다, 兒童을 惡刑한다, 婦女의 生殖器를 破壞한다 하여, 할 수 있는 데까지 慘酷한 手段을 써서 恐怖와 戰慄로 우리 民族을 壓迫하여 人間의 「산 송장」을 만들려 하는도다.

以上의 事實에 據하여 우리는 日本 强盜政治 곧 異族統治가 우리 朝鮮民族 生存의 敵임을 宣言하는 同時에, 우리는 革命手段으로 우리 生存의 敵인

强盜 日本을 殺伐함이 곧 우리의 正當한 手段임을 宣言하노라.

2

內政獨立이나 參政權이나 自治를 運動하는 者— 누구이냐?

너희들이 「東洋平和」 「韓國獨立保全」 等을 擔保한 盟約이 墨도 마르지 아니하여 三千里 疆土를 집어먹던 歷史를 잊었느냐? 「朝鮮人民 生命財産 自由保護」「朝鮮人民 幸福增進」 等을 申明한 宣言이 땅에 떨어지지 아니하여 二千萬의 生命이 地獄에 빠지던 實際를 못보느냐? 三·一運動 以後에 强盜 日本이 또 우리의 獨立運動을 緩和시키려고 宋秉畯·閔元植 等 一二 賣國奴를 시키어 이따위 狂論을 부름이니, 이에 附和하는 者— 盲人이 아니면 어찌 奸賊이 아니냐?

設或 强盜 日本이 果然 寬大한 度量이 있어 慨然히 此等의 要求를 許諾한다 하자, 所謂 內政獨立을 찾고 各種 利權을 찾지 못하면 朝鮮民族은 一般의 餓鬼가 될 분이 아니냐? 參政權을 獲得한다 하자, 自國의 無産階級의 血液까지 搾取하는 資本主義 强盜國의 植民地 人民이 되어 幾個 奴隸代議士의 選出로 어찌 餓死의 禍를 救하겠느냐? 自治를 얻는다 하자, 그 何種의 自治임을 勿問하고 日本이 그 强盜的 侵略主義의 招牌인 「帝國」이란 名稱이 存在한 以上에는, 그 附屬下에 있는 朝鮮人民이 어찌 區區한 自治의 虛名으로써 民族的 生存을 維持하겠느냐?

設或 强盜 日本이 突然히 佛菩薩이 되어 一朝에 總督府를 撤廢하고 各種 利權을 다 우리에게 還付하며, 內政外交를 다 우리의 自由에 맡기고 日本의 軍隊와 警察을 一時에 撤還하며, 日本의 移住民을 一時에 召還하고 다만 虛名의 宗主權만 가진다 할지라도 우리가 萬一 過去의 記憶이 全滅하지 아니

하였다 하면, 日本을 宗主國으로 奉戴한다 함이 「恥辱」이란 名詞를 아는 人類로는 못할지니라.

日本 强盜 政治下에서 文化運動을 부르는 者— 누구이냐?

文化는 産業과 文物의 發達한 總積을 가리키는 名詞니, 經制掠奪의 制度下에서 生存權이 剝奪된 民族은 그 種族의 保全도 疑問이거든, 하물며 文化發展의 可能이 있으랴? 衰亡한 印度族·猶太族도 文化가 있다 하지만, 一은 金錢의 力으로 그 祖先의 宗教的 遺業을 繼續함이며, 一은 그 土地의 廣과 人口의 衆으로 上古의 自由發達한 餘澤을 保守함이니, 어디 蚊蝱같이 豺狼같이 人血을 빨다가 骨髓까지 깨무는 强盜 日本의 입에 물린 朝鮮 같은 데서 文化를 發展 或 保守한 前例가 있더냐? 檢閱·押收 모든 壓迫中에 幾個 新聞·雜誌를 가지고 「文化運動」의 木鐸으로 自鳴하며, 强盜의 脾胃에 거스르지 아니 할 만한 言論이나 主唱하여 이것을 文化發展의 過程으로 본다 하면, 그 文化發展이 도리어 朝鮮의 不幸인가 하노라.

以上의 理由에 據하여 우리는 우리의 生存의 敵인 强盜 日本과 妥協하려는 者(內政獨立·自治·參政權 等 論者)나 强盜 政治下에서 寄生하려는 主義를 가진 者(文化運動者)나 다 우리의 敵임을 宣言하노라.

3

强盜 日本의 驅逐을 主張하는 가운데 또 如左한 論者들이 있으니,

第一은 外交論이니, 李朝 五百年 文弱政治가 「外交」로써 護國의 長策을 삼아 더욱 그 末世에 尤甚하여, 甲申 以來 維新黨·守舊黨의 盛衰가 거의 外援의 有無에서 判決되며, 爲政者의 政策은 오직 甲國을 引하여 乙國을 制함에 不過하였고, 그 依賴의 習性이 一般 政治社會에 傳染되어 即 甲午·甲

辰 兩戰役에 日本이 累十萬의 生命과 累億萬의 財產을 犧牲하여 淸·露 兩國을 물리고, 朝鮮에 對하여 强盜的 侵略主義를 貫徹하려 하는데 우리 朝鮮의 「祖國을 사랑한다, 民族을 건지려 한다」 하는 이들은 一劍一彈으로 昏庸貪暴한 官吏나 國賊에게 던지지 못하고, 公函이나 列國公館에 던지며 長書나 日本政府에 보내어 國勢의 孤弱을 哀訴하여 國家存亡·民族死活의 大問題를 外國人 甚至於 敵國人의 處分으로 決定하기만 기다리었도다. 그래서 「乙巳條約」「庚戌合併」— 곧 「朝鮮」이란 이름이 생긴 뒤 몇 千年만의 처음 當하던 恥辱에 朝鮮民族의 憤怒的 表示가 겨우 哈爾濱의 총, 鍾峴의 칼, 山林儒生의 義兵이 되고 말았도다.

아! 過去 數十年 歷史야말로 勇者로 보면 唾罵할 歷史가 될 뿐이며, 仁者로 보면 傷心할 歷史가 될 뿐이다. 그리고도 國亡 以後 海外로 나아가는 某某志士들의 思想이 무엇보다도 먼저 「外交」가 그 第一章 第一條가 되며, 國內 人民의 獨立運動을 煽動하는 方法도 「未來의 日美戰爭·日露戰爭 等 機會」가 거의 千篇一律의 文章이었었고, 最近 三·一運動에 一般人士의 「平和會義·國際聯盟」에 對한 過信의 宣傳이 도리어 二千萬 民衆의 奮勇前進의 意氣를 打消하는 媒介가 될 뿐이었도다.

第二는 準備論이니, 乙巳條約의 當時에 列國公館에 빗발돋듯 하던 조희 쪽으로 넘어가는 國權을 붙잡지 못하며, 丁未年의 海牙密使도 獨立 恢復의 福音을 안고 오지 못하매, 이에 차차 外交에 對하여 疑問의 되고 戰爭 아니면 안되겠다는 判斷이 생기었다. 그러나 軍人도 없고 武器도 없이 무엇으로써 戰爭하겠느냐? 山林儒生들은 春秋大義에 成敗를 不計하고 義兵을 募集하여 峩冠大衣로 指揮의 大將이 되며, 사냥 砲手의 火繩隊를 몰아가지고 朝·日戰爭의 戰鬪線에 나섰지만 新聞 쪽이나 본 이들— 곧 時勢를 斟酌한다는 이들은 그리할 勇氣가 아니난다. 이에 「今日 今時로 곧 日本과 戰爭한다는 것은 妄發이다. 총도 장만하고 돈도 장만하고 大砲도 장만하고 長官이나 士卒감까지라도 다 장만한 뒤에야 日本과 戰爭한다」 함이니, 이것이 이른바 準備論 곧 獨立戰爭을 準備하자 함이다. 外勢의 侵入이 더할수록 우리의 不足한 것이 자꾸 感覺되어, 그 準備論의 範圍가 戰爭 以外까지 擴張되어 教育도 振興해야겠다, 商工業도 發展해야겠다, 其他 무엇무엇 一切가 모두 準備論의 部分이 되었었다. 庚戌 以後 各 志士들이 或 西·北間島의 森林을 더듬으며, 或 西比利亞의 찬바람에 배부르며, 或 南·北京으로 돌아다니며, 或 美洲나 「하와이」로 돌아가며, 或 京鄉에 出沒하여 十餘星霜 內外 各地에서 목이 터질 만치 準備! 準備!를 불렀지만, 그 所得이 몇 개 不完全한 學校와 實力없는 會 뿐이었었다. 그러나 그들의 誠力의 不足이 아니라 實은 그 主張의 錯誤이다. 强盜 日本이 政治·經濟 兩方面으로 驅迫을 주어 經濟가 날로 困難하고 生産機關이 全部 剝奪되어 衣食의 方策도 斷絶되는 때에, 무엇으로? 어떻게? 實業을 發展하며, 教育을 擴張하며, 더구나 어디서? 얼마나? 軍人을 養成하며, 養成한들 日本 戰鬪力의 百分之一의 比較라도 되게 할 수 있느냐? 實로 一場의 잠꼬대가 될 뿐이로다.

以上의 理由에 依하여 우리는 「外交」「準備」 等의 迷夢을 버리고 民衆 直接革命의 手段을 取함을 宣言하노라.

4

朝鮮民族의 生存을 維持하자면 强盜 日本을 驅逐할지며, 오직 革命으로써 할 뿐이니, 革命이 아니고는 强盜 日本을 驅逐할 方法이 없는 바이다.

그러나 우리가 革命에 從事하려면 어느 方面부터 着手하겠느뇨?

舊時代의 革命으로 말하면, 人民은 國家의 奴隸가 되고 그 以上에 人民을

支配하는 上典 곧 特殊勢力이 있어 그 所謂 革命이란 것은 特殊勢力의 名稱을 變更함에 不過하였다. 다시 말하자면 곧 「乙」의 特殊勢力으로 「甲」의 特殊勢力을 變更함에 不過하였다. 그러므로 人民은 革命에 對하여 다만 甲·乙 兩勢力 곧 新·舊 兩上典의 孰仁·숙폭·숙선·孰惡을 보아 그 向背를 定할 뿐이요, 直接의 關係가 없었다. 그리하여 「誅其君而吊其民」이 革命의 唯一宗旨가 되고 「簞食壺漿以迎王師」가 革命史의 唯一美談이 되었거니와, 今日 革命으로 말하면 民衆이 곧 民衆 自己를 爲하여 하는 革命인 故로 「民衆革命」이라 「直接革命」이라 稱함이며, 民衆 直接의 革命인 故로 그 沸騰 澎漲의 熱度가 數字上 强弱 比較의 觀念을 打破하며, 그 結果의 成敗가 매양 戰爭學上의 定軌에 逸出하여 無錢無兵한 民衆으로 百萬의 軍隊와 億萬의 富力을 가진 帝王도 打倒하며 外寇도 驅逐하나니, 그러므로 우리 革命의 第一步는 民衆覺悟의 要求니라.

民衆이 어떻게 覺悟하느뇨?

民衆은 神人이나 聖人이나 어떤 英雄 豪傑이 있어 「民衆을 覺悟」하도록 指導하는 데서 覺悟하는것도 아니요, 「民衆아, 覺悟하자」「民衆이여, 覺悟하여라」 그런 熱叫의 소리에서 覺悟하는 것도 아니오.

오직 民衆이 民衆을 爲하여 一切 不平·不自然·不合理한 民衆向上의 障礙부터 먼저 打破함이 곧 「民衆을 覺悟케」 하는 唯一方法이니, 다시 말하자면 곧 先覺한 民衆이 民衆의 全體를 爲하여 革命적 先驅가 됨이 民衆 覺悟의 第一路니라.

一般 民衆이 飢·寒·困·苦·妻呼·兒啼·稅納의 督棒·私債의 催促·行動의 不自由·모든 壓迫에 졸리어, 살려니 살 수 없고 죽으려 하여도 죽을 바를 모르는 판에, 萬一 그 壓迫의 主因되는 强盜政治의 施設者인 强盜들을 擊斃하고, 强盜의 一切 施設을 破壞하고, 福音이 四海에 傳하여 萬衆이 同情의 눈

물을 뿌리어, 이에 人人이 그 「餓死」以外에 오히려 革命이란 一路가 남아 있음을 깨달아, 勇者는 그 義憤에 못이기어 弱者는 그 苦痛에 못견디어, 모두 이 길로 모여들어 繼續的으로 進行하며 普遍的으로 傳染하여 擧國一致의 大革命이 되면 奸猾殘暴한 强盜日本이 畢竟 驅逐되는 날이라. 그러므로 우리의 民衆을 喚醒하여 强盜의 統治를 打倒하고 우리 民族의 新生命을 開拓하자면 義兵 十萬이 一擲의 炸彈만 못하며 億千張 新聞·雜誌가 一回 暴動만 못할지니라.

民衆의 暴力적 革命이 發生치 아니하면 已어니와, 이미 發生한 以上에는 마치 懸崖에서 굴리는 돌과 같아서 目的地에 到達하지 아니하면 停止하지 않는 것이라, 우리 已往의 經過로 말하면 甲申政變은 特殊勢力이 特殊勢力과 싸운던 宮中 一時의 活劇이 될 뿐이며, 庚戌 前後의 義兵들은 忠君愛國의 大義로 激起한 讀書階級의 思想이며, 安重根·李在明 等 烈士의 暴力的 行動이 熱烈하였지만 그 後面에 民衆的 力量의 基礎가 없었으며, 三·一運動의 萬歲소리에 民衆的 一致의 意氣가 瞥現하였지만 또한 暴力的 中心을 가지지 못하였도다. 「民衆·暴力」 兩者의 其一만 빠지면 비록 轟烈壯快한 擧動이라도 또한 電雷같이 收束하는도다.

朝鮮 안에 强盜日本의 製造한 革命原因이 산같이 쌓이었다. 언제든지 民衆의 暴力的 革命이 開始되어 「獨立을 못하면 살지 않으리라」, 「日本을 驅逐하지 못하면 물러서지 않으리라」는 口號를 가지고 繼續 前進하면 目的을 貫徹하고야 말지니, 이는 警察의 칼이나 軍隊의 총이나 奸猾한 政治家의 手段으로도 막지 못하리라.

革命의 記錄은 自然히 慘絶 壯絶한 記錄이 되리라. 그러나 물러서면 그 後面에는 黑暗한 陷穽이요, 나아가면 그 前面에는 光明한 活氣니, 우리 朝鮮民族은 그 慘絶 壯絶한 記錄을 그리면서 나아갈 뿐이니라.

이제 暴力—暗殺·破壞·暴動—의 目的物을 大略 列擧하건대,

一, 朝鮮總督 及 各 官公吏

二, 日本天皇 及 各 官公吏

三, 偵探奴·賣國賊

四, 敵의 一切 施設物

此外에 各 地方의 紳士나 富豪가 비록 現著히 革命運動을 妨害한 罪가 없을지라도 만일 言語 或 行動으로 우리의 運動을 緩和하고 中傷하는 者는 우리의 暴力으로써 對付할지니라. 日本人 移住民은 日本 强盜政治의 機械가 되어 朝鮮民族의 生存을 威脅하는 先鋒이 되어 있은즉 또한 우리의 暴力으로 驅逐할지니라.

5

革命의 길은 破壞부터 開拓할지니라. 그러나 破壞만 하려고 破壞하는 것이 아니라 建設하려고 破壞하는 것이니, 만일 建設할 줄을 모르면 破壞할 줄도 모를지며, 破壞할 줄을 모르면 建設할 줄도 모를지니라. 建設과 破壞가 다만 形式上에서 보아 區別될 뿐이요 精神上에서는 破壞가 곧 建設이니, 이를테면 우리가 日本勢力을 破壞하려는 것이

第一은 異族統治를 破壞하자 함이다. 왜? 「朝鮮」이란 그 위에 「日本」이란 異族 그것이 專制하여 있으니, 異族專制의 밑에 있는 朝鮮은 固有的 朝鮮이 아니니, 固有的 朝鮮을 發見하기 爲하여 異族統治를 破壞함이니라.

第二는 特權階級을 破壞하자 함이다. 왜? 「朝鮮民衆」이란 그 위에 總督이니 무엇이니 하는 强盜團의 特權階級이 壓迫하여 있으니, 特權階級의 壓迫 밑에 있는 朝鮮民衆은 自由的 朝鮮民衆이 아니니, 自由的 朝鮮民衆을 發見

하기 爲하여 特權階級을 打破함이니라.

第三은 經濟 掠奪制度를 打破하자 함이다. 왜? 掠奪制度 밑에 있는 經濟는 民衆 自己가 生活하기 爲하여 組織한 經濟가 아니요, 곧 民衆을 잡아먹으려는 强盜의 살을 찌우기 爲하여 組織한 經濟니, 民衆生活을 發展하기 爲하여 經濟 掠奪制度를 破壞함이니라.

第四는 社會的 不平均을 破壞하자 함이다. 왜? 弱者 以上에 强者가 있고 賤者 以上에 貴者가 있어 모든 不平均을 가진 社會는 서로 掠奪, 서로 剝削, 서로 嫉妬 仇視하는 社會가 되어, 처음에는 少數의 幸福을 爲하여 多數의 民衆을 殘害하다가 末境에는 또 少數끼리 서로 殘害하여 民衆 全體의 幸福이 畢竟 數字上의 空이 되고 말 뿐이니, 民衆 全體의 幸福을 增進하기 爲하여 社會的 不平均을 破壞함이니라.

第五는 奴隸的 文化思想을 破壞하자 함이다. 왜? 遺來하던 文化思想의 宗教·倫理·文學·美術·風俗·習慣 그 어느 무엇이 强者가 製造하여 强者를 擁護하던 것이 아니더냐? 强者의 娛樂에 供給하던 諸具가 아니더냐? 一般民衆을 奴隸化케 하던 痲醉劑가 아니더냐? 少數階級은 强者가 되고 多數民衆은 도리어 弱者가 되어 不義의 壓制를 反抗치 못함은 專혀 奴隸的 文化思想의 束縛을 받은 까닭이니, 만일 民衆的 文化를 提唱하여 그 束縛의 鐵鎖를 끊지 아니하면, 一般民衆은 權利思想이 薄弱하며 自由向上의 興味가 缺乏하여 奴隸의 運命 속에서 輪回할 뿐이라. 그러므로 民衆文化를 提唱하기 위하여 奴隸的 文化思想을 破壞함이니라.

다시 말하자면 「固有的 朝鮮의」 「自由的 朝鮮民衆의」 「民衆的 經濟의」 「民衆的 社會의」 「民衆的 文化의」 朝鮮을 建設하기 위하여 「異族統治의」 「掠奪制度의」 「社會的 不平均의」 「奴隸的 文化思想의」 現象을 打破함이니라. 그런즉 破壞的 精神이 곧 建設的 主張이라. 나아가면 破壞의 「칼」이 되

고 들어오면 建設의 「旗」가 될지니, 破壞할 氣魄은 없고 建設할 癡想만 있다 하면 五百年을 經過하여도 革命의 꿈도 꾸어보지 못할지니라. 이제 破壞와 建設이 하나이요 둘이 아닌 줄 알진대, 民衆的 破壞 앞에는 반드시 民衆的 建設이 있는 줄 알진대, 現在 朝鮮民衆은 오직 民衆的 暴力으로 新朝鮮 建設의 障礙인 强盜 日本勢力을 破壞할 것 뿐인 줄을 알진대, 朝鮮民衆이 한편이 되고 日本 强盜가 한편이 되어, 네가 亡하지 아니하면 내가 亡하게 된 「외나무다리 위」에 선 줄을 알진대, 우리 二千萬 民衆은 一致로 暴力 破壞의 길로 나아갈지니라.

民衆은 우리 革命의 大本營이다.

暴力은 우리 革命의 唯一武器이다.

우리는 民衆 속에 가서 民衆과 携手하여

不絶하는 暴力—暗殺·破壞·暴動으로서

强盜 日本의 統治를 打倒하고,

우리 生活에 不合理한 一切 制度를 改造하여

人類로써 人類를 壓迫치 못하며, 社會로써 社會를 剝削치 못하는 理想的 朝鮮을 建設할지니라.

(一九二三年 一月)

丹齋 申采浩 先生 記念事業會,『丹齋 申采浩 全集』(下卷),
螢雪出版社, 一九八二年 十二月 十日, pp.35-46

浪客의 新年漫筆

新年의 漫筆이 무엇이냐? 新年의 年賀狀을 올리려 하나 時刻大變의 病者에게 萬壽無疆의 祝辭를 드림과 같고, 新年의 感想談이나 쓰려 하나 雲遊의 浪客이 너무 名士의 口吻을 배움이 주제넘은지라, 신 것, 매운 것, 단 것, 쓴 것, 생각하는 대로 쓴 글인 고로 「新年의 漫筆」이라 題하노라.

一, 道德과 主義의 標準

舊時의 道德이나 今日의 主義한 것이 그 標準이 어디서 낫느냐? 利害에서 낫느냐? 是非에서 낫느냐? 만일 是非의 標準에서 낫다 하면 〈青丘俚談集〉에 보인 것과 같이 나무의 그늘에서 三夏의 더위를 避하고는 겨울에 그 나무를 베어 불을 때는 人類며, 소를 부리어 農事를 짓고는 그 소를 잡아 먹는 人類며, 朴燕巖의 虎叱文에 말한 것같이 벌과 황충이의 粮食을 빼앗는 人類니, 人類보다 더 罪惡 많은 動物이 없은즉 먼저 銃으로 爆彈으로 大砲로 世界를 襲擊하여 人類의 種子를 滅絶하여야 할 것이 아니냐? 그러므로 人類는 利害問題 뿐이다. 利害問題를 爲하여 釋迦도 나고 孔子도 나고 예수도 나고 마르크스도 나고 크로포트킨도 낫다. 時代와 境遇가 갖지 안하므로 그들의 感情의 衝動도 같지 않아야 그 利害標準의 大小廣狹은 있을망정 利害는 利害이다. 그의 弟子들도 本師의 精義를 잘 理解하여 自家의 利를 求하므로, 中國의 釋迦가 印度와 다르며, 日本의 孔子가 中國과 다르며, 마르크스도 카

우츠키의 마르크스와 레닌의 마르크스와 中國이나 日本의 마르크스가 다 다름이다.

우리 朝鮮 사람은 매양 利害 以外에서 眞理를 찾으려 하므로, 釋迦가 들어오면 朝鮮의 釋迦가 되지 않고 釋迦의 朝鮮이 되며, 孔子가 들어오면 朝鮮의 孔子가 되지 않고 孔子의 朝鮮이 되며, 무슨 主義가 들어와도 朝鮮의 主義가 되지 않고 主義의 朝鮮이 되려 한다. 그리하여 道德과 主義를 爲하는 朝鮮은 있고 朝鮮을 爲하는 道德과 主義는 없다.

아! 이것이 朝鮮의 特色이냐, 特色이라면 特色이나 奴隸의 特色이다. 나는 朝鮮의 道德과 朝鮮의 主義를 爲하여 哭하려 한다.

二, 利害와 權衡

道德과 主義가 人類의 利害의 標準에서 생기었다 하면 우리가 害를 避하고 利만 取함이 可할지니, 그러면 나라를 팔아 一身一家의 溫飽를 求함도 可할까? 韓圭卨과 같이 伊藤의 號令에 小孩처럼 울고 逃走하여 財產의 文書를 안고 一生을 愛妾의 품에서 보냄도 可할까? 一進會같이 合併을 宣言하여 奴隸의 苟生을 取함도 可할까? 參政權 같은 것이라도 運動함이 可할까? 이러한 短視眼의 利害는 利害가 아니다.

口腹을 充할 수 있을지라도 人身이 狗彘로 墮落된다 하면 利가 아니라 害뿐이며, 一身의 安樂을 얻을지라도 父母·兄弟·姉妹·親戚·目前의 同胞·未來의 子孫을 奴籍에 올릴진대 利가 아니라 害 뿐이니, 그러므로 個人이 되어서는 李完用이나 韓圭卨이 되지 않고 閔泳煥이 됨이며, 團體가 되어서는 一進會가 되지 않고 解散·逮捕 등을 當하는 團體가 됨이며, 社會를 爲하여는 美國 保護의 善政을 받는 이보다 차라리 獨立自由의 苛政下에서 生活함을 좋아한다는 필리핀 某志士의 言說이 있으니, 이는 다 消極的 方面에서 打算한 利害요, 或은 民族의 自由를 爲하여 或은 階級의 平等을 爲하여 目前에 流血千里 伏屍百萬의 慘害가 있음을 不顧하고, 未來의 實際上 或 精神上의 어떠한 利益을 取하나니, 그러므로 成功한 露西亞의 共産黨이나 失敗한 愛爾蘭의 싱픈黨이 같이 人類의 教訓을 끼침이니, 이는 積極的 方面에서 打算한 利害이다. 매양 目前의 利害만 打算하여 「人口減少의 禍만 있으랴」고 甲의 行動을 非難하며, 「經濟 損失의 害만 있으랴」고 乙의 主張을 嘲笑하는 者가 많으므로 已故한 某公이 말하되 「나는 학자를 보기가 싫습니다. 누구의 무슨 經營에든지 學者들은 大小强弱의 數字的 比較의 眼目으로 必敗의 斷案을 내립니다. 必敗必亡할지라도 아니할 수 없는 일이 있는 줄은 요새 學者의 모르는 일입니다」 하였다.

아! 目下에만 보이는 大小多寡의 差나 比較하는 短視眼의 學者야 무슨 學者이냐. 우리의 境遇는 아무리 必成必興의 合理的·宿命的의 運動이라도 最近의 短距離 以內에서는 失敗 뿐, 死亡 뿐일 것이 明白하다. 學者나 主義者나 運動者나 그가 그같은 淺近한 言論行動을 버리어라, 그리하여 某公의 泉臺英魂의 回嗔을 받지 말지어다.

三, 病을 따라 藥을 쓰자

우리 朝鮮이 古代부터 固定한 階級制가 있어 高句麗의 五部, 百濟의 八性, 新羅의 三骨이 모두 貴와 富를 所有한 者의 別名이다. 美川王이 幼時에 庸奴가 되어 主人의 安眠하기를 爲하여 門앞 못속에 우는 개고리를 禁止하노라고 밤을 새우며, 金庾信의 大功으로도 王京貴族들이 한자리에 앉지 안하려 한 모든 歷史가 그 生活의 懸殊와 差別의 嚴絶을 말한다. 우리 先民들이 이것을 打破하여 社會問題를 解決하려 하여 叛逆革命의 踪跡이 그 模糊不備한 歷史의 記錄 속에도 자주 出沒하였으나 唐의 外寇가 麗·濟 兩國을 蹂躪하며 그 萌芽가 摧折되며, 高麗一代에 더욱 兩班 對 君主의 爭鬪, 奴隷·雜類(雜類는 商工階級의 總稱인 듯) 對 兩班의 爭鬪에 累次의 流血이 있었으나, 蒙古의 外寇가 侵入하여 그 影響이 沉寂하였으며, 李太祖가 高麗代의 四制遺弊를 改革하여 貧富의 調和를 도모하였으나, 그 貴賤의 階級이 存在하므로 未久에 다시 그 罅隙이 爆裂하여 少年稧·劍稧·兩班殺戮稧 等 秘密革命團體가 紛起하더니 또한 壬辰亂의 八年 兵火로 말미암아 八道가 瘡殘함에 드디어 그 種子까지 滅絶되었다.

이와 같이 社會進化의 經路를 開拓하려는 革命이 매양 反革命的 外寇 때문에 崩壞됨을 보면, 이제 송곳못으로 박을 땅도 없이 他人에게 빼앗기고, 少數의 小商業家들은 先進國 生産品의 輸入을 紹介하는 中間에서 떨어지는 밥풀을 주워먹게 되고, 警察들과 軍隊가 끊임없이 威壓을 주는 판에서 社會의 組織부터 改革하려 함은 너무 愚擧가 아닌가 한다. 오직 小作人의 運動 같은 것은 地主의 殘惡을 抵制하여 一時의 急迫한 同胞의 窮民을 救하는 唯一方法이니, 이는 時代潮流의 餘澤이 아니라 할 수 없다.

四, 有産者보다 나은 無産者의 存在를 잊지 마라

年前 上海에서 「民衆」이란 週日新聞에 어떤 文士가 이러한 論文을 썼다.

「朝鮮人中에도 有産者는 勢力있는 日本人과 같고, 日本人中에도 無産者는 可憐한 朝鮮人과 한가지니 우리 運動을 民族으로는 나눌 것이 아니요 有無産으로 나눌 것이라」고.

有産階級의 朝鮮人이 日本人과 같다 함은 우리도 承認하는 바이거니와,

無産階級의 日本人을 朝鮮人으로 본다 함은 沒常識한 言論인가 하니, 日本人이 아무리 無産者일지라도 그래도 그 뒤에 日本帝國이 있어 危險이 있을가 保護하며, 災害에 걸리면 補助하며, 子女가 나면 教育으로 知識을 주도록 하여, 朝鮮의 有産者보다 豪强한 生活을 누릴뿐더러, 하물며 朝鮮에 移殖한 者는 朝鮮人의 生活을 威嚇하는 植民의 先鋒이니, 無産者의 日人을 歡迎함이 곧 植民의 先鋒을 歡迎함이 아니냐.

累百年 卑劣한 外交下에서 生長한 植民들인 까닭에 무엇보다도 外交를 重視하여 매양 危急滅亡의 際를 當하면 第三者에 對한 外交는 勿論이거니와, 곧 危急滅亡의 禍를 加하려는 相對者에 對한 外交까지도 汲汲하여, 甲辰 乙巳의 間에 日本政府에 울린 長書가 날로 날 듯하며, 日本人 統監 伊藤에게 바치는 公函이 빗발치듯 하며, 五條約締結할 때는 新聞紙에 五賊을 베이는 筆劒이 森嚴하지만, 日本大使 伊藤侯에게는 哀乞의 뜻을 表하며, 獨立自强으로 主義삼는다는 大韓自强會에 日本人 挾雜輩의 大垣丈夫를 어른으로 모시더니, 오늘에 와서 主義를 부르고 强權을 反對하지만, 其實은 政府가 民衆으로 變할 뿐이며, 執政大臣이 日本無産者로 變할 뿐이며, 統監 伊藤博文, 軍司令官 長谷川이 片山潛·堺利彦으로 變할 뿐이니, 變하는 者는 그 名詞 뿐이요 精神은 依舊하다. 그러나 民衆의 外交도 매양 生活의 利害로 落着되나니, 日本無産者를 朝鮮人으로 본다 함이 强族에게 納諂하는 못난 卑劣이 아니면, 鐘路 거지가 都承旨를 볼쌍타 하는 지나친 仁厚가 될 뿐이다.

五, 新青年도 도로 舊青年이 아니냐

「四十 以上은 다 죽이어야 되겠다」는 소리가 新青年의 입에 오르내린 지 오래이다. 몇 마디 條理없는 演說로 一時에 先生의 尊稱을 얻은 二十年 前의

舊青年 四十 以上들은, 마치 價値없는 物件이 意外의 時勢로 暴騰하다가 그 時勢가 지나가면 다시 暴落하듯이 아주 時勢를 잃고 죽은 사람들이니, 더 죽일 것도 없거니와, 三十 以下의 新青年들은 산 것이 무엇이냐? 過去를 부인하지만 玉塔도 부수며 寶塔도 부수어라 하는 露國 虛無黨時代의 否認이 아니라 다만 消極的 否認 뿐이며, 時代에 落伍者가 되지 말자 부르짖지만, 熱血과 勇氣가 없으므로 다만 時代에 阿容하는 奴隸가 될 뿐이며, 西間島의 十萬名 養兵과 美國의 一億萬元 借款을 壯談하던 舊青年의 誇大狂妄도 밉지만, 二, 三百名 留學生의 社會에서 每朔 三, 四元의 費用을 들여 刊行하는 十餘張의 速刷版 雜誌는 더욱 可憐하며, 新舊書籍間 一卷의 冊子도 보지 않고, 다만 禮拜堂의 讚美와 무쇠주먹·돌근육의 狂歌로 生活하던 舊青年 擧動도 讚許할 수 없지만, 政治的·經濟的 現實의 苦痛에서 逃脫하여 新詩·新小說의 避難生涯로 一生을 마치려는 新青年의 心理야 참말 哀惜할 만하다.

이같은 頹敗한 志氣로는 設或 學業을 成就할지라도 學校의 教師가 되거나 或 外國人의 社會의 職員이나 되어, 自己의 湖口나 할 뿐이요, 設或 海軍·陸軍·飛行隊의 將校가 될지라도, 그 所得의 月俸으로써 自家의 溫飽나 經營하며 貧窮의 同胞나 傲視하리니, 뜻없는 者의 知識이 쓸데 있으랴, 마치 閔泳徽의 金錢이 公共運動에 쓸데없음과 一般일 것이다. 아아, 크로포트킨의 「青年에게 告하노라」란 論文의 洗禮를 받자! 이 글이 가장 病에 맞는 藥方이 될까 한다.

六, 痛斥할 社會의 兩大惡魔

우리의 痛斥할 바는 (一)은 형식화니—三綱五倫이 至今에는 崩壞하지 안할 수 없는 道德이 되었지만 趙靜庵·金忠庵 등 己卯 先賢의 往來한 書札과 그들의 行事를 보면, 數千年 舊俗을 掃蕩하고 孔子 敎化의 理想國을 建設하려던, 眞誠과 勢力을 欽服할 만하다.

그러나 歲月이 오래이매, 그 精神은 없어지고 形式만 남아, 何마누라의 喪事인지 不知하고 痛哭하는 忠婢도 있었다 하거니와, 눈물 한 방울도 없이 三年 侍墓하는 孝子도 없지 안하였다. 그리하여 漢城末年 家家孝子 人人忠臣의 社會가 마침내 少數의 賊臣을 誅滅하지 못하였음은 精神 없는 形式이 人世에 戰爭하는 武器가 아닌 까닭이다.

오늘날에 主義의 看板을 붙이며 自由改造革命의 名詞 외우는 形式的 人物의 마음보다, 主義대로 名詞대로 血戰하는 精神的 人物이 하나라도 있어야 할 것이며,

(二)는 避難의 心理니—온 朝鮮사람이야 다 죽든 말든 나 한 몸 한 家族이나 살면 고만이라고 鄭鑑錄의 十勝地를 찾아다니는 癡人은 今日에 거의 絶種되었겠지만, 그러나 그 心理는 依舊하다. 不平等한 이 世界를 한 번 뒤집어 모든 同胞가 더 幸福을 누리자는 心理가 아니요, 오직 한 몸 한 집을 살자는 생각으로 찾아가면 各 科學의 知識을 얻는 中學校·大學校…… 모든 學校도 鄭鑑錄의 靑鶴洞이며, 詩와 小說을 짓는 文壇이나 論說記事 等을 編輯하는 新聞社도 鄭鑑錄이 鐵甕城이다. 亂을 討平할 人物은 많이 나지 않고, 亂을 避하는 人士만 있으면 그 亂은 救하지 못할 것이니, 우리가 모두 避難心理의 大賊을 討滅하여야 할 것이다.

右의 兩大戰에 成功하면 그 다음 爲善爲惡은 오히려 問題가 아니니 善과 惡은 絶對的이 아니요 相對的인 故로, 惡이 없으면 善도 없는 까닭에 「社會를 爲하여 功을 못 이루거든 차라리 罪라도 지어라」 할 것이다.

七, 文藝運動의 弊害

浪漫主義·自然主義·新浪漫主義 等의 區別도 잘 못하는 者로, 現代에 가장 流行하는 轟轟한 西方 文藝家들의 有名한 小說이나 劇本 等을 거의 눈에 대어 보지 못한 完全히 文藝의 門外漢이, 게다가 十餘年 海外에 앉아, 朝鮮 文壇의 消息이 隔絶하여 무슨 作品이 있는지, 얼마나 나왔는지, 어떤 것이 歡迎을 받는지 알지 못하니, 어찌 朝鮮 現在 文藝에 對하여 可否를 말하랴.

다만 三·一 運動 以來, 가장 顯著히 發達된 者는 文藝運動이라 할 수 있다. 經濟壓迫이 아무리 甚하다 하나 餓鬼의 金剛山 구경 같은 文藝作品의 讀者는 없지 않으며, 京城의 新聞紙에 끼어 오는 冊肆 廣告를 보면 다른 書籍은 거의 十五年 前 그때의 한 꼴이나 詩人과 小說先生의 作物은 比較的 多數인 듯하다. 그래서 나의 亂筆이 文藝에 對하여 妄論을 한 마디 하려 하나 아는 材料가 없어 남의 말이나 紹介하고 마르려 한다.

일찍 中國 廣東의 「響導」란 雜誌에 그 號數가 몇 號인지 作者가 누구인지를 지금에 다 記憶하지 못하는 中國 新文藝에 對한 彈劾의 論文이 났었는데, 그 大意를 말하면,

「中國 年來에 第一革命, 第二革命, 五四運動, 五七運動……等이 모두 學生이 中心이었다 그러드니 近日에 와서는 學生社會가 왜 이렇게 寂寞하냐 하면, 一般 學生들이 新文藝의 痲醉劑를 먹은 後로, 革命의 칼을 던지고 文藝의 붓을 잡으며, 犧牲流血의 觀念을 버리고 新詩·新小說의 著作에 苦心하여, 文藝의 桃源으로 安樂國을 삼는 까닭이다. 몇 句의 詩나 몇 줄의 小說을 지으면, 이를 팔아, 그 生活費가 넉넉히 될뿐더러, 또한 讀者의 歡迎을 받는 詩家나 小說家라 하는, 名譽의 月桂冠을 쓰며, 戀愛에 關한 小說을 잘 지으면, 어여쁜 女學生이 그 뒤를 따라 無限한 艶福을 누리게 되므로, 革命이나 다른 運動같이 逮囚와 砲殺의 危險은 없고, 名譽와 安樂을 얻으며, 戀愛

의 단꿈을 이루게 되므로, 文藝의 作者가 많아질수록 革命黨이 적어지며, 文藝品의 讀者가 많을수록 運動家가 없어진다」 하였다.

나는 이 글을 읽을 때에, 三·一運動 以後에, 沉寂하여진 우리 學生社會를 聯想하였다. 中國은 廣大 沉黑한 大陸인 고로, 한 가지의 風潮로써 全國을 멍석말이할 수 없는 나라어니와, 朝鮮은 清明 狹長한 半島인 고로 한 가지의 運動으로 全社會를 곶감꼬치 꿰이듯 할 수 있는 社會니, 即 三·一運動 以後 新詩·新小說의 盛行이 다른 運動을 剿滅함이 아닌가 하였다.

八, 藝術主義의 文藝와 人道主義의 文藝에 어떤 것이 옳은가

前述과 같이, 「設或 新詩와 新小說이 盛行하는 까닭에 社會의 모든 運動이 沉寂하다 할지라도, 만일 純藝術主義者들로 말하면 貧妻의 단속곳을 팔아서라도 훌륭한 몇 짝의 新詩를 씀이 可하며, 疆土의 全部를 주고라도 재미있는 몇줄의 新小說을 바꿈이 可하다」 하리니, 그까짓 運動의 沉寂與否야 누가 알겠느냐, 하리라.

尊華主義를 爲하여 朝鮮이 存在하며, 三綱五倫을 爲하여 民衆이 存在하며, 勸善懲惡을 爲하여 歷史와 小說이 存在하며, 其他 모든 것이 自의 存在할 目的이 없이 他의 무엇을 爲하여 存在한 줄로 斷定한, 累百年來 奴隷思想에 對한 反感으로는 現世界에 人道主義 文藝가 藝術主義 文藝를 대신하려 함에 不拘하고, 나는 곧 藝術至上主義도 贊成하려고 하였다.

그러나 藝術도 高尙하여야 藝術이 될지어늘, 紈袴浪子의 肉奴가 되려는 自殺鬼의 康明花도 烈女되는 文藝가 무슨 藝術이냐. 累百萬의 餓鬼들 곁에다 두고 一圓 乃至 五圓의 小說冊이나 팔아 一飽를 求하려는 文藝家들이 무슨 藝術家이냐, 金剛의 景이 아무리 좋을지라도 飢兒의 눈에는 一匙의 飯만 못하며, 率居의 畵松이 아무리 名作이라 할지라도 溺水者의 눈에는 一片의 木板만 못하며, 살도 죽도 못하게 된 朝鮮民衆의 귀에는 모든 美麗한 歌劇과 小說의 이야기가 白頭山 속 迷信鬼인 趙先生의 降神筆만 못하리니, 一圓이면 一家 人口의 며칠 生活할 民衆의 눈에 들어갈 수도 없는, 二圓 三圓의 高價되는 小說을 지어놓고 民衆文藝라 呼號함도 얄미운 짓이어니와, 民衆生活과 接觸이 없는 上流社會 富貴家 男女의 戀愛事情을 그리므로 爲主하는 奬淫文字는 더욱 文壇의 羞恥이다. 藝術主義의 文藝라 하면 現朝鮮을 그리는 藝術이 되어야 할 것이며, 人道主義 文藝라 하면 朝鮮을 救하는 人道가 되어야 할 것이니, 只今에 民衆에 關係가 없이 다만 間接의 害를 끼치는 社會의 모든 運動을 消滅하는 文藝는, 우리의 取할 바가 아니다. 歐洲 各國에는 매양 文藝의 作物이 革命의 先驅가 되었다 하나, 이는 그 歷史와 環境이 다른 까닭이니 朝鮮의 現在에 比할 것이 아니다.

一九二五年 一月 二日『東亞日報』
丹齋申采浩先生記念事業會,『丹齋 申采浩 全集』(下卷),
螢雪出版社, 一九八二年 十二月 十日, pp.25-34

조선독립과 동양평화

震公

서방의 학자들은 종종 조선을 외교상의 동양의 발칸이라고 한다. 대체로 근세 이후 서구의 외교상 큰 문제들은 항상 발칸에서 일어났다. 과거 크림전쟁과 근세 세계대전은 모두 이 곳에서 비롯되었다. 조선 역시 근세 동양 열국의 교충지가 되어, 갑오년의 청일전쟁과 갑신년의 러일전쟁이 조선 문제로 인해 일어났다. 이를 이르러 동양의 발칸이라 한다. 진실로 그렇다고 하지 않을 수 없다.

그러나 조선과 발칸은 다른 점이 있다. 발칸은 흑산·세르비아, 루미니아 등의 소국이 병립하여 있어 조선이 예로부터 통일되어 있는 것과 다르다. 발칸은 라틴족·슬라브족·투르크족 등 여러 민족이 섞여 있어 조선이 순수한 단일민족인 것과 다르다. 이때문에 발칸을 합쳐서 하나의 국가로 만들려고 하면 각 민족이 서로 반목하여 불가능하였고, 각기 나누어 여러 국가를 만들려 하면 주변 강국들이 넘보게 되어 충돌을 일으켰다. 이것이 백 년 동안 발칸 문제가 서구 각 정치가의 골칫거리를 낳은 이유이다. 조선은 2천만 단일민족으로 사방으로 수천 리의 땅을 가지고 있어 땅은 넓고 백성은 많아 족히 독립하고도 남음이 있다. 그러나 지금에 이르러는 분열되어 스스로 떨쳐 일어나지 못하게 되어 발칸에 비유되기에 이르렀으니 슬프지 아니한다. 그러나 발칸은 자립된 국가와 자결 민족을 가지고 있으나 조선은 이를 가지려 해도 얻을 수 없으니 이것 또한 발칸에 비교될 수 없는 것이다. 더욱 슬프지 아니한가.

조선은 일찍이 예로부터 중국과 일본 사이에 끼어 있어서 양국의 울타리 역할을 하여 피차가 서로 해를 입지 않도록 하였다. 이는 진실로 수천 년 역사가 분명히 증명하고 있다. 수양제·당태종·요태조·금태조 등은 대륙에서 일어난 자들인데 그 무력이 압록강의 남북에서 그치고 동으로 일본을 어지럽히지 못한 것은 조선이 있었기 때문이다. 오랫동안 일본의 해적이 경상도 연안을 침범하였으나 그 흉악함이 거듭하여 중국을 집어삼키는 데 이르지 못한 것 또한 조선이 있었기 때문이다. 조선인은 동양에서 그 평화를 보전한 공이 또한 크다. 고려 말에 원세조가 길을 빌어 왜를 벌한다 하였는데 (조선은) 이를 거부할 수 없었다. 이조 때는 도요토미 히데요시(豊臣秀吉)가 대거 쳐들어 왔는데 (조선은) 자력으로 물리치지 못하고 명에 원군을 빌리기에 이르러서야 겨우 물리칠 수 있었다. 조선은 대체로 이때부터 국력과 인재가 후대로 갈수록 더욱 떨어져 근세에 이르러서는 일본이 조선 문제로 중국·러시아와 전쟁을 일으켰다. 그러나 그간 조선인은 도리어 입을 막고 혀를 묶고 감히 한마디도 하지 못했다. 조선은 대체로 이때부터 이미 망했다.

무릇 수가 오면 수를 막고, 당이 오면 당을 막고, 거란이 오면 거란을 막고, 여진이 오면 여진을 막고, 왜가 오면 왜를 막아 반도를 훌륭히 보장하고 해양과 대륙의 양 민족을 나누어 놓는 것이 진실로 유사 이래 조선인의 천직이다. 그러나 지금은 그 역사를 잊고 그 천직을 버리고 돌연 수천 년 원한이 쌓인 왜적의 노예가 되었으니 그 죄가 크다. 그러나 저 열국들은 왜가 함부로 날뛰고 방자하게 구는 것을 들어주고 조선을 병탄하는 것을 허락하였으니 이 또한 좋은 계책이 될 수 없다. 왜가 이미 바다를 건너 조선을 차지하였으니 왜가 두만강·압록강과 같은 좁은 강을 넘어 남북만주의 땅을 어지럽히는 것을 누가 막을 수 있으며, 또 누기 그들이 북쪽으로 몽고를 넘보고 서쪽으로 산동을 점령하여 세상 사람들을 놀라게 하고 두려움에 떨게 하는 것을 막을 수 있겠는가? 저들이 이미 조선과 만주를 차지하였으니 남으로 중국을 도모하고 북으로 시베리아를 침범해서 금일 왜가 하루에 만 리를 개척하는 징기스칸의 패도를 이루려하는 것을 어찌 알겠는가? 혹자가 말하기를 금일 열강들이 걱정하는 것은 러시아의 과격파뿐이라고 한다. 과격파가 서쪽으로 침범하는 것을 걱정하여 폴란드를 세워서 막고, 과격파가 남쪽으로 나아가는 것을 걱정하여 인도·아프카니스탄 등지에서 영국이 많은 군대를 주둔시켜 막고 있다. 그러나 오직 극동에서는 조선이 이미 망하였고 중국 또한 붕괴하였으니 과격파를 막을 자는 왜가 아니면 없다. 따라서 왜가 시베리아로 출병하는 것은 열강이 바라던 바가 아니며, 그 힘을 만주로 뻗치는 것은 열강이 바라던 바가 아니다. 그러나 왜의 그러한 행위를 막는다면 과격파가 동진하는 것을 막지 못하게 되는데, 과격파가 동진하는 것은 열강들이 더욱 바라지 않는 것이다. 해로움이 상충할 때에는 당연히 가벼운 것을 취하니 이것이 열강들이 비록 왜를 두려워하고 미워하면서도 왜에게 묵허할 수밖에 없는 이유이다. 아, 이렇게 말하는 자는 단지 열은 알면서 둘 셋은 모르는 자이다. 만약 과격파의 신조가 진실로 진리에서 벗어나지 않고 인류의 마음에 들어맞는다면 비록 왜병을 모아 치타 남쪽에 성벽을 쌓고 울타리를 친다고 하더라도 과격파의 무형의 탄환이 이 얇고 약한 방어막을 뚫고 나가 아시아 대륙의 중원으로 날아가 구라파와 아프리카 각지에서 활개치는 것을 막을 수 없다. 일본이 어찌 이것을 할 수 있겠는가. 만약 과격파 자체가 본디 성공할 이치가 없는 것이라면 단지 일본의 야심만 키워주게 되어 동방을 어지럽게 할 것이다. 또 혹 이로 인하여 황인종 각 민족의 군벌과 자산계급에 대한 악감정을 자극하여 나아가 과격파와 더불어 연결하여 이로서 혁명의 도화선을 만들지도 역시 알 수 없는 것이다. 그러므로 열강이 일본을 신뢰하는 것은 실로 여기에 있는 것이 아니다.

따라서 금일 동양의 평화를 말하려면 가장 좋은 방법은 조선의 독립만한 것이 없다. 조선이 독립하면 일본은 방자하게 탐욕스러운 데 이르지 않게 되고 사방을 경영하여 그 힘을 모아 바다와 섬을 보호하게 된다. 러시아의 과격파 또한 약소민족을 돕는다는 핑계를 대지 않고 날개를 접어 치타 북쪽에 잦아들어 있을 것이다. 중국 역시 한가히 수습하여 수년의 혁명으로 어지러운 국면을 정돈할 수 있을 것이다. 이것은 진실로 동양평화의 요의이다. 저들 왜인은 동양평화라고 말할 때 입으로는 인의도덕을 말하면서 속으로는 남도여창을 지껄인다. 이것이 동양평화를 말하는 것인가?

그러나 조선독립은 조선독립운동의 강도와 열강의 오해(悟解)에서 판단할 수 있는데, 지금은 하나의 지상공론(紙上空論)일 뿐이구나. 아!

최광식, 단재 신채호의 『천고』, 아연출판부, 2004.2.29, pp.59-61.

대한독립군의 왜군 격파의 실상

大弓

우리 독립군은 10월부터 여러 번 싸워 왜군을 격파했다. 두만강을 건너 무산군에서 승리한 것이 비록 사실이지만, 오사카(大阪)의 『매일신문(每日新聞)』과 만주의 『요동신보』는 모두 일본의 기관에 속하였기 때문에, 그 기재된 것이 왜인 사상자 수가 30, 40명의 소수일 뿐이라 했으며 또한 무산의 전투도 단지 3면 하단에서 충돌이라고 기록할 뿐이었다. 한성의 『매일신보(每日申報)』와 같은 경우는 심지어 독립군 수령 김좌진 등이 피살되었다고 위조하여 이목을 현혹시켰다. 단지 『중국신문』은 대부분 직필을 갖고 때때로 왜군이 대패했다고 기술하거나 사상자 수가 700~800명이 넘는다고 말하였다. 그러나 모두가 전해들은 것이라서 확실하지 않다. 이제 독립군 스스로가 널리 발표한 격문을 통해서 승리한 전투의 실제상황, 우리 군이 분투 격전하는 모습, 적군의 피해상황 등을 먼저 독자에게 자세히 전하고자 한다. 다만 격문이 조선어로 찍혀 있어서 본지가 한문으로 번역한 내용은 다음과 같다.

대한독립군사령부에서 알린다.

우리 독립군은 천신이 보살펴 주고 조상이 도와주어 화룡현(和龍縣)에 이르러 왜적 1,000명을 도살했고 광복전쟁의 서막을 열었다. 이에 우리 13도의 부노형제(父老兄弟)에게 전황의 경과를 대략 알리고 아울러 우리 충의스러운 동포의 분기를 촉진코자 하는 것이다.

우리 독립군은 비록 준비가 부족했지만, 위로는 조상의 원수, 아래로는 동포를 (함정 등)에 빠뜨린 (자들)이었기 때문에 장사(將士) 모두가 충의로 보국하여 10월 8일에 화용현삼도구청산리(和龍縣三道溝靑山里)를 향해 왜수비대 200명을 격파하여 도주케 하여 두만강을 건너 무산군을 회복시켰다. 또한 유리한 지세를 이용해서 왜군 500명을 살해했다. 때에 왜는 군대를 두 부대로 나누어 좌우로 침입하여 우리의 군을 맞이하여 쳤다. 우리 군의 의복 색깔이 저들(왜)과 동일하게 느껴졌고, 또 원래의 선(原線)으로부터가 아니라 다른 선으로부터 온 것으로 여겨졌기 때문에 왜군은 마침내 서로 오인하여 서로를 죽이는 기이한 장면을 연출하였다. 부근 시체를 수송했던 자가 전하는 바에 의하면 2구의 시체가 실려 있는 우거 100여 대를 7번이나 수송하였는데 대략 1,000여 명이었다고 한다. 22일에 이도(二道)에서 마침내 접전하였다. 우리 군은 고원과 삼림을 포위하여 사살한 왜군이 2~3백 명이나 된다. 그런데 왜는 또 군을 두 부대로 나누어 동서로부터 침입하여 그 양쪽의 임목(林木)을 30리 정도로 한정하여 방화하여 우리군 모두를 섬멸시킬 것을 기약하였다. 그러나 우리 군은 이미 기선을 제압하여 마록구로 이동하여 주둔하였기(이도구와의 거리가 30리다) 때문에 저들(왜군)은 서로 충돌하여 사상자 수가 청산리 전투의 2배를 넘었다. 그러나 전후의 전투에서 우리 군의 사상자는 다섯 사람에 불과하다. 기관창 5문과 다수의 군수품 탄약을 획득하였다. 이 전투는 소수로써 다수를 제압한 것이니, 우리 장사가 용맹스럽다는 것을 알 수 있고 저들(왜)이 두 차례의 (전투에서) 죽은 자가 우리 군이 죽은 숫자보다도 많았다는 것은 역시 천의의 소재를 알 수 있다.

왜인이 간행한 『요동신보』에 기재된 것이 일본군의 사상자가 40여 명에 불과하다고 한다. (이것은) 무릇 패망을 숨기는 것이니 비록 일시적으로 속일 수는 있지만, 만인의 눈이 보고 있으니 어찌 영원히 은폐할 수 있으리오. 지금 일본은 비록 강하지만 안으로는 사회당의 잠동이 있고 바깥으로는 열국의 시기가 있다. 우리 군은 비록 적지만, 장사가 충성스럽고 인심이 서로 향응하고 오랫동안 각국의 동정과 원조가 있고 독립이 이미 계속되고 있다. 동포들마다 백세(百世)동안 조상들이 잊지 못하는 원수를 갚는 것은 어찌 지금의 일이겠는가. 미래의 만세 자손의 치욕을 설욕하는 것이니, 어찌 금일의 것이리오. 지력(智力)이 있는 자는 지력을 갖고 오고 금전이 있는 자는 금전을 갖고 와서 우리 독립군을 원조하여 이 원수를 감소시킨다면 어찌 우리가 독립하지 아니하리오.

최광식, 단재 신채호의 『천고』, 아연출판부, 2004.2.29, pp.109-110.

한한(韓漢) 두 민족의 친밀한 결합

震公

1. 머리말

지도책에서 한국과 중국의 산수를 보면 조선의 압록, 대동, 백마, 섬진과 같은 큰 강과 기타 작은 물길이 모두 중국을 향해 서쪽으로 흐르고 있다. 중국의 양자강, 회하강, 황하, 한수 등의 큰 강과 기타 여러 지류들은 모두 조선을 향해 동쪽으로 흐르고 있다. 한중 양국의 산맥 또한 그러하여 마치 서로를 향해 나아가려 하고 서로 떨어지려 하지 않는 듯 하다. 이것이 한중 양국이 서로 친하고 사랑하는 표징이자 하늘이 명한 바가 아니겠는가?

한중 양국이 나라를 세운 역사는 모두 아득하여 5천 년에 이른다. 『조선고기(朝鮮古記)』에 "단군이 아들 夫婁를 보내 塗山에서 禹를 뵈었다."라고 기록되어 있고 『오월춘추(吳越春秋)』에는 "玄妻의 蒼水使가 붉은 색 수놓은 옷을 입고 와서 도산에서 禹를 알현하자 五行治水法을 가르쳐 주었다."라고 적고 있다. 또 그 아래에는 우(禹)가 "항상 삼가는 덕을 잊지 말아야 한다."(『오월춘추』의 문장은 번잡한 까닭에 그 뜻을 대략 적는다.)라고 말한 것을 기록하고 있다. '현이'라는 것을 안정복(동사강목의 저자)은 현토(玄菟)라고 여겼다. '적수의'라는 것은 부여사(삼국지에도 이것이 있다.)에서 "나라 안에서는 하얀 옷을 입고 나라를 나갈 때에는 수놓은 옷을 입는다."라 하였는데 이를 말하는 것이다. 이 모두는 조선의 옛 풍습이다. '주신(州愼)'이라는 것은 조선의 바뀐 음이다. 따라서 창수사는 곧 부루(夫婁)이고 양국의 역사에 기록된 것은 동일한 사실이다. 양국인이 서로 친하고 사랑하며 서로 돕는 모습이 역사가 생기기 시작한 초기에 이미 보이지 않는가?

3조선, 3한, 3국의 시기는 중국의 주(周), 한(漢), 당(唐) 시기에 해당되는데 비록 간혹 사이가 나빴던 적도 있지만 여러 다른 이웃나라들과 비교해보면 여전히 우호관계를 적대관계보다 우선시하였으며 평화가 전쟁보다 많았다 할 수 있으니 (사이가 나빴던 것은) 단지 형제들 간의 반목에 불과한 것이어서 화해하지 못하는 원수가 되지 않는다. 신라시기 이래로 (중국의) 관식(冠飾)과 수레로 (신라의) 하례를 장식하여 감춰주었을 뿐만 아니라 또한 실제로 가깝게 서로 도왔으니 신라와 당 사이에는 공수(攻守)동맹의 약속이 있었고 고려와 송 사이에는 비밀리에 서로 도운 적이 있다. (예를 들어 양응침[楊應忱]이 해도(海道)로 두 명의 황제를 맞아 돌아오려 한 것 등) 조선시기에 이르러서는 왜란이 일어나자 중국은 도움을 주었다. 근래의 갑신, 갑오의 사건은 비록 일은 이루어지지 않았지만 조선인은 중국에 평생 잊지 못하는 은혜와 우의를 느낀다. 대저국가들 사이에 우국이니 최혜국이니 하는 것 중 어떤 것은 일시적인 것일 뿐이고 어떤 것은 가식적인 허명에 불과한 것이지만 한중 양국의 경우는 진실로 영원한 우국이 아니겠는가?

현인 군자가 좌절을 당하면 혜초가 한탄스러워 하고 토끼가 죽으면 여우가 슬퍼한다고 하였으니 무릇 모든 생물은 그 동류를 애상히 여긴다. 지금 조선 안으로 머리를 돌려보면 산하는 예전 같지만 그 주인은 그렇지 않다. 돌이켜 중국을 보건대 그 또한 잠자는 사자로 깨어나지 못하고 있고, 강한 이웃나라가 사방으로 핍박해 온다. 한중 양 국인들은 스스로 일어나 서로 사랑하고 어서 빨리 일어나 서로 도와 공존공생의 세상으로 함께 나아가지 않으려는가?

2. 두 국민이 서로 교류함에 마땅히 옛 잘못을 바로 잡아야 한다

다소 예의에 어긋나는 것이 있다 하더라도 내가 우선해서 말하고자 하는 것은 아래와 같다. 나는 중국인 중에 이것을 기꺼이 받아들이는 자가 있기를 바란다. 옛날에 한중 양국이 서로 교류를 할 때 조선인에게 잃음이 있으면 중국인 또한 그 잃은 것이 있었는데 그들의 잃음은 같은 것이지만 그 잃게 된 이유는 서로 다르다. 조선인은 지나치게 겸손한 데서 잃음이 있었고 중국인은 자신을 높이는 데에서 잃음이 있었던 것이다. 서양과 교류가 시작되기 이전에 중국은 정말로 예악문물로써 동아시아에서 독존하였고 기타 여러 나라들을 모두 만이융적(蠻夷戎狄)으로 보아 그 이웃나라를 무슨 무슨 번(藩)이라고 하고 그들이 보낸 사신들을 입조한다고 하였다. 청나라 전기에 이르러서도 여전히 영국, 러시아 등의 나라를 서번(西藩)이라 칭하고 그들 역사 중 말단의 것을 기록하여 그것이 기괴한 이야기로 전해졌다. 그렇지만 최근에 이르러서는 중국인들이 정황으로 볼 때 정세가 불리하다는 것을 알 뿐만 아니라 (서양과) 교류함에 신중해야 한다는 것도 안다. 이럼에도 여전히 자기가 크다는 것에 자만하고 있는 것은 문화의 증진에 방해가 되기 때문에 서융, 북적이라는 부끄러운 비난은 더 이상 문자에서 보이지 않게 되고 교류를 끊고 홀로 존엄하다 하는 마음을 먹는 기미조차 없어진 지가 오래되었다. 그러나 우리 조선에 대해서는 아직도 이전에 쓰던 단어를 이어 쓰고 있는 것이 있는데 어찌 이를 잘못이 아니라 하겠는가?

삼천리를 둘러싸 함정을 만들어 이천만을 몰아 노예로 만들고 게다가 매일 같이 독이 든 칼날로 채찍질하는 자가 바로 왜놈들이 아닌가? (저들은) 대를 두고 잊지 못할 원수를 받들어 천황이라 하고 개와 양 같은 무리를 높여 상국이라 하고 있다. 그 위엄 아래에서 전전하며 목숨을 구하고 감히 칼을 뽑아 대항하지 못하는 자가 바로 조선인 아니겠는가? 이러한 즉 조선인들을 뭐라고 불러야 하겠는가? 설사 제3국인들이 우리를 소나 말이라 부른들 단지 그것에 응해 대답할 뿐 또 뭐라고 그들을 바로 잡을 것인가? 그러나 중국인은 우리의 친구가 아닌가? 우리의 친구가 어찌 그런 말을 하여 우리를 모욕되게 하려 하는가? (모욕된 말이 나왔을 때) 내가 그것을 고쳐주지 않는다면 어찌 (우리 사이의) 정을 운운할 수 있겠는가? 고로 하는 수 없이 끝내 이것을 따져 논한다.

먼 것을 예로 들 필요 없이 최근의 예를 하나 들면, 북경대학에서 출간한 잡지 『신조(新潮)』중에 백화로 된 시 한수가 있었는데 그 제목은 「압록강 이동(以東)」이다. 그 시 첫 구가 "압록강 동쪽은 殷家의 옛 땅이 아니게 되었다"로 시작해 그 두번째 구는 "강의 동쪽은 백색을 숭상한다"로 되어있다. 대저 '은'이라는 것은 중국 과거 왕조의 이름이고 '상백'이라는 것은 은왕조의 색 백색을 숭상하는 것을 말하는 것으로 그 뜻은 압록강 동쪽이 예전에는 중국 은왕조의 영토였는데 지금은 세월이 흘러, 백색으로 옷을 입는 사람들이 있고 은왕조의 물색(白色)을 간직하고 있다는 것을 말하고 있다. 이 압록강 동쪽을 은왕조의 옛 영토라고 하는 것은 과연 무엇을 근거로 하는 말인가? 사마천 사기에 무왕이 기자를 봉했다는 것 아니겠는가? 만약 중국 옛 역사에 기록된 자존의 말이 사실이라고 믿는다면, 『후한서』에 "일본은 泰伯의 후예다"라 한 것은 곧 일본이 주나라의 자손이 됨을 말하는 것이다. 『위략(魏略)』에서 "大秦(지금의 이탈리아) 역시 중국의 후예다"라고 한 것은 서구의 백인종 역시 헌원(전설상의 임금인 황제)의 자손임을 지적한 것이다. 영국이나 러시아 같은 나라도 역시 옛날 중국의 서번이었다 하는 것이기 때문에 지구상의 각양각색의 인종 중 중국의 한·당·명·청의 백성이 아닌 것이 없으니 어찌 유독 조선만 그러하다 하겠는가? 사기의 문장은 긴 시간의 역사를 기록하고 있다는 점에서 진실로 뛰어나지만 그것이 사실을 기록함에 있어 누락된 것이 많다. 사기에 수록된 「진본기(秦本紀)」를 예로 들어보면, 다른 사람들은 조나라에 인질로 있을 때는 진시황이 태어난 지 얼마 되지 않은 때라 했는데 그 내용이 사기 연나라 단(丹)의 일에 기록하고 있으니 이는 앞뒤가 서로 모순되는 것이다. 흉노전에는 "이른바 흉노라는 것은 夏나라 禹氏의 후예다"라고 전하고 있고 그에 이어서 "唐虞(堯舜) 이전에는 훈육이라고 했다"고 적고 있다. 대저 훈육이라는 것은 흉노의 별칭인데 그 이름이 이미 당우(唐虞) 이전부터 있었으니 어찌 (흉노를) 우의 후예라고만 할 수 있겠는가? 위, 아래 문장이 서로 맞지 않는다. 사기의 조선에 관한 기록은 더욱 엉터리다. 위만은 잠시 침범하여 우리나라의 한 모퉁이를 점거한 것으로 고구려 시기의 공손연과 같은 것인데 그를 조선왕으로 칭하였다. 기자(箕子)에 있어서는 전(傳)을 나누지 않고 미자(微子)에 포함시키고 있는데 (기자의) 세가(世家)를 거짓으로 말하고 있으며 무왕(武王)이 미자를 송(宋)에 봉하고 기자를 조선에 봉하였다 하지만 조선이 어찌 송처럼 주나라의 영토가 되어 주나라의 분봉을 받을 수 있겠는가? 우리나라의 예전 선비 중 장유씨(張維氏)가 있었는데 그가 일찍이 이것들을 논하여 말하기를, "사마천은 尙書를 읽지 않은 자이다. 尙書에는 箕子에 관한 일이 명확하게 기재되어있음에도 우리가 신하와 노예가 되었다고 말하고 있는데 (우리가) 어찌 微子의 경우처럼 周의 封爵을 받았겠는가? 漢書에는 단지 箕子가 조선으로 피신했다고 적고 있지 周의 封爵을 받았다고 하지는 않고 있는데 이는 班固가 사마천보다 뛰어난 점이다"라고 하였다. 그런데 이 말은 단지 기자에 관해서만 이해하고 당시 조선의 상황에 대한 언급이 없어 매우 안타깝다. 단군이 나라를 세워(중국의 당요[唐堯]와 같은 시기이다) 후손에게 이어진 것이 2천여 년이 지난 후에 (중국 한나라 초) 동·북 졸본(卒本), 3부여(졸본은 후에 고구려가 된다)와 신라, 백제 등으로 나뉘었으니 어찌 나머지 땅이 있어 주나라가 마음대로 분봉을 하게 했겠는가? 고로 기자가 동쪽으로 왔다는 것은 위만이 준왕(準王)에게서 땅을 받은 것과 같고 (미상) 즉 근세에 서양 여러 나라들 중에 특정 나라 사람들이 다른 나라의 왕족을 뽑아 그를 추대하는 경우가 종종 있으니 이는 어떻게 해석해야 하는가? 만약 흰색을 숭상하는 것은 모두 은나라의 유속(遺俗)이라 하면 부여는 단군의 후예인데도 흰옷을 입었다는 것을 어떻게 설명할 것인가?

우리나라 사람들은 쿠빌라이가 남하하여 (중국을) 침략한 이후로 스스로 매우 자제하고 경계하였는데 중국인과 서로 만나게 될 때 많은 사람들이 스스로 겸손하게 하고 자신의 위치를 낮추었는데 어떤 사람들은 스스로를 기자가 분봉된 후예라 하고 어떤 이는 진한(秦漢)의 유민이라 하여 종족의 유래를 속여 이로써 일시적인 교류의 이점을 도모하였다. 오늘날에 이르러서도 아직 이 습관이 고쳐지지 않은 것이 있으니 중국인이 (고쳐지지 않은 습관을) 믿어 사실로 여기고 그것을 따라하는 것이 있게 된 것은 진실로 우리의 잘못이지 남의 잘못이 아닐 것이다. 그런데 다만 압록강 동쪽이 은나라의 옛 땅이었다는 것은 (역사상) 그런 적이 없었다. 지금 신문화 운동을 자부하면서 (과거) 단절된 시기의 자만했던 습관을 없애는 것을 임무로 여기는 잡지 속에 이 황당하고 근거 없는 말이 있는데 이 결과는 어찌 될 것인가? 칼로 우리의 구토(舊土)를 나누는 것은 내가 막을 수 있는 것이 아니지만, 붓으로 우리의 구토를 농락하면 내가 이에 기어이 그것과 더불어 말로 대항할 것이니 그들은 틀림없이 사람들의 웃음거리가 될 것이다. 그런데 우리 한중 양국인은 친하게 지내고 힘을 모으지 않으면 안 된다. 그렇게 하고자 한다면 즐겁게 서로를 맞이하지 않으면 안 되는 것이다. 나는 바라건대 이후에 조선인이 (스스로를)

낮추고 비루하게 하여 표면상의 교류를 도모하지 않았으면 하고 중국인은 옛 역사의 잘못된 기록을 정사(正史)라고 여겨 서로 사랑해야 할 땅을 욕되게 하지 않았으면 좋겠다.

3. 두 국민이 단결하려면 마땅히 먼저 서로 상대 국가의 상황을 연구해야 한다

대저 사람들이 곤궁하고 방황할 때 손을 잡아주고 친절하게 대하고 한번 따뜻하게 위로해주면, 곧 감격하여 눈물을 흘리고 평생토록 잊지 않게 되는 것은 외로운 사람이 쉬이 감격하는 것과 같은 이치다. 얼마 전에 스스로를 '천애한인(天涯恨人)'이라 하는 사람이 있어 「중국에 중한친우회를 세울 필요가 있다」(본지 제1권에 기재되어 있다)는 글을 통해 한중 양국의 이와 입술 같은 우의를 강조하고, 양국인이 손을 잡고 함께 같은 목적을 위해 나아가야 할 필요성을 외쳤다. 나는 그것을 읽고 나도 모르게 눈물이 흘러나오게 되었다. 대저 나 조선인은 비할 데 없는 망국 유민의 처지로 이웃 나라 군자가 있어 큰 소리로 불러 우리의 맏형이 되어주길 바래본다. 어찌 시작하는 데에서 함께 맞추어 뛰지 않고 서로 함께 달려갈 수 있겠는가? 그런 즉 내가 안타깝게 여기는 것은, 우리 양국 사람이 항시 가장 친한 벗 관계로 있지만 양국의 국가 사정을 서로 잘 알지 못하는 것이다.

옛날 중국 사람들은 외국에 대해서 정치상의 직접적인 교류가 없는 경우에는 항시 그것을 막연하게 두고는 연구의 대상으로 삼지 않았다. 옛 역사가 사마천이 기록한 것을 보면 천산 서쪽의 여러 나라들에 관한 것은 있지만 압록강 이남에 삼한이 있었다는 것은 말하지 않고 있다. 『후한서』에 기록된 것에는 멀리 지중해 연안의 로마를 언급하고 있지만 신라에 세 성씨가 있었다는 것을 알지 못한다. 중고시대 이후로 사자들의 왕래가 이전보다 점차 많아졌지만 역사에는 (그것의 내용이) 보이지 않는다. 궁예가 삼한의 절반을 장악했지만 중국인은 알지 못했다. 국서가 이르지 않고 이 씨가 왕 씨의 천명을 대신했음에도 중국인은 알지 못했다. 다만 근세에 이르러 (양국의) 관계가 점차 더 밀접해졌다. 공관이 서울에 설치되고 우장칭(吳章慶), 위안스카이가 차례로 일을 맡아보았지만 갑오 대란 이전에 유신당이 조선에 있었는지 알지 못했고 갑오대란 이후에야 비로소 (조선) 팔도와 동학당을 알게 되었다. 심지어 학계에 종사하며 외교의 일을 연구하던 황쭌셴(黃遵憲), 량치차오(梁啓超) 같은 이들은 비록 삼한의 한학(漢學)이 일본보다 뒤떨어진다고 여기지는 않았지만 조선은 본래 독립된 문자가 없었다고 생각했다(이것은 량치차오가 쓴 「국성편[國性篇]」에 보인다). 어째서 이런 잘못이 있게 되었는가? 우리나라는 수백 년 동안 전국의 학자들이 오로지 유술(儒術)만을 중히 여겼는데 그들의 문자에 관해 논해보면 한문을 우선시하고 국문을 덜 중요하게 여겨 경학(經學)을 존중하고 국학을 멀리하였으며 중국만을 알고 우리나라는 알지 못한 것이다. 그리하여 편견이 깊고 안목이 좁은 것을 안타깝게 생각한다. (그리고) 옛 것에 정통한 자는 많지만 오늘 날의 것에 통달한 자는 적다. 맹자와 중용의 학문을 논함에 가정에서 근본으로 삼고 집집마다 외워야 할 것으로 여겼지만 순자, 묵자 및 제자는 알지 못한 체 어떠한 일에 관해서 이야기했다. 정호·정이의 글과 주자의 해석을 글자와 장구를 연구하는 기준으로 삼고 한송(漢宋)의 여러 학문들은 알지 못했으니 바로 여기서 차이가 생겨났다. 초한전의 성패에 관한 내용은 손바닥을 가리키는 것만큼 분명하게 알고 있으면서도 홍수전이 남경을 점령한 것은 잘 모르고 들어보지도 못했다. 오호가 중원을 점령한 역사는 상세히 잘 알고 있으면서 영불연합군이 원명원을 불태운 것에 관해서는 어두워 잘 알지 못한다. 경술국치 이후에 서쪽으로 망명하는 자가 점차 늘어났고 신해혁명 이후에는 유학을 떠나는 사람이 더욱 많아졌다. 비로소 중국의 일에 대해서 학술 사상의 변천은 이 두파의 흥쇠와 관련이 있는데 여기서 다 설명하지는 않겠다. 그들의 시비를 아무리 논하더라도 민치를 주류로 하는 세력은 바야흐로 점차 날마다 늘어나서 무시할 수 없게 되었는데 혹자 중에는 아직 깨닫지 못한 자가 있다. 아~ 서로 알 수 없는데 어찌 서로 친하게 될 수 있고 서로 친할 수 없는데 어찌 서로 도울 수 있겠는가? 이것이 바로 한중친우회가 설립되는 것을 극력 축하하는 이유이다. 그리고 양국의 사람들이 각자의 국가 사정을 서로 제공하고 연구하게 되기를 바란다.

또 말로 그쳐서는 안 된다. 추상적인 언론의 글은 오늘날처럼 두 민족이 절실하게 제휴해야 하는 때에는 적용하기에 부족하고 '순치', '보거(輔車)', '형제지국' 등의 문자를 서로 보이는 것은 양국 관계의 지도를 한번 보는 것만 못하다. '기자(箕子)', '위만(衛滿)', '임진동원(壬辰東援)' 등의 옛 역사를 들어 설명하느니 한성, 관동 두 독부가 설립된 형상을 논해 보는 것만 못하다. 옛날 국가는 군주를 중심으로 하여서 자신을 낮추고 예를 후하게 하여 한 사람의 환심을 사게 되면 십만의 군량과 급료라도 가히 구할 수 있었으며 7일 동안 국정에서 통곡해 한사람의 애정(哀情)을 움직이면 100만 대군이라도 가히 출동시킬 수 있었다. 지금은 그렇지 아니하다. 양국민이 둘 사이의 관계가 밀접함을 이해하지 못하면 물과 기름, 얼음과 불처럼 결합하여 하나가 되지 못하게 되어 서로 돕는 방법을 강구해 내지 못하게 된다. 이것이 바로 내가 양국민이 날마다 양국의 관계 상황을 확인하고 연구하기를 간절히 바라는 이유이다.

4. 두 국민은 공동의 적에 대해서 적개심을 서로 고취시켜 주어야 한다

신문화운동으로 사회개조를 도모하고 이로써 민족 장래의 행복을 추구하는 것은 진실로 현재 양국의 동일한 현상이다. 양국에서 새로 발간된 잡지와 서적을 구해서 보면, 사상이 심하게 변화하고 있다는 것을 가히 알 수 있다. 나는 이것에 대해 반김과 걱정이 교차한다. 대저 신시대의 조성은 진실로 문화운동을 그 중추로 삼고 있다. 하지만 세계대전 시기에 독일 군대가 멀리까지 진격하여 영국과 프랑스의 전국을 파괴하여 영·프 양국인이 이민족의 말발굽 아래에서 고통에 신음하게 된 것이 어찌 문화 때문이겠는가? 그리고 러시아의 노동자·농민 정부가 수립되었을 때 군사적으로 폴란드와 연합군의 침공을 막지 못해 전체 러시아 인민이 다른 나라 군벌에 의해 유린당하게 되니 어찌 소비에트제도가 유지되기를 바랄 수 있었겠는가? 오늘날 일본사람들이 조선에 대해 비록 잠시 가혹한 출판금지를 완화하였지만 이는 단지 다소 변화를 주어 조선독립운동의 열기를 낮추고자 하는 것일 뿐이다. 만약 3·1운동 이후의 만세의 소리가 그치게 되고 남대문과 부산역의 폭탄사건 같은 것이 발생하지 않고 청산리, 어랑촌 등지의 포탄 소리가 일어나지 않게 되면 일본인의 압제가 높아지는 것은 머지 않은 날에 재현될 것이다. 그리고 이들 반벙어리의 언론기관에 대한 금지 또한 머지않아 다시 나타나게 될 것이다. 문예를 주창하는 것이 만약 단지 인도, 정의, 자유, 박애와 같은, 쉽게 관심을 끌 수는 있지만 실질적인 역할을 하지는 못하는 새로운 단어들로써 "쓸데없이 화려하기만 한" 이상국가를 붓끝과 혀끝에 세우기만 하고 강철같은 주먹과 붉은 피로 적과 맞서 싸울 것을 생각하지 않는다면, 나라는 곧 망하게 되어 영원히 사라지게 되고 힘없는 나라는 다시 짐작할 수 없게 된다. 아, 세계의 (다가올) 희망으로만 말하지 말라. 시작되기만 하면 군국의 악마는 인도(人道)가 복속시킬 수 있을 것이다.

우리나라 소설에 실려 있기를 옛날에 어떤 대왕이 있었는데 호란(胡亂)을 만나 위급하고 마땅한 계책 또한 없자 미복차림을 한 채 황야로 도망갔다. 그런데 이름난 유자(儒者) 아무개가 학문과 품행으로 나라 안에 유명하다는 소문을 듣고는 그를 불러 계책을 물어 보았다. 이 사람은 손을 모으고 한참을 있다가는 대답하여 말하기를 "덕을 닦고 정치를 행하면 적병이 스스로 물러나게 될 것입니다"라고 했다고 한다. 지금에 이르러서 이것은 우스개 소리가 되었다. 대저 (오늘날의) 과학은 (구체적인) 사실(현실)을 중시여기지 성(性)이나 이(理)를 공허하게 논하는 따위가 아니고 (오늘날의) 문화는 바꾸고 새롭게 하는 것을 주된 것으로 하지 예전부터 남겨진 경전을 부둥켜 안고 지켜내는 것이 아니다. 이러하니 어찌 오늘날의 사회운동가를 예전의 썩어 빠진 유자와 함께 말할 수 있겠는가. 그러나 강한 이웃나라가 교활하게 꾸미는 것이 있어 날마다 우리를 엿보고 있는데 가령 이러한 때에 문명적이고 평화적인 운동으로 흉악함의 싹을 미연에 막고자 한다는 것은 썩어 빠진 유생과 같은 웃음거리가 되지 않겠는가? (이들은) 차이가 거의 없다. 북간 사변이 막 일어났을 때 일본 병사들은 총을 메고 칼날을 드러낸 채 마을과 집을 수색하게 되자 한국의 교민들은 모두 실로 도마위의 고기와 같은 처지가 되었고, 현지 중국인의 생명 역시 오랑캐의 칼에 의해 잘려지는 것이 점점 더해갔다. 이때에 비록 공리가 있다 한들 어찌 그 폭압스런 행위를 막을 수 있으며, 비록 정의가 있다 한들 그 학살을 저지할 수 있겠는가? 그러므로 평화는 비록 내가 바라는 것이지만 강한 적을 제거하고 동양을 평화롭게 유지하는 것을 '유혈'이라는 두 글자를 떠나서는 얻을 수 없다. 양국인은 적들의 흉악한 음모를 힘을 다해 제거할 것을 널리 선포하고 그로써 서로의 경계로 삼으며 그들의 잔인하고 폭력적인 행위를 일일이 열거하여 세계가 함께 토벌할 것을 구하려 한다면 적들과 최후의 혈전을 벌일 것을 더욱 합심하고 맹세해야 할 것이고 또 (마음에) 깊이 새겨두어 잊어서는 안 될 것이다.

5. 결론

쑨원(孫中山)은 일찍이 말하기를, 한국이 독립을 회복해서 하나의 완충국이 된 연후에야 중국이 비로소 편안해질 수 있다고 했다. 이는 진실로 분명하게 알고 명확하게 논한 것이다. 그러나 한국이 독립하는 것은 하루아침에 이뤄지는 것이 아니다. 독립의 열기가 하루같이 늘어나고 일본인이 명령을 받고 분주히 다니느라 지쳐 서쪽으로 머리를 향할 겨를이 없게 하면 곧 중국은 그 사이를 틈타 정비를 하여 발전의 여지를 얻을 수 있게 된다. 이런 까닭에 중국인은 사실상 비록 드러내어 한국 독립당의 행동을 도울 수는 없지만 비밀리에 찬동하여 암암리에 도와주어 나아갈 길을 열어 줄 수는 있다. 강 건너 불보는 듯한 태도를 해서는 안 된다. 혹자는 훈춘사건 때 중국이 한국 독립당과의 관계 때문에 해를 입은 것이 적지 않은데 어찌 서로 돕는 것을 말할 수 있는가 라고 말한다. 또 일본인은 한국을 병탄한 이후 만주를 경영하는 데 여력이 남지 않았다고 한다. 무순의 탄전과 만철의 설치 그리고 기타 상권의 확장은 이미 하루에 천리씩 늘어난다고 말할 수 있다. 그러나 다량의 군사력으로 공공연히 전만주의 인민을 압도하지 못하는 것을 그들이 매우 안타까워하는 바이다. 고로 마적들에 침투하여 영관을 불태워 그들의 고육지계를 행하고 있다. 비록 한인의 독립운동이 없었더라도 이들 흉악한 음모는 마찬가지로 행해졌을 것이다. 마적을 막는다, 한국 독립운동의 무리를 막는다고 운운하는 짓은 단지 일시적으로 속이는 술책에 불과한 것이다.

우리나라는 이미 각성을 했고 세계는 장차 개조되려고 한다. 조선의 독립은 우연의 것이 아니라 장차 반드시 그러하게 될 것이다. 이웃 나라의 군자가 기꺼이 도와주어 동아시아의 평화가 장차 하루라도 일찍 실현되면 한인의 고통 또한 하루 일찍 사라지게 될 것이다. 이때문에 나는 이것을 절실하게 바라마지 않는 것이다.

최광식, 단재 신채호의 『천고』, 아연출판부, 2004.2.29, pp.151-161.

크로포트킨의 죽음에 대한 감상

南溟

내가 신문을 게을리 읽은 것이 이 지경에 이르렀는가? 크로포트킨이 어디에 사는지 모른 지 오래되었다. 최근 또한 크로포트킨이 어떤 병이 있었으며 언제 죽었는지 알지 못했다. 오늘 해가 이미 저물어 등불을 켜고 아침에 온 신문지를 우연히 잡아 읽었는데 그 중 한 측면에 「크로포트킨의 사후 남겨진 소문」이라는 제목이 있었다. 글에서 말하기를, "크로포트킨은 노농정부의 행위에 대해 다소 비평을 했고, 이때문에 근래 저작 대부분이 노농정부의 검열·정판을 받았다. 그러나 노농정부는 그의 언론에 대해 비록 반대한다고 말하지만 그의 인격에 대해서는 깊이 존중하고 흠모한다. 지난해 추동(秋冬) 즈음에 노농정부는 크로포트킨이 나이가 팔순을 지났음에도 오히려 저작에 부지런히 종사함이 체질이 추위에 저항할 수 없을까 염려하여 드디어 크로포트킨에게 우등한 양식을 주었는데 일반 평민에게는 같은 것을 주지 않았다. 그러나 크로포트킨은 평민과 같은 양식이라 할 수 없는 것은 먹는 게 아니라고 견지했다. 때문에 체질이 날로 쇠약해져 지난달 세상을 떠났다. 그래서 볼셰비키당 사람은 모두 크로포트킨의 사람됨에 흠복해 모습을 본떠 주조한 상으로써 기념하였다고 한다." 무릇 크로포트킨은 무정부주의로 시종일관한 사람이다. 고로 비단 전제무단정치뿐만 아니라 곧 볼셰비

키당의 시설이 또한 그러하다고 여기지 않았으므로, 그는 진실로 레닌의 적이요, 노농정부의 반대자였다. 그러나 이처럼 흠모해 마지않아서 동상을 본떠 주조해 후세에 기리고자 기념했으니, 또한 그 사람의 위대함과 비상함을 볼 수 있다. 아! 왕건이 성공하니 궁예가 몸을 묻을 땅이 없고, 한(漢) 고조가 승리를 획득하니 항우의 머리를 천금에 샀다. 살았을 때는 이미 적으로 삼고 죽어서는 오히려 이를 한탄하니, 이것이 야심가가 가히 통탄스러워 하는 것이다. 정여립(鄭汝立)은 '충신불사이군'의 잘못됨을 주창하다가 그 족속에 멸절되었으며, 이존오(李存吾)는 불교를 존숭하고 공자를 배척하다가 하옥되어 죽음에 이르렀다. 그 논조가 세속과 조금이라도 어긋나면 곧 죽이면서 오히려 남은 죄가 있는 것처럼 하니 이것이 전제시대의 가히 통곡할 만한 것이다. 만약 레닌이 크로포트킨에 대해 그 말은 부정하면서 그 뜻을 가히 여기고, 그 책을 폐기하면서도 그 사람됨을 존중하는데도 적국이라고 일컬음이 옳은가? 아니다. 사람을 알아준다고 일컬음이 옳다.

무정부주의는 내가 강구하는 바는 아니니 어찌 불가를 말하겠는가? 아! 겨를이 없구나. 이 몸이 적에게 잡혀 온몸이 모두 철쇄에 속박되어 움직이기가 자유롭지 않았다. 이때를 당해 가장 급한 것은 적을 몰아내는 데 있다. 이웃집에 산진해착(山珍海錯)이 가득 나열해 있어도, 내 어찌 이를 원할 겨를이 있겠는가. 나는 비단 무정부주의를 궁구하지 않았을 뿐 아니라 곧 그 역사의 전말을 상세히 보기에 이르지는 못했고, 비단 크로포트킨의 죽음이 언제일지 모를 뿐 아니라 곧 그 생년이 어느 해인지 □□□(미상) 기록하기에 이르지 못했다. 내가 단지 그를 아는 것은, (1) 니꼴라이 정부에서 축출되었다, (2) 레닌 정부에게서 뜻을 얻지 못하다가 드디어 기구하게 떠돌아다니는 생활로 끝마쳤다는 것뿐이다. 그 저술한 책을 나는 단지 일역·한역(漢譯)한 단편적인 글귀를 볼 수 있었을 뿐이며, 일찍이 책을 읽거나 말을 듣지 못했는데 갑자기 그 사람을 논하는 것이 옳은가? 오호라 ! 내가 이 글을 쓰는 것은 그 사람을 논하고자 하는 것이 아니라 다만 내 소감을 쓰려는 것일 뿐이다.

인류의 사상이 어찌 그리 박약한가. 군주를 존숭하는 시대에는, 곧 진시황이 폭위(暴威)로 신성을 만세(萬世)할 수 있었지만, 루이 14세의 신하가 오히려 신처럼 하늘처럼 경아하던 황제도 또한 머리에 백발이 생기는 것을 면하지 못했다. 공화의 시대에는, 곧 구중궁궐의 존엄한 군왕도 홀연히 단두대에 오르니 온 나라의 인민이 혁명의 피를 갈음하기를 그칠 줄 모른다. 무(武)를 숭상하는 시대에는, 곧 셀 수 없이 많은 힘을 다하고 수많은 재물을 소비해 군함과 대포의 제조에 종사해도 스스로 괴롭게 여기지 않는다. 전쟁에 염증 내는 시대에는, 곧 평화와 종전(終戰)의 소리가 천하게 가득 차 넘실거리며, 군국주의를 품는 사람은 모두 꽁무니를 빼고 움츠러들어 마치 종죄자인 것처럼 된다. 그러나 장주(莊周) 씨가 말하기를, 옛날에 내가 꿈에 변하여 나비가 되었다. 황홀하게 나비가 되니 스스로 그것이 내가 된 것인지 알지 못하였다. 황망히 깨어나 보니 또한 나였으나 스스로는 그것이 나비가 된 것인지 모르겠더라. 지금 천하는 꿈인지 깼는지, 어떤 것이 홀연 나이고 홀연 나비인지 스스로는 알지 못하겠다.

무릇 우리나라 같은 경우는 그것이 더욱 심하다. 종교에 국한시키면, 공자를 존숭하는 자는 공자 이외에 다른 사람이 있다는 것을 알지 못하며, 예수를 숭배하는 자는 예수 이외에 다른 사람이 있다는 것을 알지 못한다. 어린아이에 비유하면, 자기 부모가 있다는 것을 알면서도 이웃사람의 부모가 있다는 것을 알지 못하는 것이다. 견문으로 옮기면, 곧 미국인과 교류한 자는 미국을 가장 신성한 문명국으로 여겨서 워싱턴을 유일한 위인으로 삼는다. 일본에서 돌아온 자는 비록 일본을 악착스럽고 가소롭다고 여기면서도 그 사상·언론은 제국 명치시대 등의 모 교수, 모 박사의 범위를 벗어나지 않는다. 이때문에 일반이 품고 있는 정견으로써 장래의 건설을 도모하려는 자는 오히려 세계대세에 따라 옮겨다녀 감히 자기의 일정한 주장이 있지 못한다. 십 년 이전에는 입헌군주로써 귀착점으로 하고 그 이외는 모두 이단사설이었다. 대전 이후에는 국민공화로써 오로지 하고 그 이외는 지나친 사견이었다. 오호라! 북구대국(北歐大國: 소련)의 기초가 이미 정해져 노농주의 사조가 더욱 번창하니, 장차 조선의 애국지사들도 옛 가옥을 허물고 신식 비행기에 타 망막한 천공을 높이 날며 세계는 하나라는 노래를 고창할지 또한 알 수 없다. 그러나 한발 물러섰다 하여 배후의 신하를 어림할 수 있겠는가? 반드시 할 수 없다. 한발 나아갔다 하여 미래의 세계를 발견할 수 있겠는가? 반드시 그럴 수 없다. 듣는 것은 소리를 벗어나지 못하며, 보는 것은 색을 떠나지 못하니 석가가 중생을 가련히 여기는 까닭이다. 그러나 지금도 황색을 볼 때는 자색이 있음을 모르고, 청색을 볼 때는 황색이 있음을 알지 못하니 어찌 더욱 가히 대애대민(大哀大悶)한 자가 아니겠는가?

크로포트킨은 본래 귀족의 자제로서 고유한 부귀를 버리고 혁명의 세계에 투신해 노동일꾼과 더불어 그 즐거움과 괴로움을 함께 하니, 어찌 의연하고 위대한 장부가 아니겠는가. 생물계의 상호부조의 뜻을 널리 밝혀서 다윈의 생존경쟁설과 싸웠고, 세상 사람의 보고 듣는 것이 돌아오기를 기대하며 중생의 함닉을 구원하기를 강구했으니 그 정을 가히 열정이라 일컬을 수 있다. 중간에 제국정부의 축객(逐客)이 되고 후에 또 노농정부의 눈엣가시가 되어서 가기 힘든 길을 애쓰면서 그 생을 마쳤다. 험난한 일로써 천직을 삼고, 온 세상이 그것을 비난해도 홀로 가길 그치지 않으니 그 마음을 가히 고심(苦心)이라 일컬을 수 있다. 나이가 이미 팔순이 되어 정력이 쇠해졌으나, 나쁜 옷과 변변찮은 음식으로 스스로 검약해 정부의 후한 녹도 사절해 받지 않고 그 평민의 본색을 발휘하니 그 뜻을 가히 견지라 일컬을 수 있다. 크로포트킨과 같은 자는 진실로 세속에 따르지 않고 오로지 믿는 바에 따라 행동하는 사람이어서, 세상의 추이가 함께 하지 않는 것이로구나. 내 어찌 이 사람에게 큰절하지 않을 수 있겠는가. 옛부터 가장 위대한 사람의 가장 큰 이상이 자신에게 거의 미치지 않아도 직접 그것을 보니, 레닌의 성공을 보고 크로포트킨의 고집을 나무라는 사람은 진실로 어리석은 사람이다.

옛날에는 우역(郵驛)으로써 서신(書信)을 전했고, 지금은 전선으로써 그것을 전한다. 옛날에는 수레와 말로써 땅을 다녔고, 지금은 비행기로 창공을 날아다닌다. 옛 시선으로 지금을 보면 누가 멍할 정도로 정신이 들지 않겠는가. 비록 그러하나 이로써 문명의 극치로 삼고 인류가 할 수 있는 것은 다했다는 것은 곧 지나치다. 이목으로 말미암지 않고서 천만 리 이외의 일을 알 수 있고, 몸을 떠나 영혼으로 하늘을 홀로 다닐 수 있으니 그 즐거움이 또한 마땅히 어떠하겠는가. 인류라는 것은 끝내 불쌍한 물건이다. 태어나자마자 말할 수 있는 자는 있지 않으며, 3살에 달릴 수 있는 자도 없다. 비록 재능과 지혜가 성인과 철인(哲人)과 같은 사람도 언어를 배우고, 걸음을 배우고, 문학과 예술을 배우는 것은 모두 순서에 따라 나아가니, 어린 나이에 대인(大人)의 일을 하는 자는 없는 것이다. 사회라는 것은 개인의 집이다. 개인이 이와 같다면 사회도 어찌 이와 같지 않겠는가? 희랍에서 로마, 로마에서 근세에 이르기까지 그 문명 변천의 자취는 역사적으로 서술할 수 있다. 새끼줄로 의사소통을 하던 백성이 한번에 전기를 쓰는 세계로 이를 수는 없다. 사람의 지혜가 진보할수록 기교도 더욱 만들어지니, 의식(衣食)이 공기처럼 풍부해지고 아울러 도덕의 진보가 그 시비(是非)의 사견을 깨뜨릴 수 있다면, 곧 나라의 경계를 깰 수 있고 정부가 없을 수 있다. 이때를 당하면 레닌이 옛 사람이 되고, 크로포트킨이 말한 바는 어린 아이도 이해하는 것이 될지 아닐지 어찌 알겠는가?

우리의 사상을 극으로 해서 만물의 형태를 나누어 말하기를, 화수(火水) 이원이요 지수화풍(地水火風) 4대요 수화금목토(水火金木土) 5행이라고 하는 것은 지금은 이미 그 오류를 알고 있다. 그러나 지난번에는 분자로써 가장 미세하다 여겼고, 지금은 원자로써 극미하다고 여긴다. 또한 얼마 있지 않아 전자로써 극미하다고 여긴다. 물리의 진리는 과연 언제 정해지는가. 봉건을 깨뜨리고 하나의 존엄한 자가 정해지니 서민은 전제의 폭위로 머리가 아팠다. 폭군을 죽이고 헌법을 세우니 노동자와 자본가의 불평등한 문제가 또한 만들어졌다. 세계의 혼란은 과연 언제 그치는가. 탕탕(蕩蕩)한 흐름도 바다에 이르면 그치고, 삼라만상의 흐릿함도 해가 뜨면 이내 밝아진다. 나는 어떤 것이 인생의 바다요 만리의 해인지 알지 못한다. 인류의 진보는 그칠 때가 없고 1,100년은 진실로 한 순간이다. 사물의 생겨남을 모두 깨달으면, 타인과 내가 모두 공(空)해지니 무정부주의 또한 유치하고 부족한 도(道)가 되고, 크로포트킨을 옛 사람으로 여기지 아닐지 어찌 알겠는가.

칼날을 휘둘러 전기가 되고 대포를 쏘아 우레가 되니, 왜병의 혁혁한 기염은 전국의 동포가 가위눌려 죽기에 족하고, 천황의 한 조각 명령은 일천만 생명이 곧 죽고도 남음이 있다. 우리는 이때 다만 왜를 몰아내고 독립을 옳다고 택한 것일 뿐이니 어찌 다른 것을 물을 겨를이 있겠는가. 내가 슬퍼하는 것은 성패의 흔적에서 진리를 구하고자 함에 그칠 줄 모르는 것이다. 기왕에 크로포트킨의 죽음을 슬퍼하며 한마디 덧붙인다.

단기 4254년 1월 29일 밤 등불 아래에서

최광식, 단재 신채호의 『천고』, 아연출판부, 2004.2.29, pp.173-178.

丹皃雜感錄

第一筆 知己위하야의 죽음

斯多含博에 갈오대 斯多含이 일즉 花郎武官과 至友가 되얏더니 武官이 죽으매 斯多含이 武官을 위하여 七日을 울다가 드대여 죽으니 나히 겨우 十七歲라 涙史 이글을 읽다가 潸然히 涕를 나리었노라. 嗚呼라! 武官 갓흔이는 죽어도 또한 눈을 감을만 하도다.

史冊을 보면 某 名公이 죽으매 哭聲이 千里를 震動하엿다 하며 某 先生이 죽으매 朝野가 모다 巷哭하였다 한 記録들이 만흐니 그 記錄을 實錄이라 假定하더래도 그 가온대는 그러나 私恩에 운 눈물도 잇슬지며 남의김에 운 눈물도 있슬지라. 伯牙의 압해 鐘子期가 한아뿐이니 꼭 知音의 눈물이야 엇지 쉬으리오. 그뿐안이라 生前에 庸衆의 歡迎을 받는이라야 死後에도 庸衆의 哀吊를 받나니 그런즉 그 盖棺하는 날에 千里震動하는 哭聲을 얻자면 반다시 그 平日에 濁流를 쏘차 浮沈하며 末俗을 딸어 昇降하는 劣習이 있서야 될지라. 만일 淸修苦節의 선비거나 獨立獨行의 산애이면 매양 俗人의 嫌棄를 입나니 엇지 死後에 多人의 哀吊를 받으리오. 그럼으로 千里震動의 吊哭을 받는 죽음이라고 반다시 至人의 죽음됨이 안이니라.

武官은 엇던 사람인지 史冊에 보힌곳이 업스나 斯多含은 十七歲안에 발서 弟子가 數千이 敵國을 削平한 功도 잇스며 奴隷를 解放한 仁도 있나니 斯多含이 이와 갓흔 至人으로 그를 위하여 죽엇슨즉 武官도 반다시 그 德義

와 志節이 一世에 높던 사람이니라.

人生이 知音한아만 얻으면 足한것이라. 그럼으로 죽은뒤에 千人이 그 죽음곗헤서 늑기며 萬人이 그 묻엄압헤서 슬워함보다 生死에 서로 잇지 안할만한 至友의 눈물 한방울만 잇으면 죽을마하니라.

第二筆 피의 因果

算術로 따저 내가 이러케 죽으면 名譽는 얼마침 놉흐리라. 歷史는 엇더케 잘 되리라 하여 加減乘除를 다하여 본뒤에 죽는 죽음은 纯潔치 못하니 純潔치 못하면 神聖하지 못하니라.

神聖한 죽음은 是非도 니즈며 毁譽도 닛고 오직나의 사랑하던바를 위하야 피를 먹음고 칼이나 총머리에 업허지는 죽음이니라.

우리 國史를 보면 古代에는 이와 갓흔 죽음이 만하엿더라. 末世부터 人心이 奇巧하여 文正이나 文忠의 謚號를 사랴고 死地에 나아가기도 하며 忠旌이나 孝旌의 紅門을 얻으랴고 死藥을 마시기도 하니 그 大慾은 모다 子孫의 거름을 위함이라. 그런즉 사랑이 내몸과 내 子孫에 잇고 나라에 잇지 안하거늘 이에 그 죽을 때에 나라라 님금이라 불으고 죽음은 다만 그 假託이로다.

結果업는 피가 업다하지만 그러나 結果는 種因대로 되나니 爱名譽 愛子孫의 情으로 뿌린피에 엇지 愛國의 果가 매치리오.

第三筆 地動說의 效力

金玉均이 일즉 右議政 朴圭壽를 訪問한즉 朴氏가 그壁藏속에서 地球儀 一座를 내여 金氏에게 보히니 該儀는 곳 朴氏의 祖父 燕岩先生이 支那에 遊

覽할때에 사서 携帶하여 온 바러라.

朴氏가 地球儀를 한번 돌니더니 金氏를 돌아보며 우서 갈오대「오날의 中國이 어대 잇나냐 뎌리돌니면 美國이 中國이 되며 이리 돌리면 朝鮮이 中國이 되야 어늬 나라던지 中으로 돌니면 中國이 되니 오날에 어대 定한 中國이 잇나냐」하니

金氏 이때에 開化를 主張하며 新書籍도 좀 보앗스나마 매양 数百年來 流傳된 思想 곳 大地 中央에 잇는 나라는 中國이오 東西南北에 잇는 나라들은 四夷니 四夷는 中國을 놉히는 것이 올타하는 思想에 束缚되여 圓家獨立을 불을 일은 꿈도 꾸지 못하엿다가 朴氏의 말에 크게 깨닷고 무릅을 치고 닐엇더라. 이끗헤 甲申政變이 爆發되엿더라.

古代에 人類들이 흔이 中을 놉히며 또 그 私意로 自國을 大地의 中이라하여 他國을 蔑視하엿나니 끼리시아와 印度와 支那사람의 謬想이 모다 이러하엿도다. 우리도 檀君이 天에 五帝를 祭하며 地에 五行을 尊하며 官에 五加를 列하고 政治의 區域을 五方에 分하며 東西南北四方에 各一京을 두며 中央에 首京을 두되 首京을 中京이라, 가우리라하니 高句麗의 桂婁는 가우리의 音譯이오 新羅의 中原은 가우리의 意譯이니 가우리는 곳 中이니 八月中旬을「가우」라 함과 갓흐다.

高麗末葉부터 儒教와 漢文으로 因하여 自國의 國粹를 닛고 支那崇慕하여 드대여 自弱의 結果를 얻엇다가 朴氏의 地球儀돌님에 金氏의 손바닥이 울어 삼짝새이에 魂이 돌아올가 하엿섯도다. 涙史ㅣ 갈오대 近世聾耳의 霹靂은 카페닝크의 地動說이라 할만하도다. 天尊地卑의 妄説이 깨여지매 專制君主가 根據를 일흐며 四方定位가 문어지매 世界民族이 癖見을 바리도다. 學說의 심을 적다하는 이 그누구이뇨?

第四筆 修養은 濁界부터

一僧이 祖師다려 「世界가 이갓히 熱鬧하니 何處에 가 回避 하릿가」한대 祖師ㅣ「熱湯爐炭속에 가 回避하라」하니라

물읏 濁界를 바리고 净土를 차지랴함은 人의 妄想이라. 擧世가 모다 濁界니 어대 淨土가 잇스리오. 오직 濁界의 濁界됨을 닛고 濁界를 밟으며 濁界에 놀며 濁界와 싸워 나아갈뿐이라. 만일 别地의 淨土를 찾다가는 다만 煩惱만 되며 厭世觀만 닐어 더욱 濁界의 征服을 받을 뿐이라. 그럼으로 熱湯爐炭속이 熱을 回避할 곳이라 함이라.

修養者들이 深山僻地에나 鄕村農庄에 向하여 清静으로 身心을 修養하다가 一朝에 다시 紛擾한 紅塵에서 나오면 清静한 마음이 헛터지고 紅塵의 빝이 물드나니 무엇이 修養의 益이 잇으리오,

그러하기에 잘하는 修養은 山谷에서 안하고 都市에서며 清静으로 안이하고 進取로 하나니 대강만 말하자면 境遇딸어 奮鬪함이 곳 큰 修養이니라.

第五筆 物心兩界의 幷進

近世에 物質文明이 너무 進步되야 革命이 成功하기 어렵고 亡國이 多勿하기 어렵다는 이 잇지만 그러나 이는 謬說이라.

무릇 心物兩界는 兩方面의 關係가 密接하여 心的方面이 進步되면 物的方面도 進步되고 物的方面이 進步되면 心的方面도 進步되는 고로 軍艦大砲等 滅國하는 器械가 擴張될사록 民族的國家主義가 더욱 勃興하며 鑛産鐵道등의 利益獨占하는 霸王이 跋扈할수록 勞動者同盟罷工이 더욱 頻煩하니 人類의 精神이 物質勢力밋헤 屈服지 안함을 볼지로다.

얼른 생각하면 古代에는 斬木揭竿으로 弓을 막을만 하며 田夫走卒로도 騎兵과 싸울만하니 亡国이 再起하기도 쉽고 人民이 政府뒤집기도 쉽을뜻하며 近世에는 器械가 精鋭하고 軍備가 完足하여 败亡遺民이 多勿을 꾀할수 업스며 草野烏合이 革命을 바라지 못하리라하니 事實은 거의 이와 相反되야 往古史冊을 보면 三韓七十國이 한번 統一되매 다시 分立되지 못하며 春秋數十國이 한번 滅亡하매 다시 中興한이 업으며 西洋上古에서 파타앳틘 로마 칼태지 等 國의 武勇도 모다 한때뿐인대 도리여 近世에 와서는 美國 伊太利等 數年數十年의 血戰으로 발서 獨立한 나라를 우리가 만히 보앗스며 波蘭 印度 等의 卧薪嘗膽의 精神으로 장차 獨立하랴는 나라를 우리가 자조 듯겟스며 포추갈, 스페인 支那 루시아 等 民黨이 政府颠覆하는 일은 우리가 거의 해마다 구경하나니 嗚乎라! 物質의 進步에 精神이 退伏하는 줄아는 사람은 癡妄한 사람이니라.

떠이취의 飛行機가 패리의 天空에 뜨면 프란츠의 市民이 집웅에 올나가 六穴砲로 쏘나니 집웅에서 天空을 엇지 못하며 六穴砲로 飛行機를 엇지 못할줄을 물음이 안이나「내」라는 精神이 잇는 동안에는 敵國과 싸우는 까닭이라. 飛行機가 오던지 무엇이 오던지 내라는 精神은 뎌와 싸우는 까닭이라. 집웅이 업스면 平地에서라도 싸우며 六穴砲가 안이면 赤身으로라도 나아가나니 이것이 사람을 動物가온대 가장 靈聖하다함이라. 嗚乎라! 사람을 가장 靈聖한 動物이라 함이 이까닭이다.

第六筆 僞學問의弊害

우리의 青年이 倫理나 道德이나 政治나 經濟를 배움을 보면 한번 痛哭할만 하도다.

專制時代인들 엇지 英雄이 업스리오마는 그 君臣有義四字밋헤 업디려 一生을 지냄은 三綱五倫의 奴隷敎育에 그 心骨이 녹아 革命의 칼을 빼지 못함이니 僞道德學說이 사람을 죽임이 이갓히 甚함이라. 이제 有國者가 亡國人民을 쇠김이 專制時代의 君主와 무엇이 달으리오, 所謂政治는 强者의 幸福을 增進하야 亡國弱民이 다시 擧頭치 못하게 하는 그물이며 所謂歷史는 成者는 君主을 맨돌고 敗者는 盜賊을 맨들어 利鈍으로 是非를 삼운 굴엉이오. 所謂學說은 이따위 政治 이따위 歷史를 擁護한 魔說이로다. 우리의 頭腦가 單純한 靑年들이 이런 學說을 보고는 제位置를 닛고 그 말을 信奉하니 亡한 놈이 더 亡할뿐이로다.

엇지하면 루소 뽈트로 政治를 請演하며 빠곤이 쿠로파트킨로 道德을 論述하야 우리 靑年의 頭腦를 다시 씨슬는지

第七筆 少年의 犧牲

넘어 白髮이 齒牙가 흔들니고 顔面에 줄음이 잡히고 手足에 심이 업고 身體에 왼 機關이차차 그 效力을 일흐면 아모라도 自家의 死期가 갓가운줄 알지로다.

死期가 갓가운줄 알면 이리하나 뎌리하나 몃칠 안에 죽을 몸으로 死處에 나아가기를 앗기지 안하리니 그러면 四十歲以上의 烈士가 二十歲以下보다 만흘지며 八十歲以上의 義人이 三十歲以下보다 만흘지어늘 엇지하야 人間이 이와 違反되야 壯快勇烈한 피로 몸을 박구는 이가 매양 靑年에 잇지 안코 老年에 있나뇨?

칼들며 총메고 戰場에 다달음은 血氣젹은 老年의 일이 안이언이와 엇지하야 讐敵을 꾸짓고 惡刑에 나아감도 슬여하며 四處로 奔走하야 秘密히 運

動하야 사람을 죽임은 筋力업는 老年의 일이 안이언이와 엇지하야 平衢大路에서 晏然히 달니는 적괴賊魁도 꾀하지 못하나뇨?

嗟夫라 人間은 污濁한 空氣를 마시며 污濁한 바닥에서 오래 居住하야 污濁한 習慣에 저지면 드대여 污濁한 생각이 凝集하야 그 本來의 面目을 닛고 맏똥에 굴너도 이 世上이 조흠을 노래하나니 엇지 깨갓한 犧牲이 되야 死의 故鄕에 도라가기를 생각하리오. 그럼으로 칼머리속에서 죽음은 靑年의 일이오 老年의 일이 안이니라.

花郎의 家訓에 靑年의 죽음을 神聖타하야 이를 奬勵함으로 斯多含이 十七에 朋友를 위하야 죽으며 官昌이 十六에 戰場의 先鋒으로 金令胤이 十餘에 黃山大戰의 죽음이 되며 歆運이弱冠에 陽山血鬪의 죽음이 되며 擧眞은 幼兒로 忠孝兼全의 雄鬼가 되며 黃昌은 十三에 暗殺黨의 首魁가 되얏도다. 吾國先聖의 敎育의 精義를 歎服할만 하도다. 歷史上에 殺身成仁한 老人도 업지 안하나 매양 그 心理를 解剖하면 名譽의 計較와 利害의 打算을 다한 뒤에 죽어 多小의 污濁을 가지고 가나니 죽어도 純潔한 靑年의 죽음과는 달으니라.

第八筆 名과 利와 眞의 三人

利를 사랑하는 이는 金錢이나 만히 주며 權力이나 놉히 준다면 나라도 팔어먹나니 百濟의 任子와 高麗의 洪茶丘와 近日의 五, 七諸逆의 무리가 모다 私利로 因하야 惡名 씀을 돌아보지 안하니라. 名을 사랑하는 이는 金錢과 權力을 돌아 보지 안할 뿐안이라 곳 生命을 犧牲 함도 사양치 안 하나니 歷史上 忠臣烈士高僧大儒가 거의 名字 아래서 産出되니라.

名의 功은 이러하고 利의 罪는 뎌러하니 그러면 利를 눌으고 名만 崇尙하면 人心이 正道로 들며 風俗이 順軌가 되야 善良한 社會를 얻을가? 안이라 名의 弊害도 結果가 往往 利와 한가지 되나니 (一) 名譽 위하야 出世한 사람이면 만일 時俗의 名譽얻을 일이면 비록 그 內容에 禍國病民할 理由가 潛在할지라도 그 일을 할지며 (二) 또 宜當히 할 일이라도 世上이 이를 不可한 일로 알면 名譽를 액기여 躊躇하며 (三) 名與가 毁敗되면 勇氣가 沮傷하며 (四) 名譽를 놉히면 僞善人物이 만하지고 天眞君子가 적어지며 (五) 名譽를 求하는 나머에는 美名을 못 얻거던 惡名이라도 얻으려는 劣根도 나는도다. 噫라! 甲은 名譽를 利로 알며 乙은 金錢과 權力을 利라하며 甲은 名譽를 利라 하거든 乙은 金錢과 權力을 利라하야 兩人의 趨向은 달으나 心術의 動機는 한가지라. 利와 利가 싸우면 社會는 더욱 混濁하여질 뿐이로다.

眞人은 이와 달너 名도 보이지 안하며 利도 보이지 안코 오직 不平을 위하야 칼을 빼며 衆生을 위하여 濁界에 나리니라.

第九筆 나의 末日이 곳 地球의 末日

地球가 破碎되야도 네놈이 죽을지며 疾病이나 兵火갓흔 災禍에 걸이여도 네 몸이 죽을지니라

죽기는 마치 한가지나 다만 前者는 草木禽獸 聖愚善惡 大小强弱 貧富貴賤의 너나를 勿論하고 똑 갓히 죽은 죽음이오. 後者는 東隣은 노래하고 西隣은 춤추어 왼 世上이 모다 질기는 판에 나홀로 눈물을 뿌리고 黃泉으로 向하는 죽음이로다.

客觀으로 말하면 後者는 나 한몸이 홀로 죽고 前者는 남이나 내나 갓히 죽은 죽음이니 두 죽음이 크게 달지만 主觀으로 말하면 내가 잇는 까닭에 宇宙萬物의 存在를 認定하나니 내가 업는 날이면 宇宙萬物이 비록 存在한들

누가 그 存在를 認定하리오. 그럼으로 나의 나는 날을 곳 世界創造로 볼지며 나의 죽은 날을 곳 地球末日로 볼지니 前者 後者의 두 죽음을 區別함은 곳 妄論이니라

그러나 사람마다 前者의 죽음으로 죽으라면 寃痛할것이 적다하고 後者의 죽음으로 죽으라면 悲憤타 하나니 妄想의 顚倒도 甚하건니와 또한 人生의 惡함을 證明할수잇도다.

김병민 편, 『신채호문학유고선집』, 연변대학출판사, 1994.5, pp.160-167.

朝鮮의 志士

申采浩

一

일즉 엇던 한 青年이 이러케 말한다. 〈志士는 朝鮮의 志士가 참말 志士올시다. 假令 中國이나 露國이나 或其他 엇던 나라사람이 十萬元어치의 무삼 可疑할 物品을 가지고 某地方에 들어갓다는 거진말 電報를 친다하면 그 電報 밧는 그 時間에는 누구나 다 속을것이올시다. 그러나 朝鮮志士가 그갑어치 物品을 가지고 그 地方에 갓다하면 爲先 朝鮮사람들부터 안미들것입니다. 이는 어대서 十萬元이 나와—하는 反問에 대하야 解答할 말이 업는 짜닭임니다. 이갓히 거진말로 十萬元어치의 行動을 할수 업는 판입니다. 東西列國의 志士들이 이 판을 만나면 모다코를 싸주고 달아날것입니다. 그러나 朝鮮의 志士는 그대로 하여 나아감니다. 집에 들면 먹을 것이 업고 門에 나서랴면 衣帽와 신발이 업고 여긔서 저긔를 가랴면 路費가 업서 헤매지만 그러나 朝鮮의 志士는 그대로 하여 나아감니다. 참으로 可敬可仰할 志節잇는 志士입니다.〉 아아 暴風虐雪을 맛난 行人이 몸 담아들곳이 업스면 空山에서라도 밤을 새우나니 이는 그 志節의 可敬이라는 이보다 그 境遇의 可泣이니라.

二

어늬 나라의 志士던지 반듯이 一個의 主義가 있지만 朝鮮의 志士가 매양 十個百個의 主義를 가진다. 그리하야 假令 어늬곳에 (甲)緩進論者 (乙)急進論者 (丙)教育論者 (丁)實業論者가 산다하면 彼가 甲을 보면 緩進을 主張하며 乙을 보면 急進을 主張하며 (丙)이나 (丁)을 보면 教育或 實業을 主張하고 그 腦속에는 君主國이라면 君主國, 共和國이라면 共和國, 獨立國이라면 獨立國, 被保護國이라면被保護國인 무엇이라고 일음지을수 업는 얼숭덜숭한 雜貨商品의 國家를 버리여 노코 남의 눈치를 보아 時勢를 보아 갑나가는대로 秘密히 出售하얏다. 그러나 이가튼 多主義는 畢意 無主義로 化하고 마는 것이다. 그러므로 数十年 老志上의 成蹟을 案하면 後進青年에게 무엇이 우리 運動의 唯一한 方法이라는 切實한 教調를 주지 못하며 一般社會에는 우리 理想의 시골이 엇던 시골이라는 明確한 印象을 끼치지 못하고 다만 自家의 이마에 만히 잡힌 줄음살이 風霜을 饱經한 表示가 될 뿐이다. 아아 이것이 그 可泣할 境遇의 逼迫이 안이냐.

三

世界大戰以後에 主義란 名詞가 널리 流行되야 朝鮮의 志士도 할일업시 그 活用하기에 便宜한 多主義 곳 無主義의 主義를 바리고 一個의 主義를 信奉하게 되얏다. 共産主義者無政府主義者等에 對하야 民族主義者國家主義者 等의 區別까지 생기며 志士란 名詞가 〈主義者〉로 박구기에 일을 엇다. 共産黨되기 以前부터 爱國主義의 撲滅을 絶叫하던 中國의 陳獨秀는 소비예트政府의 歡迎마당에서 歸來하야 그 全部의 中國共産黨을 率하야 民主主義를

混雜한 國民賞의 一部分이 되고말며 同胞萬歲朝鮮萬歲에 입아귀가 ⊠저지던 朝鮮의 志士들은 露領에 들어서는 날에 民族主義抛棄의 宣言에 奔忙한다. 이로부터 朝鮮志士도 多主義가 업서지고 惟一의 主義를 가지게 될것인가. 그러나 이를 惟一의 主義를 가지랴는 朕兆라는 이보다 境遇를 쌀아 主義가 善變하리라는 預言이다. 즉 朝鮮의 孔子는 耶蘇도 될수 잇고 朝鮮의 빠고닝은 카이제루도 될수 잇고 朝鮮의 레닌은 袁世凱도 될수 잇다는 豫言이다. 아아 朝鮮의 志士야 楞嚴經에 일은바 〈龍王을 맛나거든 龍王으로 現身하야 說法하며 天大將軍을 맛나거든 天大將軍으로 現身하야 說法〉한다는 如來佛이나 짜윈의 일흔바 〈沙漠에 處한 者는 白의 保護色을 가지고 樹林에 處한 者는 靑의 保護色을 가진다〉는 動物이나 現身說法하는 如來佛은 身은 變하되 法은 不變하거늘 이제 彼等은 法까지 變하며 保護色의 動物은 色은 變하되 骨은 不變하거늘 이제 彼等은 骨까지(인멸됨)

며 某丙의 빠아진 웅덩이에 某丁이 또 빠아져 울업는 初喪의 訃告가 돌도다. 아아 이것이 그 可泣할 境遇의 逼迫이 안이냐.

四

이런 境遇에 善處한 方法이 무엇이냐 昔者에 安順庵이 李星湖를 보러가아 목이 말니 初更부터 물을 請하얏스나 차차 떠오마는 回答만 잇고 實際 떠오지는 안하얏다.

夜深後에 인재도 목이 말은가 인제는 이젓습니다 한즉 星湖가 갈오대 그러니라 참으면 天下의 難事가 모다 오늘밤의 목과 가트니라 하얏다. 今日에는 居半이나 이 이야기를 消極的道德의 模型이라고 反對하리라마는 消極的

道德도 必要한 用處가 업지 안하다. 목말러도 참고 배곱하도 참고 불로 지저도 참고 칼로 쑤서도 참고 뼈가 녹아도 참고 四肢가 쯔저저도 참아 熱火의 地獄의 十萬惡刑을 具할지라도 消極的道德에서 잘아는 道學先生은 降服밧지 못하리니 이것이 星湖의 일은바 天下의 難事라도 목말은것을 참듯하라 함이니 오늘 朝鮮에 나서 무엇을 하여 보겟다고 덤비는 人物은 不可不消極的道德이 잇서야 할것이라 하노라. 그러나 消極的道德에 지나치어 桂花島의 田艮齊가티 島以外의 天地는 모다 他人에게 讓하고 不合作의 潔操나 表示할진대 무삼 能事가 되리오. 반듯이 一身의 生活에는 消極的을 取하야 飢寒困苦와 不意의 刑戳가튼것이라도 逃避할것업시 甘受하며 社會의 事業에는 積極的을 取하야 諸般의 艱難과 싸우어나갈지니 〈惡한 일은 姑舍하고 善한 일도 하지 말어라〉함은 避世者의 가진 語頭언이와 〈善한 일을 못할진대 惡한 일이라도 하여야겟다〉함은 入世者의 업지 못할心理니라. (인멸됨)

或이 갈오대 우리 社會에도 不可不往昔露國志士의 〈目的을 爲하야는 手段을 가리지 안는다〉 한 말을 金言을 尊奉하야 그 目的의 變動만 입는 志士이면 그 志士란 일흠을 依舊히 剝奪하지 안함이 可하다. (인멸됨)

하야 하는 것 아니지만 그러나 이 더 沒趣味한 自殺을 함이냐 너무 笑話가 안이냐. 或은 彼此로 朝鮮사람도 그 商을 바워 生計의 發展을 謀함이 可하다 하나 이는 十年後의 牛乳麵包로 目下의 餓死者를 救하라 함이 안이냐. (인멸됨)

사람이 極度의 할수 업다는 생각이 나면 自殺을 하는 것이다. 그러나 同一한 自殺이라도 愛爾蘭志士가 獄中에서 自殺하얏다하면 世界各新聞에 그 일이 올흐고 西洋列國의 人道主義者들이 그를 爲하야 京弔의 意를 表한다. 朝鮮人은 一個의 自殺은 姑舍하고 十個의 自殺이 잇슬지라도 이로써 四隣의 視聽을 聳動하기 어려우며 十個의 自殺은 姑舍하고 卽百個以上의 人殺

이 잇슬지라도 이로써 列國의 與論을 鳴起할수 없고 오즉 朝鮮사람을 미워하는 者의 舞踏의 興이나 도울뿐이다. 自殺이 趣味를 爲하여 (이하 인멸됨)

김병민 편, 『신채호문학유고선집』, 연변대학출판사, 1994.5, pp.169-173.

文藝界青年의 参考를 求함

一

不過 五六年前이지만 그때는 朝鮮全幅 안에 돌아단이는 新聞이 總督府機關紙인 每日新報 한아뿐이엇고 雜誌는 崔南善의 幹하는 青春이 잇을뿐이오 操觚界가 寂廖하야 知名하는 人士를 치자면 二三指를 屈하게 될뿐이엿섯다. 五六年來에는 壽命이 짤으나기나 各種의 雜誌가 産出한中 至今까지 維持하야 오는 雜誌도 잇스며 新聞이 쏘한 二三種이 되니 이를 가지고 남에게는 比較할수 업지만 다만 自家의 今昔다을 對照하야 보면 半島文運이 거의 黑雲을 헤치고 돗아오는 달과 갓다 할수 잇다. 인제야 青年才子가 글쓸곳이 잇지 안하냐? 그러나 이것이 무엇으로 그러케 된줄 아느냐? 間接으로 先民先烈 直接으로 獨立宣言, 그 兩方面의 홀닌 피로 買得한 것이다. 아으 二三種의 新聞의 代價가 또한 적지 안하도다. 이속에 半生命을 付託한 文藝界青年들이여 應當 나의 말을 是認하리로다.

二

日前에 어늬 圖書館을 지나다가 中國青年一人을 만낫다. 나는 舌才가 업서 在中國十年에 至今까지 손으로 입을 대신하는 者라 筆談으로 그 青年에게 〈近來 中國青年界가 이러케 오래 寂寞함은 何故냐?〉 물으니 彼가 〈白話

文이라〉 대답하다 내가 驚怪히 녁이여 그 理由를 詰問하얏다. 彼가 한참이나 잠잠이 잇다가 붓들어써 갈오대 白話文은 中國의 文運을 促進하는 新機械라. 그러나 아모리 조흔 機械라도 惡用하면 사람만 傷하다 便易한 白話로 艱 한 古文을 대신하니 엇지 조치 안하냐 마는 白話文이난 以後에 戀愛편지 한장만 쓰면 男女學生의 結婚이 當場에 成立하고 戀愛小說 한편만 지으면 冶遊豪蕩한 거리가 생기고 若干의 高低업는 詩와 拘束업는 文을 쓰으면 文人學士의 名譽도 가질지니 그 누가 이 갓흔 溫柔鄕中의 趣味잇는 歲月을 바리고 손이 발이 되며 대갈이를 독기삼아 쓰는 政治革命社會運動等百死一生의 場中에 出入하리오? 그러므로 中國近日靑年界의 寂寞은 白話文까닭이라 하노라. 내가 이 말을 듯다가 〈우리 朝鮮靑年界의 아모 運動에던지 거긔에 對한 興味가 冷淡하야 감이 文藝運動의 影響이 아닌가?〉 驚疑하얏노라 文藝派 더욱 戀愛文藝派의 再三考慮할 바라 하노라.

三

내가 數十年前에 吾鄕에 잇슬때에 가래울이란 隣洞에 갓섯다. 찍룡아비란 一老人이 自己洞里의 弊風을 말한다. 〈이래가지고야 살수 잇습니가. 누구던지 신을 삼아 利益을 보면 온 洞里가 신장사가 됩니다. 떡을 팔어 利益을 보면 온 洞里가 떡장사가 됩니다. 무엇이든지 한 사람이 그러타 하면 온 洞里가 우합니다. 그러나 그 結果는 장사커녕 죽도 밥도 안되고 너나 내나 다 못살게 됩니다.〉 至今에 이를 回思하니 마치 朝鮮近世史의 講演을 듯는것 갓다. 朝鮮近世의 人心이 매양 한곳으로 몰니어 佛教時代에는 모다 佛教, 儒教時代에는 모다 儒教, 心性理氣의 村中에는 모다 心性理氣, 行詩의 村中에는 모다 行詩가 되야 그 圈外에는 조곰도 머리를 들어 삶이지 못하다가 牙山

이 문어지고 平澤이 깨여진뒤에야 이것이 무삼 世上인가? 눈을 뷔비엿다 오늘 文藝도 이런 風氣에서 流行됨이 안이냐?

四

鄭壽銅은 距今 六七十年前의 詩人이엿섯다. 自己의 안해가 産期를 당하야 難産症으로 죽네 사네 함으로 鄭이 藥局으로 佛蘇散을 지으러 갓섯다. 돌아오는 길에 엇던 친구가 나귀를 타고 金剛山을 간다 한다. 그를 본 鄭氏가 詩興이 滔滔하야 고만 佛蘇散은 道袍 소매에 너흔채 金剛山으로 달아낫섯다. 近日에 戀愛文藝에 醉心한 이가 이와 彷佛하지 안할가? 或曰 이것이 무삼말이냐? 鄭은 썩은 漢詩의 詩人이오 近日의 文藝派는 새파란 新詩新文을 가진 者니 엇지 서로 비기리오? 하나 나는 現實을 逃避하는 꼴이 彼此一般이라 함이로라. 일터면 漢江의 鐵橋가 現實이 안이냐. 仁川의 米豆가 現實이 안이냐. 經濟의 恐慌이 現實이 안이냐. 商工各界의 蕭條가 現實이 안이냐. 多数農民의 西北間島移住가 現實이 안이냐. 萬般危急의 現實이 鄭氏一家의 難産症보다 더하거늘 이를 바리고 俗文藝속에서 金剛山을 차지랴하니 또한 可憐하도다 만일 人格으로 말하면 〈三角山崩五湖退, 吾儕方有可爲時〉가 鄭의 詩가 안이냐? 鄭은 오히려 이와 갓히 現實에 不服하는 血性을 가진 男兒이며 또 不平慷慨의 遊戲를 作할때에는 往往有心者의 눈물을 나릴만 하던 奇人이니 엇지 容易히 鄭씨를 짤으리오.

五

<藝術은 藝術을 爲하야 存在>라 하지만 쏘한 <高尙한 藝術이랄사록 社會에 조흔 影響을 끼친다>는 그 附論이 잇슴으로 그 말이 얼마큼 承認됨이니 만일 藝術이 人類에게 害가 되야 그 進步를 쌀아 人類의 幸福이 減少될진대 人類의 藝術을 憎惡하야 滅亡식히엿슬지니 엇지 存在의 餘地가 잇스리오. <江山如此好, 无罪義慈王>을 지은 이가 李무엇이던지 解頤叢書에서 그 姓名을 알앗더니 이제 그 姓만 記憶되도다. 李가 이런 詩만 지엇슬뿐안이라 쏘 그 동무에게 한 편지가 以下와 갓다. <千年의 新羅나 七百年을 지난 高句麗나 七百年을 바라던 百濟나 數十年에 亡한 後百濟가 그 年祚의 長短이 달다 하나 究竟은 다 一場의 春夢이라 갓흔 春夢中에서 그래도 至今껏 살아잇는 이는 義慈王인가 하노라. 살아서는 美人의 손을 잡고 大王浦上, 臨流閣中에서 一生의 艶福을 누리고 그 亡國의 際에는 萬古의 향내나는 落花巖의 艶蹟을 끼처 後人의 詩材料를 맨들어주니 이는 新羅의 千年과 高句麗의 七百年의 福祿으로 박구지 못할바라>라 하야 一時에 輕薄子의 指目을 받어 到處에 斥逐함으로 流落하야 죽으니라.

往古의 才子가 그 才氣가 發越할때에 自由로운 言辭를 吐하다가 狹窄한 社會의 排斥을 입어 人間의 活地獄에서 죽은 이가 얼마이냐? 今日에는 편복의 身分이 間諜의 行動을 가질지라도 그 依草附木의 生活을 依舊히 하게 되니 今日 操觚界의 風氣가 너무 墮落됨이 안이냐?

六

엇던 相師가 죽을 때에 그 弟子들과 이러케 問答이 되얏다. <누워죽은 이

은 잇지만 안저죽은이도 잇느냐?〉〈잇슴니다〉〈안저죽은 이는 잇지만 서 죽은 이도 있느냐?〉〈잇슴니다〉

〈바로 서 죽은 이는 잇지만 썩구로 서 죽은 이도 잇느냐?〉〈그는 업슴니다〉 그러면 나는 썩구로 서서 죽으리라 하고 머리를 땅에 박고 두발로 하늘을 가라처 썩구로 서 죽으니라. 噫라 이는 남대로 하지 안는 一種의 怪物이다.

우리 社會는 이와 反對가 되야 남이 滯症으로 밥먹을 쌔에 간장을 써 먹으면 나도 간장을 써먹어 죽기를 限하고 남을 싸라가는 社會이다. 十年前에 돌아단이든 志士는 모다 愛國者러니 今日은 모다 共産黨이며 十年前에 비우랴든 靑年은 거의 兵學이러니 今日은 거의 文學이로다. 어늬 나라이고 時代의 潮流를 안밟으랴마는 그러나 그 무삼 主義 무삼 思想이 매양 그 社會의 情況을 쌀아 或盛或衰하거늘 우리 社會는 그러치 안하야 발이 압푸거나 말거나 世上이 외씨버선을 신으면 나도 외씨버선을 신나니 이는 奴隷의 思想이다. 사람이 외사람노릇을 못할진대 奴隷와 怪物에 무엇이 더나흐랴? 나는 차라리 怪物을 취하리라 怪物—怪物—

김병민 편, 『신채호문학유고선집』, 연변대학출판사, 1994.5, pp.174-178.

人道主義의 可哀

赤心自北京寄

토끼가 범을 잡고 쌔고리가 바얌을 먹고 독수리나 소리개가 병아리에게 채이어 一般動物界의 現象의 大變動됨을 보앗스면…… 하는 幻想이 항상 나의 腦裡에 徘徊하얏다. 어느때 엇던 耶蘇敎人이 나다려 「耶蘇를 미드라」 하기에 나는 『右의 所願을 成就할수만 잇스면 耶蘇만 못한 木石이라도 밋겟노라」 하얏섯다. 그러나 이는 아마 어늬때까지도 不可能의 事가 될는지도 몰으겟다.

人類와 人類의 새이는 아모리 彼我의 强弱이 다르다 할지라도 이를 다른 動物에 比하자면 큰범 작은 범의 새이는 될지언정 토끼와 범의 새이는 안일지며 올창이와 쌔고리의 새이는 될지언정 바얌과 쌔고리의 새이는 안일지니 人人의 努力과 時運의 湊合을 어드면 或 陰地가 陽地되며 弱者가 强者되는 因緣이 잇스리라는 생각은 거의 信條갓히 되얏섯다.

世界大戰이 마추자 人道主義가 大光明을 放하얏다 그러나 實際를 調査하변 人道主義니 社會主義니 民主主義니 其他 무엇이니 하는 소리가 반듯이 大砲소리와 합씌 쩔어지는 소리라야 成功하며 成功을 못 할지라도 一部의 拍掌소리가 놉핫다. 아으 彼此以後로는 등에 大砲를 젓거나 질만한 氣力이 잇는 사람이라야 사람이라할지니 이것이 人類의 哀歡할배 안이냐. 人道

主義의 哀歡할배 안이냐? 大砲를 가지지 안흔 無抵抗 不合作 等의 運動도 一時에 喧傳하지 안 하얏는가? 人心이 可喜할만한 快事에만 呌絶할뿐 안이라 可笑할만한 怪物에도 喝采하나니 世人이 싼듸를 爲하야 云云함은 印度의 幽靈的性質을 稱함이오 主義를 偉大를 稱함이 안이다.『父母의 怨讐을 報함도 罪라』함은 釋迦氏의 菩薩戒의 말이니 釋迦나 싼듸나 無抵抗의 精神이 一致하지 안하냐? 그 主義가 각기 前後一時에 全印度로 風靡함을 보면 個人을 곳 全印度로 볼수잇나니 自由하자면 平等이 안되고 平等하자면 自由가 안됨은 엇던 均産學者의 慨歡한바라. 印度는 幽靈으로 비롯하여 幽靈으로 마출것이 안이냐? 내가 印度人이 되얏스면 釋迦을 縛하랴 火에 投하며 싼듸를 執하야 海에 葬하리로다.

大院君이 某甲다려 갈오대『내가 사람 生殺하는 權利를 가졋거든……』한대 某甲은『小人도 小人을 生殺하는 權利를 가졋습니다』回答하얏다. 이 말은 곳 千古弱者의 唯一聖經이다. 아으 弱者의 골을 쌜만한 쌔를 부실만한 百千의 義務는 쪼차 단이지만 權利란 權利는 모다 쌔기었다. 모든 權利를 다 쌔기엇지만 오즉 자기 生殺할 權利는 남아잇다. 이 權利는 大院君뿐 안이라 秦始皇, 弓裔, 나팔려온, 윌리암第二世가 다 올지라도 쌔앗지 못할 權利가 안이냐? 그러나 이 權利를 濫用하지 말지어다. 刎頸과 伏劍이 何難이리오마는 輕易히 行하면 世事厭避하는 隱士갓히 死로써 責任을 逃避함이니 不可하니라. 다만 이 權利의 使用을 忘却하지 말지어다. 그리하여야 軍艦, 飛行機, 大砲, 金錢 모든 勢力에 굽힐곳이 업슬지니라.

김병민 편,『신채호문학유고선집』, 연변대학출판사, 1994.5, pp.180-182.

大黑虎의 一夕淡

赤心自北京寄

서울로부터 온 一友人이 나다려 이러케 말한다 『近日 우리 朝鮮에는 文藝界에 革命健見가 出하야 公子를 罵하다 孝의 思想을 撲滅하자 한다 家庭關係를 打破한다 結婚離婚의 自由를 鼓吹한다 民族主義를 反對한다 하는 等 思想의 進步를 證할만한 象徵이 한둘뿐이 아이다』한다.

此等의 不非可否는 아즉 말말고 다만 文藝革命의 尊稱을 與함은 不可한 줄로 생각하노라. 形式의 方面을 가라친 말이면 몰으건이와 精神의 方面을 가라친 말이면 더욱 不可한 줄로 생각하노라. 룻소의 民約論의 發表가 君主專制의 虐焰이 한창 熾盛하던 째이며 톨쓰토이가 아모리 溫和派이지마는 露西亞帝室과의 存亡關係 있는 希臘教를 反對한 勇士이다. 當時의 最大壓力과 宣戰하는 氣慨나 精神이나 實蹟이 잇서야만 무삼 尊稱을 올니지어 늘 딴돈 로베쓰비에로 等이 專權한 뒤에야 쏘본皇室을 唾罵하여 레닌 도로쓰기 等이 執政한 째에야 希臘教의 反對論을 唱하야 現在的最大壓力이 안인 過去陳跡에 대한 宣戰을 革命이라하면 革命이란 名詞를 爲하야 一哭함이 可하니라.

만일 甲辰 乙巳 휠석 以前 幾千年에 大成至聖 文宣王이 專制教主로 안졋 程子 朱子 退溪 尤庵이 그 上將編將이 되야 叛하는 者이면 斯文亂賊의 律로

斬하며 違하는 者이면 非聖無法의 罪로 斥하야 朝廷, 鄕黨, 家庭, 社會 어느 곳에도 그 安身을 許치 안하던 때에 그들의 道德律을 非毁하며 그들의 唯一信條인三綱五倫 等을 排斥하여 沈沈한 雲霧속에서 曙光을 求하는 이 잇섯스면 그이를 머리에 니며 등에 지며 허리에 끼며 품에 안어 우리 朝鮮第一思想界或文藝界 革命家로 尊함이 可하건이와 이제는 敵陣의 退去한 뒤의 大砲라 다만 나의 彈丸만 費할뿐이니라. 아즉 山林石窟中에 欲死未死의 老夫子들이 만하 舊家庭舊社會의 버릇을 保全하랴하니 이를 任置하면 死灰復燃의 慮가 잇지 안할가? 어늬 때던지 新舊의 衝突은 免할수업는 것이나 만일 朝鮮靑年의 最大任務가 此等 老夫子를 戰勝함에 잇다하면 朝鮮靑年을 爲하야 一器함에 可하니라.

그러면 朝鮮靑年은 어대로 向하야 나아감이 可할가?

나도 또한 冥行한 人이라 엇지 이말을 回答하리오마는 어늬때라도 고상한 人生觀을 가지면 現實은 不滿뿐이니 하물며 只今 우리의 朝鮮이리오? 不滿의 現實---곳 最大威力을 가진 現實에서 逃避하는 者는 隱士이며 屈伏하는 者는 奴隷이며 格鬪하는 者는 戰士이니 우리는 右의 三者에서 其一을 選擇하지 안할수업는 境遇에 선줄을 自覺할지니라.

以上은 北京鼓樓大街附近의 大黑虎胡同 胡同은 朝鮮客館 燈下의 一夕閑談인 故로「大黑虎의 一夕談」이라 題하노라.

김병민 편, 『신채호문학유고선집』, 연변대학출판사, 1994.5, pp.183-185.

金錢, 鐵砲, 咀呪

申采浩

一

善이 무엇이며? 惡이 무엇이냐? 人을 救濟함이 善이라 하면 善의 消極方面 곳 人을 救濟치 안함이 惡이며 人을 殺害함이 惡이라하면 惡의 消極方面--곳 人을 殺害치 안함이 善이니라. 人을 구하랴면 金錢의 力이 最大하니 그러면 積極으로 善을 하던지 消極으로 惡을 함이 金錢의 力을 가진 者의 일이 안이냐? 人을 殺害 하랴면 鐵砲의 力이 最大하니 그러면 積極으로 惡을 하거나 消極으로 善을 함이 오직 鐵砲의 力이 가진자의 일이 아니냐? 金錢이나 鐵砲의 力이 없는 者이면 積極으로 善을 할수없는 同時에 消極의 惡은 名詞도 부칠대 업스며 積極으로 惡을 할수없는 同時에 消極의 善은 名詞도 부칠대가 업스니 이것이 善이 업고 惡도 업는 儒家 所謂『先天』의 사람이 안이냐? 이 善도 惡도 할수업는 先天的 無力者는 그 結果가 저 善도 하고 惡도 하는 金錢과 鐵砲를 가진 有力者가 善을 施하면 코가 짱에 닷토록 百拜致謝하며 惡을 肆하면 손이 발이 되도록 伏地哀乞하나니 아으, 이것이 過去 人類의 歷史가 안이냐?

有力者가 平時에는 매양 金錢의 力을 活用하야 無力者는 教育도 못받도록 商工業도 못하여 먹도록 하고는 百方으로 그 피를 빨아 먹으며 살을 글거

가지고 反抗하면 鐵砲의 力으로 威嚇한다. 그래도 不屈하면 鐵砲의 力을 實行한다. 그리하야 女者들은 寡父되고 男子들은 鰥父되고 兒孩들은 孤兒되야 各種의 悲劇을 演出한다. 奴隷가 사람은 안이나 사람의 靈性은 가젓나니 設或有力者가 항상 善을 施할지라도 奴隷된 悲劇이 업지 못하려던 하물며 前述과 갓히 惡을 肆하야 悲劇을 演함이리오. 이에 一般奴隷들이 각기 無力의 力을 盡하야 有力者의 金錢과 鐵砲를 對抗하는 方法을 案出하니 갈은바 『咀呪』 그것이다.

二

咀呪란 무엇이냐? 甲이 乙에게 深讐가 잇서 이르 갑흐랴하면 力이 不足하고 고만두랴 하면 心이 不許하는지라 이에 그의 畵像에 向하야 그 눈도 쌔여보며 그 목도 베여보고 或 乙이 일흠을 불너 『染病에 죽어라 怪疾에 죽어라 벼락에 죽어아 急殺에 죽어라』 하는 等이 咀呪이다. 얼는 생각하면 百年의 咀呪가 彼의 一髮을 捐하지 못할뜻 하지만 그러나 一人二人…百人千人의 咀呪를 밧는 者이면 不過 數年에 불그렴이가 그 집웅 위에 올나 가며 새파란 칼날이 그 살진 배쌕이를 지러 呻吟할새도 업시 死亡하나니 거룩하다 咀呪의 힘이여 弱者의 唯一武器가 안이냐?

金錢 鐵砲의 力이 大할사록 그를 對抗하는 咀呪의 力도 大하야 往往 仁人志士들이 咀呪師로 現身하야 億兆의 民衆을 指導하야 適을 咀呪할새 哲學으로 그 咀呪의 根據를 세우며 文學으로 그 咀呪의 現象을 그리여 그缺課에 咀呪의 불길이 雲宵를 衝하얏는데 『民約論』, 『資本論』 等은 露骨的의 咀呪文字언이와 『海의 女』, 토쓰토이의 『안나까레니나』 갓흔 것도 隱鋒的의 咀呪文字니라.

咀呪에 亡한 者를 세여보자. 루이 十六도 咀呪에 나팔레온 第一 第三도 咀呪에 멧데닝크도 咀呪에 윌니암 第二도 咀呪에 닉골라이악렉산데 第二도 咀呪에 愛新覺羅氏도 咀呪에 袁世凱도 咀呪에 其他 金錢 鐵砲의 大力을 가지고 咀呪에 亡한 者가 멧멧히더냐? 將來에 咀呪에 亡한 者가 멧멧히냐? 百萬千萬의 人衆의 酷烈한 咀呪끗헤야 金錢도 쓸대업고 鐵砲도 쓸대업다. 거룩하다 咀呪의 힘이여 弱者의 唯一武器가 안이냐? 咀呪! 咀呪!

三

아아 우리 朝鮮사람은 웨 그리 咀呪性이 不足한지. 往史를 돌아보건대 名分으로 우리들을 束縛하면 束縛者에 대하여 讚美한 이는 잇지만 咀呪한이도 잇섯더냐? 權利로 우리들을 殺戮하면 殺戮者에게 對하야 哀乞한 이는 잇지만 咀呪한 이도 잇엇더냐? 弱女子의 悍棒에 對한 回答이 咀呪 업는 飮泣이 안이엿더냐? 負且賤者의 斯世에 對한 不平이 咀呪 업는 自歎이 안이엿더냐? 今日에 갓흔 戀愛小說을 볼지라도 彼의 戀愛小說은 火山아 터어지라 洪水야 밀니어라 그리하야 由來 腐敗한 社會의 壓力을 擊碎하라는 白熱의 咀呪가 紙上에 活躍하거나 그러치 안하면 언져나 眞摯無邪한 情劍으로 虛僞의 粧飾인 偶像을 斬 할가하난 深痛한 咀呪가 紙面에 隱現하거날 此의 戀受小說은 살이 녹도록 쎠가 절이도록 男女學生이 두입을 모조물고 요런 滋味가 잇느냐고 불우는 謳歌던지 謳歌는 반듯이 權力者의 살을 찌우는 肥料니라.

周文王이 紂에게 잡히여 羑里獄에 갓치어 自己의 愛子의 고기로 끄린 국짜지 먹고 僥倖히 살아 나 왓섯는대 이에 唐의 韓愈란 文士가 지은 羑里操에 『臣罪當誅兮天王聖明』의 句가 잇다. 宋의 朱子가 그 句를 贊하야 갈오대 『이는 文王의 心事를 그리여낸 글』이라 하얏다. 사람이고야 엇지 自己의 愛子를 살며 국을 쓰리어 준 紂을 『聖明하신 天王』이라 頌德할 心事가 잇스리오.

이 글을 지은 韓愈도 狂妄하건이와 이 글을 칭찬한 朱子도 얼마나 怪僻하뇨? 朱子 平生의 論法이 모다 이러한대 朝鮮에서 朱子學을 崇尚하얏슴으로 城內의 咀呪性이 倒 消滅하고 頌德風이 熾盛함이 안이냐?

從來로 우리 社會에 出現한 論文 宣言文 等이 매양 哀乞이 안이면 諷諫이요 그러치 안하면 祈禱이라 한아도 咀呪에 相當한 文字가 업섯도다. 咀呪는 無力者의 幸福을 求함이 안이라 有力者의 不幸 祝하는 것이니 거룩한 咀呪는 金錢의 籠络에 빠아지지 안이하며 鐵砲의 威嚇에 물러서지 안하고 目的을 일운 뒤에야 그 소리가 끈치느니라.

完

김병민 편, 『신채호문학유고선집』, 연변대학출판사, 1994.5, pp.186-190.

宣言

申采浩

一

우리의 世界無産民衆……더욱 우리 東方各植民地無産民衆의 血, 皮, 肉을 빨고 짜고 씹고 물고 재물어 창자가 쒸여지랴 한다. 배가 터어지랴 한다. 그래서 彼等이 그 最後의 發惡으로 우리 無産民衆――더욱 東方各植民地無産民衆을 대갈이에서부터 발쓧까지 박박 찌지며 바삭바삭 재물어 우리 民衆은 死滅보다도 더 陰慘한 不生存의 生存을 가지고 잇다. 아 世界無産民衆의 生存― 더욱 東方無産民衆의 生存――

少數가 多數에게 지는것이 原則이라하면 웨――最大多數의 民衆이 最少數인 野獸的 强盜들에게 피를 빨리고 고기를 찟기느냐? 彼等의 軍隊싸닭인가? 警察싸닭인가? 軍艦 飛行機 大砲 長銃 裝甲車 毒瓦斯 凶慘한 武器싸닭인가? 안이다. 이는 그 結果요 原因이 안이다. 彼等은 歷史的으로 發達成長하여 온 累千年이나 묵은 怪動物들이다. 이 怪動物들이 맨처음에 狡滑하게 自由平等의 社會에서 사는 우리 民衆을 쇠기여 支配者의 地位를 어더 가지고 그 掠奪行爲를 組織的으로 白晝에 行하랴는 所謂 政治를 맨들며 掠奪의 所得을 分配하랴는 곳『人肉分贓所』인 所謂 政府를 두며 그리고 永遠 無窮히 그 地位를 누리랴하야 反對하랴는 民衆을 制裁하는 所謂 法律 刑法 等

부어터진 條文을 製定하며 民衆의 奴隷的服從을 식이랴는 所謂名分, 倫理等 민동이 갓흔 道德律을 造作하얏다, 東西歷史에 傳하여 온 帝王, 聖賢이 이强盜나 野獸를 擁護한 野獸의 走狗들이다. 民衆이 往往 그 掠奪에 견딀 수 업서 反抗的革命을 行한 째도 만핫지만 마참내 幾個 狡猾漢에게 속아 다시 그 强盜的支配者의 地位를 許與하야『以暴易暴』의 現象으로써 歷史는 繰返하고 말앗섯다. 이것이 곳 多數의 民衆으로 少數의 野獸들의 蹂躪을 當하야 온 原因이다.

二

彼等 野獸들이 中世紀 以來 自由都市에서 發達하여 오는 科學과 工業的器械──蒸氣器械 電氣器械 等을 竊取하야 나날히 政治的 經濟的 商工業的軍用的 모든 施設을 擴大하며 增加하야 龐然한 大地球가 우리 無産民衆의 頭腦身骨을 가루가 되도록 갈고 잇는 一個의 맷돌짝이 되고 말엇다. 그러나 彼等은 民衆의 慘狀에는 눈이 멀엇다. 우리 民衆의 悲鳴과 哀呼에는 귀가 먹엇다. 彼者는 다만 우리 民衆의 고기를 먹는 입만 싹──벌니고 잇다. 아──殘惡, 慘陰, 不道한 野獸的强盜──强盜的野獸──이 野獸의 蹂躪밋테서 苦痛과 悲慘을 바더오는 우리 民衆도 참다 못하야 견듸다 못하야 이에 저 野獸들을 退治하랴는 撲滅하랴는──在來의 政治며 法律이며 道德이며 倫理이며 其他一切文具를 否認하자는 軍隊며 警察이며 皇室이며 政府며 銀行이며 會社며 其他 모든 勢力을 破壞하자는 憤怒的 絶叫『革命』이라는 소리가 大地上一般의 耳膜을 울니엇다. 이 울님이 强調됨을 쌀어 彼等 野獸들의 神輕도 非常히 昻 하야 極度戰標的 眼光으로 우리 民衆의 態度를 審視한다. 그래서 軍人의 총과 警察의 칼로 革命的民衆을 威壓하는 同時에 新聞, 書店, 學

校等을 設始 或 買收 或 檢定하야 彼等의 走狗인 記者, 學者, 文人, 敎授等을 식히여 그 野獸的 掠奪, 强盜的 搾取를 公認하며 辯護하며 禮讚하야 民衆的 革命을 消滅하랴한다. 이 野獸世界 强盜社會에『正義니』,『眞理니』가 다 무슨 방귀이며『文明이니』,『文化니』가 다 무삼 똥물이냐? 우리 民衆은 알엇다. 깨달엇다. 彼等野獸들이 아모리 악을 쓴들, 아모리 요망을 피운들 이믜 모든 것을 否認한, 모든 破壞하랴는 大界를 울니는 革命의 북소리가 엇지 遽然히 까닭 업시 멋칠소냐. 발서 구석구석 部分部分이 우리 民衆과 彼等野獸가 陣形을 對 하야 砲火를 開始하얏다. 올타 되얏다 우리의 大多數民衆들이 彼等少數의 野獸들과 宣戰하는 날이 (인멸됨)無産民衆의 生存──이것을 어대가 아차지랴알것이다. 우리의 生存은 우리의 生存을 째앗는 우리의 敵을 업시 하는대서 차질것이다. 一切의 政治는 곳 우리의 生存을 째앗는 우리의 敵이니 第一步에 一切의 政治를 否認한것, 消極的 否認만으로는 곳『董卓을 哭死』하랴는 (탈락) 彼等의 勢力은 우리 大多數民衆의 否認하며 破壞하는 날이 곳 彼等이 그 存在를 일른날이며 彼等의 存在를 일른날이 곳 우리 民衆이 熱望하는 自由平等의 生存을 어더 無産階級의 眞正한 解放을 일우는 날이다. 곳 凱旋의 날이니 우리 民衆의 生存할 길이 여긔 이 革命에 잇슬뿐이다.

三

우리 無産民衆의 最後勝利는 確定必然한 事實이지만 다만 東方各『植民地』『半植民地』의 無産民衆은 自來로 釋迦 孔子 等이 提唱한 곰팡내 나는 道德의『독』안에 싸아지며 帝王酋長의 建設한 비린내 나는 政治의『금울』속에 걸니어 數千年 해매다가 一朝에 英 法 日本 等 資本帝國野獸(인멸됨) 每年增加하느냐? 彼等의 經濟的搾取와 政治的壓迫이 全速力으로 前進하야 우리

民衆을 맷돌의 한돌님에다 갈어 죽이랴는 판인즉 우리 東方民衆의 革命이 만일 急速度로 前進되지 안하면 東方民衆은 그 存在를 일허버릴것이다. 그래도 存在한다면 이는 墳墓의 속(탈락)온 것이니 우리가 撤底히 否認하고 破壞하는 날이 곳 彼等이 그 存在를 일는 날이다.

김병민 편, 『신채호문학유고선집』, 연변대학출판사, 1994.5, pp.191-195.

김구 편

이봉창 의사의 의거

이봉창 의사와의 면담

내가 재무부장이면서 민단장(民團長)을 겸임하던 때였다. 하루는 한 중년 동포가 민단을 찾아왔다.

"일본서 노동을 하다 독립운동을 하고 싶었는데 상해에 가정부(假政府: 일인의 지칭)가 있다 하여 며칠 전 상해로 왔습니다. 돌아다니다가 전차 검표원에서 물었더니 보경리 4호로 가라고 하기에 찾아왔습니다. 근본은 서울 용산에 살고 성명은 이봉창(李奉昌)입니다."

"상해에 독립정부가 있으나 아직 운동자들을 먹이고 입힐 역량이 없소. 소지한 금전이 있습니까?"

"지금 가지고 있는 돈은 여비하고 남은 것으로 10여 원뿐입니다."

"그러면 생활문제를 어찌할 방법이 있소?"

"그런 것은 걱정 없습니다. 나는 철공장에서 작업을 할 수 있는데 노동하면서는 독립운동 못합니까?"

나는 날이 저물었으니 오늘은 근처 여관으로 가고 내일 다시 이야기하자면서 민단 사무원 김동우(金東宇)더러 그에게 여관을 잡아 주도록 했다.

그는 언어가 절반은 일어이고 동작이 일인과 흡사하여 특별히 조사 할 필요가 있었다. 며칠 후 그가 술과 국수를 사다가 민단 주방에서 직원들과 함께 먹는데, 술이 반쯤 오르자 민단 직원들과 주담(酒談)하는 말소리가 문밖으로 흘러나왔다. 곁에서 들어보니 이 씨는 이런 말을 했다.

"당신들 독립운동을 한다면서 일본 천황을 왜 못 죽입니까?"

"일개 문무관도 쉽게 죽이지 못하는데 천황을 죽이기가 쉽겠소?"

"작년에 동경에서 천황이 능행(陵行)한다며 행인들은 엎드리라고 하더군요. 엎드려서 생각하기를 내게 지금 폭탄이 있다면 간단하지 않겠는가 싶었습니다."

젊은이들은 주방에서 술 마시고, 나는 거기서 흘러나오는 이 씨의 말을 유심히 들었다. 그날 저녁 나는 이 씨가 머무는 곳을 조용히 방문하여 흉금을 털어놓고 서로간에 속내 이야기를 다 쏟아냈다.

이 씨는 과연 의기(義氣) 남자로서 일본에서 상해로 건너올 때에는 살신성인(殺身成仁)할 큰 결심을 가슴에 품고 임시정부를 찾아온 것이었다. 그는 이런 말을 했다.

"제 나이가 31세입니다. 앞으로 다시 31세를 더 산다 한들 과거 반생(半生)의 삶에서 방랑생활을 맛본 것에 비한다면 늙은 생활이 무슨 재미가 있겠습니까. 인생의 목적이 쾌락이라면 31년 동안 육신으로는 인생쾌락을 대강 맛보았으니 이제는 영원한 쾌락을 도모하렵니다. 그래서 우리 독립사업에 헌신하겠다는 목적으로 상해로 왔습니다."

나는 이 씨의 위대한 인생관에 감격하여 흐르는 눈물을 참을 수 없었다. 이봉창 선생은 겸손한 태도로 국사(國事)에 헌신함에 지도를 청했다. 나는 쾌히 승낙했다.

"1년 안에 군의 행동에 대한 준비를 마치겠소. 헌데 지금 우리 정부에 자금이 궁해져서 군을 보살펴 줄 능력이 없고, 군의 장래 행동을 위하여는 우리 기관 가까이에 있는 것이 불편할 테니 어떻게 하면 좋겠소?"

"그러시다면 더욱 좋습니다. 저는 어릴 때부터 일본말에 능숙했습니다.

일본서 지낼 때 일본사람의 양자가 되어 기노시타 세이조(木下昌藏)라는 이름으로 행세했고 이번 상해 오는 도중에는 이봉창이라는 본성명은 쓰지 않았습니다. 그러니 준비하실 동안 저는 일인으로 행세하고, 또 제가 철공을 할 줄 아니까 일인의 철공장에 취직하면 봉급을 많이 받을 수 있습니다."

나는 물론 대찬성이었다. 그에게 우리 기관이나 우리 사람들과의 왕래나 교제를 빈번히 하지 말고 순전히 일인으로 행세할 것과 한 달에 한 번씩만 밤중에 와서 알리라고 주의시킨 다음 홍구(虹口)로 떠나보냈다.

그는 며칠 후에 와서 알리기를 일인 철공장에 팔십 원 월급으로 취직하였다 했다. 그 후부터는 종종 민단 사무실에 술과 고기, 국수를 사가지고 와서 직원들과 술 마시고 노는데 취하면 일본 노래를 유창하게 하며 호방하게 노는 까닭에 '일본 영감'이라는 별명을 얻게 되었다.

어느 날은 일인 행색으로 하오리에 게다를 신고 정부문을 들어서다가 중국 하인에게 쫓겨난 적도 있었다. 그리하여 이동녕 선생과 다른 국무원들로부터 한인인지 일인인지 판단키 어려운 의심스런 인물을 정부 문안에 출입케 하는 것은 직무 수행에 소홀한 것 아니냐는 꾸지람을 받기도 했다. 나는 조사 연구하는 사건이 있다고 했지만, 여러 동지들이 강경한 책임 추궁은 하지 않으면서도 불쾌한 생각만은 동일한 듯했다.

이봉창의 동경 투탄 의거

시간은 흘러 그럭저럭 1년 가까이 되었다. 미국 하와이와의 통신에 아직 항공편은 열리지 않아 왕복에 거의 두 달이 걸리던 때였다. 하와이에서 명목을 정한 금액 미화 몇백 달러가 도착했다. 나는 그 돈을 받아서 거지 차림으로 허리끈 속에 감추어 숨기고 걸식생활을 그대로 계속하니, 남루한 내 옷소에 천여 원의 돈이 있으리라고는 나말고 아무도 알 수 없었다.

그때가 12월 중순이었다. 나는 프랑스 조계 중흥(中興)여관으로 이봉창 선생을 비밀히 불러 함께 자며 일본행에 관한 제반 문제를 상의하였다. 돈을 준비하는 외에 폭탄도 준비했다. 왕웅(王雄: 김홍일의 중국 이름)을 시켜 병기창(兵器廠)에서, 그리고 김현(金鉉)을 시켜 하남성 유치(劉峙) 방면에서 하나씩 두 개의 수류탄을 얻어서 간직하여 두었다.

수류탄 두 개를 가지고 가도록 하는 까닭은 하나는 일본 천황을 폭살하는 데, 또 하나는 자살용으로 준비한 것이었다. 사용법과 아울러 무엇보다 자살에 성공하지 못했을 때 체포되면 신문에 응할 말들을 지시했다. 이튿날 아침 품속에서 지폐 한 뭉치를 꺼내 주고는 일본행 준비를 다 하여 놓고 다시 오라며 작별하였다.

이틀 후에 다시 와서 중흥여관에서 최후의 하룻밤을 함께 보낼 때 이 씨는 이런 말을 했다.

"그저께 제가 선생께서 다 헤진 옷 속에서 많은 돈을 꺼내 주시는 것을 받아 가지고 갈 때 눈물이 났습니다. 일전에 민단 사무실에 가보니 직원들이 밥을 굶는 듯해서 제가 돈을 내어 국수를 사다가 같이 먹은 일이 있었거든요. '그 날 밤에 함께 자면서 하시던 말씀은 일종의 훈화로 들었는데, 작별하시며 생각도 못한 돈 뭉치를 주시다니. 프랑스 조계에서 한 발짝도 발을 내디딜 수 없는 선생은 내가 이 돈을 가져가서 내 마음대로 써도 돈을 찾으러 올 수 없을 텐데, 과연 영웅의 도량이구나.' 그런 생각을 했습니다. 제 일생에 이런 신임을 받은 것은 선생께로부터 처음이요 마지막입니다."

그 길로 안공근의 집에 가서 선서식을 행하고 폭탄 두 개와 함께 다시 3백 원을 주면서 다음과 같이 말하였다.

"선생은 마지막 가시는 길이니 이 돈은 동경 가실 때까지 다 쓰시고 동경에 도착하자마자 곧 전보하시면 다시 송금하오리다."

그리고 사진관으로 가서 기념사진을 찍었는데 나의 얼굴에 자연히 처연한 기색이 있었는지 이 씨가 내게 권하는 것이었다.

"저는 영원 쾌락을 향유코저 이 길을 떠나는 터이니 우리 두 사람이 기쁜 낯빛을 띠고 사진을 찍으십시다."

그리하여 나 역시 미소를 띠고 사진을 찍었다.

차에 올라타 앉은 이봉창은 머리 숙여 마지막 인사를 했고 무정한 자동차는 한 줄기 경적 소리를 내며 홍구 방면을 향하여 질주했다.

10여 일 후 "1월 8일에 물품을 방매하겠다"는 동경발 전보를 받았다. 2백 원을 마지막으로 부쳐 주었는데 나중에 온 편지에 "돈을 미친 것처럼 다 써버려서 주인 밥값까지 부채가 있었는데 2백 원을 받았으니 다 갚고도 남겠다"고 하였다.

1년 전부터 워낙 독립운동계가 침체되어 있어서 우리 임시정부로서는 군사공작을 못 한다면 테러 공작이라도 하는 것이 절대 필요했다. 그런데 왜놈이 중·한 양민족의 감정을 악화시키려고 이른바 만보산(萬寶山) 사건을 조작해 내 조선에서 중국인 대학살 사건이 일어났다. 인천 평양 경성 원산 등 각지에서 한인 무뢰배가 일인의 사주를 받아서 중국인을 닥치는 대로 때려죽였다.

또 만주에서는 9·18 전쟁이 일어나 중국은 굴욕적으로 강화(講和)했는데, 이 전쟁 때 한인 부랑자들이 일본을 업고 중국인들에게 극단적 악행을 저질렀으니 중국인의 무식계급은 물론이고 유식계급 인사도 민족감정을 말하는 것을 자주 보게 되었다. 우리로서는 극히 우려할 만한 사태였다.

급기야 상해에서도 이따금 대로상에서 중한 노동자간에 충돌이 빚어졌다. 그때 임시정부 국무회의에서 특권을 부여받아 '한인애국단'(韓人愛國團)

을 조직한 나는 첫 번째로 동경사건을 주관했던 것이다. 암살 파괴 등의 공작을 실행하되 자금과 사람의 사용에 전권을 가지고 운용하여 성공 또는 실패의 결과만 보고하면 되었다. 그래서 1월 8일이 임박하였으므로 국무위원(國務委員)에 한하여 그동안의 경과를 보고하고 첫 번째 사건이 일어나면 우리는 좀 곤란할 것이라고 했다.

1월 8일 신문에 "이봉창 일황 저격, 명중은 안 돼"라고 실렸다. 나는 무척 불쾌했으나 여러 동지들은 나를 위로했다. 비록 일황이 즉사한 것만은 못하나 우리 한인의 정신상으로는 일본의 신성불가침인 천황을 죽인 것이며, 한인이 일본에 동화되지 않았다는 사실을 세계 만방에 웅변으로 증명한 것이니 충분히 성공한 셈으로 칠 수 있다는 것이었다. 그리고는 이제부터 백범은 주의하라는 부탁을 하는 것이었는데, 과연 이튿날 아침 프랑스 공무국에서 비밀 통지가 왔다.

"지난 10여 년 동안 프랑스가 김구를 극히 보호하여 왔으나 이번에 김구가 부하를 보내어 일황에게 폭탄을 투척한 사건에 대하여 일본이 반드시 체포인도의 문제를 제기할 터인즉 프랑스가 일본과 개전(開戰) 결심을 하기 전에는 김구를 보호하기가 불가능하다"는 취지였다.

한인 이봉창 저격일황 불행부중(韓人 李奉昌 狙擊日皇 不幸不中)

중국의 국민당기관지인 청도(青島)의 〈민국일보(民國日報)〉가 큰 활자로 "한인 이봉창 일황 저격, 불행히도 빗나가"(韓人 李奉昌 狙擊日皇 不幸不中)라고 제호를 뽑아 보도하였다. 이에 그곳의 일본 군경이 민국일보사를 쳐들어가 때려부셨다. 단지 청도뿐 아니라 복주(福州) 장사(長沙) 등 기타 많은 지방신문들에서도 "불행히도 빗나갔다"(不幸不中)의 제호를 단 곳이 많았다. 이 일을 기화로 왜가 중국정부에 항의를 제기함에 각 신문사의 폐쇄 처분으로 일을 마무리지었다.

일본인들은 한인에게 당한 일개 사건만으로 침략전쟁을 개시하기가 체면이 서지 않았던지 상해서 일본 승려 한 명을 중국인이 살해했다는 두 가지 이유(일본《신어사전》〔神語辭典〕에서 참조)로 상해 1·28 사변을 일으켰다.

왜는 개전 중이어서 그런지 나를 체포하기 위한 심한 요구는 없는 듯했다. 그러나 안심할 수 없었던 동지들은 숙식을 일정케 하지 말라고 권했다. 그래서 낮에는 움직이지 않고 밤에는 동지의 집이나 창기(娼妓) 집에서 잤다. 식사는 동포 집으로 가면 밥 한 그릇 간장 한 종지라도 누구나 정성으로 대접해 주었다.

상해사변이 개시된 후 19로군(路軍) 채정해(蔡廷楷)의 군대가 용감히 싸웠고, 중앙군으로는 제5군장 장치중(張治中)이 참전하여 전쟁이 격렬했다. 상해 갑북(閘北)에서는 일본군이 불을 지르고 남녀노유(男女老幼)를 화염 속에 던져 넣어 살해하는 목불인견의 참극이 연출되었다.

프랑스 조계 안에도 곳곳에 후방 병원을 세워 전사자의 시체와 부상병들을 트럭으로 가득 실어 날랐다. 나무 판자 사이로 붉은 피가 흘러나오는 것을 보며 가슴 가득한 열성으로 경의를 표하는데 눈물이 빗물처럼 흘러내렸다. 우리는 언제나 저와 같이 왜와 혈전을 벌여 우리나라 강산을 충성의 피로 물들일 수 있을까. 눈물이 너무 흘러 길에서 보는 사람들이 수상히 여길까 하여 그 자리에서 물러났다.

동포들의 호응과 지원

동경사건이 세계에 알려지자 미국 하와이 멕시코 쿠바에서 기왕에 나를 동정하던 동지들은 극도로 흥분되어 나에 대한 애호와 신임을 천명하는 서신이 태평양 위로 눈꽃처럼 날아들었다. 그 중에는 이전에 임시정부를 반대하던 동포들이 태도를 바꾸어 보내온 서신도 있었다. 다시 하고 싶은 일을 하라며 금전의 후원이 더욱 광범위하게 일어나고 중국 전쟁과 더불어 다시 우리 민족의 영광될 사업을 하라는 부탁이 답지했다.

그러나 목마르니 우물 파는 격으로 준비가 없이 무슨 일을 할 수 있으랴. 우리 청년들 중 워낙 장한 뜻을 품고 상해로 왔던 이들로 친히 믿는 지사며 제자인 나석주 이승춘(李承春)이 있었다. 그러나 나 의사는 몇해 전 총과 폭탄을 품고 경성에 잠입하여 동양척식회사에 침입, 7명의 일본인을 사살하고 자살하였다. 그리고 이승춘은 천진에서 체포되어 사형당했다.

다행히 현재 상해에 거주하는 믿을 만한 청년 중에도 1·28에 발생한 상해사변에서 우리 민족에 영광될 만한 사업을 강구하는 이들이 있었다. 왜군 진영에서 우리 한인 노동자를 채용하는 것을 기회로 그 중의 몇 명과 결탁하여 홍구 방면에 보내 일본군 밑에서 일하도록 했다. 그들이 일본인 노동자들과 함께 군용창고에 무난히 출입할 수 있으므로 알아보도록 한즉 포탄 창고와 비행기 격납고에 소이탄을 장치할 수 있다는 것이었다.

그리하여 왕웅에게 부탁하여 상해 병기창에 교섭하여 소이탄을 제조키로 하고 날마다 독촉하던 차에 상해협정〔淞扈協定〕이 조인된 것이다(중국쪽 대표는 곽태기〔郭泰祺〕였다).

일이 틀린 것을 한탄하던 즈음, 열혈 청년들이 비밀히 찾아와 나라 일에 헌신할 터이니 자격에 적당한 일감을 생각해 보시어 써달라고 청하는 것이었다. 청년들은 동경사건을 보고 나서 김구의 머릿속에는 부단히 무슨 연구가 있을 것으로 생각하는 모양이었다. 이덕주(李德柱) 유진식(兪鎭植)에게는 왜총독 암살을 명하여 먼저 입국시키고 유상근(柳相根) 최흥식(崔興植)에게는 만주의 혼조 시게루(本藏番) 등을 암살하도록 명하여 기회가 오면 진행하려고 했다.

김구, 『백범일지(학술원판)』, 나남, 2014.11.15, pp.325-333.

윤봉길 의사의 의거

윤봉길 의사와의 만남

그 무렵, 동포 박진(朴震)의 종품(鬃品: 말총으로 만든 모자와 일용품) 공장에서 직공으로 일하다가 지금은 홍구의 채소시장에서 장사를 하는 윤봉길(尹奉吉) 군이 어느 날 조용히 찾아왔다.

“제가 채소를 등에 지고 매일 홍구 방면으로 다니는 것은 큰 뜻을 품고 천신만고 끝에 상해로 왔던 목적을 이루기 위한 것이었습니다. 그럭저럭 상해사변도 중국의 굴욕으로 정전협정이 성립되는 형세이니, 아무리 생각해 보아도 어디에서 목숨을 바쳐야 할지 모르겠습니다. 선생님이 동경사건과 같은 경륜을 지니고 계실 것으로 믿사오니 부디 지도하여 주시면 은혜 백골난망이겠습니다.”

예전에 공장 구경을 다니며 보았던 윤 군은 진실한 청년 직공으로 학식도 있는 터여서 생활을 위하여 노동을 하거니 생각했었다. 이제 마음을 터놓고 이야기를 하여 보니 살신성인의 크고 큰 뜻을 품은 의기(義氣)의 남자가 아닌가. 나는 감복하는 말로,

“뜻이 있는 자는 언젠가 반드시 일을 이루니(有志者 事竟成) 안심하시오. 내가 요즘 생각하던 것이 있으나 적임자를 구하지 못하여 번민하던 차였습니다. 상해사변중에 실행하려고 경영하던 일이 있었는데 준비가 다 되지 않아 실패했지요. 그런데 지금 신문을 보니 왜놈이 전승(戰勝)의 위세를 드높인다

면 4월 29일 홍구공원에서 이른바 천황의 천장절(天長節) 경축전례식을 성대하게 거행한다는군요. 이날 무용(武勇)을 뽐낸다면 위세 등등할 터이니 군은 일생의 큰 목적을 이 날에 달성하는 것이 어떻겠소?"

윤 군은 흔쾌히 받아들이며,

"저는 이제부터는 흉중에 일점 번민이 없어지고 아주 평안해집니다. 준비해 주십시오."

하고 자기 숙소로 돌아갔다.

홍구공원 투탄 의거의 준비

운이 다하면 천복비(薦福碑)에도 벼락이 떨어진다(運退雷轟薦福碑)는 격으로 왜놈의 상해 〈일일신문(日日新聞)〉에 왜 영사관이 자기네 주민들에게 알리는 공고문이 났다. 4월 29일 홍구공원에서 천장절 축하식을 거행하니 그 날 식장에 참례하려면 물병 1개와 점심 도시락, 국기 하나씩을 가지고 입장하라고는 것이었다.

나는 즉시 서문로(西門路)의 왕웅(김홍일, 金弘逸) 군을 방문하여 일본 사람들 어깨에 메는 물병과 도시락을 사서 보낼 테니 상해 병기창장 송식표(宋式驫)에게 교섭하여 속에 폭탄을 장치해서 사흘 안에 보내달라고 부탁했다.

왕군이 돌아와서 보고하기를,

"내일 오전에 선생님이 병기창으로 오셔서 폭탄 실험하는 것을 직접 보시랍니다. 제가 모시러 올 테니 함께 가십시다."

나는 좋다 하고 이튿날 아침에 강남 조선소를 찾아갔다. 내부에 병공창이 한 자리를 차지하고 있는데 규모는 크지 못하고 대포나 소총 등을 수리하는 것이 주임무인 듯했다. 물통과 도시락 두 종류 폭탄의 실험을 기사 왕백수(王

伯修)가 지휘했는데 그 방법은 이런 것이었다. 마당 가운데에 굴을 파고 둘레 사면을 철판으로 두른다. 폭탄을 굴 속에 설치하고 뇌관 끝에 긴 노끈을 연결한다. 그리고는 직공 한 명이 노끈의 끝을 끌고 수십 보 밖에서 엎드려 잡아당기니 토굴 속에서 벼락치는 소리가 진동하며 파편이 날아오르는 데 일대 장관이었다.

실험 규칙 상 뇌관 20개를 실험해서 20개 모두가 폭발해야만 실물(實物)에 장치한다고 하는데 이번 실험은 성적이 양호하다는 말에 나는 마음속으로 무척 기뻐했다. 상해 병기창에서 이같이 친절하게 20여 개의 폭탄을 무료로 제작해 주는 이유가 무엇인가? 바로 이봉창 의사의 은혜였다. 자기네가 제공한 폭탄의 위력이 약해서 일황을 폭살치 못한 것을 창장부터 유감으로 알던 터에 김구가 요구한다니 정성껏 제작해 주는 것이었다.

이튿날 그들은 위험한 물건을 우리가 운반하기는 곤란할 것으로 여겨 병기창의 차로 서문로 왕웅 군 집까지 가져다 주었다. 나는 거지 복색인 중국옷을 벗어버리고 넝마전(廛)에 가서 양복 한 벌을 사 입었다. 그러고 보니 엄연한 신사라, 물통과 도시락을 한 개씩 두 개씩 프랑스 조계 안의 친한 동포들의 집으로 운반했다. 주인도 모르도록, 다만 귀한 약품이니 불(火)만 조심하도록 일러 까마귀 떡 감추듯 하였다.

당시 동경사건 이후에 우리 동포들의 나에 대한 동정은 더욱 비할 데 없이 깊었다. 그러므로 본국 풍속이면 내외(內外)라도 할 처지이지만 오랜 동안의 해외생활로 마치 형제친척처럼 되어서 남자들보다 오히려 부인들의 나에 대한 애호가 더욱 두터웠다. 어느 집을 가든지 “선생님 아이 좀 안아 주세요”, “내 맛있는 음식 하여 드리리다” 하였다. 내가 아이를 안아주면 아이들이 잘 잔다며 부인들은 아이가 울기만 하면 내게 안겨 주는 것이었다. 그런 까닭에 던져주는 밥은 먹지 않은 듯하다.

윤봉길 홍구공원 의거의 성공

4월 29일이 차츰 다가왔다. 말쑥하게 일본식 양복으로 갈아입은 윤봉길 군은 날마다 홍구 쪽 공원으로 가서 식장 설비하는 것을 살펴보고 그 날 자기가 거사할 위치를 확인했다. 시라카와(白川) 대장의 사진을 구하고 일장기를 사들였다. 그리고는 보고들은 것을 보고하던 중 이런 말을 했다.

"오늘 홍구에 가서 식장 설비를 구경하는데 시라카와 놈도 왔더군요. 제가 그놈의 곁에 서게 되니 '어떻게 내일까지 기다리나. 오늘 폭탄을 가져왔으면 지금 당장 쳐죽일 텐데' 하는 생각이 났습니다."

나는 윤 군에게 이렇게 주의시켰다.

"여보, 그것이 무슨 말이오? 사냥 포수도 꿩을 쏠 때 두들겨 날게 한 후 쏘아서 떨어뜨리고, 나무 밑의 사슴도 쏘지 않다가 달릴 때 사격하는 것은 상쾌함을 음미하기 위한 것이라오. 그러니, 군은 내일의 성공에 대한 자신감이 약해서 그러는 것이오?"

"아닙니다. 그놈이 곁에 선 것을 볼 때 돌연 그런 생각이 나더란 말씀입니다."

나는 다시 윤 군에게 말했다.

"나는 이번 일의 성공을 이미 확실히 알고 있습니다. 군이 일전에 나의 말을 듣고 나서 하시던 말씀 중에, 이제는 가슴에 번민이 그치고 조용하여진다고 했는데 그것을 성공에 대한 확실한 증거로 믿고 있습니다. 돌이켜보면 내가 치하포(鴟河浦)에서 스치다(土田讓亮)를 죽이려 할 때 가슴이 몹시 울렁거리던 중에 고능선 선생이 가르치신 '가지 잡고 나무를 오르는 것이 그다지 대단할 것은 없으니, 벼랑에 매달려 잡은 손을 놓을 수 있어야 장부라 할 수 있다'(得樹攀枝無足奇 懸崖撒手丈夫兒)는 구절을 생각했소. 군과 나의 결심하고 행동하는 것이 같은 까닭이오."

윤 군은 내 말을 가슴으로 듣는 듯한 얼굴이었다.

윤 군을 여관으로 보내고 나는 폭탄 두 개를 가지고 김해산(金海山) 군의 집에 가서 그 내외와 상의하였다.

"윤봉길 군을 내일 아침 일찍 중대임무와 함께 동북 3성으로 파송할 터이니 저녁에 쇠고기를 사다가 내일 새벽 아침밥을 좀 해주시오."

이튿날이 바로 4월 29일이었다. 새벽에 윤 군과 같이 김해산 집으로 가서 마지막으로 한 식탁에 앉아 아침밥을 먹었다. 윤 군의 기색을 살펴보니 태연자약했다. 밭에 일 나가려는 농부가 일부러 자던 입에 밥 먹듯 하니, 얼마나 어려운 공작을 떠나는 것인가는 밥을 먹는 모양으로도 알 수 있었다.

김해산 군은 윤 군의 침착하고 용감한 태도를 보고 조용히 나에게 이렇게 권고했다.

"선생님, 지금 상해에서 우리의 행동이 있어야 민족적 체면을 보전할 마당에 무엇 때문에 윤 군을 구태여 다른 곳으로 파송하십니까?"

나는 두루뭉수리로 대답했다.

"모험사업은 실행자에게 전적으로 맡기는 것이니 윤 군 마음대로 어디서나 하겠지요. 어디서 무슨 소리가 나는지 들어봅시다."

그러자 일곱시를 치는 종소리가 들렸다. 윤 군은 자기 시계를 꺼내 나에게 주며 내 시계와 바꾸자고 청했다.

"제 시계는 어제 선서식 후에 선생님 말씀에 따라 6원을 주고 산 것인데 선생님 시계는 2원짜리이지 않습니까. 제게는 한 시간밖에 소용이 없는 물건입니다."

나는 기념물로 받고 내 시계를 주었다. 윤 군은 거사 장소로 떠나기 위해 차에 오르면서 다시 지니고 있던 돈을 꺼내 나의 손에 들려 주었다.

"왜, 약간의 돈을 가지는 것이 무슨 방해가 되오?"

"아닙니다. 차비 내고도 5~6원은 남겠습니다."

그럴 즈음 차가 움직였다. 나는 목멘 소리로 훗날 지하에서 만나자고 말했다. 윤 군이 차창을 사이에 두고 나를 향하여 머리를 숙이자 차는 부르릉 소리를 내며 천하영웅 윤봉길을 태운 채 홍구공원을 향하여 질주했다.

나는 그 길로 조상섭(趙尙燮)의 상점에 들어가서 편지 한 장을 썼다. 그것을 점원 김영린에게 주어 급히 안창호 형에게 보냈다.

"오늘 오전 10시경부터 댁에 계시지 마세요. 무슨 큰 사건이 일어날 듯합니다."

그 길로 다시 석오(石吾) 선생의 처소로 가서 일의 진행상황을 보고하고는 점심을 먹고 나서 소식을 기다렸다. 오후 한 시쯤 되어 곳곳에서 많은 중국 사람들이 술렁거리는데 하는 말들이 똑 같지 않았다. 홍구공원에서 중국인이 폭탄을 던져서 많은 수의 일본인이 즉사하였다는 둥, 고려인이 한 것이라는 둥…

엊그제까지 채소 바구니를 메고 날마다 홍구로 다니며 장사하던 윤봉길이 하늘도 놀라고 땅도 뒤흔들 대사건을 연출할 줄이야 우리 사람인들 알았겠는가? 김구 외에는 이동녕 이시영 조완구 등 몇 사람이 짐작할 수 있었을 뿐이다. 그러나 바로 이 날 거사한다는 것은 오로지 나 하나만 알고 있었던 까닭에 석오 선생께 가서 보고하고 정확한 소식을 기다린 것이다. 그러자 오후 두세 시경에 다음과 같은 신문 호외가 나왔다.

'홍구공원 일본인들의 경축 단상에서 대량의 폭탄이 폭발하여 민단장 가와바타(河端)는 즉사하고, 시라카와(白川) 대장과 시게미츠(重光) 대사, 우에다(植田) 중장 노무라(野村) 중장 등 문무대관이 모두 중상 운운.'

일본인들 신문에서는 중국인의 짓이라고 했다가 다음날에는 각 신문에서 똑 같이 윤봉길의 이름자를 특대 활자로 실었다. 그와 동시에 프랑스 조계에 일대 수색이 벌어졌다.

나는 안공근 엄항섭 두 사람을 은밀히 불러 이제부터 군들의 집안 살림은 내가 떠맡을 테니 우리 사업에 전념하라고 부탁했다. 그리고 당분간 피신처로 미국인 피치(費吾生)의 집에 교섭한즉 그는 목사였던 부친이 생존 당시 우리를 크게 동정했던 터여서인지 크게 환영하여 일강(一江) 김철과 안, 엄 군과 나까지 네 사람이 그의 집으로 이주하여 2층을 전부 쓰게 되었다. 식사까지도 피치 씨 부인이 극진히 정성을 다해 준비해 주니 윤 의사의 희생의 공덕을 벌써부터 받기 시작한 것이다.

나는 프랑스 조계 내의 우리 동포들의 전화번호를 조사했다. 피치씨 집의 전화로 이따금 우리 동포가 체포되었다는 보고를 들었다. 경제적으로, 또는 서양 변호사를 고용하여 법률적으로 체포된 동포들의 구제를 시도했지만 별 효과가 없었다. 그러나 돈을 주어 체포된 동지들의 집안 살림도 돕고 피신하려는 이에게는 여비를 주는 등의 사무를 집행했다. 체포된 사람은 안창호 장헌근(張憲根) 김덕근(金德根) 외 소년 학생들이었다.

날마다 왜놈들이 사람을 잡으려고 미친개처럼 돌아다니는 판이어서 우리 임시정부와 민단 직원들은 물론 심지어 부녀단체인 애국부인회까지도 아예 집회할 엄두도 낼 수 없게 되니 동포들 사이에 비난이 일기 시작했다. 이번 홍구사변을 주모하고 획책한 사람은 따로 있는데 자기가 사건을 감추어 관계없는 사람들만 잡혀가게 하는 것은 안 될 말이라는 것이다.

이는 이유필(李裕弼) 등 일부 인사의 말이었다. 안창호 선생은 나의 편지를 보고도 당일만은 무방하리라고 여겨 그를 찾아갔다가 체포되었으니 자기 불찰인 셈이었지만 어떻든 주모자가 아무 발표가 없어 사람들이 함부로 붙잡혀간다는 원성이었다.

그래서 나는 진상을 세상에 공개하자는 말을 꺼냈다. 함께 앉은 안공근은 말도 안 된다며 반대했다.

"형님이 프랑스 조계에 계시면서 그런 발표를 하는 것은 극히 위험합니다."

나는 한사코 고집하여 엄항섭으로 하여금 선언문을 기초하도록 했다. 그런 다음 피치 부인에게 영문 번역을 부탁해 로이터 통신사에 보내니, 동경사건과 상해 홍구사건을 주모하고 계획한 이는 김구요 집행자는 이봉창과 윤봉길이라는 사실이 세상에 알려졌다. 신천사건과 대련사건은 다 실패했으나 아직 발표할 때가 아니라고 판단되어 이상의 양대 사건만을 우선 발표한 것이다.

윤봉길 의거의 대성과

한편 상해에서 중대사건이 발생된 것을 알고 남경(南京)에 머물고 있던 남파(南坡) 박찬익(朴贊翊) 형이 상해로 와서 중국 인사들 쪽으로 활동하여 그 결과 물질적으로 여러가지 편의가 많았다.

낮에는 동포 가운데 잡혀간 이들의 가족에게 전화를 걸어 위로하고, 밤에는 안, 엄, 박 등의 동지가 출동하여 그 가족들을 구제하고 관련된 교섭작업을 행했다. 그러는 중에 나는 중국 인사들인 은주부(殷鑄夫) 주경란(朱經瀾) 사량소(查良釗) 등의 만나자는 요구에 응하기 위하여 밤중에 차편으로 홍구 방면과 정안사로(靜安寺路) 방면으로 돌아다녔다. 평소 프랑스 조계 밖으로는 한 발짝도 걸음을 옮기지 않던 나의 움직임에 대변동이 일어난 셈이었다.

여기서 우리에 대한 중국 인사들의 태도와 미국 하와이 멕시코 쿠바 한교(韓僑)들의 나에 대한 태도, 관내 우리 인사들의 나에 대한 태도에 대해 간략히 말하겠다.

첫째 중국인들인데, 무엇보다 만보산 사건에서 보듯 중국인들의 우리에 대한 악감정은 동경사건 이후에도 사라지지 않고 있었다. 양민족간 감정악화 정책을 편 왜구가 조선의 곳곳에서 한인 무뢰배를 총동원하여 중국인 상인과 노동자까지 닥치는 대로 때려죽였으니, 중류이상에서는 왜구의 독계(毒計)로 알지만 하류계급에서는 여전히 '고려인의 중국인 타살'로 알았다. 더구나 1·28 상해사변 때 왜병은 중국인 민가를 불지르는 한편으로 최영택(崔英澤) 같은 악한을 사주하였으니, 이들은 중국인 민가에 들어가 모두가 보는 앞에서 자기 것인 양 중국인의 재물을 빼앗아간 일도 수없이 많았다. 그리하여 주로 기차나 전차의 한인 검표원들이 중국인 노동자들로부터 까닭없는 구타를 당하는 일이 자주 일어나곤 했다. 그러다가 바로 이 4·29 윤봉길 의거로 말미암아 중국인과 한인 사이의 감정은 호전되어 극히 돈독해진 것이다.

둘째, 미국·하와이·멕시코·쿠바의 한교들의 신망은 전무후무할 만큼 대단했다고 자신하고 싶다. 동경사건이 완전 성공은 되지 못하였으나 조금이라도 민족에게 영광이 되었던 터에 홍구사건이 압도적인 성공을 거둔 데서 말미암은 것이다. 과연 이때 이후로는 임시정부에 대한 납세와 나에 대한 후원이 격증하여 점차 사업이 확장되는 단계로 나아가게 되었다.

셋째, 관내 우리 독립운동자 쪽에서의 나에 대한 태도는 낙관적이기보다는 비관적인 쪽이 더 많았다. 4·29 의거 이후로 자연 신변이 위험하게 된 이상 평소 친지들의 만나자는 청에 함부로 응할 수 없게 된 것이 그들의 나에 대한 유일무이한 불만이었다.

지난달에는 박 대장이라는 별명의 전차 검표원(사리원 사람)의 혼인 잔치의 청첩을 받고 잠시 축하차 그 집에 들어갔다. 주방에서 부인들에게 부탁하여 나는 속히 가야겠으니 빨리 국수 한 그릇만 달라고 했다. 냉면 한 그릇을 서둘러 먹고 담배 한 대를 피어 물고 그 집 문간을 나서니 바로 또 우리 동포의 가게이다. 왔던 길이니 잠시 들르려고 가게로 들어갔다. 미처 앉기도 전에 주인이 내 옆구리를 쿡 찌르며 손으로 길 위를(하비로〔霞飛路〕) 가리키기에 보니 왜경 10여 명이 길에 줄지어 서 전차 지나가기를 기다리고 있었다. 나는 다시 피할 곳이 없어 서서 유리창으로 왜놈의 동향을 살폈다. 그들이 쏜살같이 박 대장의 집으로 들어가는 것을 보고서 그 가게를 나와 전차선로를 따라 김의한 군의 집으로 들어갔다. 박 대장의 집에 가서 보았던 그 부인이 전하길, 바로 전에 왜놈들이 들어와 방금 들어온 김구가 어디 있느냐고 물으며 심지어 아궁이 속까지 뒤지다가 갔다는 것이다. 이 일은 모르는 사람이 없었다.

김구, 『백범일지(학술원판)』, 나남, 2014.11.15, pp.334-346.

임시정부 이동의 대장정(大長征)

가흥(嘉興) 피신과 60만 원 현상

이번 4·29 의거 이후 나에게 1차로 20만 원 현상이 걸렸고, 2차로는 일본 외무성과 조선총독부와 상해주둔군사령부 3부 합작으로 현상금 60만 원이 걸렸다.

나를 만나고자 하는 남경정부 요인에게 나의 신변 위험을 말하였더니 그는,

"김구가 온다면 비행기라도 보내겠소"

라고까지 했다고 한다.

아무리 위험하여도 모험적으로 일하지 않고 한가한 생활이나 하고 있어서 되느냐는 등의 말도 들렸다. 그 속내는 자기들과는 좀 같이 지내며 일도 함께 하자는 뜻이었다. 그러나 난들 어찌 여러 사람들에게 두루 만족을 줄 도리가 있는가. 어느 쪽에는 도탑게 하고 어느 쪽에는 박하게 할 수 없으니 모두 물리치고 피치 씨 댁에서 20여 일을 지내며 비밀활동을 했다.

하루는 피치 부인이 급히 2층에 올라오더니,

"우리 집이 정탐에게 발각된 모양이니 속히 이 집을 떠나셔야겠어요" 하고는 아래층으로 가서 전화로 자기 남편을 불렀다. 그리고 자기네 차에 그 부인은 나와 내외간처럼 나란히 앉고 피치 선생은 운전수가 되어 마당에서 차를 타고 질주했다. 문밖을 나가면서 보니 프랑스인 러시아인 중국인 등(일본인은 보이지 않았다) 각국 정탐이 문 앞과 주위에 줄지어 섰으나 미국인의 집

이라 어쩔 수 없어 손대지 못했던 것이다.

프랑스 조계를 지나 중국 지역에 차를 세우고 나와 공근은 기차역으로 가서 당일로 가흥(嘉興) 수륜사창(秀綸沙廠)으로 피신하였다. 그곳은 남파(南坡) 박찬익 형이 은주부(殷鑄夫)와 저보성(褚補成) 제 씨에게 주선하여 마련한 곳으로 엄 군의 식구와 김의한 일가와 석오 선생은 며칠 전 이미 이사해 와있었다.

상해에서 피치 부인이 내게 알려준 내용인즉 이러했다. 자기가 아래층에서 유리창으로 문밖을 살펴보니 웬 중국인 노동자 행색의 사내가 동저고리 바람으로 주방으로 들어오더라는 것이다. 따라가서 웬 사람이냐고 물었다, 그 사람의 대답은,

"나는 양복점 사람인데 댁에 양복 지을 것이 있는지 물어보려고 왔습니다."

피치 부인이 말했다.

"내 주방 하인에게 양복 짓는 것을 묻다니, 수상하다."

그러자 그가 품속에서 프랑스 경찰의 정탐 신분증을 내어 보였고, 외국인 집에 함부로 침입하느냐고 따지자 뭐라 말도 못하고 돌아갔다는 것이다. 생각해 보면 그 집을 정탐들이 주목하게 된 원인은 우리가 피치 씨 집의 전화를 함부로 썼기 때문인 듯했다.

광동(廣東) 사람과 장진구(張震球)

나는 그때부터 가흥 생활을 이어나가게 되었다. 아버님의 외가쪽 성을 따라 장(張) 씨로 행세하고 이름은 진구(震球)로, 또는 장진(張震)이라고도 하였다. 가흥은 저보성(호는 혜승〔慧僧〕)씨의 고향인데 절강성장(浙江省長)도 지낸 저 씨는 그 지역에서 존경받는 덕망 높은 신사였다. 그리고 그의 맏아들 봉

장(鳳章: 漢雛)은 미국유학생으로 그 현의 동문밖 민풍지창(民豊紙廠)의 고등기사였다.

그 집은 남문 밖에 있었는데 구식 집으로 그다지 굉장하고 빼어난 집은 아니었지만 사대부의 저택으로 보였다. 저 선생은 자신의 수양아들 진동손(陳桐蓀) 군의 정자를 나의 침소로 정해 주었다. 호숫가에 반(半) 양식으로 잘 지은 집으로 수륜사창과도 가까워 마주보이는 곳이고 풍경도 무척 아름다웠다.

나의 실체를 아는 이는 저 씨 부자와 그 댁 며느리, 그리고 진(陳) 동생 내외뿐인데 가장 곤란한 것은 언어 문제였다. 비록 광동인(廣東人)으로 행세는 하지만 중국말을 너무도 모르는 중에 상해말과도 또 다르니 벙어리처럼 굴어야 했다.

가흥에 산은 없으나 호수는 낙지발같이 사통팔달하여 7~8세 어린아이라도 다 노를 저을 줄 아는 듯했다. 토지는 무척 비옥하며 각종 물산이 풍부했고 인심과 풍속이 상해와는 딴 세상이었다. 상점에는 에누리가 없었고 가게에 고객이 무슨 물건을 두고 갔다가 며칠 후에라도 찾으면 잘 보관하였다가 공손히 내어준다. 상해에서는 보기 드문 아름다운 기풍이었다.

진 동생 내외는 나를 인도하여 남호(南湖) 연우루(烟雨樓)와 서문(西門) 밖 삼탑(三塔) 등을 구경시켜 주었다. 명나라의 임진란 때 일본군이 그곳에 침입하여 인근 부녀들을 잡아다가 사원에 가두어 놓고 한 승려에게 지키도록 했다고 한다. 그 승려는 밤중에 부녀들을 모두 풀어주었고, 왜놈들은 그를 때려죽였는데 핏자국이 아직 돌기둥에 나타난다고 했다.

동문 밖 10리쯤에는 한나라 주매신(朱買臣)의 묘가 있고 북문 밖에는 낙범정(落凡亭)이 있었다. 서치(書痴)로서 글 읽는 것 말고는 아무것도 모르는 주매신에게 아내 최(崔) 씨가 농사일을 나가며 보리나락을 보아달라고 당부했다.

그러나 아내가 밭에서 돌아와 보니 주매신은 소나기에 보리가 떠내려가는 것도 모르고 책만 읽고 있었고, 더 이상 참을 수 없었던 그의 아내는 목수에게 개가해 버렸다. 그 후 주매신이 등과(登科)하여 회계 태수(會稽太守)가 되어 돌아오는 길에 보니 자기 아내가 길옆에 서서 조아리고 있는 것이었다. 뒤의 수레에 태우도록 하여 관사에 들어가 그 여자를 불렀다. 주매신이 귀한 몸이 된 것을 본 최 씨가 다시 아내 되기를 원한다고 하자 그는 물 한 동이를 길러 오게 하여 땅에 쏟고는 그 물을 다시 주워담아 한 동이가 되거든 함께 살자고 했다. 최 씨가 그대로 시험해 보았지만 물이 동이에 차지 않는 것을 보고 낙범정 앞 호수에 빠져 죽었다는 것이다. 그런 사적까지 다 구경했다.

상해의 비밀첩보에 따르면 왜구의 활동은 더욱 사나워졌다고 했다. 상해에는 김구의 흔적이 없으니 분명 상해-항주선(線)이나 북경-상해선 방면으로 도피해 숨었으리라 보고 왜구가 양쪽 철로선으로 첩보원들을 보내 밀탐하고 있다며 극히 주의하라는 것이었다. 일본영사관의 일인 관리가 보내준 비밀 정보는 또 오늘 아침 수색대가 상해-홍주 길로 떠났으니 만일 김 씨가 그 방면에 잠복하였거든 길가 정거장에 사람을 보내 일본경찰의 행동을 주목하라는 당부였다. 정거장 부근에 사람을 보내 몰래 살피게 하니 일본경찰이 변장하고 차에서 내려 눈이 벌게지도록 이곳저곳을 순찰하다 가는 것을 보았다고 했다.

세상에 기괴한 일도 있었다. 4·29 의거 이후 상해에서 일본인이 '김구 만세'라는 유인물을 배포했다는데 그 실물은 얻어 보지 못했다. 일본인으로서 우리의 돈을 받아먹으며 밀탐한 이들도 몇 명 있었다. 위혜림(韋惠林) 군이 주선한 몇 명이었는데 매우 신용이 있었다.

해염(海鹽) 피신

일이 이 지경까지 이르니 부득불 가흥에 오래 머무는 것도 위험하다 하여 나만은 다시 가흥을 떠나야 했다. 그러나 이젠 어디로 간들 안전하겠는가. 저한추(褚漢雛)의 처가가 해염현(海鹽縣) 성내에 있었고 거기서 서남쪽으로 십 몇 리를 가면 해염 주(朱) 씨 산당(山堂)이 있는데 피서별장이었다. 한추 형은 재취 후 첫 아들을 낳은 자기 부인과 상의하였고, 나는 한추 형의 미인과 단둘이서 기선으로 하루거리인 해염성내 주 씨 공관에 도착하였다.

주 씨 사댁은 해염현 내에서 가장 큰 가옥이락 했다. 규모가 굉장하여 나의 숙소는 뒤쪽 양옥 한 채인데 대문 앞에는 돌을 깐 마차길이고 그밖에는 호수여서 선박들이 오갔다. 대문 안쪽으로는 정원이고 협문으로 들어가면 사무실 즉 집안일을 전담하는 총경리가 매일 주 씨 댁의 생계를 관장하는 곳이었다. 예전에는 4백여 명의 식구가 공동식당에서 함께 식사를 하였다는데 최근에는 식구 대부분이 사·농·공·상의 직업을 따라 분산하였고 나머지 사람들은 개별 취사를 원하므로 물품을 분배하여 자취한다고 했다.

가옥 구조는 벌집과 같아서 각각 서너 개의 방과 앞쪽으로 화려한 객청(客廳)이 한 칸씩 있었다. 이런 구식 건축물 뒤쪽으로는 몇 개의 2층 양옥이 있고 그 뒤쪽은 화원(花園)이고 다시 그 뒤쪽은 운동장이었다. 해염의 3대 화원 중에 주가(朱家)의 화원이 제2요 전가(錢家)의 화원이 제일이라 하기에 전가 화원도 구경하였는데, 화원의 설비는 주가보다 낫고 가옥의 설비는 전가가 주가만 못했다.

주 씨 집안에서 하룻밤을 보내고 차편으로 노리언(盧里堰)까지 가서 하차하여 서남산령(西南山嶺)의 근 5~6리를 걸었다. 저 씨 부인은 친정 하녀에게 나의 식료와 각종 육류를 들게 하고 뒷굽이 높은 구두를 신은 채 칠팔월 염천(炎天)에 손으로 땀을 씻으며 산고개를 넘었다. 그때 거기에 활동사진 기구가 있었더라면, 내 일행의 이 행로를 촬영하여 영구적 기념품으로 제작해 자손만대에 물려주고 싶은 마음이 간절했지만, 방법이 없었다.

우리 국가가 독립이 된다면 우리 자손이나 동포 중 누가 저 씨 부인의 용감함과 친절을 흠모하지 않겠는가. 활동사진은 찍어두지 못했지만 글로라도 기록하여 후세에 전하고자 이 글을 쓴다.

산정에 올라 주 씨가 지은 길가 정자에서 휴식하고 다시 걷기 시작했다. 몇백 걸음을 가니 산중턱에 양옥 한 채가 숨어 단아한 모습을 보이고 있었다. 안으로 들어가자 집 지키는 고용인 가족들이 나와서 저 부인을 정중히 맞았다. 저 부인은 고용인에게 자기 친정에서 가지고 온 육류와 과일 채소를 건네며, 저 양반의 식성은 이러이러하니 주의하여 모시고, 등산하면 하루 3각(角)을 받고 어떤 곳은 얼마를, 응과정(鷹窠頂)을 가면 4각만 받으라고 명하고는 당일로 고별하여 본가로 돌아갔다.

그 산당은 피서 장소였지만 저 부인 친정 숙부를 매장하고부터는 그의 묘소 제청(祭廳)이 되었다. 나는 날마다 묘지기를 데리고 다니며 산과 바다의 풍경을 감상하는 데 무한한 취미가 생겼다. 본국을 떠나 상해에 도착한 후 14년간 남들로부터는 남경 소주(蘇州) 항주의 산천을 완상(玩賞)하고 이야기하는 말도 들었으나 나는 상해에서 한 발짝도 떠나지 못하여 산과 강이 몹시도 그리웠다. 그러던 차에 날마다 산에 오르고 물 가까이로 가니 그 취미는 비할 데 없이 유쾌하였다.

산 위에서 앞을 내다보면 바다 위에는 범선(帆船)과 기선들이 오가고 좌우로는 푸른 소나무와 단풍이 어우러졌다. 그 광경은 어쩔 수 없이 떠도는 자에게 슬픈 가을 바람의 느낌을 가져다주었다. 나는 세상 속의 시간은 잊어버린 채 산을 거닐고 물을 바라보는 것이 매일의 일과였다. 14년 동안의 산수(山水)에 대한 주림을 열 며칠 동안 물리도록 만끽했다.

산지기를 따라 응과정에 가 보았다. 산 위에 비구니 암자가 하나 있어 늙은 비구니가 나와 맞았다. 묘지기는 잘 아는 사이인지 인사를 나누고는 나에 대해 설명했다.

"저 귀한 손님은 해염 주 씨 댁의 큰아씨가 모시고 온 광동인입니다. 약을 드시느라 산당으로 와 머물고 계신데 구경하러 여기 왔습니다."

노 비구니는 나를 향하여 고개를 끄덕이더니,

"아미타불, 멀리서 잘 오셨는지요. 아미타불, 내당(內堂)으로 들어갑시다, 아미타불."

나는 입에서 염불 소리가 끊이지 않는 이 도력 높은 비구니를 따라 암자 안으로 들어섰다. 각 방에서 붉은 입술 분바른 얼굴에 승복을 맵시있게 입은, 목에는 긴 염주를 걸고 손에는 짧은 염주를 쥔 어린 비구니들이 나와 머리를 낮추며 추파를 보내는 양으로 인사를 하는 것이었다. 상해 팔선교(八仙橋)의 야계굴(野鷄窟)을 구경하던 광경이 회상되었다.

묘지기가 내 시계줄 끝에 작은 지남침(指南針)이 있는 것을 보고 하는 말이,

"뒤쪽 산 근처에 바위가 하나 있는데 그 바위 위에 지남침을 놓으면 지북침(指北針)으로 둔갑한답니다."

식후에 따라가서 바위 위에 동전 하나 놓을 만한 오목히 패인 자리에 지남침을 놓으니 과연 지북침이 되는 것이었다. 나는 광물학에 대해서는 모르나 필시 자석광이나 자철광인 듯했다.

해변 5리쯤에 진(鎭)이 있었는데 하루는 그 날이 장날이니 구경 가지 않겠는가 하기에 좋다 하고 따라갔다. 지명은 잊었지만 보통 진이 아니라 해변 요새였다. 포대도 있는데 옛날 식의 작은 성으로 임진란 때 세웠다고 했다. 성 안에는 인가도 즐비하고 관청도 한두 곳 있는듯했다. 성안을 한 바퀴 돌며 대강 구경하는데 벽진(僻鎭)이라 그런지 장꾼들은 별로 없었다.

한 국수집에 들어가 점심을 먹는데 노동자와 경찰과 나이든 주민 등이 수군거리며 나를 주시하더니 산지기를 부르고 내게도 직접 물었다. 나는 광동 상인이라고 서투른 중국말로 대답하고, 벽을 사이에 두고 산지기가 답하는 것을 들으니 "해염 주가 큰아씨가 산당에 모셔다 둔 손님"이라고 대담하게 말하는 것이었다. 이만 보아도 주가의 세력을 알 수 있었다.

무슨 연유인지도 모른 채 산으로 돌아와 산지기에게 물으니 그가 대답하길,

"그까짓 경찰들 영문도 모르고 장 선생이 광동인이 아니라 일본인 아니냐고 묻더군요. 그래서 주가의 큰아씨가 일본인과 동행하겠는가 하였더니 아무 말도 못 하던데요."

며칠 후에 안공근과 엄항섭, 진 동생이 산으로 왔다. 응과정의 빼어난 경치를 즐기고 나서 나는 그들과 함께 다시 가흥으로 돌아갔다. 다른 까닭이 아니었다. 그 날 그 진에서 경찰이 캐물은 뒤에 즉시 산당을 은밀히 감시했다고 한다. 그러나 별다른 단서를 얻지 못해 경찰국장이 해염의 주가에까지 출장하여 산당에 머물고 있는 광동인의 정체를 조사했다는 것이다. 저 부인의 부친은 사실대로 말을 했고, 그러자 경찰국장은 크게 놀라며 "정말 그렇다면 진력 보호하겠다"고 했다는 것이다. 나는 지각없는 시골 경찰을 완전히 믿을 수 없어 가흥으로 돌아간 것이다.

그 길에 해녕현(海寧縣)성에 들어가 청나라 건륭(乾隆)황제가 남방을 순시할 때 술 마시던 누각의 방도 구경하였다. 가흥에 돌아와 작은 배를 타고 날마다 남호(南湖) 방면으로 뱃놀이 가는 것을 일삼고, 시골로 가서 닭을 사 배 위에서 삶아 먹으니 그 맛이 비할 데 없었다.

중국 농촌의 견문

가흥 남문 밖, 운하로 10여 리인 엄가빈(嚴家浜)이라는 농촌에는 진 동생의 농토가 있고 그 마을의 손용보(孫用寶)라는 농사꾼은 진 동생과 아주 친한 사이여서 나는 손용보의 집에 머물게 되었다. 날마다 촌동네 노인이 되어 식구들이 전부 밭으로 나가고 빈 집에서 젖먹이가 울면 나는 아이를 안고 밭으로 아이엄마를 찾아갔다. 아이엄마는 황공무지해했다.

오뉴월은 양잠(養蠶) 시기이다. 집집마다 돌아다니며 양잠하는 것을 살펴보고 부녀들이 실 잦는 것을 보았다. 60여 세 노파가 일을 하는데 물레 곁에 솥을 걸고 물레 아래쪽에는 발판을 달았다. 오른발로 발판을 누르면 바퀴가 돌고 왼손으로는 장작불을 일으켜 고치를 삶으며 오른손으로는 물레에 실을 감는 것이었다. 나는 어릴 적부터 우리나라에서 부인들이 길쌈하는 것을 보았는데, 여기서 실 잣는 것과 비교하면 천양지판이었다. 나는 물어보았다.

"올해 춘추가 어찌 되시오?"

"예순 몇이오."

"몇 살부터 이 기계를 사용하였습니까?"

"일곱 살 때부터요."

"그러면 근 60년 이전에도 이 기계로 실을 뽑았습니까?"

"네, 바뀐 게 없어요."

나는 실제로 7~8세 어린이가 실 잣는 것을 보았으니 의심치 않았다.

농가에 기숙하느니 만큼 나는 농기구와 그 사용법을 면밀히 조사해보았다. 설사 구식일지라도 우리나라의 농기구에 비하면 퍽 진보되었다고 생각했다. 전답에 물 대는 것 하나만 보아도 나무 톱니바퀴로, 마소로, 남녀 몇 사람이 밟아 돌려 한 길 이상으로 호수의 물을 끌어올려 물을 대니 그 얼마나 편리한가.

모내기 또한 그렇다. 모심는 날에 벼 베는 날짜까지 미리 계산하니 이른 벼는 80일, 중간 벼는 100일, 늦은 벼는 120일이라고 했다. 우리나라에서 줄모는 일본 사람들의 발명인 것으로 알았으나 중국에서는 고대로부터 줄모를 심었다는 사실은 김매는 기계를 보아도 알 수 있었다.

농촌을 시찰한 나는 한마디하지 않을 수 없다. 중국의 한·당·송·원·명·청 각 시대마다 우리나라에서 관개사절(冠蓋使節)이 중국을 오갔다. 북방 시대는 관두더라도 남방 명나라 시대에 우리의 선인(先人)들의 사절로 다닐 때, 그들은 모두 장님들이었던가? 필시 허깨비나 좇고 국가의 계책은 무엇이며 민생은 무엇인지 생각도 못한 것이니 어찌 통탄스러운 일이 아닌가!

문영(文永)이라는 조상은 면화씨를, 문로(文勞)라는 조상은 물레를 중국에서 들여왔다 하나, 그 외에는 말인즉 오랑캐라 지칭하면서도 명대(明代)의 의관·문물을 '모두 중국제도를 존중한다'(悉遵華制)라 하여 좇았으니—예를 들어 망건과 갓처럼 실제 아무 이익도 없고 불편과 고통만 주는 망종 기구들—생각만 하여도 치가 떨렸다.

우리 민족의 비운은 사대사상에서 비롯한 것이라 하지 않을 수 없다. 국리민복의 실제는 도외시하고 주희(朱熹)의 학설 같은 것은 원래 주희의 것 이상으로 강고한 이론을 주창했다. 그리하여 사색(四色) 당파가 생겨 몇백 년을 아옹다옹하니 민족적 원기는 모두 소진되어 남은 것이 없고 발달한 것은 오로지 의존성뿐이니 망하지 않고 어찌겠는가.

개탄할 일이다. 오늘날 보아도 청년들이 늙은이들을 지칭하여 노후(老朽)니 봉건잔재니 하는 것은 긍정할 부분도 없지 않지만, 그러나 그들 청년들은 또 어떤가. 사회주의자들이 강경 주장하기를 "혁명은 유혈적 사업이니 한 번은 괜찮아도 민족운동 성공 후에 또다시 사회운동을 하는 것은 절대 반대"라 하더니, 러시아 국부 레닌이 "식민지민족은 민족운동을 먼저 하고 사회운동은 후에 하는 것이 옳다"는 말에 조금도 주저없이 민족운동을 한다고 떠들지 않는가. 정자(程子)와 주자(朱子)의 방귀도 "향기로운 냄새"라고 주장한다면서 비웃던 그 입과 혀로 레닌의 방귀는 "달콤하다"고 말할 듯하니, 청년들은 정신 좀 차릴지어다.

나는 결코 정·주(程朱) 학설의 신봉자도 아니고 마르크스와 레닌주의의 배척자도 아니다. 우리 국가의 특성과 민도(民度)에 맞는 주의와 제도를 연구 실시하려고 머리를 쓰는 자는 있는가? 만일 없으면 이보다 더 슬플 일은 없을 것이다.

여사공과의 만남

엄가빈에서 다시 사회교(砂灰橋)의 엄항섭 군 집으로 와 오룡교(五龍橋) 진동생 집에서 숙식했다. 낮에는 주애보(朱愛寶)의 작은 배를 타고 인근 운하로 농촌 구경 다니는 것이 유일한 일과였다.

가흥 성내에는 몇 개의 고적이 있었다. 고대에 치부(致富)로 유명한 도주공(陶朱公)의 집터(鎭明寺)에는 축오자(畜五牸)와 그밖에 연못을 파서 만든 양어장이 있었는데 문 앞에 '도주공 유지(遺址)'라는 비석이 서 있었다.

하루는 무료하여 동문으로 가는 대로변 광장으로 나가 보았다. 그곳에는 군경(軍警)의 연병장이 있어 군대가 훈련하는데, 오가는 사람들이 운집하여 훈련 광경을 보고 있길래 나도 걸음을 멈추고 구경하고 있었다. 그런데 연병장에서 한 군관이 나를 유심히 쳐다보다가 갑자기 뛰어와 내게 묻는 것이다.

"어느 지방 사람이오?"

"광동인이오."

그 군관은 광동인일 줄 어찌 알았겠는가. 그 자리에서 보안대 본부로 끌려가 취조를 받게 되었다. 나는 이렇게 밝혔다.

"나는 중국인이 아닌데 그대의 단장을 면대하여 주면 본래 신분을 직접 필담으로 설명하겠다."

단장은 오지 않았고 부단장이 얼굴을 내밀었다.

"나는 한인인데 상해 홍구사건 이후 상해에 머물기가 곤란하여 잠시 이곳 저한추의 소개로 오룡교 진 동생의 집에서 지내고 있소. 성명은 장진구요."

경찰은 그 길로 남문 저 씨 댁과 진 씨 댁에 가서 엄밀 조사를 벌인 모양이었다. 네 시간쯤 지나 진 형이 와서 담보하여 풀려났다. 저한추 군은 나에게 이렇게 권고했다.

"김 선생의 피신방법에 좀 문제가 있습니다. 김 선생은 홀아비이신데, 나의 친우 중 과부로 나이가 서른쯤 된 중학교 교사가 있는데 보시고 뜻이 맞으면 처로 맞는 것이 어떻겠습니까?"

그러나 나는 중학교 교사라면 나의 비밀이 당장에 탄로 날 테니 안 된다 하고, 차라리 여자 뱃사공이나 가까이 두어 의탁하면 주(朱) 여인이 일자무식이어서 나의 비밀이 보장될 것이라고 했다.

그리하여 이때부터는 아예 선상 생활을 이어갔다. 오늘은 남문호수에서 자고, 내일은 북문 강편에서 자고, 낮 시간에는 땅위에서 걸어 다니기나 할 뿐이었다.

김구, 『백범일지(학술원판)』, 나남, 2014.11.15, pp.347-359.

조소앙 편

《상하이주간(上海週刊)》 사설

5월 9일 특간호, 중화민국 14년(1925)

한국과 중국의 호걸에게 격문을 보내	檄中韓豪傑
일본을 막고 나라의 치욕을 씻으리	拒倭雪國恥
동맹을 함께 맺고 지켜서	結共守同盟
동아시아의 평화를 보존하리라	保東亞平和

일본이 한국과 중국에 화를 입혀서 한국과 중국의 호걸들이 팔을 걷어붙이고 분개한 지 오래되었다. 옛날에 도요토미 히데요시(豐臣秀吉)라는 자가 중국에서 전쟁을 일으키려 먼저 조선에 길을 빌렸는데, 예로부터 한국인은 양국이 운명을 같이한다는 것을 잘 알았고, 형제의 동맹을 저버리기 어려워 한마디로 왜구를 꾸짖어 길을 빌려주기를 거절하였다. 길을 거절한 날에 적군 100만을 맞아 7년 동안 여러 전쟁을 치러 왜구를 크게 쳐부수었으니, 전쟁에서 승리한 뒤에야 한국과 중국이 비로소 온전해졌다. 만약 위력을 지닌 이순신(李舜臣)과 지용(智勇)을 겸비한 이여송(李如宋)이 성심으로 협력하여 왜구를 거꾸러뜨리지 않았다면 어떻게 세 나라가 공존하는 형세를 지탱할 수 있었겠는가. 양국이 서로 의지하는 것을 운명으로 삼아 함께 동맹을 지킨 것은 오늘날의 일만이 아니라 오랜 옛날부터 그러하였다.

일본 또한 일찌감치 한국과 중국이 협력하여 원수를 물리칠 것을 알고서 호시탐탐 미친 듯이 용맹을 떨치더니, 한국을 병합한 계략을 중국에다 베풀어 정치, 상업, 군사, 학업의 권리를 삘기처럼 뽑아 버리고 어업, 광업, 농업, 임업의 이익을 석권하였다. 자기에게 아첨하는 자는 도와주어 요직자, 집정자, 영웅으로 만들고, 자기에게 저항하는 자는 배척하여 죄인, 포로, 원흉으로 만들었다. 관우(關羽)와 악비(岳飛)의 재주를 가지고 선리(羑里)에서 《주역(周易)》을 풀이하면서 스스로 두려워하는데 장우(張禹)와 진회(秦檜)의 추악함으로 천지에서 제멋대로 행하면서 부끄러움이 없으니, 한국에서의 일을 본보기로 살펴볼 때 아마 중국도 마찬가지가 될 것이다. 만약 저 중국 4억 인민들의 고혈이 적에게 남김없이 빨려서 파업하려 하면 바로 목을 죄어 올 것이고, 18개 성(省)의 이익이 적에게로 거의 다 들어가서 일본 재화를 막으려 하면 그릇을 깰까 염려하여 주저할 것이다. 울분에 찬 마음이 중국에 이처럼 넘쳐흐르니 누가 이런 짓을 했는가.

호랑이의 위세를 빌린 여우 같은 저들은 경술년(1910)에 한국을 멸망시키고, 이어서 정사년(1917)에 중국을 만신창이로 만들었다. 아, 저 21개 조항 또한 나라를 망하게 하는 강요된 조약일 따름이다. 조약을 체결한 자는 누구인가? 필시 이완용(李完用) 같은 부류일 것이다. 조약을 좇아 지키는 자는 누구인가? 또한 나라를 망하게 할 무리일 것이다. 아, 한국이 300년 전 왜적을 막았던 용맹함을 지켰다면 중국은 반드시 21개 조항으로 나라를 잃어버리는 치욕이 없었을 것이며, 중국이 러·일 조약을 반대했다면 한국인은 반드시 나라가 망하게 되는 치욕이 없었을 것이다. 21개 조항이 즉시 폐지되지 않으면 한국인의 광복 또한 그 공로를 온전히 하기 어려울 것이니, 원인과 결과가 하나로 이어지고 순환하여 서로 뿌리가 되는 자취가 여기에서 밝게 다 드러난다. 한번 묻노니 한국과 중국의 호걸들은 다 어디에 있기에, 어찌 다시 괴로움을 겪지 않고 이랬다저랬다 하는가. 그렇다면 피차 함께 거꾸러지는 형국이니 어려울수록 서로 구제하고, 마땅히 표리가 상응하여 두 마음을 품지 말아야 한다. 그렇다면 한국과 중국이 함께 온전해지는 방도를 지목하여 기약할 수 있다. 저 벚꽃 날리는 섬나라의 습성을 보면 폭풍과 소나기가 몰아치는 것 같지만, 다행히 잠자는 사자 같은 중국이 깨어났으니 맑은 하늘과 밝은 해를 기뻐하며 보게 될 것이다. 오늘부터 한국과 중국의 인민이 손을 잡고 동맹을 맺어 공동의 원수인 일본을 거꾸러뜨리기를 청한다. 중화민국 인민 만세! 대한민국 인민 만세!

중·한 동맹조약 가정하여 작성하였다.

제1조. 한국과 중국 두 나라의 인민은 상호 협력해서 일본을 배척할 의무를 균등하게 지킨다.
제2조. 한국과 중국 두 나라의 인민은 일본인과 교류를 끊을 의무를 균등하게 지킨다.
제3조. 한국과 중국 두 나라의 인민은 일본 재화를 사용하지 않을 의무를 균등하게 지킨다.
제4조. 한국과 중국 두 나라의 인민은 일본인의 비밀과 죄악을 폭로할 의무를 균등하게 지킨다.

위 4개 조항은 반드시 21개 조항이 완전히 폐기되고 아울러 한국이 완전하게 독립했을 때 한국과 중국 두 나라의 인민이 폐지를 공식 선포한다.

위 조약의 체결자 중화민국 4억 인민
대한민국 2000만 인민
중화민국 14년 5월 9일
대한민국 7년 5월 9일

조소앙 지음, 김보성·임영길 옮김,
『소앙집』, 한국고전번역원, 2019.4.11, pp.183-187.

《한보특간》 간행사

한국 민족과 일본 민족은 2000년 동안의 원수로, 상반되고 상충되며 더욱 격렬히 충돌하고 더욱 극심히 요동쳤다. 중국 민족과 일본 민족의 관계 또한 이와 같으니, 중국이 스스로 해방을 구하고 독립을 완성하는 과도기에 중국과 일본 두 나라가 실제로 타협하거나 조화될 가능성은 없다. 한국과 중국의 대일(對日) 관계는 그 입장의 출발점이 같아서 공통으로 일본을 원수로 여길 뿐 아니라 자체로도 서로 떨어질 수 없는 요소를 지니고 있다. 실제로 한국과 중국 두 나라는 4000년 동안 우의가 깊은 관계이면서 함께 존재하고 번영하는 상대적 조건과 함께 기뻐하고 슬퍼하고 근심하고 즐거워하는 인과적 중심축이 자연히 한데 뭉쳐 굳어진 형세여서 역사와 지리, 문화와 경제, 감정과 욕구 같은 것들이 어느 하나라도 몰아가서 맞닿지 않음이 없다. 한국과 중국 두 나라가 서로 버리거나 떨어지지 않은 채, 한배를 타고 함께 건너 서로 의지하는 것을 운명으로 삼는 특수한 관계로 더욱 나아가리라는 것은 모든 사람이 다 아는 사실이니, 제창하고 선전하기를 기다리지 않는다. 다만 현실적으로 볼 때 어떻게 협력을 실현하고, 어떻게 우의를 증진하며, 어떻게 일본의 정책을 폭로하고, 어떻게 서로의 실상과 정체성을 인식하는가에 대해서는 상당한 소개와 표명이 있어야 한다.

본사(本社)는 이러한 목적을 달성하기 위해 중문(中文)으로 만든 소보(小報)를 간행하여 《한보특간(韓報特刊)》이라 이름 붙였다. 한글로 만든 소보인 《한

보(韓報)》는 이미 18호까지 간행되어 독립당(獨立黨)의 기관지를 자임하고 있는데, 지금 이 중문판은 한글판의 자매 신문이다. 특간의 임무와 성격은 본디 일반 신문에 비할 바가 아니다. 그 발행 부수, 지면 크기, 편집 규모, 통신 범위로는 감히 언론계의 샛별이라고 스스로 인정하지는 못하지만 일본 제국주의의 검은 속내를 폭로하고, 독립당의 정체성과 본모습을 널리 알리며, 한국과 중국 민족의 우의를 고취하는 점 등에서는 독립당을 대변하는 매체임을 스스로 인정할 수 있다. 모든 삼민주의(三民主義)가 실행되는 곳에서 관리, 공직자, 농민·장인·상인·학생·군인·정치가 및 일반 민중을 막론하고 반드시 환영하며 애독할 것이다.

조소앙 지음, 김보성·임영길 옮김,
『소앙집』, 한국고전번역원, 2019.4.11, pp.208-209.

革命團體聯合問題

聯合이란 主義 政綱面에서 大小의 差異를 가진 2個 以上의 團體가 過程的 或은 終極的인 共通 或은 特殊한 革命的 目標에 到達하기 爲한 革命工作의 過程的 時間的인 橫的合作이다. 그러므로 革命의 對象이 國內 國外에 있음을 勿論하고 共同한 革命 對象下에서, 鬪爭의 鋒鋩이 共同한 方向으로 進行될 때에는 從來의 一切 黨派的 對立的 關係를 超越하고 一定한 過程的 聯合을 하지 않을 수 없게 되는 것이다.

韓國運動에 있어서도 어떤 主義 어떤 黨派를 勿論하고 決定的 共通的인 革命對象은 日本帝國主義이므로 그것을 打倒하지 않으면 自主義 自黨派의 革命目的을 成就할 수 없음은 너무나 明白한 事實이요, 또 日本帝國主義를 打倒하기 爲하여 모든 革命的 黨派가 切實히 聯合하여야 할 것도 누구나 認識하지 않을 수 없는 必然的 結論일 것이다. 그러므로 우리는 이 聯合運動을 더욱 促進하기 爲하여 이 聯合運動과 重要한 關係를 가진 1, 2問題를 提出하여 同志諸君과 같이 討論하려 하며 同時에 거기에 關한 共同한 認識을 獲得코자하는 바이다.

1. 聯合組識에 參加한 各團體의 自體勢力 擴張問題

自團體 勢力擴張이란 自團體 主義政策에 依한 同志의 獲得, 資金의 籌辨, 部分的 事業進行 等일 것이니 이러한 運動을 進行함에 있어서 聯合組織에

參加한 他團體에 排擊的 言動으로써 同志獲得의 方法을 삼는다든지, 聯合組織이나 聯合組織에 關係된 全體運動을 標榜하며局限된 自團體의 事業經費를 籌辨한다든지, 聯合組織의 整個的 計劃과 矛盾的 關係를 가진 事業을 進行한다하면 이것은 畢境 聯合組織體와 衝突的 事態를 發生케 할 것이오, 그 反對로自團體의 主義政策을 正當하게 表明하여 同志를 獲得하고 自團體의 局限된 一定한 事業計劃에 依據한 方法으로 資金을 求得하며, 그리하여 聯合組織의 全體的 計劃과 連結關係를 가진 事業을 進行한다 하면 이것은 聯合組織과 有力한 協助的 結果를 發生케 할 것이다. 聯合組織에 參加한 一團體는 聯合組織을 構成한 一單位이므로 一單位의 活動이 全體와 對立될 程度에 到達되며는 不可避의 衝突事態가 發生되지마는 一單位의 活動이 그렇지 않고 單位的 軌線上에서 自體의 力量이 擴充되고 事業이 힘있게 進行될 때에는 聯合組織과 何等의 衝突的 關係가 發生되지 않을뿐 아니라 도리여 그것을 有益케 하는 것이다. 그러므로 一團體의 自體勢力擴張問題와 聯合組織 聯合運動의 衝突有無는 自體勢力 擴張運動 本身에 있는 것이 아니오 그것을 為한 方法如何에 있는 것이다.

2. 聯合組織에 參加한 各團體의 聯合組織에 對한 領導權 獲取問題

聯合組織에 參加한 各團體는 各各 自團體의 信仰과 主義的 固執이 있음에 따라 自團體의 一切運動은 自主義의 成就를 爲한 手段方法에 不過한 것이다. 聯合組織에 있어서도 自主義的運動에 必要한 方法과 力量을 獲得하기 爲하여 聯合組織에 對한 領導權 獲取의 必要를 共通하게 느끼게 되는 것이다. 그러나 聯合組織에 背馳되는 野卑한 陰謀的 方法으로써 正面의 大敵을 對峙하려는 戰意보다 他團體 人物攻擊에 勇敢하며 敵의 內面의 暴露보

다 他團體 內容暴露에 더욱 細密하며 反日工作의 努力보다 幹部級 地位 争奪運動에 더 熱中하는 等의 行動으로써 領導權 獲取運動의 方法을 삼는다하면 이것은 聯合組織과 決定的 衝突 現狀으로 表現될 것이오, 그 反對로 聯合組織의 共同한 政治的 目標인 反日鬪爭에 對한 合理한 計劃과 雄厚한 力量과 偉大한 戰蹟으로써 領導權을 獲取한다하면 그것은 (1)의 問題에서와 같이 聯合組織에 有力한 協助的 結果를 發生케 할 것이다.

3. 各團體에 對한 聯合組織의 支配問題

聯合組織은 縱的 單的組織이 아니므로 거기 參加한 各團體의 運動全體를 支配할 수 없고 다만 聯合組織에 關係되는 事業의 統制的 發展을 爲한 程度에서 그 支配權이 限定되어야 할 것이다. 다시 말하면 (1), (2) 問題中 聯合組織과 協助的 關係를 가질만한 모든 條件만이 支配 程度의 限界가 되어야 할 것이다. (1), (2)問題는 下에서 上에 對한 問題——組織單位가 組織全體에 對한 問題——이오 (3)問題는 上에서 下에 對한 問題——組織全體가 組織單位에 對한 問題——이므로 (3)問題는 (1), (2)問題를 下層基礎로 하지 않을 수 없는 것이다. 그러나 이러한 基礎위에서 構成된 聯合組織의 支配權은 그것을 行使할 境遇 軍隊 警察類의 權力的 機關을 가질 수 없는 것이다. 그러므로 그 支配權이 合理하게 行使되고 그 聯合組織이 有力하게 進展되려면 各團體가 運動을 爲한 政策上 道義上의 必要性에 依하여 聯合組織의 모든 規約決議를 權力化하여야 할 것이다.

韓國運動에 있어서 만약 有力한 聯合組織이 實現되지 않으면 各團體의 微弱한 自體力量은 團體對 團體의 衝突때문에 아무 代價없이 消耗되고 또 그것으로 因한 不合理한 相互 反撥作用은 外部關係에 連及 擴大되어 韓國

運動의 客觀的 有利한 條件을 獲取할 方法이 없게 될 것이다.

諸: 1934年 1月25日 發行「震光」誌에 揭載된 글이다.

三均學會 編,『素昻先生 文集』(上), 횃불사, 1979.7, pp.129-131.

海外運動의 特殊任務

海外運動의 特殊任務란 「海外」라는 地帶의 特殊性에 基因한 諸種의 任務를 意味하는 것이다. 다시 말하면 敵의 直接 壓迫下에 있는 海內에서는 進行하기 不可能한 有效한 革命工作의 實踐이 그것이다. 今日 우리의 海外運動은 種種의 多端한 因果關係下에서 實로 一般 革命羣衆의 懇切한 期待에 應할만한 革命力量을 가지지 못하였음은 事實이다. 그러나 우리의 全體運動의 重大한 要求인 前衛隊的 決死隊的 運動의 特殊任務는 우리의 海外運動이 負責하지않을 수 없는 것이다. 이는 實로 海外運動의 歷史的 權利와 義務인 同時에 目前 情勢에 있어서 더욱 緊切히 賦與되는 任務인 것이다.

國內關係에 있어서 비록 國內運動을 具體的으로 指導하지는 못한다 하더라도 現階段의 國內運動을 急激히 促進시킬만한 强大한 影響은 던져주어야 할 것이며, 國際關係에 있어서 비록 國際的 反日勢力을 當場에 出陣시키지는 못한다 하더라도 그것과의 緊密한 連結은 成就되도록 하여야 할 것이니, 이는 海外運動의 主觀的 希望에 依하여 實現된 것이 아니요 海外運動을 特殊任務의 勇敢한 實践에 依하여 進展되도록 하여야 할 것이다.

海外運動의 特殊任務를 個別的으로 말하면 强力的 軍事運動, 犧牲的 直接運動, 偵察工作, 宣傳工作, 內外 反日戰綫의 擴大工作, 以上 모든 部門運動의 全體的 統制的 發展을 爲한 組織工作 等等일 것이다. 그러나 以上 모든 工作의 進行을 爲하여 우리의 現下實情에서 가장 重要한 前行 工作은 力量

團結 및 그 統制的 進行을 爲한 組織問題, 모든 工作의 效果的 實踐을 爲한 技術問題, 運動力量의 擴大的 發展을 爲한 國際的 反日勢力과 連結問題, 等이니 이제 이 3大問題를 急速히 解決하여야 할 必要를 簡單히 말하면 다음과 같다.

1. 組織問題에 對하여

組織은 모든 部分的 運動能力의 强大한 完整的 表現을 爲한 根本的 動力이다. 그러므로 全體的 組織과 分離된 個個人의 部分能力과 個個集團의 部分能力은 그 表現이 完整的이 되지못할 뿐 아니라 그 部分能力의 繼續도 甚히 어려운 것이다. 다시 말하면 10個部分 運動의 總體的 運動이 1個의 整個的 革命運動이라고 한다면 9個의 部分運動과 有機的 連結關係를 가지지 못한 1個의 部分運動이 設使 一時에 强大히 表現된다 하더라도 그것은 9個의 部分運動의 一端的 表現이 아닐뿐 아니라, 그 1個의 部分運動의 能力이 繼續되기도 어렵다는 것이다. 比喩하여 말하면 아무리 良好한 車輪이라도 車身과 分離된 그것은 境遇에 依하여 車輪 自體만이 조금 運轉될 수 있으되 그것이 巨大한 物質을 실은 整個的 車의 運轉은 아니며 同時에 그것이 長久하게 運轉될 수도 없다는 것과 同一한 것이다. 過去와 現在의 海外運動이 有力하게 進展되지 못하고 또 그 모든 運動의 길이 順坦하지 못한 重大한 理由가 決斷코 個個의 部分的 能力의 不足에 있는 것이 아니오, 그것을 整個的으로 組織하지 못하므로 因하여力量은 分散되고 이 部分的 能力과 저 部分的 能力이 互相 對立되는 모든 不合理한 關係에 있는 것이다. 그러므로 組織問題의 積極的 意義는 運動의 全體的 發展을 有力하게 함에 있고 그 消極的 意義는 過去運動의 모든 矛盾과 惡弊를 救濟함에 있는 것이니 우리는 最大의

英斷과 努力 및 適常한 方針으로써 이 組織問題의 急速한 解決을 促進하여야 할 것이다.

2. 技術問題에 對하여

우리運動 進展을 爲한 모든 技術의 必要는 더 말할 것도 없는 것이다. 現代 모든 運動의 勝敗는 誠意와 努力如何 보다 技術의 有無와 技術의 精不精에 있다는 것은 누구나 認識할 수 있는 事實이다. 우리 運動의 過去와 現在는 實로 이 技術의 窮乏으로 因하여 많은 計劃과 努力이 相當한 效果를 내지 못한 事實이 적지 않은 것이다. 모든 運動者가 各各 自己가 責任진 部門運動에 適當한 技術을 가지지 못하였다 한다면 다만 計劃과 努力만으로 그 組織을 運轉하며 그 運動을 進行하기 어려울 것은 明白한 事實이다. 그러므로 組織이 運動의 重要한 動力이라고 하면 技術은 組織의 重要한 動力이 될 것이다. 今後 海外運動의 特殊任務를 效果的으로 實行하기 爲하여 組織問題의 解決과 그것의 有力한 進展을 爲하여 우리는 老少을 勿論하고 各各 自己의 當面工作을 進行하는 過程中에서 自己의 希望과 資格에 適當한 一種技術을 獲得하도록 努力하여야 한다.

3. 國際的 反日勢力과 連結問題

우리運動의 目標 打倒日本은 國際 帝國主義의 一團勢力의 打倒를 意味하는 것인만큼 우리 運動과 國際的 모든 反日勢力과의 關係는 本質上으로 매우 密切한 것이다. 그러므로 海內에 比하여 多少間의 運動 自由를 가진 海外運動은 日本과 根本的 或은 一時的인 對立關係를 가진 國際的 反日勢力

과 緊密한 連結關係를 結成하여 海外運動의 特殊任務를 有力하게 進展하는 同時에 그것이 全體運動과의 國際關係로 轉變되도록 하는 政治的 媒介工作을 하여야 할 것이다.

이는 우리運動의 力量을 擴充하는 唯一한 方針이니 우리는 恒常 最底限度의 當面工作을通하여 最大限度의 自動的 計劃과 方針으로써 國際的 反日勢力과의 連結 및 그 擴大를 促進하여야 할 것이다.

海外運動의 特殊任務를 實踐키 爲한 以上 3大問題는 互相 不可離할 連帶關係가 있는 것이므로 그 問題를 個別的 分離的으로 解決하기는 어려운 것이다. 그러나 海外運動의 目前 情形은 以上 問題의 解決을 爲한 現實的 政治的 背景이 現存한 自團體 或은 團體聯合의 組織이 될 것이다. 그리나 어떤 背景下에서 始作하던지 各項工作 그것을 海外 全體運動의 完整的發展을 目的한 一個의 過程的 工作으로 認識하여 그것의 總解決을 爲한 內面的 連絡만 誠實하면 그만일 것이다.

註: 1934年 9月 20日 發行된「震光」誌에 揭載된 글이다.

三均學會 編,『素昻先生 文集』(上), 횃불사, 1979.7, pp.132-135.

第15週 3·1紀念節에 臨하여

우리 民族運動 史上에 가장 偉大壯烈한 3·1運動의 紀念意義는 形式的 儀式이나 習慣的 集會에 있는 것이 아니오, 3·1運動의 性質을 分析批判하여 長處는 擁護支持하고 그 短處는 淸算糾正하며 그 未備는 補充擴張함에 있는 것이다.

그러면 그 長處 短處 未備는 무엇인가?

1. 3·1運動의 長處

(1) 各階級의 政治的 協同

3·1運動이 革命運動으로서 當然이 있어야 할 强固한 組織(革命大黨)과 革命技術과 其外에 다른 特別한 準備가 없었음에도 不拘하고, 그렇게 壯大히 展開된 것은 果然 무슨 原因으로 因함이였던가. 韓國民衆의 人類的 民族的 階级的 生活을 向上하며, 民族的 特質과 情感을 發揚하려함에 있어서, 日本帝國主義의 政治的 壓迫과 經濟的 侵略이 얼마나 激甚한 障碍이며, 凶暴한 仇讐的 對像인 것을 合併以後 10年經驗에서 深切히 느끼게 됨에 따라, 經濟的 社會的 各方面에 있어서, 對立的 關係를 가진 各 階級이 「打倒日本」「大韓獨立」이란 共同한 政治的 目標下에서, 「各 階級의 政治的 協同」을 强大하게 遂行한 그것이 3·1運動을 壯烈偉大케 한 가장 重大한 原因인 것이다. 이 「各階級의 政治的 協同」은 3·1運動에 있어서 뿐 아니라, 過去의 6·10運動·光州

學生運動 等의 大衆的 政治運動에 있어서도 그 運動形態를 偉大壯烈케 한 原因이 된 것이요, 將來의 大衆的 政治運動에 있어서도 亦是 그러할 것이다.

이는 決斷코 偶然한 一時的 일이 아니오, 不可避한 實際的 條件의 發動으로 因함이니, 이는 韓國民族의 經濟的 社會的 各 階級의 共通한 敵對階級이, 日本民族의 權力階級과 資產階級이므로, 各自 階級의 經濟的 社會的 解放을 爲하여서는, 日本民族의 그것을 打倒하지 않으면 안될 것이오, 또 그러하기 爲하여서는 韓國民族의 그것이, 强大鞏固한 協同을 하지 않을 수 없기 때문이다.

이외에 다 같이 「韓國民族」이라는 民族的 同屬感情은, 各 階级의 經濟的 社會的 解放運動의 發展的 形態인 政治運動의 階級的 協同을 더욱 可能케 하며, 活發하게 하는 것이다. 그러므로 우리는 大衆的 政治運動의 發展을 爲하여, 各 階級의 政治的 協同을 더욱 合理 鞏固히 하여야 할 것이다.

(2) 大家的直接行動

3·1運動은 街頭에서의 大衆的 示威運動, 敵警과의 肉迫的 鬪爭, 敵의 警政機關의 襲擊 破壞 等의 大衆的 直接行動을 運動의 主力으로 삼았다. 大衆的 直接行動은, 모든 部門運動의 綜合的 發展的 形態이며, 大衆으로 하여금 革命에 對한 大衆自身의 革命力量을 測定 自信케 하는 唯一한 方法이며, 戰鬪的 組織의 有力한 前提이며, 보다 더욱 有力한 모든 部門運動의發生 進展의 眞實한 基礎이며, 同一한 他國運動을 促進하고 그 連帶關係를 擴大케 하는 動力이며, 敵으로 하여금 恐縮케 하는 有效한 手段인 것이다.

우리 運動이 國際問題化하여 國際的 革命運動과의 連帶關係를 發生促進케 한 것도 이 3·1運動의 大衆的 直接行動으로 因함이오, 軍事·外交·民衆·特務 等의 部門運動이 進展된 것도 이 3·1運動의 大衆的 直接行動을 唯一한 基礎로 한 것이오, 某國 某會 等의 組織도 이 3·1運動의 直接行動을 前提

로 한 것이오, 우리 大衆으로 하여금 運動에 對한 勇氣와 自信도, 이 3·1運動의 大衆的 直接行動을 通하여 더욱 굳세게 된 것이다.

이는 韓國에 있어서 뿐만 아니라, 他國 革命運動에 있어서도 亦是 그러한 것이니, 中國의 反帝運動의 發展도 數回의 英勇한 大衆的 直接行動에 依한 것이며, 印度 쓰와라지 一派의 反英運動의 飛躍的 發展도, 그 運動方向이 大衆的 直接行動으로 轉向한 것이 唯一한 原因인 것이다.

2. 短處의 清算과 未備의 補充

(1) 組織問題에 關하여

3·1運動이 展開된 그 前後時期에 있어서 民衆의 革命力量을 結束하고 民衆의 革命進路를引導하며, 民衆의 鬪爭方略을 具體的으로 提示할 만한 指導分子의 組織體 即 指導的 革命黨이 없었다. 內外地에서 少數志士들의 結合體인 적은 團體가 없었던 것은 아니나, 그것은 大概一定한 主義 政綱 政策을 가지지 못하고 「國家獨立」이란 漠然한 目標下에서 結合된 것임으로, 政治·外交·軍事 等의 事業을 部分的 分離的으로 進行하게 되었다. 3·1運動의 結果가 그보다 더 有效하게 展開되지 못하고, 現在의 모든 運動이 이보다 더 有力하게 進行되지 못하는 모든 原因中에, 指導分子와 大衆의 組織이 完成되지 못한 그것이 가장 重大한 原因이라 할 수 있다. 그러므로 우리는 이 組織事業에 不斷한 努力을 하지 않으면 안될 것이오, 또 그 組織事業을 實踐함에 있어서, 指導分子의 組織은 一定한 主義 政綱 政策을 基礎로 하여야 할 것이요, 大衆의 組織은 大衆自身의 모든 利益을 土臺로 하여야 할 것이며, 指導分子의 組識의 基礎인 主義 政綱 政策은 大衆의 모든 利益을 代表하여야 할 것이다.

目下 指導分子 組織問題에 있어서, 海外에서는 民族革命의 大黨組織 或

은 大獨立黨 組織問題가 論議되는 모양이다. 그것은 團體와 團體와의 聯合으로 結成될 것도 아니오, 모든 革命運動者를 全部 網羅하여 形成될 것도 아니오, 묵은 英雄主義의 手段的 結合으로 成就될 것은 더욱 아니다. 다만 韓國民衆 絶對多數의 모든 利益을 代表할 만한 革命原理와, 나아가서 우리의 實在情形에 適應한 主義 政綱 政策을 가진 個人單位의 集團으로서, 다른 모든 團體보다比較的 革命力量이 優越한 그것을 革命大黨이라 생각하고, 그것의 成就를 爲하여 實踐的 事業으로써 完成되도록 努力하여야 할 것이다.

(2) 技術問題에 關하여

技術의 不足은 3·1運動과 過去와 現在의 運動에 있어서 絶對의 短處이다. 技術없는 誠意와 努力과 犧牲은 決斷코 그 正比例의 效果를 獲得하지 못하는 것이다. 現代의 모든 事業中 어느 한가지 技術의 有無 技術程度 如何가, 그 成敗의 要因이 되지 않는 것이 있는가?

우리는 物質의 力量보다 環境의 惡劣보다, 技術의 貧窮 技術人材의 稀貴를 더욱 痛嘆하지 않을 수 없는 것이다. 더욱이 民衆을 떠나 外地에 있는 우리로서는 海外運動의 特殊任務를 遂行하기 爲하여 各種의 現代的 技術을 絶對로 要求하게 되는 것이다. 今後運動에 있어서는 우리의 技術化한 모든 行動의 效果를 낼 것이다.

革命同志들! 3·1運動과 過去 모든 運動의 長處는 積極的으로 擁護發展하여 그것을 더욱 時代化 强大化 되도록 努力하며, 그 모든 短處는 將來 運動에 對한 有效한 前鑑이 되도록 留意하자 !

그리하여 將來의 運動을 더욱 有力하게 進行하자 !

三均學會 編, 『素昻先生 文集』(上), 횃불사, 1979.7, pp.240-243.

유방집 서

1. 옛날 마한(馬韓)의 옛 장수 주근(周勤)이 고국이 망한 것을 분하게 여겨 우곡성(牛谷城)에서 군사를 일으켜 백제(百濟)의 군사 5000명과 전투를 하였다가 패하였다. 주근은 스스로 목을 매어 죽었는데, 백제 사람이 그 시신의 허리를 잘랐고 아울러 그의 처자식을 죽였다. 이것이 한인(韓人) 고대 독립 전쟁의 한 모범이다.

2. 옛날에 신라(新羅)의 의사(義士) 박제상(朴堤上)—당시의 외교관—이 사신이 되어 고구려(高句麗)로 떠나려 할 때에 임금에게 고하기를 "신이 듣건대 충신은 일에 있어서 어려움을 사양하지 않고, 의리에 있어서 위태로움을 사양하지 않는다고 하였습니다. 어려운지 쉬운지를 따진 뒤에 행한다면 충성스럽지 않다는 것이며, 죽을지 살지를 헤아린 뒤에 움직인다면 용맹이 없다는 것입니다."라고 하고는 마침내 떠났다. 또 왜국(倭國)에 사신으로 갔는데, 왜왕(倭王)이 그가 신라에 충성하는 것을 못마땅하게 여겨 혹독한 형벌을 가하고 신문하며 말하기를 "계림(鷄林)의 신하라고 일컬으면 반드시 온갖 형벌을 가할 것이고, 왜국의 신하라고 일컬으면 반드시 후한 복록을 상으로 내리겠다."라고 하였다. 박제상이 말하기를 "차라리 계림의 개돼지가 될지언정 왜국의 신하가 되지는 않을 것이며, 계림의 형벌을 받을지언정 왜국의 복록을 받지는 않겠다."라고 하였다. 왜왕이 크게 노하여 목도(木島)—지금 일본의 히젠슈(肥前州) 하카타츠(博多津) 시치리나다(七里灘)이다.—에서 박제상을

불태워 죽였다. 이것은 한인이 자신의 정체성을 잃지 않았던 고대 외교사의 한 비극이다.

3. 백제의 장군 계백(階伯)이 죽기를 각오한 군사 5000명을 거느리고서 10만의 나당(羅唐) 연합군과 황산벌(黃山伐)에서 전투를 벌이려 하였다. 계백이 먼저 자신의 처자식을 죽이며 말하기를 "내가 한 나라의 일부 군사를 가지고 두 나라의 병력에 대항해야 하니 존망을 알 수 없다. 필시 처자식에게 누가 될 것이니, 살아 욕을 당하느니보다 차라리 깨끗하게 죽는 것이 낫다."라고 하였다. 그리고 군사들과 맹세하기를 "옛날에 구천(句踐)이 5000명으로 오(吳)나라 70만 대군을 무찔렀다. 오늘 너희가 각각 용맹을 떨쳐 적을 죽여서 국가에 보답하라."라고 하였다. 사람들은 모두 피를 흘리며 싸워 한 사람이 백 사람을 당해 냈다. 이것은 한인이 자신을 잊고 나라에 보답한 유풍(遺風)이다.

4. 신라 중엽 화랑(花郎) 제도를 힘써 행하였는데, 화랑도(花郎徒)를 국선(國仙)이라 부르기도 한다. 신라인 김대문(金大問)이 《화랑세기(花郎世記)》를 저술하였는데, 그 내용을 요약하면 다음과 같다. "낭도는 서로 도덕과 의리를 수행하고 서로 노래와 음악으로 즐겼으며, 산수에서 노닐며 아무리 멀어도 가지 않은 곳이 없었다. 어진 신하와 훌륭한 재상, 이름난 장수와 용맹한 군졸이 여기에서 많이 배출되었다.……" 대개 화랑은 젊은 남녀로 구성된 조직인데, 국가가 양성하였고 이를 바탕으로 인재를 선발하여 등용하였다. 화랑도는 절의를 우러러 받들고 충성과 용맹을 숭상하였으며, 공(公)을 무겁게 여기고 사(私)를 가벼이 여겨 몸을 바쳐 나라를 지켰다. 화랑도의 유풍은 수천 년을 거듭하면서 사람들의 마음에 깊이 자리 잡았고 시대를 거치면서 민족의식이 되었다. 무력으로 갈아도 얇아지지 않고 동화시키고자 물들여도 검어지지 않았으니, 대대로 큰 혼란이 닥쳐도 굴하지 않았던 것은 참으로 화랑

전통의 원기(元氣)일 뿐이다.

5. 고려의 장수 강조(康兆)가 거란의 40만 군대와 한국 북쪽 지역에서 전투를 벌였다. 거란의 임금이 강조를 붙잡아 꾸짖으며 "너는 나의 신하가 되겠느냐?"라고 묻자 강조가 화를 내며 "나는 고려인이거늘 어찌 너의 신하가 되겠느냐."라고 답하였다. 다시 물어도 대답은 처음과 같았고, 살을 발라내는 고문을 하며 물어도 대답은 처음과 같았다. 이후 박서(朴犀)가 몽고(蒙古)의 황제와 구주(龜州)에서 전투를 벌였는데, 성을 지키며 굴하지 않았다. 몽고의 늙은 장수가 감탄하며 말하기를 "내가 천하를 다니면서 이러한 공격을 받고도 끝내 항복하지 않은 자는 본 적이 없다."라고 하였다. 이것은 한인이 강대한 이웃나라에 저항하는 유전적 근간이다.

6. 조선 중엽 만주족인 청나라가 많은 병사를 이끌고 강화(江華)를 침범했는데, 강화의 부녀자 중 분한 마음에 자살한 사람이 70명이었다. 나라가 망하지 않았는데 부녀자가 절의를 지키며 죽은 것은 두문동(杜門洞)의 70인 현인(賢人)과 비교해 볼 때에도 더욱 공경할만하다. 이것은 한인 부녀자가 치욕을 알았던 실제이다.

7. 신라·고려 시대 이후 한국 남쪽 해안가에는 수시로 왜구(倭寇)가 출몰하였다. 신라가 바다를 건너가 왜를 토벌하자, 왜왕이 백마를 죽여 맹세하면서 항복하였다. 지금 일본 아카시우라(明石浦)에 백마총(白馬塚)이 있는데, 이것이 신라 왕이 항복을 받은 유적이다. 조선 태종이 대마도(對馬島)를 토벌할 때에는 임금의 행차가 절영도(絶影島)에 잠시 머물렀기에, 절영도에 태종대(太宗臺)가 있다. 고려 말엽에 김방경(金方慶)이 여몽(麗蒙) 연합군을 이끌고 왜의 국경 안쪽까지 깊숙이 들어갔다. 비록 태풍을 만나 전투를 멈추기는 했으나 왜구가 크게 두려워하였다. 조선 세종이 이종무(李從茂)에게 수만의 군사를 거느리고 대마도를 쳐서 평정하게 하였고, 선조 때에는 권율(權慄)과 이순

신(李舜臣) 등이 육군과 해군을 거느리고서 명나라 군사와 연합하여 7년간 싸우면서 왜구를 평정하였다. 이것은 역대로 왜와 맞서 싸운 역사 중 가장 빛나는 것이다.

8. 시대가 내려와 조선 말기에 이르러서는 군사적 방비가 느슨해지고 정치가 무너져 결국 대마도를 잃었다. 왜구는 크게 달라져 제국주의의 무력 집단이 되어 중국과 러시아와의 전쟁에서 승리하였으며, 한국 조정을 위협하고 억눌러 결국 보호를 명목으로 합방하기에 이르렀다. 이것은 사천 년 이래로 일찍이 없었던 크나큰 치욕이다.

9. 사천 년 이래로 나라와 백성을 보호했던 성의가 이미 이와 같은데 갑자기 망국의 노예가 되었으니, 마땅히 우리 한민족 남녀는 분연히 일어나 피를 흘리며 치열하게 싸워야 할 것이다. 비록 뼈가 다 닳아 없어지고 몸을 불사르더라도 급박한 정세 속에서 의리의 격앙을 멈추어서는 안 되고, 죽음 속에서 사는 길을 찾아 패배를 승리로 전환시켜야만 한다. 만약 그렇다면 그 뼈를 쌓아 백두산(白頭山)을 이루고 그 피를 흘려 압록강(鴨綠江)을 이룬다 한들 또한 어찌 많다고 하겠는가.

10. 을사년(1905)부터 임신년(1932)까지 약 30년 동안 국난에 순국한 사람이 수백만 명 이상이고 이름을 기록할 수 있는 사람도 수만 명 이상이니, 지금 80여 명을 기록하여 일부의 행장(行狀)을 전하는 것이 실로 누락이 많은 줄을 잘 알지만 이마저도 기록하지 않는다면 수백 년 혹은 수천 년이 지난 뒤에 그 80여 명도 성명마저 전해지지 않을 줄을 어찌 알겠는가. 비록 지금 간행하여 전하더라도 천 년 뒤에는 김대문이 지은《화랑세기》처럼《유방집》이라는 이름만 알게 될 줄을 어찌 알겠는가.《화랑세기》가 지금 전해지지 않으니,《유방집》이 후세에 사라질 수도 있으리라는 것을 참으로 알 수 있다.《유방집》은 혹시 사라지게 할 수 있더라도 열사의 정신은 참으로 뽑아 버릴

수 없을 것이다. 이는《화랑세기》는 이미 사라졌지만 화랑의 정신은 여전히 우리 민족에게 남아 있는 것과 같다. 이때문에 나는《유방집》이 후세에 전해지지 않을 것을 슬퍼하지 않는다. 그리고 빛나는 명예를 후세에 남긴 열사의 정신은 뽑아 버릴 수 없으며 그것이 우리 민족의 가슴속에 맴돌면서 혁명 동지로서 영원히 활약할 것임을 확신한다. 그리하여 나라가 이미 망했거나 장차 망하려 하거나 아직은 망하지 않았을 때와 한 몸이 살거나 죽거나 죽지 않거나를 마주할 때, 그리고 중요한 일에 대해 마음을 쓰고 일을 행하여야 할 때에 그 마음을 고동치게 하고 감화시킨다면 이는《유방집》의 목적을 이룬 것이다. 아, 내가 힘껏 투쟁한 지 30년이 못 되어 이 80여 명 동지의 유골을 가지게 되었기에 나에게 그들의 삶을 조명하고 그들의 일을 기록하게 한 것인가. 나는 죽은 열사를 곡하는 것이 아니라 내가 죽지 않은 것을 슬퍼하는 선열을 곡하는 것일 뿐이다.

대한민국 14년 가을에, 무림(武林) 공덕림(功德林)에서 조소앙이 서문을 쓰다.

조소앙 지음, 이정원 옮김,
『유방집』, 한국고전번역원, 2019.8.15, pp.58-64.

반종례전

공의 이름은 종례(宗禮, 1866~1905)이고, 자는 자인(子寅)으로, 중국 순천부(順天府) 통주(通州) 사람이다. 일본에 유학을 갔다가 본국으로 돌아가는 길에 인천항을 거쳤는데, 그곳에서 일본인이 우리를 협박하여 보호조약을 맺었다는 소식을 들었고, 일본인이 한국인을 핍박하는 참상을 눈으로 직접 보고는 눈물을 흘리며 오열하였다. 그때에 배에 있던 다른 승객이 민영환 공의 유서를 보여 주었는데, 공이 눈물을 흘리며 읽고서 말하기를 "한국의 충신이다. 그렇지만 그 죽음이 늦었구나. 만약 망하기 전에 죽음을 각오하고 나라에 보답할 수 있었다면 그 공이 더욱 컸을 것이다. 대세가 이미 넘어갔으니 헛되이 죽은 것이 애석하다."라고 하고, 또 말하기를 "한국과 중국 두 나라는 입술과 치아처럼 서로 맞닿아 있으니, 한국이 망한 것은 중국이 장차 망하리라는 신호일 것이다. 우리나라 사람들이 몽매하게도 이를 깨닫지 못하니, 내가 죽어 이를 경계하겠노라."라고 하였다. 이에 14조의 시무(時務)를 열거하여, 친구에게 부탁해 정부에 바치도록 하였다. 그리고 마침내 바다에 뛰어들어 죽었으니, 나이 42세였다. 직례 총독(直隷總督) 원세개(袁世凱)가 이 소식을 듣고는 의롭게 여겨 상소를 작성하여 조정에 자세히 보고하였다. 또 글을 지어 조문하기를 "그대가 죽었구려, 우리 동포는 어찌할거나. 제군들은 힘쓰시오. 평범한 사람들도 책임이 있으니. 〔吾子已矣 同胞奈何 諸君勉之 匹夫有責〕"라고 하였고, 다음과 같이 죽음을 애도하는 시를 지었다.

가련하여라 지사여 목숨을 가벼이 버렸구 可憐志士經生
마침내 성난 파도로 변하여 큰 바다를 뒤흔드네 竟化怒濤撼大海
바라노니 국민과 단체를 한데 모아 願結國民團體
함께 거친 물결 버티는 지주가 되기를 共爲砥柱挽狂瀾

한국인 태백광노(太白狂奴) 또한 다음과 같이 글을 보내 조문하였다.

한 몸을 두 나라에 바침이 獻一身於兩國兮
천추에 빛나 영원에 남으리라 焯千秋而永存
우리를 한없이 힘쓰게 함이여 勖我人於無窮兮
높은 절의 가슴에 안고 잊지 않으리 珮高義而勿諼

조소앙 지음, 이정원 옮김,
『유방집』, 한국고전번역원, 2019.8.15, pp.149-150.

홍범도전

공의 이름은 범도(範圖, 1868~1943)이고, 양덕(陽德) 사람이다. 뒤에 갑산(甲山)으로 이주하여 사냥꾼이 되었다. 체구가 장대하고 기개가 높았으며, 글을 배우지는 않았지만 타고난 성품은 의협심이 강해 어려운 사람 돕는 것을 급선무로 여겨 그를 따르는 사람이 많았다. 1907년 공은 차도선(車道先), 송상봉(宋相鳳), 허근(許瑾)—허근(許根)이라 하기도 한다.—등과 함께 북청(北青) 후치령(厚峙嶺)에서 의병을 일으켜 적의 장교 미야베(宮部)가 이끄는 중대를 섬멸하였다. 황수원(黃水院), 삼수(三水) 등지를 옮겨 다니며 전투를 벌였는데, 크고 작은 전투에서 뛰어난 승리를 많이 거두었다. 그러나 이내 힘이 부족하여 다시 강북으로 돌아가 사냥을 하며 살아갔다.

1919년에 공이 러시아에서 예전 부하로 있던 의병들을 불러 모았고 다시 병사들을 거느리고서 북간도(北間島)와 연길(延吉)로 이주하였다. 이때 장교가 20여 명, 병사가 700여 명, 보병총(步兵銃)이 500정, 군도(軍刀)가 20자루, 폭탄이 300개, 권총이 70개였다. 1920년 6월 12일 공이 의용단장(義勇團長)이 되어 의용단장 허근(許根), 군무도독부(軍務都督府)의 지휘관 최명록(崔明祿), 대한국민회(大韓國民會)의 지휘관 안무(安武) 등과 봉오동(鳳梧洞)에서 모여 군사 회의를 열었다. 봉오동에서 50리 거리에 있는 국내 온성(穩城)의 적군 수비대가 군사 300명을 거느리고 몰래 두만강을 건너 우리 군대를 습격하려고 하였다. 공의 척후대가 급박한 상황을 보고하자 공이 여러 지휘관과

부대를 나누어 각지의 요충지에 근거해 기다리고 있었다. 적이 우리 병영에 도착하여 사람의 흔적이 없자 매복을 두었음을 알아차리고 크게 놀라 퇴각하였다. 공이 군대에 명하여 숲속에서 발포하도록 하고 군호(軍號)를 보내니, 마침내 하늘에서 빗발치듯 총알이 쏟아졌다. 적군이 크게 패하였고 사상자가 매우 많았다. 우리 군이 추격하여 크게 격파하였으니, 이때 적군의 사상자는 138명이었다.

공이 봉오동에서 승리를 거둔 뒤에 부하를 거느리고 연길 노두구(老頭溝)에 이르렀는데, 일본 경찰 80여 명이 다시 공격해 왔다. 공이 이들을 맞아 8시간 전투를 벌여 크게 격파하였으니, 적의 사상자는 47명이었다.

조소앙 지음, 이정원 옮김,
『유방집』, 한국고전번역원, 2019.8.15, pp.218-220.

김좌진전

공의 이름은 좌진(佐鎭, 1889~1930)이고 호는 백야(白冶)이며, 아버지는 김위규(金衛圭)이다. 홍성군(洪城郡) 고도면(高道面) 상촌(上村)에 살다가 뒤에 갈산리(葛山里)로 이주하였다. 공이 7, 8세 때에 아이들을 모아 적을 격퇴하는 놀이를 하였고, 《삼국지(三國志)》, 《수호지(水滸志)》 등을 즐겨 읽었으며, 아울러 무경칠서(武經七書)에 통달하였다. 또 검무를 배워 17, 8세에 이르러서는 그의 칼날을 대적할 자가 없었다. 공은 근력이 남보다 뛰어났으며 호탕하고 시원했다. 항상 말 위에서 칼을 휘두르며 서기도 하고 가로눕기도 하면서 모두 자유자재로 움직였다. 이웃 아이들에게 포위하여 돌을 던지게 하고 공은 말을 달려 포위를 뚫었다. 어떤 때는 한 손으로 말의 다리를 들고서 큰 냇물을 뛰어넘으니, 사람들이 그의 신통한 용기에 감탄하였다.

공이 하루는 크게 잔치를 열어 대대로 내려온 노비 50여 명을 해방시켜 주었다. 19세가 되었을 때에 호명학교(湖明學校)를 세웠고, 얼마 지나지 않아 서울에 와서 동지들과 친교를 맺었다. 무관학교(武官學校)를 졸업한 뒤에 오성학교(五星學校)의 학감(學監)을 맡았다. 1910년 나라에 변란이 일어난 뒤에는 박상진(朴尙鎭) 등과 함께 광복단(光復團)을 조직하여 일본 총독 암살을 실행하려 하였으나 계획이 새어 나가 체포되었고, 곧 탈옥하여 동성(東省) 지역으로 달아났다. 1919년 2월 공은 길림성성(吉林省城)에서 대한독립의군부(大韓獨立義軍府)의 군사령부장(軍司令部長)에 임명되어 큰일을 도모하였고, 뒤에

군정서(軍政署)의 간부로 바뀌어 임명되었다. 화룡(和龍)에 있으면서는 군사 학교를 설립하여 교장을 맡아 큰일을 도모하였다. 이후에 중국 지방관의 간섭 때문에 안도현(安圖縣)으로 물러나려 할 당시 공이 사령장(司令長)을 맡고 이범석(李範錫)이 여행단장(旅行團長)을 맡고 있었는데, 사관(士官) 졸업생 200여 명과 신병 300여 명을 이끌고 길을 떠났다.

이보다 앞서 서군정서(西軍政署)의 대표 홍범도(洪範圖)가 와서 연합할 것을 상의하고 유수하(柳樹河)에서 만날 것을 약속하였다. 겨울옷이 미처 완성되지 않아 며칠을 지체하였는데, 마침 청산리(青山里)에서 적군을 만나 크게 싸워 격파하였다. 공이 1920년 10월 16일에 군사를 이끌고 삼도구(三道溝)에 도착하였는데, 18일에 적군 3개 대대가 한국의 무산(茂山)에서 쳐들어온다는 소식을 듣고는 명령을 내려 청산리에서 적을 기다리게 하고 요충지에 의지해 수풀 속에 복병을 배치해 두었다. 적이 과연 대대 병력으로 쫓아왔는데, 공이 전군을 이끌고 갑자기 나와 맹렬히 공격하여 적군 450여 명을 죽이고 60여 명에게 부상을 입히니, 적이 크게 패하여 물러났다. 공이 말하기를 "우리 군대가 비록 뛰어난 승리를 거두었지만 우리는 숫자가 적고 저들은 많다. 저들이 반드시 대규모로 공격해 올 텐데 만약 다시 전투를 벌인다면 아마도 우리에게 불리할 것이다."라고 하고, 마침내 전군에 명하여 퇴각하도록 하였다. 산속 길을 통해 이도구(二道溝)로 향했는데, 길을 잃어 수십 리를 돌아가게 되었다. 적군은 한국군이 반드시 이도구로 퇴각할 것이라고 예측하고는 노정을 재촉하여 갔다. 한국군이 미처 도착하기 전에 적군이 이미 청산리에 도착하여 길을 나누어 수색하면서 좌우로 돌아다니고 있었다. 공이 전체 군졸에게 명하여 일본 군복으로 변장을 하도록 하였다. 적이 적병과 서로 마주쳤는데 마주칠 때마다 반드시 서로 총을 쐈다. 공이 그 혼란을 틈타 마구 발포하여 적군 180명을 죽였고 70여 명에게 부상을 입혔다. 22일에 적군 1개

연대가 다시 이도구를 공격해 오자 공이 건장한 사졸에게 맞서 싸우도록 명하여 적군 50여 명을 죽였다. 적이 밀집 대형으로 크게 돌격하여 연이어 세 차례 공격해 왔으나 공이 진영을 엄격히 가다듬어 세 번의 전투에서 세 번 모두 격파하였다. 적의 사상자가 수백여 명이 되어 적이 끝내 버티지 못하고 퇴각하였다. 공의 생각에 적이 반드시 북산(北山)에 의지할 것이라 여겨 마침내 1개 부대의 군사를 이끌고 먼저 북산에 올랐다. 적이 과연 대대 병력으로 공격해 왔다. 당시 적군은 백기(白旗)를 군호(軍號)로 삼았는데 공도 백기를 사용하고 있었다. 아군이 의심할까 걱정하여 한국말로 소리쳤는데 적은 반드시 일본말로 답하였으니, 공이 즉시 사격을 명하여 적병 250여 명을 죽이거나 상처를 입혔다. 이에 공은 명령을 내려 숲속에서 30리쯤 퇴각하도록 하고 마로구(麻老溝)에서 군대를 쉬도록 했다. 적이 지원병을 크게 늘렸지만 오히려 아군이 이미 떠난 사실을 몰랐다. 즉시 포위를 하고 불을 질러 맹렬히 타올랐지만 아군의 행적을 보지는 못하였다. 적들이 길을 나누어 수색하면서 서로 알리지 않았기에 자신들끼리 충돌하여 서로 200여 명을 죽였다.

이 전투에서 거둔 노획품은 속사포 5문, 기병총(騎兵銃) 30정, 탄알 5000발, 말 20필, 군도(軍刀) 20자루, 망원경 5대, 손목시계 20개, 군용 지도 6매였다. 우리 군 사령부의 조사에 의거하면 적의 사상자가 1600여 명이고, 중국 관청의 조사에 의거하면 사상자가 1300여 명이다. 일본 영사관의 보고에 의거하면, 이도구 전쟁 때에 연대장으로는 가노(加納) 연대장 1명이 죽었고, 대대장 2명, 소대장 9명이 죽었고, 사졸 이하로는 모두 900여 명이 전사했으며, 청산리 전투 사망자는 거론하지 않았다. 마을 사람들이 목격한 바에 따르면 적들이 차량 16대로 시신을 옮겼다고 한다.

1920년 음력 12월에 공이 서일(徐一), 김혁(金爀), 정신(鄭信) 등과 함께 길림성 도목구(倒木溝)에서 대한독립군을 조직하였다. 1925년 3월 15일에는 공이 정신, 백순(白純), 김혁 등과 함께 목릉현(穆稜縣) 구참(九站)에서 신민부(新民府)를 조직하였다. 같은 해 10월 10일에 상해 임시의정원에서 임시정부의 국무위원으로 선임되었는데, 공은 사양하고 취임하지 않았다. 1926년에는 정신 등과 함께 한족연합회(韓族聯合會)를 조직하였다.

1930년 1월 24일 오후 2시에 공이 중동선(中東線) 산시역(山市驛) 부근의 산중에 있다가 김일성(김일성)에게 암살당하였다. 공의 나이 42세였으며, 집에는 칠십 노모가 있었다.

조소앙 지음, 이정원 옮김,
『유방집』, 한국고전번역원, 2019.8.15, pp.223-227.

안중근전

공의 이름은 중근(重根, 1879~1910)이고, 블라디보스토크로 간 뒤에는 응칠(應七)로 바꿨다. 처음에는 태천(泰川)에 살았고 이후 신천(信川)으로 이주하였다. 아버지 안태훈(安泰勳)은 진사였다. 공이 15세 때는 아버지를 따라 의병을 일으켜 동학(東學)을 토벌하기도 하였다. 1904년 러일전쟁이 일어나자 공은 "나라의 존망이 여기에 달려 있구나."라고 탄식하고, 아버지에게 말하였다.

"형세가 급박한데, 국내에서는 아무 일도 할 수가 없습니다. 중국으로 가서 일을 도모하면 혹시라도 뭔가 할 수 있을 것 같습니다."

1905년 보호조약이 체결된 뒤에 연대(煙臺), 교주만(膠州灣), 위해위(威海衛) 등지에 갔으나 절친한 벗을 만나지 못했다. 얼마 지나지 않아 부친상을 당하여 우리나라로 돌아왔다. 다음 해 진남포(鎭南浦)에 삼흥학교(三興學校)를 설립하여 청년들의 뜻을 고취시켰다. 1907년 황제가 양위(讓位)하고 군대가 해산되었을 때에 의병을 일으키려 하였으나 실행하지 못하였다. 마침내 러시아 블라디보스토크로 가서 우덕순(禹德淳), 유동하(劉東夏), 정대호(鄭大鎬), 조도선(曺道先) 등 12명의 동지와 죽음을 맹세하는 교우 관계를 맺었고, 혈서(血書)로 '대한 독립(大韓獨立)'이라는 네 글자를 국기에 쓰며 12명이 모두 손가락을 잘라 하늘에 맹세하였다.

1909년 6월 이범윤(李範允) 등과 함께 이범진(李範晉)에게서 자금을 얻어 결사대 300여 명을 모았다. 같은 해 6월 두만강을 건너 경흥(慶興)에 들어와 적군과 세 번 싸워 50여 명을 죽였고, 진격하여 회령(會寧) 적진을 습격하였다. 적군이 5000명을 증원(增援)하여 맹렬히 공격해 왔는데, 공은 그 기세에 바로 맞서 싸웠다. 반일 동안 격렬히 전투를 벌였으나 지원이 끊기고 탄환도 떨어져 군대를 이루지 못할 정도로 무너졌다. 공이 두 사람과 함께 러시아로 돌아갔는데 5일 동안 먹지 못하면서도 기색이 평상시와 다르지 않자 사람들이 그의 용기에 탄복하였다.

공은 이토 히로부미가 합부(哈埠)에 간다는 소식을 듣고 크게 기뻐하며 "놈이 오는구나."라고 하였다. 그리고 마침내 동지인 우덕순, 유동하, 조도선과 함께 그해 음력 9월 8일에 블라디보스토크에서 출발하여 양력 10월 21일인 9월 9일 오후 9시에 합부에 도착하였다. 다음날 유동하, 조도선, 우덕순과 함께 채가구(蔡家溝)에 갔다. 25일 우덕순과 조도선을 채가구에 남겨 이토 히로부미를 기다렸다가 저격하게 하였고, 공은 유동하와 함께 합부로 갔다. 우덕순과 조도선은 채가구에 있으면서 러시아 병사의 감시와 통제 때문에 문밖을 나갈 수가 없었다. 26일 오전 9시 이토 히로부미가 합부의 정거장에 도착하자 경계하며 지키는 러시아 군사가 수천 명이었고, 각국 영사단과 구경하는 사람들로 매우 혼잡하였다. 군악대의 음악 소리가 가득했고 폭죽이 요란하게 터졌다. 이토 히로부미가 열차에서 내려 러시아 대신과 악수를 하고 군악대의 경례를 받으며 각국 영사를 만나러 그들을 향해 천천히 걸었다. 공이 러시아 군사의 등 뒤쪽에 서 있다가 이토 히로부미와 열 걸음 거리가 되자 십자(十字)를 새긴 총알이 든 육혈포(六穴砲)를 꺼내 이토 히로부미를 저격하였다. 첫 번째 발은 오른팔을 맞혀 폐부를 꿰뚫었는데 폭죽이 요란하여 주위에서는 이를 깨닫지 못하였다. 두 번째 발은 오른쪽 겨드랑이를 맞혀 총알이 복부에 박혔고, 세 번째 발은 오른팔을 맞혀 총알이 흉복부를 꿰뚫었다. 이에 내장이 파열되어 30분을 넘기지 못하고 즉사하였다. 총영사(總領事) 가

와카미 도시히코(川上俊彦)와 비서장(祕書長) 모리카이낭(森槐南)도 총에 맞아 폐부가 꿰뚫렸고, 남만주철도 이사 다나카 세이지로(田中清次郎)도 다리에 총을 맞았다. 공이 라틴어로 크게 '대한 독립 만세'를 외치자 주위에서 공을 붙잡으려 하였다. 공은 웃으며 말하였다.

"목숨을 버리고 죽음을 취하였으니, 내가 어찌 도망가겠느냐."

공은 여순(旅順) 지방 법원에 들어가 1910년 2월 7일에 일본의 공판을 받았다. 공판 때에 마나베 주조(진과십장 당시 재판장)와 공이 나눈 문답이 20여 편 있다. 공은 1910년 3월 26일 오전 10시 형장에 서서 기쁜 기색으로 크게 웃으며 말하였다.

"내가 대한의 독립을 위해 죽는 것이고, 동아시아 민족을 위해 죽는 것이니, 죽는 것이 어찌 서운하겠는가."

마침내 한복으로 갈아입고 의로운 죽음을 맞이하였으니, 나이 32세였다.

중국인 양계초(梁啓超)가 〈추풍단등곡(秋風斷藤曲)〉을 지었는데, 다음의 내용이 있다.

만리 먼 예양교까지 달려왔으니	萬里行趨預讓橋
한바탕 웃음소리 산 위 달처럼 높네	狂笑一聲山月高

한국의 시인 김창강(金滄江)은 다음과 같은 시를 지었다.

평안도의 장사가 두 눈을 부릅뜨	平安壯士目雙張
시원스레 나라의 원수 양 죽이듯 죽였네	快殺邦讐似殺羊
죽기 전에 이처럼 좋은 소식 들었으니	未死得聞消息好
국화꽃 옆에서 미친 듯 노래하며 춤추네	狂歌亂舞菊花傍

단행본《안중근전(安重根傳)》은 몇 종류가 세상에 유통된다.

조소앙 지음, 이정원 옮김,
『유방집』, 한국고전번역원, 2019.8.15, pp.238-242.

이범진전

공의 이름은 범진(範晉)이고, 1848년(헌종14)에 태어났다. 문과에 급제하여 삼사(三司), 규장각 직각(奎章閣直閣), 형조 참판(刑曹參判), 법부대신(法部大臣), 학부대신(學部大臣), 주아 전권공사(駐俄全權公使), 주미 전권공사(駐美全權公使) 등을 역임하였다. 공은 성품이 호쾌하고 매인 데가 없었다. 무술을 잘하고 시문에 능하며 근력이 남보다 뛰어났다.

1895년(고종32) 10월 8일 주한 일본 공사 미우라 고로(三浦梧樓)는 민씨(閔氏) 일파가 러시아와 연합하여 일본을 억제하는 정책을 펴는 것에 분개하여 대원군과 모의해 군사를 이끌고 대궐로 들어가 민 왕후를 시해하였다. 그리고 러시아 연합파의 주요 인물인 이범진, 안경수(安駉壽) 등을 파면할 것을 주청(奏請)하였고, 이어 왕을 폐위하고 대원군의 손자 이준용(李埈鎔)을 새로운 왕으로 옹립하려고 하였다. 일본이 전쟁에서 중국을 이긴 위세를 이어 한국을 침략하려는 계책을 드러내 똑똑히 알 수 있게 된 것을 공이 근심하였고, 왕후를 죽이고 대궐을 침범하는 만행을 보고 나서는 분하고 한스러운 마음을 더욱 이기지 못하였다. 이때문에 공이 더욱 극단적으로 러시아와 연합하는 정책을 추진하였으니, 이는 러시아의 힘을 빌려 일본을 억제하려는 것이었다.

그해 11월 27일 공이 동지들을 불러 모아 훈련원(訓鍊院)에서 몰래 회합을 하였다. 이재순(李載純), 안경수, 윤웅렬(尹雄烈), 김홍륙(金鴻陸), 이도철(李道徹),

최영하(崔榮夏), 윤치호(尹致昊) 등 20여 명과 외국인 르젠드르, 에이비슨, 언더우드, 다이 장군 등 5명이 모두 모임에 참석하여 일본을 무너뜨리려는 모의를 하였다. 11월 28일 광무 황제가 러시아 공사관으로 파천(播遷)하여 이로부터 1년 동안 정령(政令)이 정동(貞洞)에서 나왔다. 러시아 공사관으로 옮긴 뒤 10일 내에 일본인 고문을 거의 다 해고하였고, 일본군 수비대 1개 대대를 줄였으며 일본인 무관 교수는 모두 물러나게 하였다. 각 항만의 일본 상인과 각 도시의 거류민은 쥐가 숨듯 자취를 감추었으니, 이른바 중일전쟁 뒤 한국을 침략했던 일본 세력을 거의 다 없애 버렸다. 당시 현임 대관이었던 김홍집(金弘集), 어윤중(魚允中), 조희연(趙義淵), 정병하(鄭秉夏), 권영진(權瀅鎭), 장박(張博), 유길준(兪吉濬) 등은 혹은 붙잡히고, 혹은 달아나고, 혹은 형벌을 받고, 혹은 큰길에서 어지러이 죽음을 당하였으니, 이른바 당시 일본 연합파가 종적을 감추었다. 왕후를 시해한 죄의 괴수인 미우라(三浦)와 스기무라(杉村) 등은 모두 붙잡아 히로시마(廣島)의 감옥으로 보냈다.

공이 이때문에 조야의 눈총을 받았고, 더욱이 반대파에게는 원수로 여겨졌다. 마침내 미국으로 갔다가 러시아로 자리를 옮겨 가며 공사(公使)의 직임을 맡았고 더 이상 국내에서는 뜻을 이루지 못하게 되었는데, 일본의 한국에 대한 침탈은 갈수록 더욱 거리낌이 없어졌다.

1910년(융희4) 8월 22일 합방이 조인되고 29일에 공포되었는데, 공이 당시 러시아에 머물러 있으면서 주위의 사람들을 불러 말하였다.

“내가 1905년 늑약이 체결되었을 때에 귀국하라는 소환 명령을 받았다. 그런데 명을 따르지 않고 머나먼 이국땅에서 국기와 공사의 직인을 굳게 지키고서 때때로 자금을 덜어 의병을 도와 가며 국권 회복을 위해 목숨을 바치고자 하였다. 지금 나라가 무너져 다른 민족의 땅이 되어 버렸고 또 나는 나이가 63세가 되었으니, 차마 구차히 남은 목숨을 이어 갈 수가 없다. 남은 재산 20만은 또한 고국 동포들의 피와 땀이니, 그것을 나누어 각기 광복을 위해 노력하는 사람들에게 사용하라."

마침내 독약을 먹고 죽었다. 아들 이기종(李琦鐘)은 국내에 있었고, 이위종(李瑋鍾)은 러시아에 머물고 있었다.

조소앙 지음, 이정원 옮김,
『유방집』, 한국고전번역원, 2019.8.15. pp.249-252.

김익상전

김익상(1895~1941) 공은 서울 사람이다. 평소 노동자로 위장하여 관서에 드나들며 기회를 엿보았다. 1921년 9월 13일 오전 10시 공은 큰 폭탄을 들고서 태연하게 홀로 적의 총독부에 뛰어들어 요처를 저격하였다. 사람들이 쓰러지고 건물이 무너졌지만 주요 인물은 죽음을 면하였다. 적들은 크게 놀라 어지러워 어찌할 바를 몰랐다. 공은 적의 소굴에서 이리저리 돌면서 위험하다고 크게 소리치며 유유히 도망쳐 나왔다. 의주(義州)에 이르러 압록강 철교를 건너는데, 그곳을 지키고 있던 병사가 따져 물으니 공이 큰소리로 꾸짖고는 이어 소리 높여 일본 노래를 불렀다. 적병이 일본 노동자인 줄 알고는 더 이상 묻지 않았다. 공이 곧장 북경으로 가서 동지의 집에 몸을 숨겼다.

1921년 상해로 와서 동지들과 함께 다시 거사를 모의하고 주먹을 다지며 기다렸다. 1922년 적국의 장군 다나카 기이치(田中義一)가 대륙을 집어삼키려는 큰 계략을 품고서 상해에 상륙하였다. 공은 동지 오성륜(吳成崙)과 함께 곧장 신관(新關) 부두로 가서 기다리다가 다나카를 보고는 몸을 날려 저격하였다. 쾅 하는 소리와 함께 화염이 크게 일었고 파편이 사방으로 날렸다. 어떤 미국인 부인 한 명이 죽었고 주변에 부상자가 많이 발생하였지만 다나카는 죽지 않았다. 공과 오성륜은 서양인 경찰에 의해 붙잡혔다가 적국 영사관 경찰서로 이송되어 갇혔다. 오성륜은 동지들이 와서 탈출을 도와준 덕에 감옥을 벗어나 달아났고, 공은 나가사키(長崎)로 압송되어 무기형을 판결받았다. 공소(控訴 항소) 후에 사형을 판결받았는데, 공이 판결문 낭독을 듣고서 고요히 움직이지 않다가 갑자기 의자를 집어 들어 재판장을 향해 사납게 던졌다. —1922년 9월 18일 나가사키 지방 법원에서 무기형을 판결하였고, 1922년 11월 6일 나가사키 공소원(控訴院)에서 사형을 판결하였으며, 재심에서 무기형을 판결하였다.—

조소앙 지음, 이정원 옮김,
『유방집』, 한국고전번역원, 2019.8.15, pp.278-279.

김상옥전

공의 이름은 상옥(相玉, 1890~1923)인데, 또 다른 이름은 영진(永鎭)이다. 1890년(고종27) 1월 5일에 서울 어의동(漁義洞)에서 태어났다. 아버지 김귀현(金貴鉉)은 군영(軍營)의 포수였고, 어머니는 정씨(鄭氏)이다. 일찍 아버지를 여의고, 8세 때 체망 수리하는 일을 하였고, 14세 때는 말발굽에 쇠를 대는 일로 생계를 도모하였다. 17세에 기독교를 믿어 동대문 신군야학교(東大門信軍夜學校)를 설립하였고, 동시에 동흥야학교(東興夜學校)를 통학하였다. 이어 재정이 궁해져 세금을 피해 남한 지역을 돌아다니며 약을 팔았다. 19세에 직접 영덕철물상점(永德鐵物商店)을 세웠고, 28세에 비로소 정씨(鄭氏)에게 장가들었다. 29세에 종모 공사(騣帽公司)를 설립하였고, 30세에는 대대적인 독립선언 운동에 참여하였다. 31세에 상해로 갔으며, 33세에 한국으로 돌아와 다음 해에 거사를 일으켜 의로운 죽음을 맞이하였다. 아들 하나를 남겼다.

공은 착실하고 성실하였으며, 담대하여 두려움이 없었다. 사람이 자그마하면서 날쌔어 평소 나무 하나를 3장(丈) 높이에 시렁처럼 걸어 놓고서 반듯이 누워 손을 허공에 늘어뜨리고는 이부자리처럼 편안히 잠을 잤다. 어렸을 때에는 석전(石戰)—편쌈—을 매우 좋아하여 용감히 싸워 피를 흘리는 것을 호쾌한 일로 여겼다. 기미년(1919) 만세 운동 때에 이르러서는 정치 혁명에 힘을 쏟아 비밀 결사를 조직하여 《혁신공보(革新公報)》를 간행하였다. 일찍이 군자금으로 1000만원의 기부금을 모으려고 계획하였는데 사람들이 기꺼이 함께 도왔으니, 이는 대개 공의 성실과 바름에 감복한 것이다. 1920년에 미국 의원단 40여 명이 상해와 연경을 거쳐 한국에 왔는데, 당시 국내외 사람들이 마음속으로 이들을 매우 중시하며 그들이 한국의 실정을 목도하고서 세계의 공론(公論)으로 제기해 줄 것을 기대하였다. 공 또한 그렇게 여겨 박치의(朴治毅), 전우진(全宇鎭), 신화수(申華秀), 윤익중(尹益重) 등과 함께 거사를 일으켜 대대적으로 파괴를 행하려고 계획하였다. 그러나 일이 누설되어 많은 사람이 붙잡혔고, 공은 이로 인해 상해로 달아났다. 공이 상해로 오기 전에 항상 임시정부를 흠모하며 함께 일을 도모하고자 하였는데, 상해로 오고 나서 일이 마음처럼 되지 않아 매우 번민하였다. 살림도 매우 곤궁하여 어떨 때에는 사흘에 한 끼를 먹기도 하였으며, 맨발로 10리를 걷기도 하였다. 아내가 병으로 상해의 숙소에서 죽었고 환경은 갈수록 열악해졌다. 사람들이 부의(賻儀)를 보냈는데 공은 죽은 아내를 위해 쓰지 않고 총을 구매하여 적을 죽이리라 굳게 뜻을 정하였다. 이에 임시정부의 아무개에게 건의하여 말하기를 “이렇게 길게 칩거하면서 다시 어느 때를 기다리겠는가. 앉아서 탄식하기보다는 움직이며 때를 만드는 것이 차라리 낫겠다.”라고 하였다. 아무개가 사무를 관장하면서 그 뜻을 장하게 여겨 직접 만나 지침을 주면서 한국에 들어가 거사를 일으키도록 하였다. 공이 폭탄 두서너 개와 권총 서너 정 및 총알 800발을 얻어 안홍한(安弘翰), 오복영(吳福泳) 등과 함께 상해를 떠났으니, 이때는 1922년 겨울이었다. 공은 출발하여 천진(天津)을 경유하였는데 대지는 이미 서릿발이 맺혔고 역수(易水)는 얼어 가고 있었다. “한번 가면 다시 돌아오지 못하리라.”라는 시구를 크게 노래하였는데, 이는 전에 미국 의원단 사건으로 궐석 재판을 받아 사형을 판결받았기 때문에 지금 다시 호랑이 굴에 들어가면 결코 살아 돌아올 가망이 없었기 때문이다. 공이 작별에 임하여 말하였다.

“사생(死生)과 존망(存亡)은 이 한 번의 거사에 달려 있습니다. 만약 불행한 일이 생긴다면 다음 세상에서 서로 만납시다. 나는 차라리 뜻을 깨끗하게 지키며 스스로 목숨을 끊을지언정 적의 포로가 되지는 않겠습니다."

말을 하며 몇 줄기 눈물을 흘렸다. 공이 안동(安東)에 이르러 헤엄쳐 국내로 들어왔고, 수백 리를 걸어가 비로소 경의선 기차에 탑승하였다. 일산역(一山驛)에 이르러 다시 기차에서 내려 걸어서 서울에 도착하였고 예전부터 친했던 벗의 집에 투숙하였다. 적들이 일찍 이러한 사실을 알아채 탐색을 더욱 엄히 하였기에 공이 오래 머물 수 없어 하루에 한 집을 옮겨 다녔다.

1923년 1월 12일 오후 8시 공이 사람을 파견하여 종로에 있는 적국 경찰서에 폭탄을 던지게 하였다. 이에 장상룡(張相龍), 홍인순(洪仁淳), 염모룡(廉冒龍) 등 10여 명이 중상을 입었다. 적국 총독은 매우 두려워 계엄을 선포하고서 대대적으로 일에 가담한 사람들을 체포하였다. 폭탄을 투척한 다음 날 아침 공은 사령부에 있으면서 편지를 써서 보고하였는데, 강개함과 격앙된 마음으로 한 글자마다 한 줄기 눈물이 흘러 차마 다 읽을 수가 없었다.

공이 같은 달 17일에 거사를 일으키려고 결심하였으니, 적국 총독 사이토(齋藤)가 그날 한국을 떠나 일본으로 가서 국회에 출석하기로 하였기에 공이 남대문 역에서 그를 저격하려고 한 것이다. 그러나 적들이 이보다 먼저 상황을 간파하여 정예의 사나운 경찰을 거느리고서 새벽 4시에 남문 밖 삼판통(三板通)에 있는 사령부로 공을 잡으러 왔다. 공이 평소 깊은 잠을 자지 않아 사람들이 반은 자고 반은 깨어 있다고 하였는데, 이날 새벽도 평소처럼 즉시 잠에서 깨어났지만 적들이 이미 포위하고 있었고 선봉에 선 5명이 이미 방으로 들어왔다. 공이 신발을 신을 겨를도 없이 즉시 권총을 꺼내 적을 향해 맹렬히 발사하여 차례로 명중시켰다. 적국 경장(警長) 우메다(梅田)와 이마세(今瀨), 적국 경찰 다무라(田村) 등이 총소리와 함께 쓰러졌고, 그 나머지는 기세에 눌려 감히 범접하지 못하였다. 공이 크게 소리치며 적을 죽이고 지붕으로 뛰어올라 좌우에 총을 들고 이리저리 난사하자 총탄이 빗발쳤고 적국 경찰들은 사방으로 흩어져 감히 가까이 가지 못하였다. 공이 또 담을 넘어 달아나면서 곧장 달려 남산 봉우리에 이르렀고, 수십 번을 뛰어내려 동쪽 왕십리로 달려 동지의 집으로 가서 몸을 숨겼다. 이때 몇 자나 되는 큰 눈이 내렸고 날씨가 추워 살을 에는 듯하였는데, 적국 경찰 수백 명이 더욱 맹렬히 추격하면서도 공이 어디로 갔는지 알지 못하였다. 남산 봉우리에서 눈에 발자국이 찍힌 것을 보고 발자국을 따라 공을 찾는데 발자국과 발자국의 거리가 수십 보였다. 보통 사람이 아닐 것이라 생각되었고 추격하면 할수록 더욱 미궁에 빠져 끝 간 데를 알 수가 없었다. 적이 남산을 포위하고서 비로소 한 번에 뛰어내렸다는 것을 알고 동성(東城)으로 추격하여 세 겹으로 에워싼 뒤에 40리 내외의 통행을 금지시켰다. 공이 오래 머물 수 없다는 것을 알고는 밤을 틈타 서울로 들어와 동부(東部) 효제동(孝悌洞) 이태성(李泰晟)의 집에 머물렀다. 1월 22일 새벽 2시 공의 주위 10리는 무장 경찰과 기마대 그리고 사복 밀정 등 400여 명에게 포위되었다. 공이 예닐곱 집을 달려 김학주(金學誅)의 집에 몸을 숨겼는데 아침 7시에 결국 적군에게 발각되었다. 용기를 내어 벽을 박차고 나와 많은 적군과 최후의 전투를 벌이기로 결정하고 좌우로 총을 발사하니 허투루 나가는 총알이 없어 향하는 곳마다 적들이 쓰러져 물러났다. 적국 경장 구리타(栗田)가 스스로 진두에 서서 죽기를 각오하고 힘써 싸웠으나 공이 크게 소리치며 적을 죽이고 매섭게 적진을 격파하였다. 대여섯 시간 격전을 벌였는데 구리타는 결국 공의 총을 맞고 죽었으며, 한국 경찰 한 명과 적국 경찰 몇 명이 차례로 쓰러져 죽었다. 공이 한편으로 욕을 하고 한편으로 죽이면서 초인적인 용기를 한껏 드러내니 전투를 벌이던 경찰들이 물러났다 다가서다를 반복하며 공을 지치게 만들려 하였다. 얼마 지나지 않아 적국 경찰이 벌 데처럼 좌우를 에워싸고는 붙잡을 수 있으리라 판단하고는 희롱하며 말하였다.

"항복하면 죽이지 않을 테니 너는 즉시 죄를 인정하고 말을 따라라."

공이 노하여 꾸짖고 말하였다.

"너는 한국의 장부 김상옥을 모르느냐? 내가 자살을 할지언정 결코 살아서 네 손에 잡히지는 않을 것이다."

마침내 스스로 가슴에 총을 쏘았다. 쓰러져 누워서도 양손에 권총을 꼭 쥐고 성난 눈을 부릅뜨고 있자 경찰들이 둘러서서 자세히 바라볼 뿐 감히 가까이 가지 못하였다. 다음 날까지 시신을 그대로 두어 눈 속에서 얼었는데 인근에서 찾아와 곡하는 사람들이 수천 명이었다. 공의 나이 34세였다.

공이 순국한 뒤에 상해에 남아 있던 친구가 단행본으로 전기(傳記) 1000부를 간행하였고, 중국인 친구 황개민(黃介民) 등이 다시 5000부를 간행하여 세상에 유포시켰다. 공이 상해에 머물던 때에 실제 사격 연습을 하였는데 100발을 쏘면 90발을 명중시키니 사람들이 그 신묘함에 감탄하였다. 또 바위 위에 신문지를 쌓아 놓고 매일 아침 주먹으로 으깨질 때까지 치고서 말하였다.

"평소 무예를 단련하는 것은 뜻밖의 일을 대비하기 위해서이다."

공이 죽고 나서, 적국의 신문도 그의 용기와 의로움에 감탄하여 특별히 '일기당천(一騎當千)'의 용사(勇士)라고 제목을 달았다. 중국인 친구 동육화(董育華)가 다음과 같이 공을 애도하는 시를 지었다.

수많은 군대 맞서며 호랑이 같은 용기 떨쳤고　　萬馬軍中奮虎勇
적을 꾸짖는 한마디 소리 천지에 널리 퍼지네　　叱咤一聲天地寬

조소앙 지음, 이정원 옮김,
『유방집』, 한국고전번역원, 2019.8.15, pp.280-286.

나석주전

공의 이름은 석주(錫疇, 1892~1926)이고, 재령(載寧) 북율면(北栗面) 진초리(進礎里) 사람이다. 타고난 성품이 용맹하고 호걸스러우며 체구가 장대하였다. 1919년 독립선언 때에 재령, 안악(安岳), 사리원(沙里院), 황주(黃州) 등지에서 거사를 일으켜 은율 군수(殷栗郡守)를 죽이는 등 세상을 종횡하며 위용을 크게 펼쳤는데, 적들이 매우 두려워하면서도 끝내 붙잡지 못하였다.

공이 임시정부 및 외국에 있는 동지들과 거사를 도모하려고 훌쩍 바다를 건너 상해로 갔다. 1924년 임시정부의 경위대장(警衛隊長)을 맡았다가 어떤 일로 인해 사직하고 떠나 천진(天津)으로 가서 동지들과 다시 거사를 일으킬 것을 모의하였다. 폭탄과 총기를 싣고 지부(芝罘)에 이르러 중국인 상선(商船) '제11공동환(第十一共同丸)'—혹은 이통환(利通丸)이라고 한다.—을 이용해 1926년 12월 25일에 닻을 올렸고 다음 날 인천에 도착해 중국인이 머무는 여관인 원화잔(元和棧)에 투숙하였다. 당시 공은 노동자로 변장하였는데, 저녁밥을 먹은 뒤에 진남포(鎭南浦)에 간다고 핑계를 대고 마침내 인천을 떠났다. 다음 날인 27일에 서울 남대문 밖에 도착하여 중국인이 운영하는 동춘잔(同春棧)에 투숙하였다. 그다음 날인 28일 오후 2시에 동양척식주식회사(東洋拓殖株式會社) 지점에 가서 이영우(李永祐)라는 사람이 있는지를 물어보고는 곧장 식산은행(殖産銀行)으로 가서 영업과 대부실에 커다란 폭탄을 던졌으나 폭탄이 터지지 않았다. 공이 곧바로 몸을 숨기고서 다시 동양척식주식회사 지점으로 가서 수위실에 총을 난사하여 부업협회원(副業協會員) 다카시 요시에(高木吉江)를 총으로 죽였다. 곧장 위층으로 빠르게 올라가 토지 개량과 기술실에 가서 기사장(技師長) 아야타(綾田)와 사원 오모리(大森) 등 2명을 사살하였다. 다시 그 옆의 토지 개량과에 가서 재차 폭탄 하나를 던졌지만 이 폭탄도 터지지 않았다. 공이 마침내 뛰어 내려가 보이는 대로 맹렬히 총을 쏘아 사원 다케치(武智), 조선철도회사의 사원 마쓰모토(松本) 수위, 천진당(天眞堂) 시계점 점원 기무라 에쓰조(木村悅造) 등 3명이 총을 맞고 죽었다. 공이 또 몸을 숨기고서 다시 황금정(黃金町)에 가서 동양척식주식회사를 지나가다가 갑자기 경기도 경부(警部)에 근무하는 다바타(田畑) 경부보(警部補) 1명과 마주쳤는데, 공이 곧바로 총으로 쏘아 죽였다. 미처 발길을 돌리기도 전에 도시(土師) 경부보, 요코타(橫田), 노구치(野口), 하루키(春木), 후루와(古川), 도미네(唐峯), 박용하(朴容夏) 등이 달려왔다. 공이 다시 싸울 수 없음을 알고 마침내 총을 자신에게 겨누어 가슴에 3발을 쏘고는 바로 쓰러졌다. 죽음과 삶을 오가는 찰나에 적이 사로잡으러 오는 것을 보고는 다시 다가오는 곳을 향해 총을 쏘았다. 국 경찰들이 둘러서서 전율하며 물끄러미 바라볼 뿐 감히 주검에 다가가지 못하였으니, 권총을 손에 쥐고 노려보는 모습에 죽었어도 아직 용기가 남아 있었기 때문이다. 공의 나이 35세였다.

공의 전투는 하루에 불과하지만 폭탄 몇 개와 권총 몇 자루를 가지고서 대낮에 큰 도로에서 적의 총탄에 둘러싸인 가운데에서도 7명이나 사살하면서 모두 가슴에 명중하였고, 끝내 자신은 적의 포로가 되지 않아 몸을 더럽히지 않았으니, 지혜와 용기를 온전히 하였고 의로움도 전하였다고 말할 만하다.

조소앙 지음, 이정원 옮김,
『유방집』, 한국고전번역원, 2019.8.15, pp.310-312.

이봉창전

공의 이름은 봉창(奉昌, 1901~1932)이다. 아버지는 이진구(李鎭求)이고, 형 한 명과 동생 두 명이 있었다. 10세 전후에는 집안이 매우 넉넉하였으나 나라가 망한 뒤에는 집안도 쇠락하였다. 문창학교(文昌學校)를 졸업한 뒤로는 뜻을 이루지 못하는 것을 답답해하였다. 눈을 들어 보면 세상이 바뀐 슬픔이 있고 닿는 곳마다 이민족의 학대가 느껴져 때때로 가슴을 치며 눈물을 삼켰고 이를 갈며 스스로 분발하였다. 용산역에서 일을 할 때에 적국 사람들이 걸핏하면 모욕하고 멸시하며 소나 말처럼 대하여 이때문에 민족의식이 격발되었고 독립과 자유에 대한 열망이 날로 거세졌다. 일본에 한국 교민 50만 명이 있다는 사실을 듣고는 공은 그들과 함께 큰일을 할 수 있겠다고 생각하여 도쿄(東京), 오사카(大阪), 고베(神戶) 등지로 갔는데, 노동자와 학생 등 한국 교민들이 그의 마음을 잘 알아 존중해 주었다. 일본에 이른바 대전(大典)이 있을 때에 공이 오사카에서 교토(京都)에 이르렀는데, 일본 경찰에 붙잡혔다. 공이 탄식하며 "사람들은 내가 일본에 동화되었다고 비판하기도 하는데 어찌 너는 나의 끓는 피를 아는 것이며, 내가 장차 너의 천황에게 이롭지 않을 것임을 알 수 있었던 것이냐? 내가 노력하여 반드시 없애야 하겠구나."라고 하고, 마침내 마음속으로 홀로 기뻐하며 자부하였다.

공은 용산 당고개에 소유하고 있던 3채의 집을 일본인이 강제로 차지하자 법정에 소송을 냈는데 법관이 일본인의 편을 들어 주어 많은 돈을 지불하고 되찾았다. 공은 수원(水原)에 조상 대대로 물려받은 토지를 가지고 있었는데 일본인이 철도 부설을 이유로 강제로 빼앗아 갔다. 그리고 공의 고향 마을에 관제묘(關帝廟)가 있었는데 이것도 일본인이 차지해 버렸다. 이에 공이 관제묘를 되찾으려고 동네 원로들과 상의한 뒤에 청년회를 조직하여 일본인의 강포함에 맞서 관제묘를 다시 빼앗아 찾았다. 공이 임시정부의 이름을 듣고는 마음속으로 항상 흠모하여 말하였다.

"언제나 그곳의 여러분들을 만나 함께 마음에 쌓인 것을 논할 수 있을까."

마침내 일본에서 뜻을 정하고서 상해로 갔다. 상해에 도착하고도 몇 개월 동안 임시정부와 통할 방도가 없었는데, 하루는 어떤 한국인을 만나 그를 따라 임시정부의 초대소에 가게 되었다. 흡족하게 그와 함께 몰래 큰일을 상의하자 그가 공에게 프랑스 조계지(租界地)로 이주할 것을 권하였다. 공이 웃으며 말하였다.

"자벌레가 움츠리는 것은 몸을 펴기 위해서이고, 용이 칩거하는 것은 몸을 보전하기 위해서입니다. 내가 평소 뜻을 품고 있었던 것은 장차 큰일을 하기 위해서입니다. 속담에 '호랑이 굴에 들어가지 않으면 어찌 호랑이 새끼를 얻을 수 있겠는가.'라고 하였는데, 그 말은 나를 두고 하는 말일 것입니다. 내가 적의 소굴에 있는 것을 양해한다면 훗날 반드시 나의 뜻을 분명히 드러낼 것입니다."

마침내 홍구(虹口) 지역의 철공소에 취직하였고, 이름을 바꿔 일본인으로 위장하여 본래의 종적을 감추었다. 국내에서 배화(排華) 사건이 일어나고, 동북(東北) 지역에서 9·18참화(慘禍)가 발생했다는 소식이 들리자 상해에 있는 한국 임시정부와 독립당은 들뜬 마음으로 무언가 시도해 보려 하였다. 공이 신문을 통해 한두 가지 감추어졌던 사정을 듣고는 흥기하여 말하였다.

"내가 더 이상 엎드려 있을 수는 없다."

당시 임시정부는 김구(金九)에게 명하여 죽기를 각오한 지사를 모집하게 하였는데, 공이 한마디로 응낙하고 적국 왕을 죽일 것을 맹세하였다. 마침내 선서를 하고 사진을 찍어 남겼으며 전례에 비추어 의식을 거행하였다. 아울러 폭탄 2개를 받았다.

공이 1931년 12월 17일에 짐을 꾸려 빙천환(冰川丸)에 승선하여 상해를 떠났고, 19일에 고베에 도착하였으며, 22일에 도쿄에 도착하였다. 1932년 1월 초에 전보로 상해의 벗에게 알리기를 "1월 8일에 내가 거사를 일으키려 한다."라고 하였다. 1월 8일이 되어 적국 왕 히로히토(裕仁)가 육군을 검열하려고 행차하여 군대를 검열한 뒤에 궁으로 돌아가려 하였다. 11시 40분에 적국 왕이 사쿠라다몬(櫻田門) 밖 경시청(警視廳)의 문 앞에 이르렀는데 공이 좌우로 폭탄을 차고서 경계선을 뚫고 나가 일거에 일왕을 저격하니 우레와 같은 소리에 천지가 무너지는 듯하였다. 궁내 대신의 마차가 폭파되면서 마차가 무너지고 말이 고꾸라지고 병사들이 다쳤다. 일왕은 정신을 잃고 쓰러져 땅으로 떨어졌으며 주변이 크게 어지러워졌다. 공이 폭탄을 또 하나 던졌는데 터지지 않았다. 공은 똑바로 서서 움직이지 않은 채 소리 높여 '대한 독립 만세'를 외쳤고, 태연하게 붙잡혔다.

적국의 법에 "천황을 살해하려 한 자는 실행했거나 실행하지 않았거나를 따지지 않고 대심원(大審院)의 심리를 거쳐 사형을 판결한다."라고 되어 있다. 1932년 6월 30일 도쿄에서 조사를 마치고 대심원으로 보내졌으며, 같은 해 7월 19일에 공판을 열기로 결정되었고, 같은 해 9월 9일 공판을 열기 위한 준비 심문을 거듭 받았고, 같은 달 16일에 대심원에서 공판이 열려 사형을 판결받았다. 관선 변호인은 우자와 후사아키(鵜澤聰明)와 야마구치 데이(山口貞)이고, 차석 검사는 야오이(矢追)이고, 검사 총장(檢事總長)은 하야시(林)이고, 사형 판결문을 기초한 자는 모토지 신쿠마(泉二新熊)이고, 재판장은 와니(和二)였다. 삼백수십 명의 경찰이 좌우로 벌려 섰고, 방청객은 100여 명이었다. 공이 재판정에 들어서자 감옥의 관리가 규례에 따라 죄수에게 씌우는 얼굴 덮개를 벗기니 공은 태연히 웃음을 머금고 손에는 염주를 쥐고 있었다. 재판장 와니가 소리 높여 판결 주문(判決主文)과 이유를 낭독하면서 "이봉창에게 사형을 판결한다."라는 문구에 이르렀는데, 이를 듣던 공은 매우 차분했으며 두 뺨에 미소를 머금었다.

어떤 사람이 변호인인 우자와에게 이봉창에 대한 감상이 어떠한지를 물었는데, 우자와가 대답하였다.

"내가 감상이 있긴 하지만 말할 수는 없습니다. 법률상 재심 제도가 있지만 이봉창 그 사람은 그 제도를 쓰지 않을 듯합니다."

공은 과연 재심을 거절하고 1932년 10월 10일 교수형이 집행되었다. 공의 나이 32세였다.

공의 거사 이후 적국 수상 이누카이 쓰요시(犬養毅)와 적국 총독 사이토 마코토(齊藤實) 등은 크게 두려워하며 면직을 청하였고, 공이 지나왔던 곳의 주요 장관들은 모두 면직되었다. 상해(上海), 산두(汕頭), 남경(南京), 진강(鎭江), 청도(靑島), 한구(漢口), 북평(北平), 천진(天津) 등지의 중국 신문과 영자 신문들은 모두 이봉창의 한국독립당 선언에 관해 기사를 게재하였거나 혹은 그 일에 대해 바른대로 말했다는 이유로 폐간의 화를 당하였다. 20일 후에 송호(淞滬) 지역에서 전쟁이 개시되었고, 송호 전쟁의 정전(停戰)에 미처 서명도 하기 전에 윤봉길(尹奉吉)이 다시 거사를 일으켰다.

조소앙 지음, 이정원 옮김,
『유방집』, 한국고전번역원, 2019.8.15, pp.321-326.

윤봉길전

공의 이름은 봉길(奉吉, 1908~1932)이고, 아버지는 윤황(尹璜)이다. 예산군(禮山郡) 덕산면(德山面) 시량리(柿梁里)에 살았고, 본관은 파평(坡平)이며, 어머니는 김원상(金元祥)이다. 공은 1908년 5월 22일에 태어났다. 7세에 서당에 가서 공부하였는데 총명하여 여럿 가운데 특출나서 원근에서 칭찬하며 신동이라 일컬었다. 타고난 성품은 정직하고 용감하여 남에게 굽히려 하지 않았으니 어른이 회초리를 때려도 반드시 따지며 대들었고 혹 꾸지람을 들으면 도리어 눈을 부릅뜨고 쏘아보았다. 15세에 더욱 독서에 힘을 쏟아 문장과 시를 지을 수 있었다. 하루는 스승이 여러 손님과 모임을 하면서 공의 재주를 시험하려고 연환시(連環詩)를 지으라 명하고는 '명(明)', '청(晴)', '성(聲)' 3자를 운자로 집어 주었다. 공이 즉시 명에 따라 다음과 같이 읊조렸다.

썩지 않을 이름으로 선비의 기상 밝으	不朽聲名士氣明
선비의 기상 밝고 밝아 만고에 맑으리라	士氣明明萬古晴
만고에 맑은 마음 모두 배움에 달렸으니	萬古晴心都在學
모두 학행에 달려 있어 명성 썩지 않으리	都在學行不朽聲

자리에 있던 모든 사람이 크게 칭찬하며 말하였다.

"기상이 공경스러우니, 이 아이는 비범한 인물이다."

16세가 되어 공이 스스로 일본어를 수학하였다. 스승이 반대하였으나 공이 듣지 않고 1년 내에 그 요령을 터득하였다. 17세에 마을의 원로들이 간절히 권하여 교수로 초빙하니 공이 이에 동의하여 민중을 가르치고 육성할 강사로 취임해 두 해 동안 민중의 계몽에 노력하였다. 19세에 농촌의 아동들에게 취학의 길이 없는 것을 알고는 원로들과 상의하여 작은 초당을 짓고서 가난한 농부의 자제들을 모아 야학을 열었다. 부지런히 가르쳐 성과가 매우 뛰어나자 마을에서 칭찬하였다. 학예회를 열어 이를 통해 감정을 서로 교류하고 학부형의 친목과 우호를 증진하기도 하였으며, 월례회(月例會)를 열어 고금의 재미있는 내용을 강연하여 통속 교육을 촉진하기도 하였다. 공이 이때에 스스로 마을에 대한 노래를 지어 사람들을 면려하였다. 가사는 다음과 같다.

1
조화신공(造化神功) 가야산(伽倻山)의 정기(精氣)를 받고
절승경개(絶勝景槪) 수덕산(修德山)의 정기를 모아
금수강산(錦繡江山) 삼천리 무궁화원(無窮花園)에
길이길이 빛을 내는 우리 시량리(柿梁里)

2
가야산은 우리의 배경이 되고
온천(溫泉)들은 우리의 무대장(舞臺場)이라
두 팔 걷고 두 발 벗고 출연(出演)하여서
어서 바삐 자작자급(自作自給) 실현을 하자

3
암흑동천(暗黑東天) 계명성(啓明星)이 돋아 오나니
약육강식 잔인성을 내어 버리고
상조상애(相助相愛) 넉 자를 철안(鐵案) 삼아서
굳세게 단결하자 우리 시량리

23세에 노동으로 고생하는 민중들이 점차 깊은 물과 타오르는 불구덩이에 빠져드는 것을 목격하고 환하게 스스로 깨달았다. 공이 스스로 적은 기록의 한 구절을 근거로 말하면 다음과 같다.

"내가 이에 스스로 각오가 있었다. 솔직히 말하면 메마르고 꺾여 가는 민중을 차마 그대로 보고 있을 수 없었고, 물에 빠지고 불에 타고 있는 동포를 차마 볼 수가 없었으며, 또 차마 태연히 강 건너 불구경하듯 보고만 있을 수가 없었다. 내가 말하는 각오란 무엇인가. 나의 굳센 주먹을 치켜들고 우리들의 적을 분쇄하는 것이었다. 나의 굳센 주먹은 관 속에 들어가면 쓸 데가 없어질 것이고, 늙으면 쓸 데가 없을 것이다. 쟁쟁하게 귓전을 울린 것은 상해 임시정부였다. 무슨 많은 말이 필요하겠는가. 내가 이러한 각오를 품고 분연히 고향을 떠나 나의 부모, 형제, 처자식과 이별하고서 고통을 인내하며 압록강을 건넜다. 길을 나선 뒤에 가장 먼저 꼭 죄어 온 것은 경제적 어려움이었다. 겨우 산동성(山東省) 청도(青島)에 도착한 뒤에는 다시 한 걸음도 나아가기 어려웠기에 상해로 갈 방법이 없었다. 결국 잠시 세탁소에서 일을 하며 근검절약하여 돈을 모아 예전에 진 빚을 갚았다. 예전에 진 빚이란 내가 조직한 월진회(月進會)에서 내가 산동성에 올 수 있도록 여비로 빌려준 것이다. 예전에 진 빚을 갚고 나니 또 남은 돈이 없었다. 그래서 1년간 산동성에 남아 돈을 모았다. 24세가 된 해의 5월 8일에 이르러서야 비로소 내가 오래도록 동경하던 대본영(大本營)이 있는 곳에 도착하였다. 비록 부두에 나와서 나를 맞이해 주는 사람은 없었지만 마음속으론 그래도 매우 기뻤다."

공이 처음 상해에 도착했을 때에 언뜻 보기에는 구조를 받으러 온 난민 같았으니, 등나무 가방 하나를 들고 남루한 복장에 초췌한 모습이었다. 그러나 미간 사이에는 한 점 꾸밈없고 참된 기상이 있었다. 이해에 또 종품 공사(鬃品公司)의 직공이 되었다. 공은 17명의 직공과 공우회(工友會)를 조직하였고 천거되어 회장이 되었다. 이후 노동자와 자본가 간에 충돌이 생겨 결국 퇴사하고 계춘건(桂春建)과 함께 홍구(虹口)에 작은 채소 상점을 열었다. 비록 그렇지만 마음속은 요동쳐 나라를 위해 적을 죽이고자 하는 바람은 한시도 잊은 적이 없었다. 당시 임시정부는 김구에게 명하여 누차 죽기를 각오한 지사를 사방으로 파견하게 하였으니, 적국 왕을 죽이기 위해 이봉창(李奉昌)을 도쿄로 파견하고, 적국 총독을 죽이기 위해 유모(兪某)와 서모(徐某)를 한국으로 파견하고, 우치다(內田), 혼조(本莊), 도이하라(土肥原) 등을 죽이기 위하여 유상근(柳相根), 최흥식(崔興植), 이성원(李盛元), 이성발(李盛發)을 만주로 파견한 것이 그 예이다. 거사를 위한 제4차 '죽기를 각오한 지사' 모집에서 윤봉길이 선발되었다.

1932년 4월 29일 새벽 김구는 명에 따라 공을 불러 만나서 방침을 전달하였고 아울러 폭탄 2개를 주었다. 맹세 후에 사진을 찍어 남기고 전례에 비추어 의식을 거행하였다. 맹세의 내용은 다음과 같다.

"나는 삼가 우리 조국의 독립과 자유를 회복하기 위하여 한국애국단 단원이 되어 중국을 침범하는 원수인 군인 우두머리를 도륙해 정의를 새기고자 맹세합니다. 대한민국 14년 4월 26일 윤봉길."-입단 후 4일째였다.-

이날 의식을 마치고 공은 자동차를 타고 달려가 경계가 삼엄한 홍구공원(虹口公園) 안으로 곧장 들어갔다. 어깨에는 보온병 하나를 비껴 매고 손에는 도시락 통 하나를 들고서 태연히 군중을 밀치고 단상 앞에 서서 기회를 엿보았다. 번뜩이는 두 눈은 마치 먹이를 채 가려는 매와 같고, 고요히 움직이지 않는 것은 쥐를 잡으려는 고양이와 같으며, 한국의 분노를 한 몸에 전부 모아 양 떼 사이에 호랑이가 서있는 듯하고 여우들 사이에서 사자가 노려보고 있는 듯하였다. 이날은 적국 왕 히로히토(裕仁)의 생일로, 상해에 있는 일본 교민과 육·해군(陸海軍) 1만 4000여 명이 홍구공원에 모여 전승(戰勝) 축하와 경축 대회를 거행하려 하였다. 아침 9시 시라카와(白川) 사령관의 검열을 받으려는 제9사단, 해군 육전대(海軍陸戰隊) 총 1만 2000여 명이 있었다. 그중에는 기관총 부대, 기병대, 보병대, 야전포대, 탱크 부대, 철갑차 부대, 운송 부대, 중포(重砲) 부대, 고사포(高射砲) 부대, 치중대(輜重隊) 등의 6000명이 있었고, 해군 철갑차 1개 부대 8대, 오토바이 부대, 구호(救護) 부대 등 3000여 명이 있었으며, 아울러 헌병대 1000여 명이 줄줄이 연이어 들어왔다. 상해의 일본 교포들은 남녀 모두 손에 태양기(太陽旗)를 들고 바닷물이 밀려오듯 길가로 나와 깃발을 흔들며 환호하였고 우레가 진동하듯 미친 듯이 노래를 불렀다. 모두 3만여 명의 적국 사람들이 해군 군악대의 음악이 울려 퍼지는 가운데 개미처럼 공원에 모였던 것이다.

9시에 적국 사령관 시라카와가 비로소 공원에 들어왔다. 삼엄한 경비 속에 먼저 공부국(工部局) 경찰의 오토바이 1대가 길을 열었고, 양쪽으로 무장 경찰이 바짝 붙어 호위하였다. 두 번째 차량은 완전 무장을 한 일본 경찰의 자동차이고, 세 번째 차량은 시라카와 대장과 그의 참모장 다시로(田代)와 4명의 부관(副官)의 자동차이고, 네 번째 차량은 또 공부국 서양 경찰의 자동차였다. 시라카와가 입장한 뒤에 시게미쓰(重光) 공사, 우에다(植田) 중장, 노무라(野村) 사령관, 무라이(村井) 주상해 총영사, 상해 일본 교민 단장 가와바타(河端), 거류민단 서기장 도모노(友野) 등과 함께 매우 기뻐하며 스스로 동아시아의 패권을 차지한 것으로 여기면서 잇따라 단상에 올라 일렬로 섰으며, 각 부대는 단상 앞 양쪽 옆에 서서 실탄이 든 총을 메고 좌우에서 호위하였다.

단상 위는 화려한 장식으로 꾸미고 사면은 붉은색과 흰색의 천을 둘렀으며 위는 장막을 펼쳤는데, 단상은 공원 가운데 노천의 풀밭에 있었다. 먼저 시라카와가 연설하였고, 다음으로 시게미쓰 등이 서로 이어 연설을 하며 사기를 북돋았다. 비행기 18대가 낮게 날며 재주를 뽐냈고, 11시 20분이 되어 행사가 끝났다. 각국의 총영사는 앞뒤로 단상을 내려왔고, 시라카와, 우에다, 노무라, 시게미쓰 등만 그대로 단상에 남아 마치 죽음의 신을 기다리는 사람들 같았다. 단상의 왼쪽 첫 번째 사람은 무라이 총영사였고, 다음은 우에다 사단장, 다음은 시라카와 사령관, 다음은 노무라 해군 중장, 다음은 시게미쓰 공사, 다음은 도모노 서기장, 그리고 가장 오른쪽 사람은 가와바타 거류민 단장이었다.

시게미쓰 마모루(重光葵)가 단상 아래 일본인 학생에게 연설을 하고 있었는데, 갑자기 이때에 단상 1미터 거리의 인파 가운데서 커다란 폭탄 하나가 날아와 7명의 적이 둘러선 단상 위에 정확히 떨어졌다. 칙칙 소리를 내면서 아직 터지지는 않았는데 한 명이 눈여겨보고는 위험하다고 크게 소리쳤다. 누가 발로 차려고 하자 다른 사람이 얼굴이 흙빛이 되어 말리며 "이것은 분명 폭탄이다."라고 하였다. 형태가 보온병과 같았기 때문에 그들이 성내는 소리를 듣고서 폭탄인 줄은 알았지만 한순간에 커다란 굉음이 일고 짙은 연기가 사방을 덮었다. 하늘이 무너지고 땅이 갈라지는 듯하여 온 행사장이 깜짝 놀라게 되었다. 단상과 사령대(司令臺)의 괴수들이 모두 소리와 함께 엎어졌다. 시게미쓰는 미처 말을 마치기 전에 가장 먼저 단상 아래로 고꾸라졌고 무라이가 부축하려다가 그도 역시 엎어졌으며, 시라카와는 단상에서 엎어졌다. 행사 단상은 이에 따라 무너졌다. 가와바타는 즉사하였고, 시라카와는 온몸에 300여 개의 파편이 꽂히고 뺨은 온전하지 못하여 열흘이 못 되어 주검으로 돌아갔다. 우에다는 발가락이 부러지고 온몸에 파편을 맞아 1년간 일어나지 못했고, 노무라는 눈이 튀어나왔으며, 시게미쓰는 폭발에 무릎이 잘려 다리의 일부분까지 톱으로 잘라 냈다. 무라이와 도모노는 가장 경미한 부상을 입었지만 이들도 몇 개월간 일어나지 못했다. 단상 아래에 있던 일본 교민 4명도 중경상을 입었다.

보온병을 알루미늄 재질로 만들어 그 안에 다량의 강력한 폭약을 담았다. 알루미늄 파편은 뼈에 박혀 뽑아낼 수 없었다. 단상 앞의 지면은 폭발로 커다란 웅덩이가 생겼는데 직경이 석 자 남짓이고 깊이는 헤아릴 수 없었다.

공이 다시 도시락 폭탄을 던지려 하였으나 실행하지 못한 채 적병에 포위되었고, 붙잡혀 적군 사령부에 이르게 되었다. 그러나 공의 태도는 더욱 장하여 마치 전쟁에 승리하여 승전을 알리는 장군 같았다. 나이 25세였다.

4월 27일 신공원新公園에서 답청踏青하며

1
처처(萋萋)한 방초(芳草)여
명년(明年)에 춘색(春色)이 이르거든
왕손(王孫)으로 더불어 같이 오게

2
청청(靑靑)한 방초여
명년에 춘색이 이르거든

고려강산(高麗江山)에도 다녀가오

3

다정한 방초여

금년 4월 29일에

방포일성(放砲一聲)으로 맹세하세

조소앙 지음, 이정원 옮김,

『유방집』, 한국고전번역원, 2019.8.15, pp.327-336.

이회영전

이회영(1867~1932)의 자는 성원(聖元)이고, 호는 우당(友堂)이다. 그의 선조는 경주(慶州) 사람이다. 좌찬성 이유승(李裕承)의 넷째 아들이다. 어려서부터 기상이 비범하였다. 서당 선생님이 시를 지으라 명하니, 바로 응대하여 "구름 걷히니 푸른 하늘 나오고, 조수 밀려가니 큰 강이 비었네.〔雲捲靑天出 潮退大江虛〕"라는 시구를 짓자 많은 사람이 놀라 기특해하였다. 약관(弱冠)의 나이가 지나서는 민족 사업에 힘을 쏟아 사상이 깨인 인물을 규합하여 신민회(新民會)를 조직해 백성들의 의식을 일깨웠다.

일본의 낭인(浪人)이 인삼을 도적질해 캐 가는데 서울 주재 일본 영사가 막후에서 몰래 후원을 하였기에 도적놈들이 거리낌 없이 제멋대로 행한 적이 있었다. 우당은 분노가 치밀어 올라 구미(久美) 일본 영사와 사리를 따지며 논쟁을 벌여 원래의 물건을 다시 빼어 왔다. 개성(開城)과 풍덕(豐德) 인근에서 피해를 입은 것이 셀 수 없이 많았는데 소유물을 회수한 사람은 우당뿐이었으니, 당시의 여론이 이를 통쾌하게 여겼다.

을사늑약이 체결된 이후에는 세상이 혼란하여 더 이상 무슨 일을 할 수가 없었기에 의병 장교와 연락하여 시종 그들을 원조하였다. 기유년(1909) 이후에는 보재(普齋) 이상설(李相卨), 은계(隱溪) 백순(白純), 석오(石梧) 이동녕(李東寧) 등과 함께 블라디보스토크에서 광복을 위한 큰 계책을 의논하여 정하였다. 이후 북로(北路)가 적군의 경계를 받자 석오와 함께 다시 남만주를 답사하여 이주 정책을 정하였다. 합병의 치욕을 당하자 형제인 이석영(李石榮), 이시영(李始榮)과 함께 남만주로 갔다. 가산을 모두 털어 어려움을 해결하면서 경학사(耕學社)와 신흥 강무당(新興講武堂)을 설립하여 청년 병사를 양성하였다. 동북 지역에서 한국 군대가 일본 군대와 대치한 것이 이로부터 시작되었고, 그 후 길림성 청산리(靑山里) 전투에서 수천의 일본 병사를 죽여 명성과 위엄을 크게 떨친 것도 신흥 강무당의 힘이 컸다.

광무제가 내몰려 황제의 자리를 물려주고 칩거하면서 일본을 배척하고 국권을 회복하려는 생각을 오래도록 가지고 있었지만 궁궐의 하인과 조정의 신하 들이 모두 적의 눈과 귀가 되어 있었다. 이에 여러 차례 은밀히 조칙을 내렸지만 이루어진 일이 없었다. 3·1독립선언 이후에는 남북을 왕래하며 많은 계획을 하였으나 시운이 따르지 않아 백에 하나도 성취하지 못하였다. 공의 일생을 종합해 살펴보면 국가와 민족에 헌신하였다. 스스로 계획을 잘 세웠는데 규모가 크면서도 치밀하였고 굳세게 매진하면서 죽어도 쉼이 없었으니, 한말(韓末)의 위인이 되기에 부끄러울 것이 없다.

15년인 임신년(1932) 겨울, 전혀 두려움 없는 정신으로 위험을 무릅쓰고 북쪽으로 돌아가려 하였다. 동지들이 대부분 만류하였으나 듣지 않고 대련(大連)으로 길을 나섰다가 적에게 붙잡혔다. 11월 18일 뜻을 굽히지 않고 스스로 목숨을 끊었다. 이때 나이 66세였다. 적이 반드시 죽이고자 했던 것이 30년이었다. 그의 동생 이시영이 다음과 같이 글을 지어 곡하였으니, 미화하거나 지나친 말이 아니다.

높이 우뚝하여 얽매이지 않았으며	卓犖不羈
웅장한 포부에 장대한 지략 지녔네	雄圖壯略
힘을 다해 싸우며 일생을 살았지만	奮鬪一生

평소 지녔던 뜻 다 펼치지 못했네　　未展素執
칠십 세가 다 되어 가는 나이에　　年垂七十
결국 적국의 감옥에서 죽었으니　　竟死敵獄
하늘이 공에게 베푼 것이　　天之所施
어찌 이리도 가혹한 것인가　　何此之酷

조소앙 지음, 이정원 옮김,
『유방집』, 한국고전번역원, 2019.8.15, pp.337-339.

류자명 편

赤色의 悲痛 ― 四月 十五日 以後 事實

柳子明

一

四月 十五日 ― 一九二七年 ― 上午 二時부터 廣州市에 戒嚴令이 宣布되고 軍隊와 警察은 一切 共産黨員을 嚴重히 逮捕하고 CP의 各 機關은 嚴密히 搜索하고 各 工會糾察隊의 武裝을 解除하다. 上午 二時 戒嚴令이 宣佈되는 同時에 電話局 電報局은 軍隊에게 包圍되엇고 市街 各處에는 警戒網이 密布하야 交通은 杜絶되엇섯다. 밤中의 일이엇슴으로 路上에는 行人이 稀少하야 이 情形을 그 時刻으로 알 사람은 적엇섯고 날이 새여서 아침 五, 六時頃이 되자 비로소 市民들은 戒嚴이 宣佈된 것을 알엇다.

戒嚴은 連日 繼續되고 白色『테로』도 날로 濃厚하야진다. 戒嚴司令의 布告 公安局 佈告는 하루에도 두세번 식 갈아붓고 新聞紙 揭示板 屋墻 電柱 街樹에는 『打倒共産黨』『肅清共産黨』의 口號가 『打倒張作霖』『打倒帝國主義』의 標語 口號에 替代하고 어느 大學宿舍에서는 學生이 얼마가 잡히고 어느 工會에서는 工人이 몃十 名 몃百 名이 죽엇고 어느 農民軍은 反抗을 엇떠케 하고 四川에서는 共産黨을 엇떠케 肅淸하고 九江 南昌에서는 共産黨을 엇떠케 處置하얏다는 消息이 날마다 들린다. 同 十七日에는 黃浦軍事政治學校의 學生 二百餘 名을 逮捕하고 官長 中 CP의 分子는 或은 逮捕되고 或은 各散하얏다.

逮捕된 사람들은 或은 民衆劇院—劇場—에 拘禁하고 或은 江中 軍艦 中에 監禁하고 或은 長洲要塞(黃浦에 잇슴)로 보내엇다. 學生은 大學이나 軍校를 不問하고 가튼 同學生들이 모다 일러주어서 左傾分子라는 것은 모조리 잡히게 되엇다. 平素에 가튼 宿室 가튼 營舍에서 宿食하고 가튼 群衆 앞에 나서서 말하고 가튼 會席에서 討論하든 同學들이 서로 敵임으로 逮捕에 遺漏가 업슬 것은 明白하다. 그래서 或은 三千 名이 잡혓다 或은 五千 名이 잡혓다 하야 明白한 數는 알 수 업스나 嫌疑者를 除外하고 CP의 分子 及 國民당의 左傾分子를 合하야 二千 名 內外의 數가 逮捕되엇다는 것은 그리 差가 업는 말이다. 그러고 新聞은 嚴重히 檢査를 바다서 前方의 消息을 알 수 업게 되엇다.

二

同 廿三日에는『東敎場』이라는 廣場에서 群衆 環視 下에서 五 名의 銃殺을 보이엇다. 罪名은『禁令을 違背하고 宣傳文單을 돌리어서 民衆을 煽惑케 하고 政府를 □危하랴고 하얏다』는 것이다. 果然 二十日에 一種의 宣傳文單이 돌앗다. 그 內容은『純全히 軍閥化한 某某를 打倒하자. 封建勢力의 封建主義의 壓迫 下에서 또는 帝國主義의 壓迫 下에서 解放되랴는 農工民衆을 또 다시 壓迫하고 搾取하랴는 新軍閥을 打倒하자』고 하얏고『廿三日을 期하야 總同盟罷工을 하자』고 하얏다.

五人의 犧牲者 中에는 十八歲의 小女와 十九歲의 小女가 잇엇다. 市街에 戒嚴司令의 布告를 부치고 數十 人의 軍隊가 犯人을 압헤 묵거 세우고 疾風가치 몰아다가 진흙 가운데 노코 銃彈을『탕! 탕!』쏘아 그 腦 쏙혓다 或은 그 가슴 쏙에다가 박어너헛다. 한 小女는 痛哭을 하면서 最後에『打倒蔣

介石!』을 부르고 죽엇다. 이날까지 重要한 分子들을 暗暗裏에서 民衆의 귀에 들리지 안케 눈에 보이지 안케 죽인 것은 더러 잇다고 하나 公衆 압헤서 『피』로써 威嚴을 보인 것은 이것이 시작이다. 이 압흐로 얼마나한 犧牲이 날는지는 推測할 수 업다.

中國의 革命은 이것이 正하 危機에 잇다. 昨日에 共同協力하야 敵을 代하던 革命軍은 今日에 발서 서로 『反革命』으로써 罪를 加하게 되고 총부리를 서로 마주대게 된다. 張作霖 吳佩孚 孫傳芳의 聯合 『討赤』은 그 結果가 모다 自家倒□에 마추고 말앗다. 그러고 그 所謂 討赤은 거짓 赤이엇다. 三軍閥의 口頭로 된 『赤』이엇다. 그러나 蔣介石의 討赤은 참말 『赤』이다. 그 手段도 좀 더 徹底하얏다.

革命의 勢力이 政黨으로써 分割되는 때에 革命 그것은 挫折되고 政權을 일흔 政黨은 알에서보다도 더욱 慘禍를 當하는 것은 歷史가 가르치는 事實이다. 佛蘭西大革命에서 『자꼽빈』黨의 斷頭臺는 압흐로 나아가는 民衆을 막고 反對黨의 목을 모조리 자르고 나서는 最後에는 自黨의 목까지 그 칼에 잘리고 赤色『테로』는 白色『테로』로 變하고 말엇다. 오늘날 蔣介石派의 前途는 大概 세 가지가 잇다고 보겟다. 하나는 左派를 徹底히 打倒하고 그 다음에 自己까지 打倒를 當하고마는 것이오 또 하나는 左派의 목을 자르고 마는 것이오 마주막으로 하나는 第二의 吳佩孚가 되어서 張作霖에게 乞降을 하는 것이다. 이 中에서 어떤 길을 밟게 될는지는 여러 가지 複雜한 事情이 잇서서 容易히 斷言할 수 업다.

三

現金 中國에서 革命을 부르짓는 것은 危險한 일이 아니다. 革命黨員 되

는 것을 一種의 榮譽로 알게 되엇다. 그래서 누구나 다투어가면서 『革命』이 라는 두 글자를 이마에 부치고 나서서 革命을 말한다. 이것은 革命의 勢力을 偉大하게 하는데 한 必要한 일이다. 그러나 危險도 또 여긔에 潛伏한 것이 다. 여러 種類의 危險한 分子가 革命勢力 內에 들어오게 되어서 革命을 끌고 나아갈 때까지 끌고 나아가지 못하게 하는 危險이 여긔 잇다.

國民黨에 들어가는 것으로 一種의 『陞官發財』의 길을 삼고 『三民主義』를 『文武官試驗의 一 課題』로 讀習하는 黨員이 多數인 것은 事實이다. 이번 廣州에 戒嚴令이 宣佈되는 同時에 成立된 國民黨廣東特別委員會 委員의 一人으로 右派의 重要한 分子의 하나인 陳孚木의 말에 『國民黨 中에는 農工의 思想을 가진 頑固한 分子도 잇다. 黨員이 百萬이나 된다고 하나 眞正한 精神을 가진 黨員이 千 名이 될는지 疑問이오 거긔에서도 主義와 政綱을 理解할 만한 黨員은 幾百이 못 된다』고 한 것을 보아서도 이것을 알 수 잇다

딸아서 指導者의 列에 잇는 者까지도 革命이 엇더한 것인지를 모르고 民衆을 爲하고 革命을 위한다는 口號 下에서 其實은 民衆과 革命을 自己의 利益을 爲하야 犧牲시키랴는 者가 잇는 것이다. 그리고 이런 指導者를 追從하고 助長하는 革命의 옷을 입은 黨員이 얼마나 되는가? 그래서 蔣介石 自身도 한 말이다. 『나도 나에게 權力이 업고 나를 包圍한 사람이 업슬 때에는 조흔 사람이엇고 眞正한 革命黨員이엇다. 그러나 나에게 權力이 잇고 나를 包圍한 사람이 만코 보니 그릇하는 일이 만타. 그것은 나의 周圍에 잇는 사람들이 나를 그러케 하도록 만드는 것이다』라고 한 말을 昨年 三月 二十日에 汪精衛를 몰아내고 나서 黃浦軍校 學生들에 對하야 告白한 말이라고 한다. 이것은 一理가 잇는 말이다. 勿論 右傾的 勢力이 그를 包圍하지 안헛거나 權力이 그에게 업섯거나 하얏스면 그는 右傾 하랴고 하야도 右傾 되지 못하얏슬 것이다. 그러나 그는 이제 革命이 무엇인지 모르는 非 革命分子 反動分子

에게 包圍되어서 反動的 行動을 하게 되엇다. 이번 廣州事件이 일어난 뒤에 廣州에서 蔣介石一派의 손에서 演出된 모든 現象은 實로 革命者로는 唾棄할 만한 일뿐이다. 그네의 標語에 依하면 『蔣介石을 反對하는 것은 곳 反革命이다.』 『國民政府에 對하야 破工하는 것은 곳 反革命이다.』 國民黨의 機關紙인 『廣州民國日報』의 每日記事는 實로 革命黨의 機關紙라고 하기는 어려울 만하다. 革命이 보이는 意氣와 熱情과 高尙은 하나도 볼 수 업고 다만 淫威와 陋劣과 卑怯이 보일 뿐이다. 어떤 CP分子의 官長을 逮捕할 때에 그의 妻가 우는 것을 보고 逮捕하던 軍警은 하는 말이 『울기는 웨 우느냐 길거리에 나가면 서방이 수두룩한데?』 하얏다고 한다. 이것은 共産主義者는 『共妻主義』를 가젓다는 女子를 一種의 私有物品으로 아는 『뿌르조아』의 因襲的 自家解釋으로 共産主義者를 辱하는 말이다.

四

中國民衆이 革命을 蔣介石一派보다도 좀 더 압흐로 끌고 나가랴는 것은 事實이다. 또 左派의 政策이 右派의 것보다 進步된 것으로 多數 民衆의 要求에 좀 더 應하는 것도 事實이다. 蔣介石의 代表한 一 階級의 思想은 聯合帝國主義의 侵入보다도 共産主義를 무서워하는 것은 알기 쉬운 일이다. 그래서 그네가 農工政策을 云謂하며 農人 工人을 地圖하랴는 것은 農工民衆의 利益을 爲하랴는 것보다도 農工民衆이 過度한 要求를 할가 두려워서 協調的 態度로 指導하랴고 하는 것이다. 農人軍 工人軍에게 機關銃을 돌려대면서 農工民衆의 利益을 爲한다는 農工政策이다.

國民黨 檢察委員의 一人으로 이번에 共産黨을 熟淸하자고 總司令部에 咨請한 吳敬恒의 咨請理由書 中에는 滋味잇는 말이 잇다. 그 말의 뜻을 쓰면

『욥헤』는 孫中山을 對하야 말하기를 中國에는 共產主義를 實施하랴면 三百 年 後라야 되겟고 三民主義는 三十 年이면 實行할 수 잇다고 하얏는데 中國 共產黨의 首領 陳獨秀는 二十 年이면 『레닌』式 共產主義를 實行할 수 잇다고 한다. 그러면 國民黨의 壽命은 十九 年밧게는 아니 남은 것이다. 共產黨이 國民黨의 政權을 배아스랴는 陰謀는 이것으로 알 수 잇다고 하얏다. 엇더한 主義를 實行하는 데 年數를 定하고 豫言하는 것도 特別한 中華式이라고 하겟지마는 二十 年 後에 共產主義가 實行된다는 것을 大驚小怪한 것이 滋味잇는 것이다. 만일 『욥헤』가 그네에게 對하야 中國은 露西亞보다도 三百年이나 落後된 나라이라고 한다면 그는 大怒하얏슬 것이다.

三百 年 後에 實行될 것이 三十 年 後에 實行될것보다도 進步된 것으로는 吳敬恒 自身도 承認하고 하는 말이다. 그러나 그 進步는 自己네에게는 무서운 進步이다. 要컨대 共產主義 그 물건이 무섭다는 것이다

五

그리고 또 蔣介石의 背後에서 어떤 帝國主義者의 손이 번적거리는 것도 알기 쉬운 일이다. 英帝國을 背後에 둔 吳佩孚 孫傳芳의 걱구러지는 것을 보앗다. 現勢에 孤立한 張作霖의 걱구러질 것은 더 容易한 일이다 이때에 張作霖을 도아서 革命軍을 對抗하랴는 것은 어리석은 일이다. 그보다도 南北을 妥協식혀서 東三省의 特殊勢力을 扶持하거나 그보다도 한 걸음 더 나아가서 張作霖을 걱구러트리더라도 은근히 蔣介石을 도아서 左派의 勢力을 꺽고 赤化를 防止 或은 撲滅하고 中國의 右傾的 勢力과 友誼的 關係를 맷는 것이 日本의 得策일 것이다. 그런데 蔣介石一派가 日本의 이 最後政策을 바다줄 만한 可能性이 잇는 것이다. 그네의 處地로나 思想으로나 利害關係로나

그것은 有利하다고 보게 되는 것이다 그래서 그 詳細한 內幕은 알 수 업지마는 一邊으로는 北伐을 進行하는 中에 日本의 浪人들의 蹤跡이 南昌 九江에 보이고 一邊으로는 吳鐵城 戴天仇 等이 日本으로 갓다왓다 하는 것이다.

中國共產黨의 政策이 中國의 革命은 어느 程度까지 끌고가랴는 것인지? 果然 二十 年 內에 『레닌』式 共產主義를 實施하자는 것인지? 또는 共產黨의 要人들이 外面으로 發表하듯이 中國은 아즉 共產主義 —『레닌』— 으로 가는 道程에 잇서서 이번 革命은 眞正한 民主共和를 實施하는 데 잇다는 것인지는 알 수 업스나 蔣介石一派의 行動이 革命을 挫折시키는 行動인 것은 더 말할 餘地가 업다.

또 以後로 左派의 勢力이 能히 蔣介石一派를 處置하고 張作霖을 打倒하고 革命을 좀 더 압흐로 끌고 나아가게 될는지? 또 中途에서 失敗에 마추고 다시 黑暗한 勢力이 中國을 支配하게 될는지?는 압흐로도 注意할 일이다. 現時 中國의 問題는 世界的으로 크게 影響을 주는 것만치 實로 적지 안흔 硏究問題들이다

一九二七、四、二六

—『朝鮮日報』, 1927.5.13~15.

『조선민족전선』 창간사

자명(子明)

현대 세계상에서 어떤 한 민족의 존망과 안위는 모든 세계 인류의 흥망성쇠와 상관이 없는 것이 없다. 아비시니아(阿比西尼亞, 에디오피아의 옛 국명)가 이탈리아에 의해 정복당한 것은, 그 화가 아비시니아 1개 민족에게만 그치지 않고, 동아시아 전체의 정세에 영향을 주는 것이다. 스페인의 내란도 또한 마찬가지로 전 세계 정세에 영향을 주는 것이다.

조선 민족의 문제도 또한 전 세계 문제의 일환이다. 더구나 중·일 양국간과 러·일 양국간의 국제관계에서 이는 특별하고도 중요한 지위를 차지하는 것이다. 1894년의 중일전쟁 및 1904년의 러일전쟁은 모두가 조선 문제가 도화선이 되었다. 그리고 중국과 러시아의 패배는 조선이 일본에게 병합되는 결정적인 조건이 되었다. 조선은 이미 일본에 의해 병탄되었고, 중국도 일본 침략정책의 유일한 대상으로 되고 있다. 따라서 30년래 중국 민족의 모든 혁명운동 및 스스로 구하고자 하는 진보적인 노력은 일본의 방해와 저지를 받고 있는 것이다.

1918년 일본 강도들은 대거 중국에 침략하여 동북 4성으로부터 화북으로 진격해 와, 드디어 중국이 전면적인 항전을 일으키게 하였다. 개괄하여 말하자면, 40년래 중국과 조선의 역사적 사건은 인과관계가 없지 않다. 바로 장래도 또한 이와 같지 않을 수 없는 것이다. 목전에 있어서 중국의 항전이 만약 실패한다면, 조선 민족의 해방은 기대할 수 없을 정도로 막막하게 될 것이고, 조선 민족의 노력 여하도 또한 중국 민족의 최후 승리에 영향을 줄 것이다. 과거 중국과 조선 양 민족이 받은 치욕과 손실은 반드시 우리들이 공동으로 책임져야 하므로, 공동의 적을 타도하고 동아시아의 평화를 정립시켜야 하는 것도 중국과 조선 양 민족의 공동적인 사명이다.

현재 4억 5천만의 중국 민족은 이미 모든 민중들이 한마음으로 단결하여 일어나 일본 도적들에게 용감히 항전하고 있고, 조선 민족의 반일혁명도 이미 20여 년의 역사를 가지고 있다. 한 사람 한 사람의 조선인, 특히 혁명분자들은 중국의 항전이 자신의 생사를 위한 관건이나 다름없으므로, 그들은 직접 중국의 항일전선에 참가하였고, 더욱 중요한 것은 적극적으로 전민족의 항일총동원을 준비하고 있는 것이다.

조선의 혁명은 일본 제국주의의 정치압박과 경제착취로 인해 받는 심각한 고통 속에서 해방을 위한 혁명을 요구하고 있다. 그래서 조선의 혁명진영은 계급과 당파를 가리지 않고 전 국민이 단결하는 것이 필요하며, 이것과 중국의 항일민족통일전선은 같은 성질을 갖는 것이며, 동시에 이론 체계상에서도 일종의 공통성을 갖고 있는 것이다. 이렇게 중국과 조선 민족의 공동적인 분투는 역사가 우리들에게 준 결정적인 사명이다. 다만 실제적인 상황을 되돌아보면, 우리들의 연합전선은 아직은 보편화 되지 못하고 있고 공고히 되어 있지 않다. 그리하여 우리들은 반드시 노력하여 더욱 절실하게 연합하여 양 민족의 연합전선을 완성토록 요구해야 한다. 이것이 바로 이 책을 출간하게 된 주요한 의의이다.

우리들은 우리들의 동맹자인 중국 친구들이 이를 통해 더욱 명확히 조선의 정형을 이해하기를 바란다. 조선이 중일전쟁에서 중요한 것은, 조선이 일본도적들의 철제 말발굽 하에서 고통을 받고 있다는 것이고, 조선이 처해있는 현 단계에서의 특수 임무 및 조선의 혁명역량과 포부를 모두가 명백하게 인식할 필요가 있다는 점이다. 이러한 자료를 공급하는 것은 당연히 본 간행물의 일종의 임무이다. 우리들은 본 간행물이 중국과 조선의 공동의 목소리가 되고, 공동으로 혁명문제를 연구하는 관계가 이루어져, 양 민족의 연합전선이 이루어지는 동력으로써 작용하기를 더욱 바라는 바이다.

(『조선민족전선』, 창간호, 1938.4.10 발행, 1면에 수록)
『유자명 자료집 1』〈독립운동 편〉, 耕慧舍, 2006.1, pp.56-58.

중국국민당 대회의 역사적 의의

3월 29일, 중국국민당 임시대표대회가 개막되었다. 당무와 정치 및 모든 전시에 관해 반드시 해결해야만 할 모든 문제에 대해 중요한 결의를 하였다. 또한 재차 항전건국강령을 반포하였고, 항전임무와 건국한다는 목적을 동시에 달성하기 위한 다짐이었으므로, 그 의의는 아주 컸다. 실질적으로 이전에 없었던 매우 드문 경우였다. 그리고 성취한 결과의 위대성은 우리들에게 축하할만하고 다행한 일이 아닐 수 없다.

이번에 일본 제국주의는 대륙정책을 관철시키기 위해 대대적으로 수십 년동안 준비해 온 육해공군의 총역량을 동원하여 적극적으로 중국을 침략하였다. 이는 중국 민족이 지속될 것인지, 아니면 끊어질 것인지, 혹은 흥할 것인지, 망할 것인지 하는 문제와 관계가 있을 뿐만 아니라, 전 세계의 피압박민족, 특히 조선 민족 및 대만 민중의 운명과도 관계가 있는 일이다. 따라서 우리들처럼 오래도록 일본 제국주의로부터 유린당하며 참아 온 민족은 이번 중국의 항전을 자신의 일처럼 생각하여, 밤낮으로 항전의 승리와 건국이 성공적으로 이루어질 수 있도록 기원하지 않으면 안 되는 것이다. 더불어 간절히 서로 긴밀히 연합하여 공동으로 분투할 수 있도록 요구해야 한다.

마침 이때 중국국민당 임시대표대회가 “선입견을 버리고, 기득권을 폐기하고, 의지를 집중시켜 통일적으로 행동하자”라고 하는 정신을 근본으로 하는 ‘항전건국강령’을 결의하여 공포한 것은, 우리와 같은 일본 제국주의의 피압박민족에게는 특히 중요한 결정이다. 제3항에서는 "독립자주의 정신은 세계 여러 나라와 연합하여 우리 국가 및 민족을 동정하고 세계의 평화와 정의를 위해 공동 분투한다."고 하였고, 제5항에서는 "일본 제국주의 침략 세력을 반대하는 모든 국가들이 연합하여 일본의 침략을 막고 동아시아의 영구적인 평화를 수립하고 보장해야 한다."고 하였는데, 이 점이 바로 그런 것이다.

그러나 일본 제국주의 침략세력을 반대한다고 한 것은 중국 민족 스스로의 주력군대 외에 조선·대만 및 소련도 그 주요 세력이라고 하였다. 이는 중국이 항전 기간 중 이들 민족과의 연합이 절실하게 필요할 뿐만이 아니라, 장래항전에서 승리한 후 조선의 독립과 대만의 자유를 보장하는데 반드시 지원을 해줘야 할 것이고, 소련과도 우호관계를 유지해야 할 것이기 때문이다. 이처럼 중국의 독립이 보장되어야, 동아시아의 영구적인 평화가 비로소 가능한 것이다.

중국국민당은 이미 이러한 것을 거울로 삼아 항전건국강령 중에 이러한 정책을 결정한 것이고, 이로써 항전에서 반드시 이길 수 있음을 기대하게 된 것이며, 건국을 반드시 이룰 수 있다고 본 것이다.

이는 비단 중국의 항전 전도에 대해 다행스러운 일일 뿐만이 아니라, 동시에 조선 민족 및 대만 민중의 전도에도 다행스러운 일이다. 또한 이는 장래 동아시아의 영구적인 평등을 위한 것이기도 한 것이다.

어떻게 연합하여 일본 제국주의 세력에 전적으로 반대할 것인가 하는 문제에 대해, 중국 최고 당국은 전반적인 계획을 세워 이를 통해 예상할 수 있는 효과를 얻고자 하였다. 그러나 이러한 점에 있어서, 우리도 몇 가지 의견을 제시하여 공헌코자 하는 바이다.

첫째는 중국 국민당이 주축이 되어 일본 제국주의에 반대하는 민족적 연합기구를 수립하여, 모든 반일을 하는 민족을 연합하여 국제적 반일운동으로 확대시킬 것. 둘째, 조선 민족의 반일혁명은 이미 20여 년간 지속적으로 투쟁해온 역사가 있다. 그러나 아직 부족한 것은 무장부대이다. 따라서 중국 최고당국에서는 항전기간 중 적극적으로 원조하여 하나의 독립부대를 만들어 항일전선에 참가할 수 있도록 해주며, 실질적인 활동을 하는 과정에서 그 역량을 확충할 수 있도록 해주어, 이로써 조선독립군의 기본세력을 수립할 수 있도록 해주어야 할 것이다. 이러한 두 가지 점에 대한 요구는 연합하여 반일하는 세력의 효과적인 방법임에 틀림없을 것이다.(자명)

(『조선민족전선』 제2기, 1938.4.25 발행, 1면에 수록)
『유자명 자료집 1』〈독립운동 편〉, 耕慧舍, 2006.1, pp.63-65.

태아장전(台兒莊戰) 승리의 의의

근(謹)

산동 남쪽에 있는 태아장(台兒莊)에서, 16일 중국군과 적군 측 이소다니(磯谷)와 사이다카기(板垣)의 주력부대와 전투를 시작하였는데, 이소다니와 사이다카기 군이 전패하였다. 첩보에 의해 전해지는 말에 따르면, 중국 전역은 지금 흥분으로 들떠 있을 뿐만 아니라, 중국 항전에 관심을 갖고 동정을 하는 세계 각국과 인사들이 흥분과 축하를 마다하지 않고 있다고 한다. 이는 실제로 중국이 항전해 온 지 9개월 만에 들려오는 공전의 대승리이다. 이는 또한 제2기 항전 승리의 신기원을 이룬 것으로서, 중국 항전은 반드시 승리할 것이라는 보증을 해 준 것이나 다름없다.

태아장의 승리는 당연히 마지막 승리는 아니다. 이는 바로 “내일은 아직 멀고, 우리의 고통은 아직 끝나지 않았음”을 의미하는 것이다. 태아장의 승리는 우연한 것이 아니고, 더욱이 요행에 의한 것이 아니었다. 이는 중국 제2기 항전 개시 이래 전략을 변경한 결과이다.

우리가 남북 전체의 전선을 전략적 면에서 관찰해 볼 때, 태아장의 승리를 만약 하나의 전구에서의 승리로 본다면, 이는 중국 전체 군대가 남북 전선상에서 노력한 결과에는 못 미친다고 할지도 모른다. 그러나 태아장 전선에서 7명의 장령이 충용작전에서 장렬히 희생된 전적을 보면, 이는 우리로 하여금 숙연케 하고 경모케 하지 않을 수 없게 한다.

이소다니와 사이다카키 두 명의 일본 군벌은 모두가 중국 침략을 책동한 중심인물이다. 그들이 인솔하는 두 개 사단은 모두 적군의 정예군이다. 그러나 이 일전을 치르면서, 중화민국의 군대는, 교만하기 그지없고 안하무인하여 스스로 '황군(皇軍)'이라고 자부하는 일본군에 능히 이길 수 있는 능력을 갖고 있음을 증명해 주었다.

이번 전쟁에서 얻은 중국 군민의 정신상의 수확은 실로 가늠할 수 없을 정도로 무한하다. 이처럼 우리들이 이룩한 태아장 전투에서의 승리는 중국 항전에서 하나의 역사적인 신기원이 될 것이다.

이와 반대로, 일본군은 1894년부터 중일전쟁이 한창인 지금에 이르기까지, 일본 군벌들은 일반적으로 누구에게도 포위되어 섬멸된 적이 없다고 자부해 왔다. 1894년 중일전쟁은 말할 것도 없이, 1904년의 러일전쟁 또한 마찬가지였다. 그러나 1900년에 6개 나라의 연합군벌들이 빼이징성을 공격하는 전쟁을 할 때는 일본군의 독자적인 작전은 아니었다. 그렇기 때문에, 이는 반드시 이러한 논의의 근거가 될 수 없다.

한편 청도(青島)에서의 독일과 일본의 전쟁은 일본이 독일보다 병력이 10배나 많았다. 해군과 육군이 교주만(膠州灣)을 공격하여 이를 함락시켰기에, 따라서 독일군은 지원이 단절된 채 섬가운데 포위되어 있었으므로, 일본군의 포위를 뚫을 수 없었다.

1917년 소련에서 '10월 혁명'이 폭발하였을 때, 영·미·프·일 등 제국(諸國)에서는 출병하여 백러시아를 원조할 계획을 결정하였다. 일본군은 비록 서시베리아 각 곳에서 여러 차례 어려운 유격전을 전개하였지만, 결국 아무것도 얻은 것이 없기 때문에 퇴각하고 말았다. 그러는 가운데에서도 일본 주력부대는 러시아군에게 포위당하여 섬멸된 적이 없었다. 그리하여 일본 군벌들은 상승군(常勝軍)이라고 자부하면서, 교만한 자긍심을 갖게 되어 지나치게 기염을 부리고 있다가, 이제 한 술 더 떠 중국을 차지하려는 망상에 젖어, 동아시아의 주인어른이 되고자 이번의 침략전쟁을 발동한 것이다.

작년 7월 7일 '노구교 사건'이 발생한 이래, 계속해서 8월 30일에는 샹하이전쟁을 개시하였다. 그러면서 일본 군벌은 스스로 "일주일 내에 샹하이를 점령할 것이다"라고 기고만장하여 떠벌렸다. 그러나 알다시피 수 개월간 격전을 치르면서 엄청난 대가를 지불하고서야 비로소 샹하이를 점령하였다. 그러나 남경이 함락된 이후 일본군은 또다시 "중국은 이미 작전의 능력을 잃었다. 다시는 저항하지 못할 것이다"라고 하였다.

그러나 3개월 이상이 지난 지금 악전고투를 하고 있다. 그 하나는 진포선(律浦線)을 깨뜨리겠다는 환상을 실현시키지도 못하였고, 태아장 전투를 치르면서 이소다니와 사이다카키 두 주력군은 모두 포위 섬멸되었다. 이는 바로 일본의 소위 '황군'이 포위 섬멸된 신기록이다. 이 두 개의 서로 다른 신기록은 일본 제국주의 붕괴의 첫 신호이다. 그리하여 의기소침한 일본 군벌은 어리석은 꿈에서 갑자기 깨어나지 못하는 잘못을 저지를 것이 뻔하며, 거꾸로 점점 더 분노하고 심하게 변하여 마지막 발악하는 사태를 최대한 연출하게 될 것이다.

비록 최대한 자신들이 힘을 발휘하여 온갖 나쁜 짓을 다 한다 하더라도, 일본 제국주의의 종말은 이미 다가와 있다. 그들은 태아장 전투에서 붕괴되었을 뿐만 아니라, 진포전선의 곳곳에서 중국군에게 포위되어 매우 어려운 전쟁을 치르고 있다. 또한 대부분의 남북 각 전선에서 많은 희생을 치르고 있고, 진퇴양난의 곤경에 빠져들고 있다. 이러한 사실은 일본군이 태아장 전투에서 전패한 것이 우연에 의한 것이 아니고, 이로부터 일본 제국주의 전군이 붕괴하기 시작하는 것이라는 사실을 증명해 주는 것이라고 할 수 있다.

(『조선민족전선』, 제2기, 1938.4.2 발행, 12~13면 상단에 수록)
『유자명 자료집 1』〈독립운동 편〉, 耕慧舍, 2006.1, pp.66-68.

장기전쟁이 일본 국민생활에 미친 영향

우생(友生)

一

일본 군벌들이 대규모 침략전쟁을 시작한 지, 벌써 10개월이 다 되었다. 일본군 정예 주력은 산동 남부 전선에서 여러 차례 좌절을 겪었는데, 전쟁이 일본 일반 민중에게 미치는 영향이 어떠한가 하는 것은 하나의 중요한 문제라고 할 수 있다. 일본 파시스트 소장 군벌들은 초기에는 일본의 일반 노동대중, 특히 일본 농민들에게 종전의 낡고 노후한 군벌들보다는 명확하게 새로운 면이 있다고 선전하였다.

일본은 비록 자본주의적 말기에 이르고는 있지만, 그러나 농민인구는 여전히 전국 총인구의 60%를 점하고 있었다. 따라서 일본 군벌의 대다수는 농민의 자제들이기에, 일본 노동대중 특히 농민들은 자본계층과 그들에 의한 정당정치에 대해 불만과 원한이 아주 심각하다. 그렇기 때문에 파시스트 소장 군벌들은 기회를 보다가 '타도재벌', '정당정치의 숙청', '농민이익의 보호' 등의 구호를 제시하게 되었다. 그렇게 하면서 그들은 농민대중에게 총명하게 행동해 달라고 호소하였다.

그리하여 일반 하급장교 및 많은 사병들의 동정과 옹호를 불러일으켰는데, 이는 자연적인 추세였다. 그러는 과정에서 다쿠마(團琢磨)·하마구치 사치

오(浜口幸雄)·이누가이 쯔요시(犬養毅) 및 226 동경군대의 반란사건으로 희생된 다카하시(高橋)·사이토(齊藤) 등 정당의 영수들이 피살되었는데, 그 정경은 매우 잔혹하였다. 이는 또한 일본 노동대중의 정당정치에 대한 불만과 원한을 반영한 것이기도 하였다.

그러나 파시스트 소장 군벌들은 노동으로 고생하는 대중들의 대표자는 아니었다. 또한 언제나 의지할만한 그런 친구도 아니었다. 그들은 그저 원숭이의 거짓 가면을 썼거나, 아니면 양가죽을 뒤집어 쓴 사기꾼에 불과하였다. 그들은 만약 자신들의 이익과 허영적인 환상(일본 군벌의 영령적 환상은 현재의 시점에서 제시되는 것이 효과적이었다)이 필요하다고 생각하면, 그들은 농민과 노동자를 도살하는 것도 애석해 하지 않았던 것이다.

'9·18 사변'은 일본 파시스트 군벌이 가장 득의만만하게 저지른 일이었다. 그들은 아주 편하게 동북 4성을 점령하였을 뿐만 아니라 일본 국내에서 첨예화된 모순도 결국 해결하였던 것이다. 일본 군벌이 언제나 중국 대륙에서 변화무쌍하게 벌인 희극을 일본의 일반민중들은 알 수가 없었다. 일본 군벌은 민중을 속이기 위해 대륙을 침략하였는데, 이를 위해 한편으로는 나카무라사건(中村事件) 및 쿠라모토사건(藏本事件) 등을 부끄러움도 없이 고육지책으로 만들어 냈던 것이다.

다른 한편으로는 '생명선을 보호하자', '국난이 심각하다' 등의 구호를 외치며, 마치 중국 군대가 금방 일본 동경을 공격해 오겠다는 듯이 조작, 병이 나지도 않았는데도 신음소리를 연속해서 만들어 가며, 인민을 부추기며 온갖 음모를 다 꾸며댔던 것이다.

이처럼 '외국을 침략하는 것으로써 민중들의 시선을 다른 곳으로 돌리자'는 정책 하에서, 일본의 군중은 쉽게 이들에게 맞장구를 치며, 종전의 '농민보호' 주장을 일시에 '생명선의 보호', '국난이 도래하였다' 등의 구호로 변화시켰고, 이러한 구호 아래 농민을 더욱 압박하며 약탈하였고, 또한 한 무리한 한 무리 전장으로 보내 도살시켰으니 그야말로 막무가내였던 것이다.

또한 일본의 사회운동상에서 어느 정도 지위를 가지고 있던 '사회주의자' 들 가운데에서 많은 사람들을 끌어내어, '9·18 사변'을 통해 침략주의자로 전환시키기 위해 군벌들은 온갖 감언이설로 "중국 군대를 징벌하지 않으면 안 된다", "동양의 평화를 위해 중국을 타도하지 않으면 안 된다" 등 말도 안 되는 소리를 통해 사람들에게 경계심을 주입시켰던 것이다.

二

작년 7월 7일 일어난 '노구교 사변'은 당연히 '9·18 사변'과 이어진다. 일으킨 방법 또한 궤를 같이 하고 있다. 그러나 이번의 만행은 일본 군벌이 중국에 대한 인식과 계산상에서 회피할 수 없는 큰 잘못을 저지른 것이다. 그들은 "아주 짧은 시간에 반드시 중국을 굴복시키겠다"는 생각으로, 일본 군벌은 "일주일 안으로 상하이를 점령할 것이다"라고 공언하였다.

그리고는 반복해서 호언하기를, "반드시 속전속결 해야만 한다"고 하였다. 그러나 상하이에서의 일전은 매우 강경한 저항에 직면함으로써 엄청난 손실을 입어야 하였다. 할 수 없이 전국의 2/3나 되는 군사력을 샹하이전선에 동원하여 대응해야 하였다.

일본 국내의 모든 전쟁의 신은 정치·경제·언론·출판 및 전 인민의 생활 등 모든 것을 지배하기 위해 전시를 이용해 통제화 하였다. 그 결과 초기 전쟁의 상황은 비교적 활발하면서도 들뜬 그런 모습이었다. 매일 신문지상에는 전면이 모두 전쟁과 관련한 사진으로 장식되었다. 모든 신문은 전승 소식으로 뒤덤벅되었고, 이러한 분위기 중에 일반 군인들은 영광의 월계관을 쓴 듯한 환상에 젖게 되었으며, 영광스러운 진급을 하였다.

자본가들 또한 어떻게 '새로운 식민지'에 투자해야 하는가 환상에 젖었고, 투기업자 또한 어떻게 재산을 모을 것인가 하는 환상에 젖었다. 일반 소시민들 또한 제등행렬에 참가하며 축하하였다. 다혈질의 섬 국민들은 쉽게 격앙되었고 마취되어 갔다. 그러나 이러한 격앙과 마취에서 깨어나는 것은 반대로 아주 빠르기 마련이다. 그리고 한 번 깨어나게 되면 쉽게 번민과 황당함에 빠져들게 된다. 심지어는 자살에 이르기까지 하는 것이다. 일본인은 자고이래 쉽게 할복을 하는데, 아마도 이와 같은 성격에서 기인한 것이라 하겠다.

노구교 사건이 폭발한 이래 남경이 점령당할 때까지, 그 기간 동안 일본 국내의 일반 민중들은 명확히 전쟁에 마취되어 있었다. 그야말로 혼미한 가운데 정신 차릴 틈도 없이 반년을 지냈던 것이다. 그러나 남경을 점령한 이후에는 일체의 환상에서 서서히 깨어나기 시작하였다

남경과 샹하이전선에서 적군 총사령관을 담당하였던 마쯔이(松井)는 소환되어 동경으로 갔다. 그는 기차에서 내리자마자 환영 나온 인파에 대해 말하기를, "여러분 너무 그리 흥분하지 마십시오." 마쯔이의 이 말은 곧 전쟁의 전도가 막막하다는 것을 표현한 것으로 낙관적일 수만은 없다는 것을 표현한 말이었다. 이는 일본 군벌의 속전속결이라는 환상이 이미 깨져버렸음을 의미하는 것이고, 거꾸로 장기전쟁이라는 구호로 이를 대신해야 한다는 의미였다.

동시에 신문정책도 완전히 변화시켜 과장된 선전을 하지 못하도록 하였으며, 크고 작은 신문에서는 전승 소식을 그다지 많이 볼 수 없게 되었다. 이는 바로 침울하고 암담한 분위기를 표현하는 것이었고, 또한 '총동원법'이라든가, "48억 5천만원을 임시군사비로써 추가 예산으로 편성해야 한다"라든

가, 무슨 말인지는 모르겠으나 "휘발유(油)경찰(270명)을 설립하라"든가, "우리나라 간첩의 활동(일본 경찰은 이미 정찰원 200여 명을 증가시켜 특설하여, 전적으로 우리나라 간첩을 체포하라) 소식" 및 "물가의 계속적인 폭등", "농어촌에 장정이 부족하여 생산 작업에 종사할 사람이 없다", 또한 "방공호 설치의 진행(동경 한 곳에서는 금년에 120곳에 철골과 양회로 지은 방공호가 세워졌다)", "방독면 및 의족과 의수를 준비하라"는 광고 등, 이러한 모든 것은 결국 "진정한 국난이 왔다"고 하는 표현이었다.

신문을 철저하게 봉쇄하는 정책하에서, 일반 민중은 명확하게 중일전쟁의 진상을 알지 못하도록, 단지 일반적인 사실로써 은폐시키고 말았다. 그들은 그들의 형제 친척을 한 무리씩 한 무리씩 계속해서 전선으로 보내기만 하였다. 더구나 그들이 돌아오는 모습은 거의 볼 수가 없었다. 왜냐하면 일본 군벌은 전사한 병사를 한꺼번에 태워버렸기 때문이다. 중상자는 대련이나 대만 등지로 보내버렸다. 그리하여 그들은 일본병사가 도대체 몇 명이나 죽었는지를 알 수가 없었다. 30만 명의 사상자는 그들의 형제·아들과 조카·남편·부친·할아버지·친구들에 이르기까지, 한 자의 편지도 받을 수가 없었다. 단지 긴 한숨과 탄식만으로 그들의 우울함과 슬픔을 표시하는 수밖에 없었던 것이다.

이런 상황에서 일본민중은 당연히 깨어날 수밖에 없었다. "왜 중국을 공격해야 하는가?", "이러한 전쟁을 하다니 도대체 어찌된 일인가?", "설사 전쟁에서 승리한다 하더라도 무엇이 어떻게 된다는 말인가?" 이러한 의문은 당연히 그들의 마음속을 두드렸다. 이들의 의문에 대한 회답은 당연히 흉악한 내용이 많았고, 좋은 소식은 적었다. 그러나 그들은 아직 분노를 갖고 일어나 자신의 조국을 군벌의 손아귀로부터 구하려는 데까지는 이르지 못하였다.

그저 전쟁에 대해 압력을 가하는 태도 정도만 갖게 되었는데, 이러한 소극적인 태도는 현재 곳곳에서 나타나기 시작하였다. 그러나 여전히 분노하여 일어나지는 못하고 있고, 감히 말로 할 수 없는 정도에 머물러 있다. 그러나 일본 군벌은 이미 초조하고 불안함을 느끼고 있고, 더구나 최근에는 산동남부의 전장에서 계속해서 패함으로 말미암아, 일본 군벌은 형세를 다시 변화시키려 하고 있다. 그리하여 속전속결을 주장하는 소리를 노래하고 있는 것이고, 그 어려운 가운데서도 진포선(津浦綫)으로 자원을 증가시키고 있는 것이다. 이처럼 산동 남부의 제2차 대회전(大會戰)은 격렬하게 진행되었던 것이다.

만일 일본이 이번에 다시 실패를 겪게 된다면, 일본 내부의 대립은 더욱 깊어지게 될 것이고, 나아가 이러한 상극은 군벌과 재벌의 노골적인 충돌을 빚어내게 될 것이다. 이는 결과적으로 파시스트 군벌의 정권을 실현하지 못하게 하는 것으로, 이는 반전운동이 표면화되고 있음을 말해 주는 것이다.

(『조선민족전선』 제3기, 1938.5.10 발행, 2~3면 상단에 수록)
『유자명 자료집 1』<독립운동 편>, 耕慧舍, 2006.1, pp.72-77.

세계 학련(學聯) 대표단을 환영하며

세계청년평화대회는 중국의 용감한 항전 상황과 일본이 중국에 가하고 있는 잔혹하고 짐승 같은 행위의 진면목을 조사하기 위해, 특히 세계학생대표단을 조직하고자 여러 경로를 통해 중국에 오고 있다. 유럽을 출발한 크라크만 및 피로트 두 청년은 이미 5월 17일 중국에 왔고, 미국을 출발한 마란아더 여사, 닐매리슨 등 단원은 5월 23일 중국에 올 계획이다. 중국 각계인사들은 먼 곳에서 오는 손님을 열렬히 환영하고 있다.

우리들은 교포들이 거주하고 있는 나라 외에는 충분히 교류할 기회가 없기 때문에, 이번 대표 제군들과 진정으로 의견을 교환할 수 있게 된 데 대해, 심지어는 열렬히 경배하는 정서에까지 이르고 있으며, 스스로 뒤떨어지지 않도록 준비하고 있다. 이에 특별히 우리들의 느낌을 약술하여, 환영의 뜻을 표시하고자 한다.

제군들이 이번에 중국에 온 주요한 임무는 첫째, 중국의 용감한 항전 실황과 일본의 비인도적인 진면목을 조사하기 위한 것이다. 둘째, 밝혀낸 진상을 전 세계의 청년과 학생들에게 알리는데 있는 것이다.

제군들은 인류애로써, 정의를 옹호하고, 평화를 보위하여 분투하기 위한 자들로서, 제군들이 갖고 온 것은 인류의 복음이다. 또한 제군들은 장차 이 복음을 전 세계 구석구석에까지 전파하여, 인류를 환기시켜야 한다! 제군들의 정신은 순진결백하고, 제군들의 눈빛은 투명하며 원대하다. 제군들은 반드시 일본 파시스트 군벌의 미치광이 같은 잔인하고 비인도적인 참모습을 관찰하여 알게 될 것이다. 그들은 사람의 얼굴을 하고 있으나 짐승 같은 마음을 갖고, 현재도 중국 각지에서 청년학생들을 도살하고, 부녀들을 강간하며, 모든 문화유적을 파괴하고 있다. 또한 재산을 약탈하고 있고, 아편과 백면(白麵)을 공개적으로 판매하는 등, 그 비열하고 부끄러움을 모르는 추한 행동은 인류가 공동으로 타도해야 할 것이다.

일본 제국주의는 1894년 중일전쟁부터 대륙을 침략하기 시작하여 2,300만 조선 민족을 우선적으로 유린하였다. 우리들은 1910년부터 일본 제국주의에 병탄되어 일체의 정치적 자유를 상실하였고, 각종 잔혹한 압박을 받아야 했으며, 더욱이 청년학생들은 배움의 자유 또한 박탈되었다. 이러한 상황이 더욱 깊어가고 있는 가운데, 우리들은 생존을 요구하기 위하여 오직 적에 대항하여 목숨을 걸고 싸우고 있다. 1919년 3월 1일, 우리들은 위대한 독립운동을 위해 일어났고, 청년학생들이 그 운동의 중심이었다. 이로부터 조선의 혁명운동 및 일체의 진보적 운동은 모두 청년학생들에 의해 추진되어 왔다. 더구나 1925년 10월의 광주학생운동은 완전히 학생 스스로의 반일혁명운동이었고, 전국에서 참가한 학생은 15만 명 이상이었다. 그로부터 현재까지 조선의 청년학생들은 그들이 민족해방에 대해 짊어지고 있는 책임을 잊지 않기로 결의하고 있으니, 이 얼마나 위대한 일인가?

제군들이 반드시 이번 토론을 통해 알아야 할 것은, 일본 파시스트 군벌의 미치광이 같은 침략은 그들의 최후 발악에 불과한 것이고, 동시에 중국의 용감한 항전은 국가 민족의 생존을 위하여 싸우는 것만이 아니라, 나아가 세계평화를 보위하기 위하여 싸우는 것이고, 인류의 정의를 위해서 싸우는 것이며, 세계 피압박 민족의 해방을 위해 싸우는 것이다. 우리 조선 민족은 또한 중국 민족과 함께 같은 선 위에 서서, 공동으로 분투하고 있다.

끝으로 제군들의 성공을 삼가 축원하며, 제군들의 성공이야말로 또한 우리들의 성공인 것이다!(자명)

(『조선민족전선』 제4기, 1938.5.25 발행, 2면 상단에 수록)
『유자명 자료집 1』〈독립운동 편〉, 耕慧舍, 2006.1, pp.78-80.

조선혁명 일사(軼事)
-김익상(金益相)과 조선총독부 폭발안-

근(谨)

1. 두 발의 괴 폭탄

이는 이미 17년 전의 일이다. 1921년 9월 12일 오전 10시, 조선총독부에서 별안간 폭탄이 폭발하는 사건이 일어났다. 비서실 및 회계실에서 굉음을 내며 두 발의 폭탄이 터졌는데, 위로는 총독통감으로부터 아래로는 근위병까지 총독부 내의 모든 사람들이 놀라서 대경실색하지 않는 자가 없었다. 적들은 곧바로 긴급 동원령을 내려 전 서울의 경찰 헌병 및 수비대를 발동하여 대대적으로 수색작전을 폈다. 그러나 범인은 사막의 황학처럼 어느 쪽으로 갔는지 찾을 수 없었다. 조선 내의 각 신문들은 특별히 호외를 뿌리는 등, 전 조선이 일시적으로 경천동지하는 듯하였다.

이 사건이 발생하였을 당시 일반인들은 이 사건 속에 몇 가지 신비스런 점이 있다고 생각하였다. 당시는 3·1운동이 일어난 지 불과 2년이라는 거리가 있었다. 전 조선반도는 마침 혁명조류가 최고조에 달하고 있었기 때문에, 남북에서는 지속적으로 놀랄만한 사건이 발생하고 있었고, 한국 청년들의 투쟁 분위기는 날로 치열해져 가고 있었으며, 그에 따라 적들의 신경은 극도로 예민해 있었다. 그리하여 국경을 출입하는 모든 문호 및 전국의 각 주요 도시의 각 역·항구 모두에는 헌병경찰들과 사복을 한 탐정들이 빽빽이 서서 감시하는 경계망을 펴고 있었다. 물론 조선총독부의 정문 입구는 완전무장한 위병 및 경찰수비대가 극도로 삼엄하게 경비하고 있었다. 조선총독부에 근무하는 높고 낮은 직원들을 제외하고는 함부로 출입이 불가능하였다. 그렇기 때문에 어떤 자가 폭탄을 휴대하고 백주에 돌입하였으며 체포되지 않았는지, 이 점이 첫 번째 이해할 수 없는 점이었다.

또한 설사 하늘에서 보낸 담 큰 사람이 요행히 위병들의 감시를 피해 그 안으로 들어갔다고 치더라도, 폭탄이 터진 후에 쉽게 그곳을 탈출할 가능성이 전혀 없었고, 또한 이때 헌병 경찰들이 즉시 달려와 신속히 현장을 포위하였기에, 탈출 가능성은 전혀 없었던 것이다. 그러나 끝내 혐의범을 한 사람도 잡아들이지 못하였는데, 이것이 두 번째로 이해할 수 없는 점이었다.

한편 설사 폭탄을 던진 자가 적들이 우왕좌왕하는 혼란한 틈을 타 요행히 체포당하는 것을 면할 수 있었다 하더라도, 이 사건 이후에 적들은 총동원령을 내려 전 서울 및 부근의 산야를 샅샅이 수색하였다. 한편으로는 국경을 봉쇄하며 엄중히 경계하였고, 범인이 해외로 도망하지 못하도록 최대한 방지하였지만, 끝내 범인을 찾을 수 없었다. 더구나 이 사건의 단서조차 찾지를 못하였으니, 이것이 세 번째 이해할 수 없는 점이었다. 이는 엄밀신속하다고 자만하는 일본 경찰사상에서 전례가 없던 일이었다.

그러다가 2년이 지난 1923년 3월 28일 황포탄(黃埔灘) 항구에서 다나카 기이치(田中義一)를 습격하는 계획이 불행하게도 실패하는 바람에, 김익상(金益相)·오성륜(吳成崙) 두 사람이 체포되고 말았다. 이들이 체포되고 나서 이 폭탄사건의 진상이 비로소 밝혀지게 되었던 것이다.

2. 김익상의 원정기

이 두개의 괴폭탄은 조선의열단의 단원인 김익상이 투척하였던 것이다. 사람들의 감탄을 자아내게 하였던 영웅적 행동이 이 사건 속에 들어 있었던 것이다.

1921년 9월 10일 의열단에서는 비밀회의를 개최하였다. 회의에서는 적 침략기관의 중추신경을 분쇄해야겠다고 결의하였다. 그리고 김익상이 이 임무를 말았다. 그는 단신으로 폭탄을 두 개 휴대하고, 다른 동지들과 작별 인사를 한 후 의연하게 뻬이징을 떠나게 되었다. 이때의 광경은 진정으로 "장사(壯士)"가 한 번 가면 다시 돌아오지 않는다는 늠름한 기개로 충만되어 있었다.

뻬이징을 떠나 경봉철로(京奉鐵路)로 먼저 심양(瀋陽)에 도착하였다. 심양에서 다시 남만철로(南滿鐵路)의 안봉선(安奉線)을 바꿔 타고 안동현(安東縣)에 도착하였다. 그리고는 다시 안동현을 지나 유명한 압록강 철교를 지나 조선의 신의주에 도착하였다. 조선 국경을 출입하는 중심처인 이곳에 도착하면 반드시 엄밀한 조사를 받아야 했다 심지어 몸수색까지도 받아야 하였다. 또한 반드시 여권을 가지고 있어야 하였고, 만일 여권을 가지고 있지 않으면 통과할 수 없었다.

그러나 김익상은 여권이 없었고, 또한 몸에는 두 발의 폭탄을 휴대하고 있었다. 이 어찌 위험하지 않겠는가 말이다. 그때 김익상은 학생복을 입고 있었다. 하나의 폭탄은 넓적다리 사이에 꽉 붙이고 있었고, 나머지 하나는 허리띠 안에 숨겼다. 만일 위협한 때에 이르게 되면 쉽게 던질 수 있도록 하여, 때에 따라서는 상당한 대가와 바꿀 수 있도록 준비하였던 것이다.

다행히 국경에 도착하기 전 기차 안에서 우연히 젊은 일본 여자를 발견할 수 있었다. 그녀는 혼자 한 아이를 안고 있었다. 김익상은 자연스럽게 그 여인의 옆자리에 앉았다, 그리고는 천천히 그녀와 이야기를 나누기 시작하였다. 한 젊은 여인이 이역 땅에서 혼자서 여행을 하는 것은, 더구나 혼자서 아이를 데리고 여행을 한다는 것은 고독하고 적막할 뿐만이 아니라, 매우 힘든 일이었다.

이러할 때 이야기를 나눌 수 있는 대상을 만난다는 것은 마음의 안위를 찾을 수 있는 것이었다, 더구나 그의 상대는 큰 뜻을 품은 청년 영웅이었고, 그의 일본어 실력은 완전히 일본인처럼 능숙하였다. 김익상은 비록 속으로 그녀에게 의지하여 안전을 도모하고자 하였으나, 조금도 불순한 동기를 가지고 그녀에게 접근한 것은 아니었다. 이러한 이들 두 사람의 모습은 당연히 절대로 보통 사람들과 같은 그런 모습처럼 보이지를 않았다.

이러한 모습으로 국경에 이르렀을 때, 승객을 검사하는 경찰 탐정들은 그들이 마치 부부가 아이를 데리고 여행하는 것처럼 생각하고는 검색을 하지 않았던 것이다. 그리고 한 마디도 그들에게 물어보지를 않았다. 이러한 상태로 그들은 서울의 남대문 기차역에서 하차하였는데, 그때 김익상은 어린 아이를 품에 안고 그녀 앞에 서서 기차역을 나와 경찰의 감시를 피할 수 있었기에, 어려운 상황에서도 안전하게 서울로 들어오게 되었던 것이다.

김익상은 원래 서울 출신이었다. 그의 집은 아직도 서울 시내 안에 있었다. 연로하신 큰아버지 한 분과 한 형제 그리고 김익상 자신의 부인이 살고 있었다. 그가 집에 도착하자, 가족들은 생각지도 않았던 그가 집으로 돌아오자 매우 기뻐하였고, 동시에 일본 경찰들이 그가 돌아온 것을 알까봐 매우 두려워하여 걱정이 태산 같았다. 밤이 되자 가족회의를 열었고, 김익상은 정중하게 몰래 귀국하게 된 사명에 대해 설명하였다. 전 가족은 그를 감히 쳐다보지도 못할 정도로 그를 받들었다. 그날 밤 그는 집에서 잠을 갔다. 그러나 두 개의 폭탄은 시종 휴대하고 있었다.

다음날 아침 그는 의연하게 점을 떠났다. 그리고는 곧바로 남산 기슭에 있는 조선총독부로 갔다. 그가 목적지에 도착하였을 때는 대략 오전 10시쯤이었다. 그는 조금도 주저하지 않고 총독부의 문으로 들어갔다. 위병은 그를 총독부의 한 심부름꾼으로 보고 조금도 그에게 주의를 기울이지 않았다. 그는 문으로 들어가자마자 곧바로 건물 안으로 들어갔다.

그리고는 하나의 폭탄을 비서실 안으로 던졌다. 다른 하나는 회계과에 던졌다. 그러자 두 개의 폭탄이 동시에 작렬하였다. 이 소리는 전총독부 안을 진동시켰다. 그런 후 김익상은 달려서 건물 아래로 내려와 마지막 계단에 도착하였을 때, 두 명의 일본 헌병이 달려와 위층으로 올라가려 하였다. 그러자 김익상은 이들을 향해 손을 저으면서 고함을 쳤다. “어이! 올라가면 안 돼요, 위층에 폭탄이 있어요. 위험해요, 위험해!” 그렇게 소리치자 그들은 아무런 의심도 하지 않고 그를 놔주었다.

그는 대문으로 태연자약하게 나왔고, 헌병과 경찰 등은 후문으로 범인을 수색하고자 달려 들어가고 있었다. 이는 매우 위험한 한 장면으로 담량이 조금이라도 부족했더라면, 약간이라도 부자연스럽게 보여 그 난관을 벗어날 수 없었을 것이다. 그러나 김익상은 조금도 당황해 하거나 황급해 하지 않으며 황금정(黄金町)의 십자로(十字路) 입구에 도착하였는데, 이곳은 전차가 세 곳에서 교차하는 곳이었다. 동쪽으로 가면 왕십리로 가는 길이고, 서쪽으로 가면 서대문으로 갈 수 있었고, 북쪽으로 가면 창경원으로 갈 수 있었다. 폭탄이 터진 곳은 십자로의 동남각(東南角) 방향이었다. 김익상은 먼저 서쪽으로 가는 전차를 타고, 서대문에서 내렸다. 그리고 서대문에서 다시 황금정으로 가는 전차를 타고 돌아서 원래의 자리로 돌아왔다. 그리고는 황금정 십자로 입구에서 내렸다.

그는 전차 안에서 시내에 있는 적 경찰들이 우왕좌왕하는 모습을 똑똑히 보았다. 그들은 모두 남쪽으로 뛰어갔다. 총독부 후문 밖에 있는 종남산(鍾南山)을 촘촘히 포위하기 시작하였다. 그러자 김익상은 부근의 일본 상점에서 일본목수들이 입는 옷과 목수들이 사용하는 곡척(曲尺)을 사서 휴대하고, 왕십리방향으로 가는 전차를 탔다. 그리고는 왕십리 종점에 이르러 내렸다. 그런 후 곧바로 한강변으로 가서 몸을 씻은 후 원래 입고 있던 학생복을 강에 던져버리고 목수 옷으로 갈아입었다. 손에는 목수들이 사용하는 곡척을 들고 있었다. 연안의 강변 대로를 천천히 걸어서 용산 기차역으로 와 신의주로 가는 기차에 올랐다. 그날로 서울을 떠나고 말았던 것이다.

이처럼 매우 위험에 처해서도 여유를 갖고 위기를 벗어났던 것이다. 만일 지혜와 용기를 갖추지 않은 사람이었다면, 곧바로 종남산으로 갔을 것이다. 종남산은 서울의 명승지로써 규모가 매우 큰 자연공원으로 만들어져 있었다. 이처럼 규모가 큰 자연공원은 삼림이 울창하고, 그 범위가 매우 넓어 사시사철 유람하는 사람들이 많았다. 폭탄사건이 발생한 후 적들은 범인이 반드시 후문으로 나가 이 산 속으로 들어가 숨었을 것으로 생각하고, 곧바로 긴급 동원령을 내려 경찰· 현병· 수비대 등을 발동시켜 이 산을 첩첩으로 포위하였고, 하루 종일 이곳을 수색하였다.

그들은 범인이 정문의 위병들 앞을 당당히 통과하고 만인이 격동하고 있는 도로를 걸어 유유히 흘러가는 물처럼 남산을 돌아 사람들이 없는 지역으로 나가, 경계망을 여유 있게 벗어날 줄은 꿈에도 몰랐던 것이다.

김익상이 당일 총독부를 습격할 때 입은 옷이 검은 적삼에 흰 바지의 학생복이었기에, 그들은 이를 수색의 목표로 삼았기 때문에, 당일 남산공원을 유람하는 사람들 중 검은 적삼에 흰 바지를 입은 사람들은 모두 일률적으로 체포되어 심한 고문과 심문을 받아야 했다.

김익상은 평양에 도착하여 한 친구의 집에 투숙하였다. 그 다음날 날이 밝자 친구에게 부탁하여 신의주 가는 기차표를 사서 기차를 탔다. 기차 안의 많은 승객들이 그날 신문을 보고 있는 것을 알았다. 차안의 공기가 이상하리만치 긴장되어 있었다. 그는 한 쪽에 자리를 잡고 앉아 일본인 승객에게 신문호외를 빌려 보았는데, 보는 순간 폭탄이 터진 현장 사진과 폭탄을 던진 후의 일반적인 상황 등을 자세히 기사화한 것을 볼 수 있었다. 그리하여 그는 거짓으로 분노하는 표정을 지으면서 "이 이런 아직도 이런 '불령선인(不逞鮮人)'이 있다는 건가! 소요를 일으키는 바보 같은 놈들…"이라고 하며 큰 소리를 쳤다. 그러니 누가 그가 목수로 가장한 '소요분자'의 주인공이란 것을 알 수 있었겠는가 말이다!

그는 신의주에서 다시 기차를 내렸다. 그리고는 압록강 철교를 걸어서 건넜다. 막 철교 입구에 다다랐을 때, 철교를 지키는 경찰이 앞을 막으며 물었다. "너는 어느 나라 사람이냐?" 그러자 김익상은 매우 힐책하는 소리로 대답하였다. "너는 내가 어느 나라 사람이라는 것을 모르느냐? 너는 일본 제국의 경관이 아닌가? 아직도 제국의 신민을 알지 못하느냐?" 그러자 경찰은 마지못해 그저 잘 못 봤다고 하면서 그를 통과시켜 주었다.

안동현에 도착한 다음, 다시 남만철로(南滿鐵路)의 기차를 타고 심양으로 왔고, 경봉선의 기차로 갈아타고 천진(天津) 동역(東驛)에서 내렸다. 천진에서 동지들을 기다렸는데, 이때의 기분은 유쾌하기 그지없었다. 자기 자신이 몸소 경험한 것이 아니었다면, 절대로 상상조차 못할 그런 일들이었다. 뻬이징을 출발하여 다시 천진으로 돌아와 모든 것을 종결하기까지 7일이 걸린 셈이다.

(『조선민족전선』 제5·6기, 1938.6.25 발행, 15~16면에 수록)
『유자명 자료집 1』〈독립운동 편〉, 耕慧舍, 2006.1, pp.90-96.

이범석 편

청산리의 혈전

1. 전쟁의 서곡

1910년 8월 29일. 그날은 피와 눈물로 이루어진 날이다.

이 날로부터 우리 3천만 민족은 조국과 영영 이별하였고, 주권과 아주 헤어지지 않으면 안 되었다. 우리는 모든 자유와 행복에서 떠나 끝없는 노예의 구렁 속으로 빠져 들어갔다. 한 장의 합병조약(合併條約)이 빛나는 4천 5백년의 역사와 25만 평방리의 옥토를 하루 아침에 적의 손에 넘겨 버렸다. 왜적은 우리 한국의 백분의 98의 토지를 점유하고, 백분의 95에 달하는 자본을 손아귀에 넣었다.

한국 사람을 부리고 있는 각 기관의 주요부서는 그 백분의 90이 일본인의 차지가 되고 중급 내지 하급 부서로 백분의 70에 가까운 자리를 그들에게 빼앗겼다.

조국 땅에는 언론도 없고 출판도 없다. 집회도 없고 결사도 없다. 쉴 새 없고 거침없는 도살, 감금, 구타, 유린, 약탈, 강점, 능욕……. 그것이 한결같이 되풀이되는 3천여 일이었다.

그러나 모욕과 박해에 시달린 노예는 드디어 반기를 들고 일어났다.

1919년 3월 1일 천개, 만개의 화살과 같이 혁명의 불길은 전국 각지에서 폭발하였고 그 고함소리가 불길이 번지도록 터져 나왔다. 만산편야(滿山遍野)의 거센 휘몰림이 도시에서 저 고을로, 저 고을에서 이 마을로 퍼져, 마침내 참고 참아오던 9년의 울분에 연소(燃燒)되었다. 그것은 모두의 가슴마다 심지불처럼 옮겨 탔다.

집에서 뛰어나와 '조선독립만세'를 절규했다. 그리고 그들은 용감하게 생명을 내던져 혈해에 뛰어들었다. 그날엔 땅덩이가 몸부림쳤다. 이에 대한 통치자의 응답은 대포와 기관총으로 뿜는 불뿐이었다.

이리하여 상하이에 한국임시정부가 수립되고 그 영도 하에 만주의 무장(武裝)의병운동이 시작되었다.

여기에 포악한 적도 일찍이 가져보지 못한 전율을 느꼈다. 그리고 국경선의 경비를 강화하여 50미터마다 하나의 보초 진지를 구축하였다. 그러나 이런 경비망으로 막아내기에는 우리의 혁명의욕과 원한이 너무도 거세게 불타고 있었다.

동북의 한국 독립군 무장부대는 1920년에 이르러 3만 명을 헤아리게 되었다. 민중조직은 날로 굳어가고 적을 쳐부술 힘은 날로 자라났다.

도쿄는 매우 놀랐다. 군벌들은 이를 갈며 만주지구의 한국 독립군 토벌을 결심하였다.

때는 바로 왜적이 시베리아에 출병할 즈음이었다. 놈들은 주력을 블라디보스크 일대에 두고 함경북도 나남(羅南)과 연결, 남북협공의 기세를 보였으니 이대로 공세를 취한다면 일본이 매우 유리한 형세에 있음은 뻔한 노릇이었다.

도쿄의 탐욕스런 눈은 줄곧 콩, 수수, 삼림, 탄광이 가득한 만주대륙을 노려보고 있었다. 이제 그들이 들고 나선 한국 독립군 공격의 깃발 뒤에는 이른바 그들의 황군을 저 기름진 만주로 들여보내서 지옥보다도 검은 그들의 침략야욕을 채워 보려는 음모가 꿈틀거리고 있었다.

이 음모에는 움직일 수 없는 철증(鐵證)이 있다.

1920년 7월, 중국 랴오닝성(遼寧省) 안투셴(安圖縣)의 지방 보위단과 일부 애국 청년들은 한국독립운동에 자극을 받고 적의 기만과 치욕을 감수할 수 없다는 뜻에서 한인과 연합의용군을 조직하여 만주를 짓밟는 포악한 일본군에게 항거할 것을 선서하였다. 그리고 그 달 상순 한국 지사 10여 명과 더불어 훈춘 일본영사관을 습격하여, 저항하는 일본 경찰 30여 명을 살해하고, 그 영사관 창고 안에서 만주 침략의 명확한 물증인 대량의 무기를 색출하였다. 일본은 저희들의 음흉한 죄상을 덮어두고 오히려 중국을 향하여 엄중한 항의를 제출하였다. 일본 경찰이 흘린 피의 대가를 갚으라는 수작이었다.

이를 구실로 그 해 8월 말부터는 그들이 만주에서 무장 자유행동을 하기에 이르렀다. 그들은 당시 우리 국내에 배치한 소위 조선군의 제19사단 전부와 제20사단 절반을 북상시켜 만주의 북간도를 향해 북진시키고 또 이에 책응하여 시베리아에 출병중인 제13사단의 일부 보병연대와 기병연대에 포병·공병을 배합, 편성한 일개 혼성 지대로 하여금 소만 국경을 넘어 길림성 동녕현으로 진입하여 라오헤이산(老黑山) 다덴즈의 선에 포진하게 했다. 한편 시베리아군의 제14사단 28여단은 블라디보스토크에서 해상수송으로 한(韓)·만(滿)·소(蘇) 국경 삼각지대인 포시예트에 상륙한 다음 그로부터 북간도 훈춘을 향해 전진했다. 시베리아군 제11사단의 일부 병력은 둔화셴(敦化縣) 방면으로 월경 침입하여 참가 사단의 번호만도 다섯 개나 되었다.

이리하여 5만을 넘는 대 병력에 항공대까지 배속한 대규모 작전으로 우리의 전후좌우를 포위하고 압축 전진하는 것이었다.

뿐만 아니라 그 연변 일대의 일본 무장경찰은 모두 이에 합세하도록 하였다. 적의 기도는 분명히 청산리를 공격하여 거기에 집중되어 있는 한국 독립군의 주력(즉 북로군정서의 주력)을 포착·섬멸하려는 것이었다.

이에 앞서 만주에 있어서의 한국 독립군의 주력은 서로군정서와 북로군정서의 둘로 나뉘어 있었다. 전자는 이청천 장군의 지휘 하에 랴오닝성에서 활동하였으며, 후자는 김좌진 장군 영도 하에 지린성(吉林省)에서 싸우고 있었다. (청산리 혈전에 참가한 것은 후자였다).

북로군정서의 근거지는 지린성 왕칭센(汪清縣) 시따퍼(西大坡)의 큰 삼림 한복판에 있었다. 울창하고 끝없는 이 대삼림은 연연(延延) 수천 리에 뻗친 장백삼림의 한 끝으로 대자연이 이뤄 놓은 하나의 기적이라 하지 않을 수 없다. 천대 만대를 두고 사람들은 죽어 없어졌지만 이 삼림만은 의연히 살아 전 인류의 연륜을 초월하고 있다. 그의 놀라울 만큼 큰 몸집은 동으로 시베리아까지 뻗치고 남은 두만강변에, 서는 미산센(密山縣) 후린(虎林) 야오허(饒河)에 이르렀다. 이 원시림은 우리가 체코슬로바키아제 무기를 은밀·대량으로 운반해 오는 데 큰 도움이 되었다.

제1차 세계대전 때 독일과 오스트리아가 러시아와 단독 강화조약을 체결함으로써 체코슬로바키아는 오스트리아의 철쇄(鐵鎖)로부터 해방되어 미·영·불의 원조 아래 자유민주국으로 독립하게 되었다.

이 소식이 전해지자 오스트리아에서 참전하였던 '체코슬로바키아'인 2개 군단은 동구(東歐) 전선으로부터 시베리아를 경유, 서부에 이르러 연합군과 손을 잡고 싸워서 개선 귀국하려는 생각을 하게 되었다. 그래서 이들은 러시아를 가로질러 우랄 산맥을 넘어 블라디보스토크에 집결했다. 서쪽으로 떠나는 배를 기다리는 동안 그들은 한국 독립운동의 이야기를 전해 듣고 지난날 그들 자신이 오스트리아제국 통치 아래 지내온 노예생활을 회상하여 우리에게 동정심을 보였다. 마침내 그들은 블라디보스토크의 무기고에 저장한 무기를 우리 북로군정서에 팔게 되었다. 이 매매는 깊은 밤 빽빽한 삼림 속에서 이루어졌다. 복수와 설욕에 쓰일 이 무기는 삼림 속으로 한 무더기씩 한 무더기씩 우리 손에 운반되어 왔다.

이렇게 하여 우리는 충분한 무기를 갖게 되었다. 작은 대포, 중기관총, 일제 및 러시아제 소총, 수류탄 등등…… 더욱이 적에게 피의 빚을 청산할 80만 발의 탄환까지 끼어서—.

우리는 우선 간부 양성을 위하여 사관 훈련소를 설치하였다. 학생은 6백여 명. 그들은 모두 고등교육을 받은 한국의 우수한 청년들.

또 우리는 보병 2개 대대에 1천 5백 명 안팎의 병력을 가졌다. 동시에 만주에 있는 교포를 조직화하고 훈련했다. 그들은 무조건 우리를 돕고 옹호하였다. 할 수 있는 원조와 편리를 돌봐 주기도 했다. 심지어 계속 대규모의 모금운동을 일으켜 우리의 제반 활동 경비를 제공해 주기도 했다.

이렇게 해서 우리의 힘은 날로 자라났다. 또한 우리를 향한 적의 감시의 눈초리도 점점 날카로워졌다. 마침내 도쿄 군벌의 잔인한 시선은 지린성 왕칭셴 시따퍼 일대를 주목하게 되었다. 그들은 중국 동삼성 당국에 압력을 가하여 중국 형제들의 혈육과 탄환으로 우리를 사살하고 멸망시키려 하였다.

사분오열된 당시 중국은 왜적의 요구를 거절할 도리가 없는 형편이었다. 동삼성의 최고 당국은 하는 수 없이 토벌군을 조직하고 혼성여단장 멍푸떠(孟富德)씨 인솔 하에 우리를 향하여 진격을 개시하도록 하였다. 그러나 멍 씨는 일단 공격 자세를 취하여 여우처럼 교활하고 뱀같이 독살스러운 일제의 요구를 들어주는 체하면서도 암암리에 우리에게 연락하여 지린성을 떠나도록 알렸다. 그렇게 함으로써 한중 형제간의 상쟁호살을 피하고 대일외교에 난처함이 없도록 하자는 것이었다.

우리들은 당시의 중국의 곤란한 처지를 이해하고 지린성 경계선을 떠나 장백산 깊숙이 들어가서 군대를 좀 더 확장하고 실력을 기르기로 하였다. 그 다음에 토끼와 같은 민첩함과 기동으로 재빠르게 두만강을 건너 조국 반도의 척추인 낭림산맥을 꿰뚫고 내지 한복판에 잠입하여 질풍 전격의 속도와

벽력같은 힘으로 적에게 가장 참혹하고 가장 비장한 한 차례의 습격을 감행키로 결정하였다.

어쩌면 우리들 전체의 사망을 가져올지도 모르는 이 결사적 공격은 노예되기를 원치 않는 수천만 동포를 잠결에서 깨어나게 할 것이오, 또는 적에게 처참하고 무자비한 타격을 줌으로써 그들로부터 막대한 피와 생명을 짜내어 망국 10년의 치욕을 씻는 기회를 만들게 될 것이라고 생각했다. 이런 결심으로 우리는 원래의 근거지를 떠나 대한민족의 역사적 성지 장백산으로 향하였다. …… 의연히 솟은 저 장백산을 향하여 우리는 떠났다. 그러나 우리의 행군이 청산리에 이르렀을 때 우연히 적군과 부딪쳐 여기에서 이른바 청산리 전투가 벌어지고 말았다. '피는 피로써 갚게 되는 것이다. 지금이 바로 피 값을 찾을 때이다.' 우리는 이렇게 결심을 다지고 그들과 맞싸우기로 했다.

2. 조 우

때는 음력 7월 하순. 북국의 초가을은 이미 소소하고 쓸쓸한 모습을 나타내기 시작하였다. 만주의 초가을 바람은 유난히 가벼웠다. 마치 새털 같은 보드라운 감각으로 얼굴을 스치고 지나가는 바람, 그것은 이름조차 알 수 없는 먼 곳에서 일어, 산과 강과 숲을 지나 우리의 신변에 다가왔다. 그리고 속삭였다.

머지 않아 처량한 가을바람이 불어오리라고. 그리고 가을날처럼 싸늘하고 슬픈 전쟁이 닥쳐오리라고.

과연 가을과 더불어 전쟁도 가까이 왔다. 나는 이 기미를 알아차리고 있었다.

'그렇다! 우리들은 오래 전부터 전쟁을 기다리고 있었다. 지금 전쟁을 위한 준비행군을 하고 있으며 어느 때나 주위에서 사격하여 오는 적에게 반격을 가하기 위한 탄환과 마음의 준비를 갖추고 있다.'

물론 우리는 전쟁이라는 것이 아름다운 명사가 아님을 알고 있었다. 그는 굶주린 야수와 같이 무수한 인간의 피를 빼앗으며 무수한 생명을 끊어버린다. 그는 확실히 잔인하고 참혹하다. 그러나 한 민족의 생사권이 다른 민족의 수중에 농락되고 쉼 없이 구금·고문·살해가 자행될 때 그 민족이 자기에게 부여된 천부의 생명을 부지하기 위하여 택할 길이 전쟁 이외에 또 무엇이 있겠는가?

오직 총을 부딪치고 싸워서 최후의 항거를 할 뿐이다. 우리는 좋든 나쁘든 간에 두 손을 높이 들고 전쟁을 환영할 수밖에 없었다. 그것이 비록 엄청난 피와 백골을 요구한다손 치더라도…….

우리들은 호호탕탕하게 황토대로를 행군하고 있었다. 그 대부분은 보병이었으며, 더러는 말을 타고 있었다. 대열의 후부에는 1백 80량의 치중차(輜重車)가 따르고 있었다. 이 치중차마다 네 필의 억센 만주산 준마에 끌리고 있었다.

장엄한 행군의 발자국소리는 산과 들에 깔리는 메아리로 은은했고 길 위에 일어나는 먼지는 짙은 안개처럼 자욱하였다. 길은 산을 넘어서 또 산이오, 영(嶺)을 지나 또 영이었다. 강을 건너면 또 강이오, 십리를 걸으면 또 십리 길이었다. 우리는 쉴 때마다 우리 교포가 살고 있는 곳에서 노영(露營)을 하였다.

덴빠오산(天寶山)을 지날 때였다. 거기에는 일본의 자본가가 채굴하는 은동광(銀銅鑛)이 있어 이를 지키는 사냥개 모양의 수비대가 있었다. 창백한 달빛이 대지에 흐르는 한밤에 우리 대열이 거리낌 없이 그 산 밑을 지날 때 광산의 적들은 혼비백산하여 부들부들 떨고 있었다. 수비대는 삼엄한 경계망을 펴고 온 광산은 밤을 새웠다. 그러나 우리들은 이 보잘것없는 개들을 없애기 위하여 단 한 발의 탄환도 낭비하지 않았다.

날이 갈수록 주황빛 낙엽이 온 산과 들에 깔려 가을빛은 짙어만 갔다.

한바탕 토비(土匪)와 싸우는 동안에 추석이 지나갔다. 토비는 우리와의 한 번 싸움에서 전멸되고 말았다.

산을 넘고 물을 건너가 한 달여에 우리는 드디어 지린성 허룽셴(和龍縣) 청산리 어구에 들어섰다. 청산리는 산또꼬우(三道溝)라고도 불린다. 그 외곽에는 두 갈래의 큰 길이 있어 한 갈래는 남으로 두만강에 통하니 바로 그 강 건너에는 조국 땅 무산군이 있다. 청산리 서쪽은 충신장과 명지아장(孟家莊)이니 이곳은 중국인들의 고장이다.

이 청산리 일대의 농사의 주인은 모두가 우리 교포들이었다.

청산리는 만산준령 중의 한 계곡 분지로서 그 길이는 80여 리에 달했다. 폭은 제일 좁은 곳이 4, 5리, 제일 넓은 곳이 8, 9리나 된다. 청산리 서북쪽은 비교적 수림이 적고 동남쪽으로 갈수록 울창했다. 동남간은 푸른 활엽수림과 침엽수림에 뒤덮이고 도처에 2, 30길 높이의 송백떡갈나무 벚나무가 꽉 차있었다. 하늘을 가린 나뭇잎들은 마치 겹겹이 닫힌 암흑의 문처럼 모든 광명을 가로막고 있었다. 어두컴컴하고 축축한 땅에 해마다 떨어진 낙엽이 쌓여서 그 두께만도 두어 치가량 되었다.

그 위를 밟으면 스프링 없는 소파 위를 걷는 것 같기도 했고, 또는 보드라운 모래 위를 디디는 것 같기도 하여 마치 깊은 함정에 빠져, 밑 없는 구렁 속으로 들어가는 듯한 느낌이 났다. 청산리에는 도처에 크고 작은 골짜기가 숨어 있었다.

그곳은 멋진 유격전의 무대로 알맞은 곳이었으니 여기야말로 망국 민족이 침략자에게 피 묻은 원한을 갚기에 최적지. 피의 값을 찾을 최후의 시각은 마침내 오고야 말았다.

음력 9월 7일(양력 10월 18일) 오후 4시쯤. 싸늘한 기운이 가득히 담긴 조용한 오후였다.

우리들이 바로 청산리 골짜기를 향하여 행진하고 있을 때, 문득 우리의 시야에 나타난 것은 광대무변한 광야 저쪽에서 장사(長蛇)의 대열이 구불구불 꿈틀거리며 운동하는 모양이었다.

"적이다."

그 찰나, 우리들의 맥박은 정지되고 혈액은 동결되었다. 그러나 다음 시간 전신의 피는 다시 용솟음치는 샘처럼 힘차게 돌기 시작하였다.

적은 각 병종의 혼성 종대로서 바야흐로 충신장을 향하여 전진하고 있었다. 그 대열은 흡사 꿈틀거리는 독룡처럼 교만하고 흉악하게 보였다. 용의 꼬리는 하늘을 뒤덮는 사연(沙煙) 속에 묻혀 있었다.

나중에 노획된 적의 문서에서 발견된 사실이지만 이 적의 대부대는 그때 동지대라 칭하는 적 제37여단을 기간으로 하고, 기병 제27연대 외에 야포병 제25연대를 배속시켜서 37여단장 동정언 소장이 인솔한 것이었다.

적도 우리를 발견한 모양이다. 적과 아군 사이는 불과 10리 거리였다.

열화와 같은 복수심이 타올랐다. 온 몸의 피는 더욱 뜨거워지고 빨리 흐르기 시작하였다. 우리들의 눈앞에는 오직 피비린내 나는 붉은 글자가 보일 뿐이었다.

"전투!"

3. 전투준비

우선 유리한 지점을 차지해야 했다. 우리는 전위대에 명령하여 급히 쑹린핑(宋林坪) 북방 고지를 점령하도록 하였다. 만일 적이 들어오면 우리들은 되도록 저녁 어스름 속에서 전투를 벌이도록 하였다. 그것은 우리가 지형 상 유리한 태세 하에서 적에게 치명적인 타격을 가하려는 것이었다.

이어서 우리 주력부대는 빠르게 행군하여 청산리 골짜기로 들어갔다. 우리가 쑹린핑에 도착하였을 때는 이미 황혼이 너울거리고 있었다.

당지의 교포들은 우리를 열렬히 환영하며 접대, 위문, 그 밖의 모든 면에서 있는 힘을 다하여 우리를 도와주었다.

그러는 동안에 충신장 부근에서 적을 감시하던 우리 정보원에게서 다음과 같은 보고가 들어왔다.

적은 보병·기병·포병·공병 등 연합부대로 약 1개 혼성 여단병력으로, 그 수가 약 1만 명에 이른다. 적은 지금 충신장에 머물러 있으며 아군의 정황을 확실히 파악치 못하는 까닭으로 당분간 진격할 의도는 없는 것 같다. 다만 그 전초부대가 충신장 7리 명지아장 부근에 포진, 경비 중에 있다는 것이다.

우리는 적이 아직 즉각적 공격을 개시하지 않은 것을 다행으로 알고 그날 밤 군사회의에서 이러한 결의를 보았다.

쑹린핑 고지 위의 넓은 평지를 이용하여 적에게 통쾌한 일격을 가하는 것은 좋으나, 자칫하면 우세한 병력에 겹겹이 포위될 우려가 있다. 그러므로 우리는 반드시 골짜기 깊숙이 들어가서 보다 더 유리한 지형을 이용하여 적에게 더욱 큰 타격을 주어야 한다.

밤 2시. 행동을 개시했다. 우리는 쑹린핑에 살고 있는 대부분의 교포를 데리고 갔다. 단지 남게 된 것은 노인들뿐이었다. 우리는 우리 사병들이 과로하여 투지를 잃고 무기는 보잘것없으며 들이치면 단번에 무너지고 말 것이라고 해서 적으로 하여금 우리를 얕보게 하였다.

또 우리는 이 근방 지형에 익숙한 많은 사냥꾼을 보내어 얼또꼬우(二道溝)와 무산 길가의 적정을 살피도록 하였다.

음력 9월 9일, 서너 시간만 더 지나면 날이 샐 무렵이었다.

우리는 빠이원핑(白雲坪)을 향하여 전진하였다. 밝기 전의 한 껍질 어둠은 그 속에 모든 걸 삼켜버렸으며 삼림은 점점 빽빽해지고 골짜기는 갈수록 좁아졌다. 밤바람은 냉수를 끼어 얹은 듯 우리 몸을 차갑게 스쳐가고 가을밤은 말할 수 없이 처량한 고요에 싸여 있었다.

지휘부에 들어온 보고에 의하면 후위부에는 간단없이 적 기병의 정찰이 나타난다는 것이다.

오전 10시, 우리는 목적지에 이르렀다. 우리는 한편으로는 장교를 파견하여 지형을 정찰케 하였다.

오후에는 사냥꾼들의 정찰보고를 받았다. 얼또꼬우의 적은 펑워이꼬우(鳳尾溝)를 우회하고 있으며 무산 맞은편 쌀가게 나루터로부터 도강한 한 부대도 까이짜장(蓋家莊)을 향해 전진하고 있다는 것이다.

이것으로 미루어 보아 적은 삼면으로부터 산또꼬우를 포위하고 일거에 아군을 섬멸할 작전을 세운 모양이다.

아군 장교의 정찰보고에 의하면 이 골짜기를 따라 십여 리를 더 들어가면 5, 6리 길이에 2리 넓이의 빈 터가 있는데 그 가운데에는 한 줄기 실개천이 흐르고 그 양 옆은 칼로 깎아세운 듯한 산이 있다 한다. 또 그 주위는 무성한 밀림에 둘러싸여 단 한 사람도 자유롭게 빠져나갈 수 없는 철옹성을 이루고 있다는 것이다.

우리는 즉시 식량을 준비하고 부대를 둘로 나누었다.

비교적 훈련 정도가 낮은 보병 3분의 2와 비전투원으로서 제1제대를 조직하여 이를 총지휘 김좌진 장군 예하에 두었다. 그리고 이들을 전장에서 멀리 떨어지게 하여 필요 없는 희생자를 내지 않도록 하였다.

동시에 사관훈련소 졸업생을 기간으로 하여 거기에 보병 3분의 1과 박격포, 기관총을 보강한 제2제대를 조직하고 이를 나의 지휘 하에 두어 우리 뒤를 추격하는 적과 싸울 준비를 하였다. 황혼이 되어 제2제대는 공지 부근에 도착하였다. 밤에는 빠이원핑 남방 푸른 숲 속에 노영하면서 전초 진지를 포진하였다.

이렇게 하여 우리는 어느 때라도 전쟁을 맞아들일 준비를 하고 있었다.

4. 한밤에서 새벽까지

적은 쑹린핑의 우리 교포로부터 아군이 사기를 상실하고 싸울 생각도 못하고 있다는 정보를 듣고, 기병 제27연대의 일부를 선두로 대담하게 전진하였다. 그들은 아무런 저항도 받지 않고 단번에 빠이원핑을 점령하여 버렸다.

적은 우리들을 독 안에 든 쥐로 여기고 포위망을 좁히면 반드시 전멸시킬 수 있으리라고 믿었다.

만물이 정적에 덮인 가을 밤, 달은 온 누리에 은실을 뿌렸다. 산도 나무도 자욱한 은빛 안개 속에 잠겼다. 한 가닥 낭만도 찾아볼 수 없었다. 오직 활시위를 잡아당기는 듯한 긴장이 있었다.

공기는 싸늘한 얼음장처럼 대지를 뒤덮었다.

적과 아군 전초 사이에는 쉴 새 없이 충돌이 일어나고 소규모 전투가 벌어졌다. 총탄은 계속적으로 밤하늘을 날았다. …… 싸늘한 금속성 소리를 내면서.

이때 우리는 야영에서 닥쳐올 내일의 전투준비에 바빴다. 이것은 우리의 첫 번째 대규모 작전이었기 때문이다.

그동안 우리들의 기분은 이상한 긴장과 호기심에 싸여 있었다. …… 신비스러운 기쁨조차 감도는, 흡사 호화로운 결혼식을 앞둔 신부와 같은 심정으로 우리는 전쟁을 기다리고 있었다. 그렇다! 첫날밤 두 팔을 벌려 신부를 포옹하듯이 우리들은 가슴을 펴고 전쟁을 맞아 들였다.

정말 우리 북로군정서 사관학교 학생들은 강철같이 굳세고 표범같이 민첩하였다. 그러나 그 반면에는 항상 비둘기 같은 양순함과 사슴 같은 천진함을 갖고 있었다.

한나절의 강행군으로 그들은 다소의 피로를 나타냈으나, 앞으로 닥쳐올 전투는 도리어 그들을 형언할 수 없는 흥분 속으로 몰아넣었다.

밤은 깊어 갔다. 얇은 홑 군복을 몸에 두른 그들은 각각 천연적으로 이루어진 웅덩이 속에 드러누운 두꺼운 낙엽에 전신을 묻었다. 노영의 모닥불은 송이송이 붉은 꽃인 양 그들 옆에서 활활 타오르고 있었으며 때때로 이는 가벼운 바람이 그 불꽃을 흔들고 지나갔다.

낙엽의 온기와 불의 열은 그들의 몸을 따뜻이 녹이고 그들의 마음을 아름다운 정서로 이끌어 갔다. 거기에선 일종의 원시적인 낭만이 바람처럼 부드럽고 달콤하게 우리를 쓰다듬어 주는 것이었다.

내가 그들 옆을 지날 때면 그들은 마치 어미 양에게 모여들 듯이 나를 에워싸고 이런 말들을 하는 것이었다.

"대장님, 대장님, 이 팔을 좀 보셔요. 이 어깨도요. 이걸로 왜놈 몇 명쯤이야 때려잡을 수 있겠지요?"

"대장님, 대장님, 잠깐만 더 앉아 계셔요. 좀 더 다정한 시간을 가집시다.

내일이면 세상이 어떻게 될지 누가 알아요?"

"대장님, 대장님, 가지 마셔요. 대장님이 우리 옆에 계시면 우리들은 저절로 용기가 납니다. 하늘이 무너져도 두렵지가 않거든요."

"대장님, 대장님, 내일 전투가 벌어지면 우리들은 살 생각도 하지 않고 포로가 될 생각도 하지 않아요. 그저 놈들을 한 놈도 남기지 말고 죄다 우리 총칼로 무찔러 죽일 생각뿐입니다. 그렇지 않아요? 대장님!"

"대장님, 내일 만약 제가 후퇴하는 걸 보시걸랑, 대장님 권총으로 나를 쏴 죽이셔요."

"대장님 저는 죽어도 별로 남기고 싶은 말은 없어요. 다만 기회가 있으시다면 어머님께 소식이나 전해 주셔요. 당신의 아들이 어머님께서 키워주신 보람 있게 잘 싸우다 죽었다고요."

"대장님, 들어보셔요. 저 전초 진지에서 나는 총소리가 얼마나 서글퍼요. 우리를 부르는 것 같지 않아요?"

"대장님, 밤이 왜 이다지도 어두워요? 언제 날이 샐까요?"

"대장님, 대장님……"

……

이런 어린애 같은 순진한 이야기를 들을 때 마음은 오직 걱정에만 사로잡혔다. 보이지 않은 그윽한 눈물이 내 마음 깊이 흐르고 가슴은 메는 듯하였다. 그러나 내 마음 속에서 우러나오는 감정을 그대로 쏟아 놓을 수는 없었다. 나는 있는 힘을 다하여 나 자신의 감정을 억제하였다. 그리고 부드러운 표정으로 그들이 지나치게 흥분하지 말 것을 타이르며 그들을 위안하였다.

"용감함에는 정열이 필요하다. 그러나 전투에는 냉정이 필요할 뿐이다."

나는 그들을 잘 쉬게 하고 힘을 돋우어 내일의 전투에서 잘 싸울 것을 거듭 당부하였다.

'그렇지만 그들이 어떻게 편안히 잘 수 있단 말인가? 생명과 정력이 넘쳐흐르는 그 푸른 샘이 어찌 흐르지 않고 한 곳에 머물러 있을 수 있단 말인가?'

미목이 수려한 17세의 젊은 학생 지용호는 결혼한 지 사흘 만에 독립군으로 도망쳐 온 경위를 나에게 들려 주었다. 혁명은 어두운 밤에 밝게 타오르는 불길처럼 그를 강렬하게 충동질하고 이끌어 내어 마침내 모든 것을 버리고 뛰쳐나오게 하였던 것이다. 그러나 그는 이 밤이 이렇게 아름다울 줄은 몰랐다고 했다. 생사를 판가름하는 새벽 전투를 앞에 둔 최후의 밤, 그는 도취와 흥분에 잠겼던 동방화촉의 그 밤을 생각하고 한없는 감개에 젖었다.

"이래보여도 고향에서는 저를 잘 생겼다고 했거든요."

그는 좀 수줍은 듯이 말을 이었다.

"대장님, 제가 내일 만약 전사하게 되면 그 여자는 다시는 저 같은 미남에게 시집가지 못할 거예요. 참 그 여자는 저를 무척 따랐거든요."

이 앳된 비둘기에게 무엇으로 대답하랴! 일종의 형언할 수 없는 감상이 지나갔다.

그러나 이런 때 이런 곳에서 감상은 금물이었다.

나는 오직 티 없는 마음으로 그들과 이야기를 주고받으며 장래를 위하여 현재를 잊고 현재를 위하여 과거를 저버리도록 힘썼다.

'어떤 혁명자도 추억을 가져서는 안 된다. 우리가 걸어온 긴 여정은 온갖 고통으로 엮어진 채찍이 되어 끊임없이 우리를 편달하고 연마하여 보다 더 용감하고 굳세게 가다듬어 줄 뿐이다.'

밤은 더욱 더 깊어갔다. 모닥불과 나뭇잎의 온기로 피로를 푼 젊은이들은 하나둘씩 잠들기 시작했다.

그러나 나는 그들과 같이 잠들 수 없었다.

쉴 새 없이 들어오는 전초의 보고는 그때마다 내 마음 속에 새로운 파문을 일으키곤 했다. 모닥불은 연달아 신비의 불길을 올리고 있었다. 마치 장난꾸러기의 붉은 그림자같이 불길은 커졌다 작아졌다 약해졌다 강해졌다 하면서 넘실대었다.

그러나 모닥불의 온화한 마음씨는 길이 변함없는 우정을 되새기게 했고, 그의 한없는 친절은 오래 전에 이미 차디찬 세파에 얼어붙은 우리의 영혼을 살며시 녹여 주었다. 그리고 온 땅에 깔린 마르고 시든 낙엽은 흐뭇한 삼림에 향기를 풍겨 주었다. 이 향기와 불의 온기는 서로 조화되어 아늑한 손길로 가을밤의 처량함과 고적을 매만져 주곤 하였다.

나는 한없이 고요한 밤하늘을 뚫고 공지 저쪽을 내다보려고 애썼다. 그러나 그저 우뚝 서있는 검은 그림자 외에는 아무것도 볼 수가 없었다. 그래도 이 신비에 싸인 삼림 속에서 명상의 나래를 폈다.

…… 수천 년 동안 발육 성장하여 온 이 밀림에 어느 때 어디선지 알 수 없는 머나먼 곳에서 바람이 물결쳐 온다. 그 바람이 다른 곳에서 우연히 일어나는 또 하나의 바람에 부딪쳐 서로 마찰하여 높은 열을 낸다. 온 들, 온 산은 불바다가 된다. 이것은 사람의 머리로서는 상상조차 할 수 없는 웅장하고 로맨틱한 산불이다. 그것은 또한 삼림이 스스로의 마음과 혼을 쥐어뜯는 집단 자살이기도 하다. 그 광경은 장엄하고 몸서리 치고 위대하고 발광적이며 또한 말할 수 없이 잔인하다.

불길은 밤낮을 가리지 않고 인위적 경계를 초월하여 흐린 날이나 개인 날이나, 미친 듯이 타오른다. 그러다가 우연한 행운을 만나면 그의 비참한 종말을 맺는다. 그가 지나간 단순하고 황망하고 평탄한 자취! 거기에 서있던 나무라는 나무는 죄다 타 없어지고 한 포기의 풀조차 남기지 않는다. 단지 인류가 그 터전에 붙인 공지라는 이름이 남을 뿐이다.

지금 어떤 부류의 사람들은 그 생존을 위하여 언젠가, 삼림의 집단 자살로 이루어진 공지를 차용하여 다른 한 부류의 인류와 전투를 전개함으로써 형태를 달리하는 또 하나의 집단 자살을 꾀하고 있는 것이다.

밤은 자꾸 깊어만 갔다. 달은 어느새 떨어졌다.

김좌진 장군의 비서 이정 동지는 나이 46세에 키가 크고 말이 드문 분이었다. 그는 모닥불 옆에 앉아서 고공에 흘러가는 달을 한참 쳐다보더니 즉흥의 오언절구를 읊조리었다.

나뭇잎새 떨어져서
산 모습 조용하고
하늘이 높아 뵈니
달빛 더욱 밝아라
장사의 마음 속은
말무리가 달리는데
날 새길 기다리자니
밤이 이리 길고나

木落山容靜
天高月影肥
壯士意萬馬
待旦夜漫長

모닥불을 지나노라면 낙엽으로 전신을 묻은 젊은 용사들의 잠든 모습이 군데군데 눈에 띄었다. 그들은 모두 깊이깊이 잠들고 있었다. 몸은 비록 참호 속에 들어 있으나 꿈은 매우 감미롭고 즐거운 동산을 거닐고 있는 것 같았다.

붉은 빛에 떠오르는 그들의 밝은 얼굴! 그것은 말할 수 없는 안정과 무한한 행복에 싸여 한 폭의 우아한 그림 같기도 했다. 나의 시선은 하나 또 하나 그들의 얼굴을 스쳐갔다…… 한없는 온정에 찬 어버이의 마음으로.

나는 차마 그 안온한 얼굴로부터 눈을 뗄 수 없었다. 어느새 내 눈에는 나도 모르는 눈물이 고여 있었다. 내 눈이 이들 젊은 얼굴 위를 몇 차례나 오갔을까? 마침내 밤의 검은 베일은 거두어지고 여명의 젖빛 하늘이 천천히 밝아오고 있었다.

5. 빠이원핑 전투

9월 10일 새벽 5시. 제1제대에 배속된 보병대는 나의 제2제대 후방 8백 미터 거리에서 쓰팡띵즈(四方頂子) 기슭에 예비대로 공치(控置)되어 있었다.

일선 사관 훈련생들은 삼림 '공지'를 이용하여 다음과 같이 배치되었다.

우측 지구의 1개 중대는 이민화(사망)가, 좌측 지구의 1개 중대는 한근원(실종)이 지휘하기로 하였다. 정면 2개 중대는 김훈(후일 운남 사관교 18기생, 황포군관학교 교관…… 행방불명)으로 우중대를, 이교성(사망)으로 좌중대를 지휘케 하고, 나는 정면에서 전국(全局)을 살폈다.

우리들이 매복한 진지는 공지를 둘러싼 산허리였으며 거기에는 각종 천연 방위물이 있었다. 즉 몇 아름드리의 쓰러진 나무가 앞을 가로막고 거기에 산이 쌓였으며 다시 그 위를 담요처럼 두터운 청태(靑苔)가 덮여서 가장 알맞은 천연적 엄폐물을 만들고 있었다. 기습을 감행하기 전에 우리들의 위치가 적에게 먼저 발견되지 않고 번개 같은 동작으로 적에게 불의의 타격을 주기 위하여 나는 동지들에게 다음과 같은 주의를 주었다.

1. 배낭은 모두 벗어서 진지 후방 예비대에 둘 것, 각자의 짐은 될 수 있는 대로 덜어야 한다.

2. 진지에 진입할 때는 위장을 충분히 할 것.

3. 한 사람 앞에 2백 발의 탄약을 탄대에서 꺼내 손 가까이 놓을 것. 그렇지 않고 몸에서 탄환을 꺼내느라고 사격속도에 영향을 미치는 일이 있어서는 안 된다.

4. 사격전에는 누구를 막론하고 흡연, 담화를 금할 것. 경거망동하여 적에게 발견되는 일이 있어서는 안 된다.

5. 사격개시는 나의 총성을 신호로 할 것. 그 이전에는 누구라도 마음대로 총을 쏘아서는 안 된다.

주의 사항을 전달한 다음에 나는 동지들에게 마지막 훈시를 하였다……. 마디마디 피 맺힌 목소리로.

"청산리 산맥은 장백산의 주맥이요, 우리 조상의 발상지이다. 지금 이 순간 수천수만의 눈동자가 우리를 주시할 것이요, 무수한 자손의 눈동자도 또한 우리를 바라보고 있을 것이다. 만약 우리들의 혈관 속에 아직도 단군의 피가 말라붙지 않았다면 우리는 마땅히 한 몸을 희생의 제단에 올려 놓고 3천만 동포의 원한을 풀어야 할 것이다…… 우리가 용감히 싸울 때 하늘에 계신 천백세 조상의 영은 반드시 우리를 보우할 것이다."

전투는 기어이 왔다.

동지들은 모두 소나무 잣나무 가지로 위장하였다. 그들이 엎드리면, 두텁게 쌓인 낙엽에 전신이 파묻혀 버리고, 또 꽉 들어찬 수림에 가려져 누가 어디 있는지 도저히 분간할 수 없다. 이런 교묘한 위장은 제아무리 기민하고 예리한 눈초리라도 넉넉히 피해 낼 수 있었다.

드디어 카키색의 악마는 나타나고야 말았다.

오전 8시쯤 되어서 적의 전위부대 1천여 명은 오직 한 갈래밖에 없는 양의 내장처럼 꼬불꼬불한 길을 따라 삼림 공지를 향하여 전진하고 있었다. 그들은 휴대용 건빵을 유유히 씹으며 걸어왔다. 그러나 꿈에도 생각지 못하였으리라…… 좌우전면 빽빽이 들어찬 밀림 속에 6백여 자루의 원한과 복수의 총구가 그들 가슴 한복판을 똑바로 겨누고 있다는 사실을! 적의 척후는 우리들의 종적을 더듬으려 하였다. 그들은 자주 몸을 굽혀 땅에서 말똥을 집었다. 만일 그 온도가 따스하면 우리들이 아직 멀리 가지 않은 증거요, 그와 반대로 똥이 차가우면 우리들이 벌써 멀리 갔다는 증거가 되기 때문이다. 그러나 우리들은 3, 4시간 전에 여기에 도착한 것이다.

적 전위부대의 선두에 서서 이를 영솔하는 자는 콧수염을 기른 '전위사령'이었다. 나뭇잎 사이로 흘러드는 아침 햇살이 이 '콧수염'의 네 줄기 금줄 견장과 그 한가운데 꽂힌 금별을 되쏜다. 콧수염이 발을 옮길 때마다 견장은 좌우로 흔들리며 네 금줄은 번쩍번쩍 눈부시게 빛났다. 견장은 그가 일본 소령이라는 것을 과시하고 있었다. 그는 사슴가죽으로 만든 장갑을 끼고 바른손으로 군도의 손잡이를 왼 손은 망원경을 쥐고 교만하게 가슴을 내밀고 그러나 매우 조심스럽게 걸어오고 있었다.

나의 일제 38식 기병총의 총구는 아주 침착하게 이 '콧수염'의 심장을 겨누었다.

나는 이때 잣나무 고목 뒤에 앉아 총신을 나무에다 딱 붙이고 나무그루 앞으로 살며시 총구를 내놓았다.

적의 전위부대는 이 교만한 '콧수염'의 뒤를 쫓아 기다란 카키색 물줄기처럼 굽이굽이 흘러 들어왔다. 마침내 이 물줄기는 그 마지막 한 방울까지도 남김없이 삼림 공지로 흘러 들어왔다.

이리하여 적의 전 병력은 우리들의 겹겹이 둘러싼 십자 화망(火網)의 빈틈없는 그물 속에 들었다.

한 명의 적의 정찰병이 앞으로 나와 말똥을 찾고 있었다. 나와의 거리는 불과 10여 보였다. 그는 갑자기 몸을 굽혀서 말똥을 더듬으며 그 온도를 재고 있었다.

나의 온 몸의 피는 급속도로 끓고, 천만가지의 원한이 한 번에 터질 듯했다. 그것은 나를 채찍질하여 개머리판을 바싹 어깨에 대게 하였다.

그 순간 내 총대 위에는 몇 십 년 동안 쌓이고 쌓인 분노와 치욕이 갑자기 내리닥쳤다…… 하마터면 '콧수염'의 심장을 겨눈 겨냥을 틀어버릴 만큼 무겁게. 거기에는 또한 내 한 평생 지녀온 희망과 보람이 육중하게 열려져 있었다.

피융!

단 한 발에 콧수염은 거꾸러졌다.

일진의 광풍폭우와 같은 총소리가 사방에서 쏟아져 나왔다.

철풍철우. 그것은 수천 수만 마리의 호랑이 떼의 고함보다도 더 무시무시한 쇳덩어리의 아우성이었다. 6백여 정의 보총, 6정의 기관총, 2문의 박격포, 우리들이 소유하고 있는 전 화력이 일시에 적의 머리 위에 집중되었다. 총알은 혹은 번개처럼 혹은 별똥처럼 공지 위를 날고 공지 위에 춤췄다. 가로 세로 수없이 교차되는 쇳덩어리는 가장 빽빽하고 삼엄한 불의 그물을 이루었다.

포탄은 화산에서 녹아내리는 바위와 같이 이글거리며 산산이 부서지는 돌조각처럼 '공지'를 두드리고 산천초목을 진동시켰다.

적은 바람에 휘날리는 낙엽과 같이 뚝뚝 떨어져 땅바닥에 쓰러졌다. 시체는 한 층 두 층 첩첩이 쌓이고 선혈은 사방에 뿌려져 주변 송림을 물들였다…… 한 잎 두 잎 푸른 솔잎은 검붉어졌다.

노예와 치욕!

쇠와 피!

'피로써 피를 청산하자!'

우리는 미친 듯이 쐈으며 미친 듯이 '만세'를 부르짖었다. 총소리와 만세소리가 한데 합치니 그 환상에 리듬이 있다면 이를 일컬어 '원한 교향곡'이라 할까?

적들은 쓰러졌다. 하나 또 하나!

적들은 거꾸러졌다. 하나 또 하나!

이 전격적인 기습에서 적들은 미처 생각할 여유도 없이 그저 쓰러져 가기만 했다. 총을 들 사이도 없이 장탄할 여유도 없이 기관총을 둘러맬 여유도 없이 겨냥을 맞힐 곳이 어딘지도 모르고 엎드린 채 영원히 일어나지 못하였다.

이렇게 하여 적은 불과 한 시간에 태반이 섬멸되었다. 남은 적들은 완강히 저항하며 맹목적인 사격을 거듭하였다. 그러나 그들은 아직도 자기들을 죽이는 탄환이 어디서 날아오며 자기들을 죽이는 적이 어디에 있는 지도 모르고 무턱대고 밀림 위를 향하여 마구 쏘아대는 것이었다.

'공지' 안의 적의 시체는 점점 더 쌓여 한 무더기 시산을 이루었다. 다리가 부러진 적의 상사 한 놈이 적의 시체 무더기에 바로 올라가 죽은 소대장 대리를 하는 것이었다.

'기깐주따이 가께아시'(기관총대 전진)

하고 미친놈처럼 고함을 질렀다. 적일망정 과연 용감하고 비장한 부르짖음이었다. 그러나 이 용사는 몸을 돌이키는 순간 즉시로 쇳덩어리의 선물을 받고 시체 위에 거꾸러져 쌓인 시체의 무더기를 더 높이 하였을 뿐이었다.

또 한명의 적은 적의 시체를 총알받이로 삼아 그 위에서 발광한 짐승과 같이 마구 난사하였다. 그러나 그 야수도 아차 하는 동안에 우리의 총구멍 앞에 쓰러져 피바다 속에 고개를 처박고 살아남은 제 동료들의 총받이가 되었다.

우리들의 보총, 기관총, 박격포는 연달아 불을 뿜었다……

피의 '공지!'

붉은 '공지!'

한 시간 반이 지났을 때, 적의 전위부대는 완전히 소멸되고 말았다.

"만세!"

우리는 소리 높이 만세를 부르며 사방의 밀림으로부터 뛰어나와 흩어져 있는 전리품을 재빨리 거두었다. 놈들의 무기는 1정의 중기관총만이 제대로 있을 뿐 나머지 기관총은 모두 망가지고 보총도 대부분 못 쓰게 되었다. 우리는 그 중 쓸 만한 것을 골라서 어깨에 메었다.

기습은 끝났다. 그러나 전투는 아직 끝나지 않았다. 물론 승리도 결정되지 않았다.

한 시간이 채 못 되어 적의 본대 약 8, 9천명의 병력은 우리와 싸우기 위하여 삼림 '공지' 부근에 도착했다. 그러나 전위부대의 전멸은 그들로 하여금 다시는 맹목적으로 삼림 '공지'에 들어오게 하지는 못했다.

그들은 기필코 전멸당한 치욕을 씻어야 했고, 또 그래야만 그들 황군이 앞으로도 계속하여 일본 국민의 존경을 받으리라고 마음 속 깊이 다짐하였을 것이다.

전투는 다시 시작되었다. 적은 한 줄 뒤에 또 한 줄이 있고 그 뒤에 또 한 줄이 겹쳐 몇 줄의 밀집 횡대를 여러 줄 배치하여 제대돌격 태세를 취하였다. 그것은 우리로 하여금 현 진지를 포기하도록 하려는 발악적 수단이었다.

적의 기관총과 모든 무기가 우리를 향하여 불을 뿜기 시작했다. 점점 더 세차게 압력이 가하여졌다. 총소리는 더욱 다급하였다.

따따따……

"돌격!"

적군은 골짜기로부터 밀물처럼 밀려들어 오고 총알 포탄은 비바람 불 듯 쏟아졌다.

날카로운 목소리들은 사람의 마음과 넋을 갈기갈기 찢는 듯했다.

그러나 우리는 교묘한 위장과 엄폐물을 이용하여 높은 곳에서 여전히 보총, 기관총, 박격포로 중첩된 철십자의 화망을 교차시키며 무수한 탄환을 적에게 퍼부었다.

이에 대해 적의 포화도 더욱 치열해졌다.

이때 키가 작은 강위라는 학생은 적탄이 우박처럼 쏟아지는 원진지를 이탈하여 총을 질질 끌며 후방에 있는 굴 속으로 피해 들어갔다.

"강위, 앞으로 나와!"

나는 격분하여 미친 듯이 고함을 질렀다.

"…… ……"

"강위, 앞으로 나와!"

"…… ……"

"강위, 앞으로 나와!"

"…… ……"

나의 권총은 즉시 그의 머리를 겨누었다.

그는 깜짝 놀라 퍼붓는 탄우를 뚫고 앞으로 달려갔다.

총소리는 더욱 요란해졌다.

함성은 쩌렁쩌렁 울리고 파도는 점점 가까이 밀려 들어왔다. 폭풍우는 연달아 쏟아졌다. 우리는 힘을 다하여 쇳덩어리의 십자화로써 밀물을 막고 폭풍우로써 폭풍우에 응하였다. 적의 총소리는 또 울리고 함성은 다시 터져 나왔다. 파도는 또 밀려오고 폭풍우는 다시 쏟아졌다. 우리의 십자화도 계속하여 파도를 막고 폭풍우는 폭풍우에 대항하였다.

일선, 또 일선, 적은 무너지기 시작하였다.

한 줄 또 한 줄! 밀려든 적의 밀집 횡대는 우리 진지 앞에서 거꾸러졌다. 띄엄띄엄 세 차례의 노도와 폭풍에 부딪쳐 산산조각이 난 다음에 적은 하는 수 없이 '제형 돌격'을 중지하였다. 그리고는 다시 총포로써 우리를 둘러싸고 있는 밀림에 맹사격을 가하였다. 놈들이 혈안이 되어서 찾고 있는 '황군'의 적은 어디 있을까?

"'황군'의 적 진지는 어디 있을까?"

'황군'의 적 진지는 어디 있을까?

몰라! 몰라! 몰라!

그러나 '황군'은 이 알 수 없는 적에 의하여 한 소대 한 소대씩 삼림 공지 근처에서 쓰러졌다. 그들은 다시 일어나지 못하고 영원히 쓰러져 버렸다.

본래 '황군'의 영광이란 천 만 자루의 휘황한 불길과 같은 것이었다. 그러나 지금 이 촉광은 우리들의 원한에 사무친 총알과 비바람 앞에 무참히 꺼져 버렸다.

일장기 속의 태양은 이제 그 빛을 잃었고 섬나라의 찬란한 벚꽃도 무색하게 되었다.

‘동해 저편 언덕 위에는 2천여 명의 아름답고 젊은 과부들이 목 놓아 울 것이다……

그러나 만심은 금물이다. 쉬어서는 안 된다. 잠시도 쉬어서는 안 된다.

힘을 내야 한다!

온 몸의 힘을 다 내야 한다!

아낌없이 온 몸의 힘을 쥐어짜야 한다.

삼림 공지 일대에 깔린 모든 황군들아! 한꺼번에 달려들어라! 남김없이 불의 세례를 줄 것이다.’

8, 9천 명의 적은 쓰디 쓴 패전의 고배를 마시고도 짓궂게 두 날개를 뻗쳐 양쪽으로부터 포위 작전을 전개하는 것이었다. 그들은 천천히 에워싸며 한 걸음 한 걸음 죄어들었다. 놈들은 바야흐로 ‘공지’의 포위망을 압축하면서 단군 자손들을 향하여 진격하고 있었다.

제3차의 고전이 시작되었다.

그러나 우리는 조금도 굽히지 않고 놈들 앞에 당당히 맞섰다.

격전 또 격전!

한참 싸움이 벌어지고 있는 판에 김좌진 장군으로부터 다음과 같은 명령이 전달되었다.

1. 평워이꼬우(鳳尾溝)에서 돌아오는 적은 약 1시간 후면 도착할 것이다. 그렇게 되면 우리의 퇴로가 차단될 위험이 있으니 아군은 즉시 얼또꼬우 방면으로 철퇴할 예정이다.

2. 제2제대는 원진지에서 저항을 계속하고 제1대의 철수를 엄호한 후 적당한 시기에 철퇴하라.

3. 제2제대는 오늘 밤 2시 이전에 현 진지로부터 약 1백 60리 떨어진 쟈산춘(甲山村)에 도착하라.

나는 제1제대를 인솔하고 그곳에서 기다리겠다.

이때 시간은 오전 11시쯤이었다.

섬멸전은 엄호전으로 변하였다.

얼마 뒤에 연락병으로부터 제1제대가 이미 산또꼬우를 떠났다는 연락을 받았다. 우리들의 엄호 임무는 끝난 셈이다.

나는 서쪽 지구의 한근원 중대로 하여금, 그 자리에 남아서 계속 엄호를 담당케 하고, 우리들은 철수를 시작하였다. 최대한의 급행군으로 머텐링(摩天嶺)으로 철수했다. 이 준령 길은 80리, 뾰족한 봉우리는 구름 위에 솟아 있고 산 속에는 한 마리의 날짐승도 볼 수 없었다.

우리가 산꼭대기에 오른 얼마 후에 한근원 중대도 임무를 완수하고 본진에 들어왔다…….

죽을 고비를 몇 번이나 넘기고.

그러나 대부분이 살아서 돌아왔다.

우리들은 승리의 철수를 감행한 셈이다.

그러나 적의 포성은 갈수록 심하여 끊임없이 천지를 진동하였다.

우리는 벌써 죄다 진지를 떠나 산중으로 철수한 지 오랜데, 적은 무엇 때문에 그렇게 치열한 포격을 하고 있는지 알 수 없는 노릇이었다.

포격은 점점 더 심하여졌다. 더 우렁차게 더 치열하게 포탄은 작렬하는 것이었다.

잘 생각해 보니 거기에는 그럴듯한 까닭이 있었다.

즉 적의 포는 펑워이꼬우로부터 돌아오는 적을 사격하고 있는 것이었다.

산또꼬우 전면의 적은 우리가 자기네 맞은편에 있는 것으로 알고 있었으며 산또꼬우의 적도 우리가 자기네 전면에 있는 것으로 생각하였던 모양이다.

우리들이 이미 양면 협공의 중간으로부터 교묘히 빠져 나온 줄은 모르고 (우리 복장은 적의 것과 꼭 같았다) 저희끼리 한바탕 싸웠던 것이 아닌가?

나중에 알았지만 이 판단은 틀림없었다. 점심 때에서부터 날이 저물기까지 적은 자기네끼리 포격전으로 일본군 6, 7백 명가량이나 손실을 보았던 것이다. 불의는 반드시 자멸한다.

빠이원핑의 전과는 적 사살 2천 2백여 명, 아군 사망은 불과 20명, 그리고 3명의 중상자 외에 수십 명의 부상자를 냈지만 모두 간단히 치료할 수 있는 경상이었다. 이것은 나라를 잃은 한국이 원수 일본군과 더불어 싸운 최초의 전쟁이었으며 또한 최대의 승전이었다.

6. 쟈산춘으로 가는 길

추위와 주림과 피곤이 온 몸을 휘감았다. 한나절의 격투를 치르고도 우리는 한 방울의 물도 마시지 못한 채, 산바람이 길을 막는 비탈길을 더듬어 쟈산춘으로 향했다. 급행군하지 않을 수가 없었다. 우리는 나뭇가지를 잘라서 한 쌍 한 쌍 어깨 줄을 엮은 임시 담가를 만들었다. 그 위에 담요를 깔아서 중상을 입은 전우를 눕히고 대열과 함께 행진하게 하였다. 경상자는 말을 타거나 도보로 행군하였다. 이 험하디 험한 급행군 속에서도 누구 하나 용기를 잃거나 낙오하지 않았다. 그러나 기갈은 눈에 보이지 않는 마수를 펴서 우리들의 목구멍을 졸라매는 것이었다. 마수는 싸우면 싸울수록 더욱 힘껏 우리들의 목구멍을 태웠다. 어떤 강한 힘도 이 마수의 손을 뿌리칠 수 없었고, 어떤 지혜도 이 마수를 떼어버릴 수 없었다.

극단의 고통 속에서 우리는 억누르는 마수의 힘을 벗어나려고 먹을 것을 찾아 몸부림쳤다. 우리는 마침내 야수와 같이 눈에 불을 켜고 산중을 헤맸다.

"머루다!"

누군가가 산등성이에서 이것을 발견하고 놀람과 기쁨 속에 내지른 고함이었다.

삽시간에 이 검보라빛의 작은 구슬들은 우리 야수떼에게 삼켜져 버렸다. 우리들은 행군하면서도 연신 길가의 머루를 따다가 한 주먹씩 입으로 움켜넣었다. 먹으며 걷고 걸으며 먹었다. 그 맛은 포도와 같이 달콤하였다. 좀 시기는 하였으나 우리에게는 더 할 나위 없는 진미였다. 이 작은 알은 온 산 온 들에 송이송이 매달려 따도 따도 끝이 없고 먹어도 먹어도 다 먹을 수 없었던 것이다. 단지 유감스러운 것은 이 열매가 마른 목을 축여 주긴 했으나 고픈 배를 채워 줄 수는 없었던 것이다. 오히려 머루의 단물에 자극을 받은 '굶주림'이 더 악착스레 우리 몸에 파고드는 게 아닌가?

만주의 깊은 가을은 한대 특유의 쌀쌀한 맛을 풍겼다. 깊은 가을바람은 예리한 칼로 오려내듯이 홑옷으로 가린 우리 살을 에었다.

밀림 속에는 길이 없다. 그저 우리가 밟고 가는 곳이 길이다. 쓰러진 수목과 허물어진 바위의 돌가루가 도처에 쌓여 있고 산비탈은 갈수록 험해질 뿐이었다. 밀림을 지날 때면 우거진 나뭇가지가 길을 가로막아 도끼로 이를 찍어야만 길을 열 수가 있었다. 우리들의 온 몸은 쉴 새 없는 산과 밀림과의 싸움이었고 한없는 굶주림, 추위, 피곤과의 싸움이었다. 밤의 검은 대기는 더욱 싸늘한 바람을 몰고 스며들었다. 이윽고 둥근 달이 산등에 기어올라 눈부신 은빛을 발산하였다.

달빛은 희고 찬 손길로 산천초목을 어루만지고 배고픔에 시달린 우리 대열을 이끌어 주었다. 싸늘한 달빛에 젖은 산야는 더욱 처량하고 고요한 시름을 띠었다. 달밤은 냉정했고 우울하기 그지 없다. 그 아름다운 듯하면서도 우울한 달빛을 반사하는 개울을 한 줄기 또 한 줄기 우리는 건넜다. 이 산 골짜기를 흐르는 크고 작은 물줄기들은 마치 사람의 혈관처럼 섞여서 굽이굽이 흐르고 있었다.

이 개울 중에서 제일 넓은 곳은 12, 3미터나 되고 물결의 속도는 매우 급했다. 그것이 바위에 부서질 때면 달빛도 함께 부서져 번쩍거렸다. 개울물 깊이는 제일 얕은 곳은 무릎까지 찼고 제일 깊은 곳은 가슴까지 닿았다.

우리가 물을 건널 때, 물 속의 달빛은 더욱 차가웠다. 마치 뾰족한 칼끝으로 군복을 뚫고 들어와 살을 찌르는 것 같았다. 개울 밑바닥에는 곱돌이 깔려 발바닥이 미끈거리기 때문에 물을 건너기가 여간 어렵지 않았다. 그러나 우리들은 끝끝내 이 산과 개천을 정복하였다. 옷은 흠뻑 젖고 옷에서는 물이 뚝뚝 떨어졌다. 차고 매운 바람에 어느새 살이 얼어붙은 것만 같았다.

헤아릴 수 없이 많은 산을 넘고 물을 건너 길고 평탄한 대로에 나선 우리 대열은 흩어진 행렬로부터 정연한 한일자의 장사형 대열로 되돌아갔다.

'정비'와 '통일'이 이루어진 대열은 다시 전진하였다. 이때 한 동지가 갑자기 대오를 이탈하여 길가에 있는 채소밭으로 뛰어 들어갔다. 그는 아직 거둬들이지 않은 채소밭에서 큰 무 한개를 뽑았다. 그가 침을 꿀꺽 삼키면서 그 무를 입에 넣으려 할 때 갑자기 한 고함소리가 들려왔다.

"무를 버려라…… 네 그런 행동은 전군의 수치다. 전우들이 모두 굶주리고 있는 판에 너 혼자만 부대를 떠나서 남의 것을 훔쳐 먹는단 말이냐? 너같이 제 욕심만 채우는 놈 때문에 우리들 전체의 규율이 깨어져 버린단 말이야……."

나도 매정스러운 말로 그를 나무랐다. 그는 머리를 수그렸다. 그 굵고 먹음직한 무가 그의 손으로부터 힘없이 떨어졌다.

대열은 계속 전진하였다. 누구도 다시는 마음대로 대열을 이탈하지 않았다. 추위, 굶주림, 피로, 가시밭길, 이 모든 것은 우리를 굴복시킬 수는 없었다.

빠이원핑의 공전의 승리가 하늘에 치솟는 불길처럼 추위에 얼어빠진 우리의 몸을 흐뭇하게 녹여주고 다시 우리의 마음 속에 환희와 신념의 불을 붙여 주었다. 이 신념은 한 자루의 칼이 되어 우리에게 밀려드는 온갖 곤란과 고통을 끊어버렸다. 우리는 14시간의 급행군으로 1백 80리의 길을 돌파하였다. 밤 2시 40분 마침내 쟈산춘에 도착하였다. 여기에서 갈라졌던 두 부대는 다시 만났다. 개가는 우리에게!

그것을 기다리던 모든 초조와 우려는 이제 완전히 사라졌다.

포옹과 환호! 눈물과 웃음! 함성과 흐느낌! 전우와 전우의 애정! 승리와 희망!

그야말로 미칠 듯한 하룻밤의 격정이었다.

선발 제1제대를 인솔하고 쟈산춘에서 가슴 조이며 우리를 기다리던 김좌진 장군은 나를 껴안고 약 30분 동안 놓지 않았다. 김 장군은 눈시울에 어른거리는 빛으로 무언가 이야기를 할 뿐 아무 말 하지 않았다. 사병들 모두가 쳐다보았다. 이때 병사들과 쟈산춘의 동포들이 환희를 외쳤다. 김장군은 내가 엄호 임무까지 끝내고는 청산리 계곡을 빠져나오지 못할 줄로 생각했다는 것이다. 적어도 전투부대의 태반을 상실할 걸로 생각했다. 소대장 2인과 실종된 약 20명이 우리 측 희생이었다. (당시는 여유가 없어 확인하지 못했으나 사후 사망으로 밝혀졌다.) 그러나 우리는 막대한 손실을 적에게 안겨 주었던 것이다.

쟈산춘(甲山村)은 함경북도 갑산 사람들이 대 부락을 형성하고 살기 때문에 그렇게 불리었다. 그들의 동포애와 애국심, 그리고 일군에 대한 순박한 적개심은 우리를 열광적으로 환영하는 데도 나타났다. 한밤중인데도 부녀자들이 모두 동원되어 얼어 들어온 군인들을 덥혀주느라고 온돌방에 불을 때며 한쪽으로는 부족한 살림도구를 전부 이용하여 밥을 몇 차례나 지어 날랐다.

논이 없는 곳이니 쌀밥이 없고 기장쌀이 최고의 대접이었다. 차지기로 유명한 찰기장 밥을 지어 군인들은 맛있게 요기를 했다.

7. 첸수이핑 전투

하루 종일 극심한 피로와 굶주림과 추위에 시달리다가 갑자기 방 안의 온기를 접하고, 또 거기에서 뜨끈뜨끈한 차조밥을 마구 삼키고 나니 대부분의 동지들은 땅바닥에나 온돌 위에 아무렇게나 쓰러지고 말았다. 아늑하고 훈훈한 공기가 구석구석에 가득 차 찢어질 듯 고달픈 몸을 우단처럼 부드럽게 감싸주었다. 말할 수 없이 달고 평안한 휴식이 육체의 감각마저 뺏은 듯…… 우리는 완전한 마비상태에 빠지고 말았다. 동지들에게는 휴식이 필요했다.

정말 잘 쉬어야 했다.

그러나 우리는 부락민으로부터 다음과 같은 보고를 받았다.

적 기병 1백 20여 명이 해질 무렵에 첸수이핑(泉水坪)에 도착하여 지금도 거기에 머물고 있다는 것이다.

김좌진 장군과 참모장 나중소 씨와 나는 금후의 작전계획을 상의한 끝에 내일 새벽에 첸수이핑을 공격하기로 결정하였다. 그러기 위하여서는 4시 안으로 모든 준비를 완료해야만 했다.

잠든 지 겨우 1시간 남짓한 동지들은 또 일어나지 않으면 안 되었다.

4시 반 행동개시! 얼또꼬우 3면은 높은 산으로 둘러싸여 있었다. 그 가운데를 지나는 한 갈래 큰 길은 마루꼬우(馬鹿溝) 언덕의 허리를 경유하여 위랑춘(漁郎村)으로 직통했다. 첸수이핑은 이 대로 부근에 있는 교포의 마을로서 모두 3개의 집단 부락으로 되어 있다. 적은 바로 이 안에 주둔하고 있다는 것이다. 첸수이핑 북쪽에는 한 줄기 이름 모를 냇물이 얼또꼬우를 향하여 흐르고 있었다. 내의 너비는 약 5미터로 양편 언덕은 매우 가파르며 높이는 다섯 자가량이나 된다.

전원출동! 제2제대가 앞서고 제1제대가 뒤따르고…… 마을 어귀에 따로 떨어진 동포의 집 한 채가 있었다. 거기에서 들은 정보에 의하면 적은 '집단 부락'에 들어 있다는 것이다. 적은 우리가 아직도 1백 60리 밖에 있는 줄 알고 대담하게 병력을 한 곳에 집중시킨 모양이었다. 그들은 단지 수 명의 기병순찰로 주위를 돌보게 하는 정도로서 경계를 소홀히 하고 있었다.

나는 손전등을 싸 가지고 지면을 비추어 보았다. 과연 새로 징을 박은 말발굽 자국이 무수히 찍혀져 있는 것이 보였다. 이것은 우리가 받은 정보가 틀림없음을 말해 주었다.

우리는 공격 부서를 다음과 같이 정하였다.

김훈 중대는 북쪽 산을 타고 나가 은밀하고 신속한 행동으로 마루꼬우 고개를 점령하여 적의 퇴로를 차단할 것.

이민화 중대는 첸수이핑 남방 고지를 점령할 것.

나는 한근원·이교성 2개 중대를 이끌고 첸수이핑 북쪽 냇물 한복판으로 전진하여 냇물 언덕의 사각을 끼고 첸수이핑 동쪽에 이르는 즉시로 방향을 오른쪽으로 돌려 정면 공격을 결행할 준비를 했다.

새벽 추위는 모든 것을 하얀 서릿발로 뒤덮었다. 만주 벌판의 바람은 뼈 속에 스며들 듯이 차고 맑았다. 그러나 공기는 장미에 돋친 가시마냥 그 고운 은빛 서리로써 따끔따끔 우리의 살결을 찔렀다.

다섯 시쯤 되니 동이 텄다.

이민화·김훈 2개 중대는 추위를 무릅쓰고 벌써 지정된 지점에 도착하였다.

공격 개시!

나는 두 중대를 인솔하고 물줄기를 따라 앞으로 나아갔다.

높은 언덕에 몸을 가리고 배꼽까지 오는 차디찬 물 속으로 걸어갔다. 선두는 이미 첸수이핑 동쪽에 이르렀다. 우리는 물이 뚝뚝 떨어지는 몸으로 언덕 위에 바로 올라갔다. 찬바람이 물방울을 투명한 고드름으로 만들고, 우리를 모두 은 사람으로 변하게 했다. 그러던 참에 우리는 적의 기마 순찰에게 발견되고 말았다. 곧 한 방의 총소리가 났다.

우리들은 조금도 틈을 주지 않고 그들을 향하여 쳐들어갔다. 이 순간 우리들의 중화기란 중화기는 일제히 이 마을 동녘에 있는 술도가를 향하여 불을 뿜었다. 그 술도가 토성 안에 매어 둔 적의 군마가 목표였다.

적들은 잠에서 깨어나 놀라 자빠지며 소리소리 질렀다.

"고레와 시맛다." (이거 야단났다.)

놀란 까마귀 떼와 같이 황급히 도망치면서도 그들은 저항을 해왔다.

나는 첫 거리의 '중앙 집단부락' 맨 앞집으로 뛰어 들어갔다. 그러나 나의 꽁꽁 언 근시안경은 방안의 훈훈한 김에 부딪히자 금시 흐릿하게 되어 앞을 가릴 수가 없었다. 사람인지 물건인지 도무지 분간할 수 없었다. 미처 생각할 겨를도 없이 문으로 도망쳐 나오는 적을 향하여 닥치는 대로 군도를 휘둘렀다. 몇 발의 총알이 핑! 핑! 하면서 내 몸을 스쳐갔다. 집안으로 미처 들어오지 못한 동지들은 도망쳐 나오는 적을 마구 쏘고 마구 치고 마구 베었다…….

나는 이렇게 혼전이 벌어지고 있는 동안에 집안에서 뛰어나와 돼지우리 쪽으로 달려갔다. 나는 러시아식 7연발 권총으로 말을 타고 도망쳐 나오는 두 놈의 적에게 연거푸 일곱 발을 쏘았다. 그러나 손이 얼어서 모두 겨냥이 맞지 않았다. 이때 두 필의 적기가 나는 듯이 나를 향해 달려들었다. 나에게는 이미 장탄할 시간의 여유가 없었다. 말은 눈 앞으로 달려들고 말 위에 탄 놈은 군도를 쳐든 채 대들었다. 그 순간 나는 원숭이처럼 재빠르게 돼지우리 울타리에 바로 올라가 말뚝을 붙잡고 훌쩍 뒤로 몸을 날려 돌아가면서 나자빠졌다. 말의 속력과 사람의 힘을 다하여 내리치던 적의 군도는, 마치 빵 조각을 베듯이 날쌔게 3개의 말뚝을 잘랐다. 말은 그대로 지나가고 나는 간신히 위기를 면하였다. 땅에서 일어나 분노와 원한에 찬 눈초리로 나를 죽이려던 원수의 모습을 쏘아 볼 뿐이었다. 말을 타고 달아나던 적의 하나가 별안간 총을 맞고 거꾸러졌다. 다른 하나의 적기는 앞만 바라보며 시체와 죽은 말을 하나하나 뛰어넘어 고추 내뺐다.

피융! 피융! 피융! 수십 발의 총알이 말보다 더 빠른 속도로 그놈의 뒤를 따랐다. 4백 미터도 채 못가서 그놈은 말에서 굴러 떨어지고 말았다. 말 주인은 땅바닥에 쓰러져 총알구멍으로부터 펑펑 피를 쏟고 있건만, 말은 홀로 앞을 달리기만 하였다. 그러나 그 말도 얼마 더 가지 못하여 한 발의 탄환에 주저앉고 말았다. 나는 길 옆에 서서 다시 권총에 장탄을 하고 달려드는 또 하나의 적을 겨누었다. 적은 짐짝이 구르듯 말 위에서 떨어졌다. 나는 얼른 달려가서 주인을 잃은 그 밤색 털의 일본 개량종 준마위에 올라탔다. 그러나 말은 몇 걸음 못가서 복부에 총알을 맞았다. 우리 동지들이 내가 탄 말을 적기로 오인하고 마구 총알을 퍼부었기 때문이었다. 나는 황급히 말 등에서 뛰어 내렸다. 혼전은 여전히 계속되었다.

우리들의 박격포와 중기관총은 그대로 불을 뿜고 있었다. 주요 목표는 역시 난동하는 말들이었다.

적은 전혀 사전 경계할 생각도 하지 않은 무방비 상태로서 말이란 말은 함빡 토성 안에 매두었다가 기습을 받았기 때문에 전의를 상실하고 그저 제 한 목숨만 건지려고 이리 뛰고 저리 뛰고 하였다. 요행으로 동쪽으로 빠져

나간 놈들은 마루꼬우 고개에서 기다리고 있던 김훈 중대의 기관총과 보총의 세례를 받아야 했고 거기서 남쪽으로 꼬부라지면 이민화 중대의 밥이 되어야 했다.

'황군'은 갈래야 갈 길이 없었다. 그들은 마치 상갓집 개처럼 당황하여 어쩔 줄 몰랐다. 한 명의 '황군'은 짐을 덜고 빨리 달리기 위하여 44식 기병총을 내던졌다. 몇 걸음을 더 가서는 모자를 벗어 팽개쳤다. 다음에는 그들 천황께서 하사하신 군장과 외투를 벗어던지고 똥개처럼 달아났다. 그러나 그 꼴로 달리던 이 한 마리의 개도 마침내 땅바닥에 쓰러졌다.

시마다 중대장은 말을 몰고 달아나다가 총알이 말 앞다리에 맞아 공처럼 굴러 떨어졌다. 이 찰나 유성처럼 빠른 한 필의 말이 그에게로 달려들었다. 말 임자는 급히 뛰어내려 말을 힘껏 차서 말을 시마다 쪽으로 가게 하였다. 이것을 본 시마다는 재빨리 말 등에 기어올라 몸을 찰싹 붙이고 말의 배를 찼다.

피이용! 피용! 핑!

시마다는 한동안 기를 쓰고 달렸으나 결국은 온몸이 피투성이가 되어 말에서 굴러 떨어졌다.

나는 네 명의 적을 추격하였다. 그들은 도망치다 못하여 고구마 구덩이 속으로 뛰어 들어갔다. 나는 뒤따라가서 그들에게 고함을 쳤다.

"고로사나이까라 쥬우 오 스데데 데데고이." (죽이지 않을 터이니 총을 버리고 나오라.) 대답은 총알이었다. 나는 급히 몸을 피하였다. 바로 이때다.

야구의 명투수로 이름난 김흥열 동지가 50보가량 떨어진 곳에서 고구마 구덩이로 수류탄을 던졌다. 그렇게 정확하다니! 쿵 소리와 함께 피에 묻은 붉은 고구마가 사방으로 튀어나왔다.

전투는 일단락을 지었다.

얼마나 비참한 싸움터였더냐!

가는 곳마다 사람의 시체, 죽은 말, 부상병, 부상마가 즐비하고…… '황군'의 카키 제복은 온 마을에 깔렸고 고개, 길섶, 물가, 대문 앞, 마을 주변 할 것 없이 하얀 서리로 뒤덮였던 첸수이핑은 차마 눈 뜨고 볼 수 없는 처참한 광경으로 변하였다.

물병, 탄약 집, 총자루, 말안장, 말 부대, 배낭, 담요…… 이런 것들이 너저분하게 흐트러져 길을 메우고 시체는 붉은 피를 뒤집어쓴 채 카키색 군복과 더불어 눈부신 아침 햇살에 치쏘였다.

아아! 그 얼마나, 참혹한 아름다움이야!

죽은 말들도 여기저기 넘어져 있다.

이 '무언의 용사'들은 얼마 전까지만 해도 살아 보겠다고 버둥거리며 기를 쓰던 흔적이 역력하였다. 그들은 개량종 말의 특유한 긴 목을 치켜들고 최후의 비참과 절망에 몸부림치며 남은 정력을 다하여 쓰러졌던 자리에서 일어서 보려고 했다. 그러나 등잔불이 마지막 한 방울 기름을 태우고 꺼지는 것처럼 그가 만신의 힘을 다하여 뽑아 들었던 긴 목이 돌덩이처럼 땅 위에 떨어질 때 짙은 고동색 머리털은 스스로 흘린 피에 붉게 물드는 것이었다. 얼마 안 가서 온 몸은 뻣뻣이 굳어서 그렇게 활발히 움직이던 세포의 활동은 영원히 끊어지고 만다. 상처를 입고 채 숨이 끊어지지 않은 말들은 견딜 수 없는 고통 속에서 숨을 헐떡이며 연거푸 긴 한숨에 가까운 신음소리를 냈다.

그 애원하는 듯 청승스러운 울음소리는 듣는 이의 가슴을 찢어 놓는 것 같았다.

말은 우리들의 적이 아니었다.

나는 눈물을 머금고 권총으로 신음하는 말의 머리를 쏘았다.

이 싸움에서 적은 도망친 4명의 병사를 제외하고는 시마다 이하 기병 1개 중대, 1백 20명의 사병이 전원 몰살당했다. 이들 적은 기병 27연대 가노 대령 영솔 하의 전초중대였다. 우리 편에서는 2명의 전사자와 17명의 부상자를 냈을 뿐이었다. 이밖에 우리들은 2필의 말, 약간의 44식 기병총, 군도, 망원경, 전화기 및 기타 물품을 노획하였다. 그리고 많은 동지들은 멋진 '황군'식의 외투를 걸치게 되었다.

나는 오른쪽 허벅다리에 적탄으로 인해 경미한 찰상을 입었으나, 그 대신 시마다 중대장의 12배 망원경을 얻게 되었다.

또 우리들은 적의 말 부대에서 휴대용 건빵과 쇠고기 통조림을 발견했다. 우리는 통조림을 급히 딸 수가 없었다. 말 피와 사람 피가 말라붙은 건빵만으로 배를 채웠다.

그러나 그뿐인가. 우리는 시마다의 말 부대 속에 든 쇠통에서 아주 희한하고 귀중한 보배를 찾았다. 그것은 시마다가 조금 전에 쓴 보고서였다. 겉봉투의 풀이 채 마르지 않은 것이었다. 이것은 마땅히 가노 연대장에게 가야 할 보고서였지만, 뜻밖에도 우리에게 적정을 알리는 충실한 보고서가 되었다. 거기에 의하면, 적의 19사단 사령부는 위랑춘에 주둔하고 있으며, 시다마 중대가 첸수이핑에 온 것은 얼또고우의 경계를 담당하기 위해서였다. 보고서 내용은 다음과 같았다.

1. 지난 황혼에 양수천자(첸수이핑)에 도착, 숙영.

2. 마을 고지의 적은 굶주리고 추워서 전의를 크게 상실한 것 같음. 적은 어떤 행동을 취할 징후가 보이지 않음.

3. 본대는 계속 감시 중.

4. 인원 보고 - 인마 1백 20기.

이 보고서를 본 우리는 기갈도 전장의 소제(죽은 인마와 흩어진 장비·탄약 등의 수습·정리)도 잊어버리고 건빵과 통조림만 쑤셔 넣고는 단숨에 마루꼬우 고지로 달려갔다.

'조우전의 승리는 적에 앞서서 중간 지구의 유리한 지점을 점령하는 데 있다'고 하는 것은 전술상의 철칙이라 할 수 있다.

우리는 경각을 다투어 마루꼬우 고지를 점령하여야 한다.

우리는 전군을 적의 포위망에서 구출하게 해준 시마다 중대장 각하에게 감사를 하지 않을 수 없었다. 때는 바로 11일 아침 7시 반이었다.

8. 마루꼬우의 전투

첸수이핑 전투는 이미 끝났다.

도주한 몇 명의 적기는 위랑춘에 있는 저희 전투 사령부로 달려갔을 것이다.

우선 위랑춘 고지를 향해 사관생들은 거의 구보로 전진했다. 그때 벌써 적은 중포 사격을 개시했다. 대포소리가 대지를 무너뜨리는 것 같았다. 이전에도 포성이 많이 났지만 적이 사용하는 포는 모두 박격포 정도의 보병이 수반하는 소포들로 야포·산포가 대부분이었다. 우리들은 주로 이런 포성만 들어 왔고 중포 소리는 처음이었다. 중포는 사단병력 이상의 대규모 부대에 배속되는 것.

일본군들은 이 중포로 위압사격을 가하는 것이었다.

이때 어떤 참모가 황급히 "적이 중포를 휴대했습니다"라고 외쳤다.

김좌진 장군은 "아, 이 사람 정신이 나갔나? 저게 중포 소리야? 물방아 소리야!"라고 받아넘기며 눈을 껌뻑했다. 김 장군은 사병들의 공포심을 덜어 주기 위해 기지를 발휘한 것이다. 대군의 적을 눈 앞에 두고도 그렇게 침착했으며 그토록 머리가 좋아 전쟁심리를 민첩하게 통어하는 분이었다. '껌

빽!'하는 김 장군의 눈이 말하는 뜻을 막료들이 알아차리고 사병들에게 '첸수이핑 동네의 물방아가 이제 돌기 시작했다'고 거짓말을 했다. 지휘관들은 대개 전장에서 최면술 시술자의 자격을 자연히 사병들로부터 부여받고 있는 셈이니까 사병의 심리는 장교가 말하는 대로 변하는게 십중팔구이다.

적의 전위는 우리가 섬멸시킨 시마다 기병대의 모체였다. 시마다 본대의 가노 대위가 지휘하는 적 기병 제27연대의 1개 연대 기병이었다. 적은 아직 우리가 고지에서 기다리고 있는 줄은 몰랐던 모양이다. 그들 나름대로 고지를 빨리 점령하려고 최대 속도로 달려 올라오고 있었다. 척후조차 보내지 않고 종대로 계곡을 따라 마구 달려 올라왔다.

우리가 가진 중기관총 6문과 2문의 박격포가 계곡에 불을 뿜어냈다. 중기관총의 하나는 불란서 뉴쉬 종류였고 나머지는 막심과 콜트였다. 한 탄대에 대개 약 2백 50발을 넣었다. 최대 속도로 달려오는 일병의 앞뒤를 포로 자르고 복판에는 기관총의 불길을 쏟았다. 황군은 빽빽이 쓰러졌다.

적 기병 뒤를 따르던 보병들이 공격을 가해 왔다. 위랑춘 방면에서 계속 적의 포성이 들려와 포효했다. 그 은은한 소리, 처참한 작렬! 대부대의 적이 계속 진격하고 있는 것이 틀림없었다.

공격을 받는 정면을 좁히자! 우리 힘을 한데 집중시키자! 유리한 지형을 장악하자!

나는 한근원 중대로 하여금 급히 김훈 중대를 지원토록 하였다.

이민화 중대는 첸수이핑 북방고지로 이동하여 이를 점령할 것을 명하였다.

다시 나는 전 예비대가 마루꼬우 북방고지로 급히 올라갈 것을 요청했다.

적은 전 사단병력으로 맹렬한 공격을 가해 왔다.

경, 중, 각 포문을 열고 첸수이핑의 아군을 견제하면서 주력부대의 공격을 엄호하였다.

마침내 적병은 마루꼬우 언덕을 향하여 들이닥치고 말았다.

최후의 힘을 다하여 밀려오는 적을 막아내자! 기관총 중대장 최인걸 동지는 손수 방아쇠를 당겨서, 한 탄대 1백 20발 탄환을 단숨에 다 쏴버렸다. 몰려들다가는 흩어지고! 흩어지다가는 다시 몰려들고! 적의 공격이 치열할수록 우리의 저항도 완강하였다.

수는 비록 2만 대 2천의 비율이었으나 우리는 산봉우리 위에서 우월한 지형을 차지했고 강철 같은 의지와 용기를 가지고 있었다.

우리는 있는 힘을 모조리 동원했다.

교포들에게도 호소하였다.

"우리는 무기로만 싸우는 것이 아닙니다. 맨주먹은 맨주먹대로 한데 모입시다. 그리고 적이 오면 수류탄을 던지시오! 힘껏 던지시오!"

수없이 나는 포탄은 노란 풍진을 일으켰다. 바람결에 김좌진 장군의 군모가 벗겨졌다. 장군은 맨 머리로 전투를 지휘하였다. 나의 군도는 포탄 파편에 두 동강이가 났다. 코와 입은 피투성이가 되었다.

자연이 우릴 도왔다고 할까? 신의 도움일까? 적은 숫자로 대군을 상대로 싸우는 우리는 아침에는 동에서 서를 향해 공격하고, 오후에는 적이 동에서 서를 향해 공격했다. 우리는 적을 정확히 볼 수 있었으나 적은 태양의 광채를 향해 싸운 것이다. 이는 계획적인 전장의 선회가 아니라 대병력에 소수로서 전술적인 내선 작전으로서 피동에서 주동으로 옮길 수 있는 자연적인 선회였기 때문이다. 더욱이 우리는 산악지대 훈련을 받았고 가볍고 부드러운 미투리신을 신어, 행동이 민첩할 수 있었다. 적은 둔하고 미끄러운 일본 가죽군화를 신고 있었다. 또한 우리는 유격전에 편리하도록 몸에 휴대한 전투장비라야 3백여 발의 탄대뿐이었는데, 적은 그때까지도 탄대를 사용할 줄 모르고 탄약통, 혁제 탄약합(혁대로 꿰인 가죽갑)을 사용하고 있었다. 격전으로 가열되자 적은 엎드려 사격하다가 탄약합을 닫는 걸 잊고 그대로 구보하기가 일쑤였다. 그래서 총알이 그대로 땅에 쏟아져 버렸다. 우리는 또한 무장 유격군을 조직하여 장백산을 거쳐 낭림산맥 줄기를 타고 서울로 진격해 오기 위해서, 군복은 들어갈 때 적을 속이기 위해서뿐만 아니라 모자의 붉은 테까지도 일군의 것과 똑같이 만들었던 장기 유격전 계획의 효과를 최대로 보았다.

꿩은 놀라서 산골짜기마다에서 난무하였다. 참 기가 차는 일이 아닐 수 없었다. 그래도 보이니 봐야 했다. 얼마 높이 뜨지도 못하고 푸드득 푸드득거리다가 그 고운 날개를 다홍빛으로 물들였다.

우리들의 군마도 모조리 쓰러져 피투성이가 되었다.

한 동지는 악전고투 끝에 19발의 적탄을 몸에 지니고 넘어졌다. 극렬한 분노에 온몸이 불덩이가 된 전 동지는 앉아서 쏘고, 엎드려 쏘고, 서서 쏘고, 미친 듯이 연사하여 혼자 20여 명의 적을 거꾸러뜨렸다.

피는 불보다 강한 것이었던가?

동지들의 염통에서 솟아난 덥디 더운 피는 드디어 타오르는 화염을 끄고 노도와 같이 밀려드는 적의 공격을 좌절시키고야 말았다. 적은 정면 공격으로는 산봉우리의 점령이 불가능하다는 것을 알고 이를 포기하는 대신, 전 연대 기병을 풀어서 측면으로부터 배후를 우회하여 우리를 포위하고 우리 퇴로를 차단할 생각을 하였다.

만일 적의 뜻대로 그들이 우리의 배후를 우회한다면 우리는 중대한 위협을 받지 않을 수 없었다.

적의 우회작전을 분쇄하자!

우리는 즉시 첫째 산봉우리를 떠나 둘째 산봉우리로 옮겨 저항했다. 적은 재차 우리의 측면을 돌고 있었다.

격전!

우리는 또다시 셋째 산봉우리로 옮겨서 싸웠다.

이렇게 하여 적 기병은 계속 우회하고 우리는 계속 이 산으로부터 저 산으로 철수하였다.

교전은 아침부터 저녁까지 줄곧 계속되었다.

굶주림! 그러나 이를 의식할 시간도 먹을 시간도 없었다.

마을 아낙네들이 치마폭에 밥을 싸가지고 빗발치는 총알 사이로 산에 올라와 한 덩이 두 덩이 동지들의 입에 넣어 주었다…… 어린이를 기르는 어머니의 자애로운 손길로…….

그 얼마나 성스러운 사랑이며 고귀한 선물이랴! 그 사랑 갚으리, 우리의 뜨거운 피로! 기어코 보답하리, 이 목숨 다 하도록!

우리는 이 산에서 저 산으로 모든 것을 잊은 채 뛰고 달렸다. 그러는 동안에 우리의 몸은 극도의 피로에 사로잡혔다. 나중에는 마음대로 발을 뗄 수도 없었다.

나는 다른 동지들보다 조금 처져서 산비탈을 기어오르고 있었다. 거기에서 새 진지까지는 불과 2, 30미터의 거리였다.

이때 10여 명의 적이 고함을 치며 내 뒤를 쫓아 왔다.

"아이쯔오 쯔까마에로! 아이쯔오 쯔까마에로!" (저놈 잡아라! 저놈을 잡아라!)

바로 눈 앞에 우리 진지를 바라보며 나는 빨리 뛰려고 애를 썼지만 천근같이 무거운 두 다리는 감각이 통하지 않는 나무 말뚝처럼 통 말을 듣지 않았다. 나의 정신은 이미 육체에 지고 만 것이다.

이제는 모든 것을 단념하고 운명의 신에게 맡기는 수밖에 없었다.

나는 급히 땅에 엎드렸다. 총대를 꽉 움켜쥐고 마지막 피의 도박을 준비하였다. 이 한 목숨을 걸고 그 이상의 생명을 바꾸어 보려는 것이었다.

적은 막 달려오고 있었다. 산꼭대기의 동지들은 한편으로는 적에게 맹렬한 엄호사격을 가하며 또 한편으로는 힘을 다하여 외쳤다.

"빨리 뛰어와…… 빨리."

"저것 큰일 났군…… 큰일 났어."

"빨리 쏴…… 놈들을 빨리 쏴."

별안간 김윤이 화살에 맞은 산돼지 모양 산꼭대기에서 나에게로 달려 내려왔다. 그리고는 내 목덜미를 붙잡고 마치 독수리가 병아리를 채가듯이 휙 달아났다.

불과 수십 초 사이에 나는 죽음의 경계선을 넘었다.

나를 쫓아오던 놈들은 동지들의 맹렬한 사격에 견디다 못하여 두 개의 시체를 내버린 채 도망치고 말았다.

죽음에서 삶으로, 삶에서 죽음으로 유명이 바뀌는 동안에 해는 기울어졌다.

몇 주야를 뜬 눈으로 새우신 김좌진 장군은 지휘에 지친 몸을 땅 바닥에 내던졌다. 그는 지금 내 곁에서 코를 골며 주무신다. 여러 날 잠을 이루지 못하여 핼쑥해진 얼굴을 나는 차마 흔들어 깨울 수 없었다.

적의 공격은 좀 뜸해졌다. 그러나 적은 쉴 새 없이 전진하고 있었다. 우리가 자리 잡고 있는 이 위치도 갈수록 더 불리해지기만 했다.

김 장군은 환한 달빛에 잠이 깨었다. 우리들은 장시간 상의한 끝에 우리들의 실력을 보존하기 위하여 여기에서 철수할 수밖에 없다는 결론을 내렸다.

우리는 김훈·한근원 두 중대를 후위로 남기고 이를 김훈의 지휘 하에 두었다. 후위의 임무는 라오토꼬우(老頭溝) 방면으로 철퇴하는 주력부대를 엄호하는 것이었다.

비장한 후위부대의 공방전은 벌어졌다. 그들은 초인적인 힘으로 적에게 맹사격을 가하였다. 총신은 고열로 달았으며, 동지들의 손은 데일 지경이었다. 그러나 누구 하나 사격을 늦추지 않았다.

후위에 배속된 기관총 중대장 최인걸은 시베리아에서 자라고 아프리카사람 같은 얼굴을 가진 용사였다. 그는 미친 사람 모양으로 날뛰었다. 사격수의 태반이 사상을 입자 자기가 직접 사수 노릇을 하였음은 물론, 중기관총을 끌고 다니던 말이 쓰러지자 그는 새끼줄로 자기 몸을 기관총 다리에 비끄러매고 기관총과 더불어 운명을 같이할 준비를 하였다.

이 격전 중에 산 중의 한 좁은 길을 사수하던 1개 소대 40여 명의 동지들은 싸늘한 달빛 아래 전원이 장렬히 최후를 맞았다. 김훈 중대장! 이 호걸 남아는 부리부리한 두 눈을 부릅뜨고 강철같이 준엄한 명령으로 동지들을 격려하고 편달하였다. 그의 냉정한 판단과 지휘력은 전 대원을 장악하고도 남음이 있었다. 비 오듯이 쏟아지는 포탄과 총알에 겁을 집어먹은 두 동지가 함부로 진지를 이탈하자 핑! 핑! 피잉! 탄환은 격분한 김훈의 총구로부터 튀어나와 바람을 쪼개며 나갔다. 두 겁쟁이는 땅에 뒹굴며 쓰러졌다.

김훈은 아무 일도 없었다는 듯이 아까 모양 날카로운 울부짖음으로 지휘를 계속했다.

주력부대가 철수하고 있는 도중에 강화린 보병중대와 이운강 보병중대의 소대장 몇 명이 실종되어 비교적 훈련 정도가 낮았던 소대원들은 길 잃은 양떼처럼 산봉우리에서 헤맸다. 그들은 고립무원 상태에 놓였을 뿐만 아니라 적 주력부대의 포위망 속에 들었다. 이 소대를 구출하려면 그들로 하여금 김훈 중대의 진지까지 철수하도록 연락하는 수밖에 없었다.

“누가 전령으로 가겠는가?”

이것은 백 명 중 99명까지는 죽고야마는 임무였다.

“내가 가리다.”

코 밑에 여덟팔자의 수염이 난 김홍열이 가슴을 내밀고 일어섰다.

일어서기가 무섭게 그는 벌써 산비탈을 내달았다. 이 팔자수염을 위하여 한 대의 중기관총이 엄호 사격을 했다.

그러나 적탄은 일시에 그에게 집중되었다.

핑! 핑! …… 따따따…… 풍풍풍……

무수한 탄환이 팔자수염의 주변을 날았다. 십여 발의 탄환은 그의 피부를 스치고 지나갔다. 그는 한참 달리다가 갑자기 쓰러지더니 낭떠러지를 굴렀다. 떼굴떼굴…… 마냥 굴러 내려갔다. 구르고 또 굴러서 적의 포위망을 지나고 적의 화선을 넘었다. 그러자 팔자수염은 곰처럼 벌떡 일어서서 다른 산봉우리로 나는 듯이 달아났다.

또 다시 퍼붓는 탄우…… 그는 다시 몸을 뒤집어 구르기 시작했다.

한바탕 총알의 소나기가 지나면 그는 일어서서 달리고 또 쏟아지면 구르고…… 구르고 달리고, 달리고 구르다가 나중에는 기어서 뱀처럼 굼틀거리며 앞으로 나아갔다.

그의 온몸은 피투성이요 상처투성이가 되었다.

그러나 그는 마침내 그의 임무를 완수하고 이 5, 60명의 귀중한 생명을 건지는 데 성공하였다.

김상하! 그처럼 천진난만한 앳된 친구가 그처럼 용감하게 싸울 줄이야…… 적의 총알이 그의 얼굴에 맞았다. 그의 왼쪽 뺨은 두 갈래로 찢어지고 아래턱이 깨어졌다. 그러나 그는 그까짓 것쯤 아랑곳없다는 듯이 웃통을 벗어젖히고 적에게 육박하는 것이었다. 그가 수류탄을 있는 대로 집어 던진 후 위 부대가 철수할 때 김훈 대장은 그에게 후퇴를 명하였다. 그러나 그는 조금도 물러서려 하지 않았다.

그는 죽을 힘을 다하여 수류탄을 던지고 또 던졌다. 자기가 가지고 있던 수류탄이 떨어지면 전사한 전우의 것을 집어던졌다.

언제 떴는지도 모르게 큼직한 달이 중천에 있었나보다. 어느덧 달이 서쪽에 기울어지고 여명을 서너 시간 앞둔 한밤중의 암흑은 온갖 것을 먹물에 담근 듯 컴컴해졌다. 우리는 이 어두컴컴한 자연의 엄호 속에 전선으로부터 철수했다.

이 전투에서 적은 1천 명가량(가노 연대장 포함)의 사상자를 내고 아군은 1백여 명의 사상자를 냈다.

30분 후 우리의 철수를 돕기 위한 엄호전은 막을 내렸다.

전장을 떠나 뒤를 돌아보니, 으슥한 나무와 산 저편 첸수이핑에서 별안간 큰 불길이 솟아올랐다. 불기둥이 하늘에 치솟을 듯 화세는 맹렬하여 밤하늘을 붉게 물들였다. 마치 붉은 마귀처럼 시뻘건 손길을 날름거리며 불은 모든 것을 삼키려는 것이었다. 알고 보니 이 화염은 우리들 동포의 가엾은 생명과 집과 재산을 태워 버리는 것이었다.

저 미칠 듯이 날뛰는 불길 속에 동포의 마을은 잿더미가 되고 말 것이다.

그것을 바라보는 우리들의 마음은 노여움과 아픔으로 가득 찼다. 그러나 한편으로는 저도 모르는 사이에 깊은 참회에 잠기는 것이었다. 그 참을 수 없는 수난을 겪는 동포들에게 한없이 미안하기 때문이었다.

"사랑하는 동포들이여! 우리를 용서하시오. 모든 것은 조국을 위함이외다."

9. 피 어린 간주곡

어떤 전쟁에 있어서도 사람의 심금을 울리는 신비로운 에피소드가 있기 마련이다…… 우렁찬 교향곡 가운데도 한 줄기 가늘고 아름다운 간주곡이 흐르듯이…….

이 에피소드는 무심코 만들어지는 것이지만 거기에는 많은 유머와 애수가 담겨져 있어 때로는 듣는 이의 가슴을 싸늘하게 한다.

마찬가지로 청산리 교향곡에도 본 곡 외에 토막토막의 짤막한 간주곡이 끼어 있다.

지금 여기 적은 이야기들은 그런 간주곡에 해당하는 에피소드들이다.

가. 전 동지

보병대의 전 동지는 키가 후리후리하고 얼굴이 기다란 얌전한 사람이었다.

9월 7일 부대가 행군을 시작하기 전에 그는 자기와 제일 가까운 고향친구 양 동지와 더불어 농담을 하고 있었다. 그러나 그는 총알이 재어 있지 않은 보총을 들고 양동지의 머리를 겨누었다.

"만일 네가 왜놈이라면 그저…… 이렇게"하고 그는 진짜인 양 방아쇠를 잡아 당겼다.

피이잉!

천만뜻밖에도 정말 총알이 그의 총구멍으로부터 튀어 나왔다.

양 동지는 당장에 꼬꾸라졌다.

탄환은 머리를 관통하여 어깨로 빠져 나갔다.

이 꿈에도 생각지 못했던 일 막의 비극이 전 동지를 아연실색케 하였음은 말할 것도 없다. 그는 멍하니 하늘을 쳐다보다가 떨리는 손으로 탄창을 살펴보았다. 그가 장탄한 것을 까마득히 잊어 버렸던 한 알의 탄환이 사고를 낸 것이었다.

감금!

심문!

아무리 달고 쳐도 그것은 단순한 오발 이외에 아무것도 아니었다.

청산리 전투가 벌어지기 전날 밤이었다. 김좌진 장군은 그를 석방하고 조용히 타일렀다.

"누가 양 동지를 죽였단 말이오? 그것은 전 동지가 죽인 것이 아니오. 왜놈이 죽인 것이오. 왜놈이.

전 동지는 다시 살아난 사람으로 생각하고 잘 싸워서 양 동지의 원수를 갚아 주시오……."

청산리 전투에서 그는 병적이라 할 만큼 용감하게 싸웠다. 그는 완전히 자기를 잊은 사람이 되었다. 자기의 총으로 친구를 쏴 죽인 사실조차 잊은 것처럼 전투에 몰두하였다.

그러나 그는 끝내 죽지 않았다.

나. 종이 한 장 차이

빠이원핑을 향하여 진군할 무렵 정찰 장교로서 충신장 부근의 적정을 살피기 위하여 파견된 이장규 동지는 그곳에서 적에게 사로잡혔다. 그가 2명의 적에게 묶여 적의 본진으로 압송되던 때의 일이었다.

중간에서 적병 한 명이 뒤가 마려워서 말과 그를 묶은 노끈을 다른 한 명에게 맡기고 노변에서 용무를 보고 있었다.

주위에는 벌써 저녁 어스름이 다가왔다. 말 위에 탄 놈은 이장규 동지를 등 뒤에 두고 뒤를 보고 있는 놈과 주거니 받거니 잡담을 건네고 있었다. 잠시 말 아래 묶여 있는 사람의 존재를 잊은 듯싶었다. 어슴푸레한 빛을 통하여 이장규 동지는 발 밑에 큰 돌멩이가 있는 것을 발견하였다. 그는 살며시 몸을 구부려서 묶인 두 손으로 그 돌을 들어 뾰족한 쪽으로 말 배때기를 힘껏 찔렀다. 마음 놓고 있던 말은 깜짝 놀라서 그대로 달아나버렸다. 말 위에 타고 있는 놈은 질겁하여 쥐고 있던 말고삐와 포로를 묶었던 오랏줄을 한꺼번에 놓쳐버렸다. 말과 포로는 제각기 도망쳤다.

이 동지는 부근의 개천으로 들어가 물을 건너서 교포의 마을로 갔다.

적의 두 기병은 달아난 말을 간신히 찾아가지고 제 자리로 돌아갔으나 포로의 종적은 까마득했다.(사람은 말처럼 쉽게 찾아낼 수 없다.)

적병은 마을 안을 샅샅이 뒤졌다. 그러나 도망친 포로가 간 곳은 알 수 없었다. 결국은 높이 쌓아 올린 볏더미 속에 포로가 숨어 있으리라는 그럴싸한 판단을 내리게 되었다.

이 마을에는 구석구석에 높고 깊은 볏더미가 있었다. 이 속에 숨어 있는 사람을 찾아내기란 풀 섶에 떨어뜨린 바늘을 찾는 것처럼, 여간한 참을성과 재주 없이는 어려운 노릇이었다. 두 기병은 하나씩 하나씩 볏더미를 뒤져 갔다. 행여나 사람의 몸을 찾아낼까 하여 긴 군도로 볏더미 속을 쿡쿡 찔러보았다.

사실은 이장규 동지도 한 볏더미 속에 숨어 있었던 것이다.

멀리서 말발굽 소리가 들려왔다. 점점 가까이 들려왔다. 그리고는 '푹'하고 볏더미를 찌르는 소리가 들렸다. 그는 지금 자기가 숨어 있는 볏더미 한복판으로 점점 더 파고 들어왔다. 가슴은 두근거리고 간이 줄어들었다고 했다.

드디어 운명적인 마지막 순간이 왔다. 두 놈을 태운 말은 어느 볏더미 앞에서 멈췄다…… 한 생명이 존망을 도박하고 있는 바로 그 볏더미 앞에.

"야아! 이 볏더미는 유난히 크구나. 이 안에 숨어 있을지도 몰라. 찔러 보자. 힘껏 찔러 봐!"

이 동지는 그 안에서 두 팔과 다리를 뻗은 채 숨을 죽이고 있었다. 그러나 아무리 진정하려 해도 뛰노는 심장의 고동은 더욱 높아지기만 했다.

푹! 푹!

군도는 점점 복판으로 가까이 찔러 들어오고 있었다.

빛도 소리도 짙은 어둠에 삼켜져 한낱 고요하기만 한 밤, 들리는 것은 칼 소리뿐이었다.

푹! 푹!

한번은 시퍼런 칼이 선뜩 오른쪽 겨드랑 밑으로 들어왔다.

이어서 칼끝은 바지를 찢고 가랑이 밑으로 빠졌다.

다음에는 왼쪽 겨드랑이로, 발뒤꿈치를 마구 쑤셔대었다.

…….

수십 번을 찔러 보아도 아무 반응이 없으니까 놈들은 딴 볏더미로 가서 또 찌르기 시작하였다.

숱한 볏더미를 더듬어 보았으나 나온 것이 없었다. 적 기병은 아무런 수확도 없이 말에 채찍을 가하여 마을을 떠났다.

이장규 동지는 볏더미 속에서 기어 나와 헐레벌떡대며 본대로 돌아왔다. 그는 온몸을 살펴보고 머리를 긁으며 히죽이 웃었다.

"이런 제기랄! 팔뚝이며 허리며 모두 껍질을 벗겨 놨으니…… 이거 참 종이 한 장 차인걸. 조금만 빗겨 들어왔더라면 그저 골로 가는걸.

아! 이것 봐! 온몸이 글리세린 투성이네. 망할 녀석, 칼에 녹이 나지 말라고 바른 글리세린을 온통 나한테 문질러 놨으니 말이야. 그 놈의 칼이 적어도 여남은 번은 들락날락 했어…… 아무튼 종이 한 장 차이라니까. 얇은 종이 한 장 말이야……"

다. 기백

참모장 나중소 선생은 청산리 싸움 20여 년 전 한·청 양국이 국경에서 충돌한 어느 전투에서 청군을 무찔러 용명을 떨친 역전의 노장이었다. 그의 나이는 이미 58세의 고령에 달하였다. 키는 작고 세모꼴로 된 눈에 머리가 훌떡 까졌다. 코 밑에는 얼마 안 되는 빨간 수염이 붙어 있고 얼굴에는 나무토막에 새긴 판화처럼 주름살이 가득 차 있었다. 여태까지 누구도 그의 한 방울의 눈물이나, 한바탕 웃음을 본 사람이 없었다. 그는 얼음과 같은 성격의 소유자였다.

일찍이 그에게도 행복한 가정이 있었다. 다정한 가족이 있었다. 그러나 그의 곧은 성격은 이 꿈같은 행복 속에 그를 오래 묻혀 있게 할 수 없었다. 마침내 그는 모든 것을 저버리고 혹한과 기아를 벗 삼아 자라온 우리 군대에 들어오게 되었다…… 소용돌이치는 물결 속에 뛰어드는 사람 모양으로.

빠이원핑 전투가 시작될 무렵 그는 마땅히 김좌진 장군이 영솔하는 제1제대와 같이 먼저 철수했어야 할 사람이었다.

빠이원핑 전투가 전개된 후 적의 전위부대가 삼림 '공지'에서 전멸되고, 이어서 적의 본대가 대거 침입하여 맹렬한 공방전을 벌이고 있을 때였다.

강위라는 나의 한 학생이 빗발치는 적의 포화에 겁을 집어먹고 슬금슬금 뒤로 물러서 굴 속으로 들어가려고 하므로 나는 큰소리로,

"강위, 나와!"

하고 세 번 고함을 쳤다.

그러나 강위는 아무 대답이 없었다.

내가 그를 향하여 분노에 찬 권총의 방아쇠를 당기려 할 순간……

떨리는 하나의 큰 손이 내 손을 덥석 붙잡는 것이었다.

나는 손의 주인을 향하여 머리를 돌렸다.

"아! 나 선생님! 어찌된 일입니까? 저는 선생님이 진작 김 장군을 따라, 철수하신 줄 알았는데요. 아무튼 여기는 선생님이 구경하실 데가 못됩니다. 포성이 저렇게 사납게 울려오지 않아요? 공연히 연만하신 분이 큰 고생을 하시려고……"

내 말에 그는 흰 머리를 설레설레 젓더니 갑자기 낯이 붉어지며 흥분한 어조로 이렇게 대답하였다.

"아니야. 나는 자네와 같이 있겠네! 자네와 같이 있으면서 저 원수들이 우리 한국사람 앞에서 하나씩 쓰러지는 꼴을 내 눈으로 똑똑히 보고 싶단 말이야!"

라. 노병은 사라질망정

보병대 하사 한 동지는 43세이며, 구한국 시대에 '상등병'을 지낸 사람이다. 그는 항용 그때 이야기를 자랑삼아 하였다. 그래서 동지들은 그를 한상등이라는 별호로 불렀다.

과연 '한상등'은 표한 무쌍하여, 구한국 병정의 영예를 욕되게 하지 않았다.

마루꼬우 전투가 끝나자 우리는 전부 라오토꼬우를 향해 철수하기 시작하였다.

'한상등'은 한창 신이 나서 사격을 하다가 미처 부대를 따라오지 못하였다.

어두운 삼림 속에는 달과 '한상등'만이 남아 있었다.

그는 혼자 삼림 속을 헤맸다. 차츰 어둠이 사라지고 먼동이 틀 무렵 온 삼림은 망망한 안개 속에 잠겼다. 그가 총대를 메고 이 안개 속을 빙빙 돌고 있을 때였다.

저 멀리서 인마의 소리가 들려오는 것이 아니겠는가? 소리는 점점 커지며 가까이 들려왔다. 거기에는 분명히 일본말 탁음이 섞여 있었다.

'빵 빵 빵'

그는 인마성이 들려오는 쪽으로 맹렬한 사격을 하였다.

우리를 추격하던 적군은 이 뜻하지 않은 총소리에 깜짝 놀랐다. 적은 빠이원핑 삼림 공지에서의 쓰라린 경험을 되새기며, 혹시 우리 주력부대가 바로 눈 앞에 있지나 않나 하여 대열을 소개하고 서서히 수색하며 전진하였다.

'한상등'은 끝내 실종되었다. 그러나 그는 단독의 힘으로 우리를 추격하던 적의 속도를 얼마간 늦추었던 것이다.

마. 누가 감히

청산리 전투에서 다리에 경상을 입은 18세의 강 동지와 늑골이 부러져 중상을 입은 중년의 차 동지는 따오무꼬우 교포 부락에 있는 강 동지의 사촌형 집에 숨어서 치료를 받고 있었다. 두 주일이 지나자 그들의 상처는 점점 아물어 가고 시들어 가던 생명은 다시 생기를 띠기 시작했다.

그러나 이 즈음 적은 동북에서 대규모의 도살 운동을 일으키고 있었으니 그것은 한국 독립군에 바친 피 값을 무고한 한국 교포의 피로써 받아내려는 것이었다. 이 도살 운동은 말할 수 없이 참혹하고 광범위한 것이었다. 아무 저항도 없이 놈들의 총부리에 쓰러진 지린·랴오닝 두 성의 교포는 무려 3만을 헤아렸다.

도살 운동의 파문은 마침내 강, 차 두 동지가 숨어 있는 따오무꼬우 마을까지 밀려왔다.

권총과 군도를 든 적군은 강 동지가 숨어 있는 방문을 들이찼다.

문은 금세 열렸다.

문을 연 순간 놈들의 시선은 땅 바닥에 누워 있는 두 구의 시체에 못 박혔다.

죽은 사람의 목에는 칼이 들어간 구멍이 있고 거기에서는 아직도 뜨거운 피가 콸콸 쏟아져 나오고 있었다. 이 피는 그의 죽음이 바로 조금 전의 일이었다는 것을 증명하여 주고 있었다.

두 주검의 다리와 옆구리에는 아직도 채 아물지 않은 상처가 보였다. 이 상처는 그들이 한국 독립군이었다는 것을 말한다.

이 광경을 본 일본 사병들은 모두 옷깃을 여미고 숙연히 머리를 숙였다.

그 거룩한 죽음에 대하여 경의를 표하지 않을 자 누구냐! 마땅히 그들에게 정중한 장의를 베풀어야 할 것이다! 그들의 유족을 모욕하는 놈은 용서치 않을 것이다! 따오무꼬우 백성들을 한 사람이라도 학살하는 놈은 그대로 두지 않을 것이다.

10. 승 리

두 날, 두 밤의 격전 끝에 청산리 혈전은 종말을 고하였다.

이 싸움의 종합적 통계를 보면, 적의 총동원 병력은 우리 국내에 주둔한 2개 사단과 시베리아 파견군 3개 사단의 각 반부 내지 1/3의 도합 5개 사단 규모의 정규 육군 실 병력 5만이 넘고, 이에 항공대까지 붙였을 뿐 아니라 간도 각지에 있는 일본 경찰까지 합친 어마어마한 규모였다.

한편 우리는 비전투원을 합쳐서 약 2천 8백 명이었다. 그러니까 한국독립군 한 사람이 평균 '황군' 20명을 감당한 꼴이 된다.

적의 사상자는 가노 연대장을 포함하여 3천 3백여 명이었고 아군은 전사 60여 명, 부상 90여 명, 실종 2백여 명이었다. (실종자의 대부분은 나중에 부대로 돌아왔다. 그러니까 한국독립군 한 사람의 생명이 평균 황군 20명의 생명과 바꾼 셈이다.)

이것은 세계전사 상 매우 드문 전과였다.

그리고 그것은 오직 만주의 끝없는 삼림과 끝없는 산악의 특수한 지형 속에서만 이룩할 수 있는 전과였다.

무엇이 우리에게 승리를 주었던가?

망국 10년의 치욕이 뼈에 사무쳤던 까닭이다!

우리에게는 우수한 사관청년·학생이 있었기 때문이다!

우리에게는 매우 왕성한 공격정신이 있었기 때문이다!

마을 사람들의 열렬한 협조가 있었기 때문이다!

우리는 홑옷 미투리신으로 민첩한 행동을 할 수 있었기 때문이다!

우리는 그 곳 지리에 통하였기 때문이다!

우리는 전투의식이 적보다 더 강하였기 때문이다!

우리는 지휘력이 적보다 우수하였기 때문이다!

적이 피동적 위치에 있었기 때문이다!

적의 무거운 외투와 가죽구두 차림이 산악전에 불편하였기 때문이다!

민중들이 흉악한 적을 미워하였기 때문이다!

11. 맺 음

일본 신문은 전면 톱으로 청산리 전쟁 뉴스를 보도하였다.

"…… 아군 전물 장병은 가노 연대장 1명, 대대장 2명, 중대장 5명, 소대장 9명, 하사 이하 병졸 9백여 명…… 운운."

또 어떤 저명한 문학박사 한 사람은 김좌진은 과연 어떤 사람이냐 하는 제목의 글을 발표한 일도 있다.

어쨌든 '황군'은 청산리 전쟁에서 치욕의 패전을 당하고 맨주먹의 교포를 공격할 때는 영광(?)의 승리를 거두었다. 그래서 적군은 랴오닝·지린 두 성에서 대도살 운동을 전개하여 무고한 한국 농민 3만여 명을 살해하였던 것이다. 혈채는 면면 부단히 이어간다. 청산리 산천초목은 오늘도 예나 다름없을 것이다. 다만 1천여 명의 시체가 쌓여 있던 삼림 '공지' 부근에는 쓸쓸하고 차디찬 초혼비가 홀로 서 있을 뿐이다. 날마다, 해마다, 황혼의 붉은 햇살이 그 검푸른 글 자국을 어루만져 주고 있을 것이다.

大正 9年 10月 大日本軍討伐不逞鮮人之役戰歿之英靈

(대정 9년 시월 불령 한인 토벌전에서 전사한 일본군의 영령이란 뜻이다. 여기 시월이라 하였음은 양력이요, 본문의 9월은 음력이다.)

철기 이범석장군 기념사업회,
『우둥불』, 백산서당, 2016.5, pp.31-88.

조선의용대 편

전선에서의 조선의용대

호북의 남부와 호남의 북부에서(제1구대)

1. 월한선

우리가 무한을 떠날 때 (10월 21일) 무한의 정세는 아직 그다지 긴장한 편은 아니었다. 당국에서는 비록 분산시킬 것을 벌써 명령하였지만 길에는 여전히 행인들이 오가고 있었는데 붐비는 상태가 아주 뚜렷하다. 우리가 생각하건대 무한 외각에서의 전쟁이 비록 아주 치열하지만 인민들은 이와 같이 침착하여 경황해하지 않고 질서가 전혀 문란하지 않아 여러 분야에서 여전히 긴장히 일하고 있었다. 무한의 국세는 대개 무슨 문제가 발생할 정도는 아니었다. 적어도 단시일 내에는 절대 파악이 있었다. 그래서 우리는 무한을 떠날 때 아주 시름을 놓고 매우 기뻐하였으며 며칠 사이에 곧 광주함락·무한철거·장사화재와 같은 이러한 대변화가 발생하리라고는 전혀 생각해본 적이 없었다! 우리는 월한선 열차를 타고 악양을 거쳐 백가오에 도착하여 "9정"의 장 비서장 및 부원들과 상봉하였으며 그들의 환영회에 즐겁게 참가하였다. 그런데 얼마 되지 않아 또 후방으로 창황히 철수할 줄을 누가 알았으랴? 진짜 우리들의 생각 밖 이었다!

백가오에서 남하할 때 통산의 전쟁은 매우 치열하여 울부짖는 포성이 은은히 들려왔고 철도와 도로에는 피난 가는 사람들로 붐비었는데, 농민·노동자·상인·학생·병사 등 가지각색 사람들이 다 있었다. 더욱이 노인을 부축하고 어린이를 거느린 농민들은 어린이를 거느린 농민들은 고통스러운 모습으로 온 가족이 느리게 움직이고 있었으며 가끔 머리를 돌려 조난당한 고향을 돌아보면서 끝없는 미련과 근심고통을 드러내고 있어보는 사람들로 하여금 코가 시큼해지게 하였다! 그리고 영광스럽게 부상을 입은 형제들은 상처의 아픔을 참고 한 걸음 한 걸음 느리게 길을 걷고 있었는데, 여위고 약해진 몸, 피를 너무 많이 흘려 창백해진 얼굴모습, 때가 가득 끼고 피에 더러워진 군복, 사람들로 하여금 더욱 처량과 비애를 느끼게 하였다! 이 모든 것은 전 중화민족이 지금 수난 중에 있다는 것을 말해준다! 아니! 중화민족뿐만 아니다. 모든 동아세아 심지어 전 세계가 지금 수난 중에 있지 않는가? 파시스트의 침략 화염이 이미 전 세계를 다 태우고 있다! 평화를 사랑하는 사람들이여! 어디가 우리들의 "천당낙원"이고 "금능도원"이냐! 도망하고 유랑한들 "언제까지 유랑하랴! 어데로 도망가랴?" 도망하고 유랑하는 것은 방법이 아니다. 오로지 머리를 돌려 파시스트를 소멸해야 만이 인류는 비로소 진정한 평화가 있을 수 있다!

이렇듯 복잡한 난리판에서 우리 전 구대의 동지들은 11월 12일에 지정된 지점——황화시에 도착하였다. 그러나 호남북부와 호북남부의 전쟁국면은 여전히 악화되고 있었으며 조금도 온정된 현상을 볼 수 없어 또 명령에 쫓아 형산 으로 집결하였다. 이튿날 우리는 전쟁국세가 엄중해져 행동이 반드시 한결 민첩해야만 비로소 위험을 방지할 수 있었으며 그렇지 않으면 까닭 없이 희생을 낼 수도 있었다! 그래서 우리는 크고 무거운 짐들을 대부분 버리고 간편한 차림새로 급히 목적지를 바라고 나아갔다! 우리가 장사시를 지날 때 전 시는 한창 불에 타고 있어 불길이 하늘을 치솟고 연기가 자욱하였으며 경황하여 비애에 찬 민중들의 통곡소리와 폭탄의 폭발소리는 인류의 가장 처참한 음향으로 한데 엉겨졌다! 이렇듯 비참한 정경은 일본 파시스트군벌이

빛어낸 비극으로서 우리들의 머릿속에 영원히 새겨져있을 것이다! 우리는 가증스러운 일본 파시스트군벌의 흉악한 얼굴을 영원히 잊지 않을 것이다!

장사를 지나자 길가의 난민들이 전보다 더욱 많아지고 더욱 당황하여 쩔쩔 매고 있어 차마 눈뜨고 볼 수가 없었다! 우리의 동지들은 이 광경을 목격하고 시국의 엄중정도가 전보다 많이 심해져 반드시 앞당겨 목적지에 이르러야 함을 깊이 깨닫게 되자 행군 속도가 전에 비해 더욱 빨라졌다. 지나온 여정을 보면 비록 전부가 고산준령이었건만 하루 백 리길도 만족을 느끼지 못했다! 도중의 행군 속도와 매우 정연한 군대 규율에 대하여 연도의 농민들이 극력 칭찬하였을 뿐만 아니라 "9정"의 모든 장병들도 우리 "조선의용대"를 "9정"의 "모범부대"라고 칭찬하였다!

형산에 도착한 후 전쟁국세는 차츰 온정되고 여러 분야의 정세도 점차 호전되었다. 우리는 비용 소모계산서와 대적군 선전계획서를 대강 작성하여 심사 허가하도록 "9정"의 장비서장에게 제출하는 한편 금후의 선전계획을 설계하고 선전재료를 준비하였다. 그러나 적기가 끊임없이 폭격하여 시가지가 볼품없이 쇠퇴해지고 대부분 상인들이 이미 도망간 탓으로 선전재료를 수집하기가 매우 어려워 시골이나 읍에 가서 수집하지 않고서는 다른 방법이 없었다. 그래서 전체 동지들은 모두 앞 다투어 시골에 내려가 수집한 결과 불과 며칠 사이에 곧 재료들을 완전히 다 사들이었다. 11월28일 마침내 명령을 받고 평강현 소속매선진에 가서 대적군 선전사업을 실시하였다. 이튿날 우리는 배를 타고 북상하였는데, 매우 흥분하였다. 전번 남하할 때의 비분스러운 정형에 비하면 참말 같은 날로 이야기할 바가 아니었다! 연도의 상황도 매우 평온해져 대부분 농민들은 이미 고향에 돌아와 평상시와 같이 농경생활을 하면서 나가면 일하고 들어오면 휴식하는 모양이 마치 전쟁이 발생하지 않은 듯하였다. 이와 같이 중국농민들의 생활에 대한 견고성과 침착성은 참으로 우리들로 하여금 놀라움을 금치 못하게 하였다!

12월 3일 장사에 이르러 전방의 상황이 아직 그다지 분명하지 않고 각 부대의 부서 상황도 그다지 명확하지 않으므로 잠시 여기에 남아 명령을 기다릴 수밖에 없었다. 이 무렵의 장사는 비록 큰 화재를 겪기는 하였으나 군사·정치·문화·교통 등 여러 분야에서의 중심적 지위는 전에 비해 더 중요해졌다. 그래서 당국에서는 급히 장사에 대한 선후책을 강구하였다. 유랑자들을 위로하고 시황을 번영케 하고 질서를 되찾는 등 여러 분야에 사람이 필요했다. 우리는 곧 이 기회를 빌어 장사 성안팍에 대한 작업을 벌리었다.

2. 장사 성안팍

이때의 장사는 불에 탄 흙으로 되어있었고 피난민들은 점차적으로 돌아오기는 하였으나 그들의 가옥과 가구들은 이미 잿더미로 돼버렸다! 두 손이 빈털털이로 되어 아무 곳도 없는 상태에서 이렇듯 추운 겨울을 어떻게 살아갈 것인가? 확실히 엄중한 문제로 되었다! 따라서 이때의 장사시는 이미 피난민들의 집거구역으로 되어 당국에서는 이런 피난민들의 생활문제를 해결하고자 구원금을 발급하기로 결정하였다. 우리는 우선 이 작업에 착수하였다.

별들이 드물어진 어느 날 명랑하고 추운 이른 아침 새벽바람이 찬 공기를 띄고 우리 매개인들의 몸을 기습하였지만 누구도 추위를 느끼지 못하고 한걸음 한걸음 길을 찾아 전진하면서 마음속으로 혼자서 궁리하고 있었다. 오늘은 12월9일, 이재민들에게 구원금을 발급하는 날이다. 마땅히 어떻게 해야 이 중대하고 복잡한 과업을 완수할 수 있을까? 우리는 한 거리에서 트럭에 뛰어올랐는데, 이 괴물은 경적을 울리며 검은 연기를 내뿜고는 앞으로 쏜살 같이 내달렸다. 도로 양측은 지난날 화려하고 당당한 큰 상가와 회사와 평민주택 그리고 고층건물들이었겠으나 지금은 다 허물어진 벽과 부서진 기와조각과 재로 되어버렸다! 장사의 동포들! 이 중대한 손실은 누가 빚어냈을까? 당신들은 으레 상상할 수 있겠지요! 호남의 건아들이여! 이 불공대천의 원수를 갚지 않는다면 그야말로 황제의 자손 되기에 부끄럽습니다.

목적지에 도착하여 잠간 휴식한 후 홍과장은 오늘 돈을 발급하게 된 까닭과 사업포치 및 매개 사람들이 맡은 과업을 우리들에게 설명하였다. 아울러 모든 인원들을 얼마만큼의 그룹으로 편성하고 지점을 지정하여 각자가 자기 일에 열중하도록 하였다. 우리는 스무 사람이 네 그룹으로 나뉘어 일하였다. 9시쯤 교육 장소에는 사람들이 이미 인산인해를 이루어 물 샐 틈 없이 붐비고 있었다! 우리는 이 이재민동포들을 지휘하여 공지에 줄지어 앉게 한 다음 그들을 대신하여 영수증을 떼 주자 그들은 다 감격을 금치 못하였다! 그런데 가장 감복할 만한 것은 이 이재민동포들은 남녀노소 할 것 없이 시중을 들어주면 아주 질서를 지키면서 조용히 앉아있는 것 이었다! 이로 말미암아 우리 봉사일꾼들은 각별히 흥분하였다! 엄격한 군사훈련을 받은 군대라 할지라도 이 이재민동포에 비하면 과연 어떠할까? 역시 이러할 뿐일 것이다. 그들이 차분히 앉아있을 때 우리는 기회를 빌어 그들에게 구두선전을 함으로써 장사대화재의 진정한 괴수는 일본강도들이고 그들이 우리를 강박하여 부득이 이와 같이 되게 하였으며 우리는 장차 일본놈들에게서 이 피빚을 받아내야 한다는 것을 설명하였다! 이와 동시에 그들에게 중국항전의 의의 및 중국민족의 수령 장위원장께서 장사의 이재민들에 대한 관심 등 문제를 알려주었다.

따뜻한 태양은 이미 공중에서 서쪽으로 기울고 있었다! 광장에서 학수고대하고 있던 이재민동포들은 이미 눈이 뚫어질 지경 이었다! 어떤 이들은 아들딸을 거느리고 홑옷을 입고 배를 고부리고 신음하고 있었다! 철모르는 어린이들은 이와 같은 기아와 추위에서 허덕이며 다리와 발이 아픈 고통을 이기지 못해 소리를 놓아 울기 시작하였다! 우리는 그들에게 정신적으로 조금이라도 위안을 주려고 기를 써가며 설명하였다. "발급이 늦어진 원인은 상급에서 발급하지 않는 것이 아니고 또 지배인들이 책임을 지지 않아 그런 것도 아닙니다. 먼 곳에 있는 동포들이 아직 도착하지 않았기 때문입니다. 정부에서는 매개 이재민동포들로 하여금 누구나 다 구원금을 탈 수 있도록 하려고 하는데, 그들이 다 와야만이 비로소 발급할 수 있습니다." 그들은 듣고 나서 얼마간 안심은 되었으나 기아와 추위가 그들로 하여금 쪼그린 채로 있을 수 없게 하였다! 다행히 오래지 않아 지배인들이 다 왔으므로 곧 돈을 발급하기 시작하였다. 우리는 그들을 한 줄로 서게 한 다음 순위에 좇아 매인당 5원씩 발급하였는데, 한밤중이 되어서 교육평의 빈 마당은 비로소 사람들의 소리가 없어지고 조용해졌다. 우리는 비록 피로하여 지치기는 하였지만 내심으로는 아주 유쾌하였다!

이후 장사의 질서는 모두 정상적인 상태로 들어가고 우리의 일도 이런 객관적 환경의 전변에 따라 신장세를 보이고 있었다. 우리 전체 동지들은 벽보, 표어, 가두보, 출판, 행동 다섯 개 그룹으로 나뉘어 늘 자기의 담당 장소에서 각각 자기 부서의 업무에 몰두하였다.

(갑) **벽보조**

우리는 벽보명을 〈귀〉로 명명하고 매일 큰 종이 6장씩 출판하였는데, 모든 소식들은 완전히 행동조의 동지들이 매일 새벽 중앙통신사에 가서 당일의 전보원고를 베껴온 것이었다. 그 밖의 토막 평론이나 소설 따위는 편집조의 동지들이 전날 저녁에 미리 써놓았다가 당일 아침에 재료가 다 모인 다음 다시 각각 베끼었다. 행동조의 동지들은 매일 오전에 여러 번화한 네거리로 나뉘어 가서 붙여놓았다. 장사 대화재이후 정식 신문들은 아직 복간되지 않은 상태여서 우리의 벽보가 기실 신문지의 역할을 하였다. 따라서 내다 붙이기만 하면 민중들은 모두 앞 다투어 와서 열람하였는데, 관중이 꽉 차서 붐비기도 하였다. 후에 시황이 날로 번영해지고 여러 신문들도 선후로 복간이 되어 우리의 벽보내용은 마침내 신문보도적인 의의를 잃게 되자 우리는 그것을 개정함으로써 소식 면에서는 민중의 항전정서를 흥분시킬 수 있는 재료들을 많이 선택하고 형식은 멋진 만화들을 대량 증가하였다. 그래서 관중들은 결코 이전보다 줄지는 않았다. 그러나 관중의 범위는 지식정도가 비교적 낮은 일반 민중에 국한되어있었다.

(을) 표어조

표어는 민중의 항전의식을 확고히 하고 민중의 적개심을 강화시키는 데 있어서 일종 간단하고도 효과적인 도구이다. 더욱이 국제조직의 의미를 내포하고 있는 우리에게 있어서 이 점을 더욱 경시할 수 없었다. 따라서 우리가 장사에 도착한 이튿날 아침 행동조의 동지들은 갈가마귀가 조용한 폐허 위에 구석마다 붙여놓아서 장사성안팎의 어디서나 우리의 표어를 볼 수 있었다. 아울러 장사에 영구적인 기념을 남기고자 예술 글씨를 쓰는데 재주가 있는 동지들, 이를테면 장씨, 주씨, 마씨, 엽씨 등 동지들을 동원시켜 성 안팎으로 나뉘어가서 극히 유력한 어구와 가장 선명한 색채로 수많은 벽제표어들을 그려 만들게 하였는데, 장사 시가에서는 몇 걸음 걷지 않고도 우리 한 곳의 표어를 볼 수 있었다. 그래서 심지어 일부분 사람들은 이렇게 말했다. "장사시의 선전은 당신네 조선의용대가 도맡았네그려!" 벽제표어 중에서 가장 주목을 끄는 것은 '천심각'이라는 높은 담벽에 "전방의 장병들은 용감히 적을 무찌르고 후방의 민중들은 생산에 노력한다."라고 써놓은 큰 표어로서 가운데는 붉고 변두리는 희며 글자 크기는 사방1장이나 되었는데, 10리 밖에서 보아도 능히 볼 수 있었다.

(병) 가두신문조

장사 대화재이후 모든 문화기관들에서는 후방으로 죄다 이동한 탓으로 정신적 식량이 무형 중 단절되고 말았다. 우리가 명령을 받들고 민중선전사업을 추진하면서부터 비로소 극력 방법을 강구하여 이 작업을 벌이었으나 본시의 민중들이 시골로 이사 가서 표어 벽보는 힘이 미치지 못해 시골에까지 이를 수 없었다. 그래서 우리는 가두신문조를 특설하여 가두간행물을 출판함으로써 선전에서의 부족 점을 보완하고 모든 소식이 시골에까지 전달되도록 하였다. 내용은 대부분 여러 지역 게릴라부대의 활동이나 여러 지역 민중들이 전시공작에 열렬히 참가한 정형 그리고 적들의 가혹한 야수적 행위 등을 소개한 것이었으며 아울러 만화설명이 첨부되어있었다. 매일 천여부를 편집하여 인쇄에 부친 다음 행동조의 동지들이 가두로 나뉘어가서 뿌려놓았다. 그리고 가두연설의 방식으로 설명을 하였다. 그래서 농민들이 그것을 지니고 시골로 가서 돌아가며 본 탓으로 여러 지역에 보편화되었다.

(정) 출판조

우리는 장사에 온 후 힘껏 사업한 결과 이미 여러 면에서 상당히 좋은 평가를 받았고 이로 말미암아 일반 인사들의 주목을 끌게 되었으며 더욱이 우리의 조직이 특수하고 또한 맡은 과업이 중대했던 까닭으로 여러 단체와 여러 기관 및 조선혁명문제에 대하여 관심하는 인사들은 누구나 다 우리들의 정형을 알고 싶어 하였다. 이와 같이 열성적인 인사들의 요구를 만족시키기 위해 마침내 출판조의 조직을 내오게 되었던 것이다. 먼저 부정기간행물 〈혁명의 조선〉을 출판하여 각계인사들과 대면시키기로 결정하였다. 비록 자금과 재료부족으로 말미암아 내용과 편폭이 허술함을 면치 못했지만 이것은 다 여러 동지들이 노력하여 만들어낸 우수한 작품이었고 모든 언론도 죄다 사실에 좇아 발표하였으며 각계인사들이 조선 문제에 대하여 인식하고 연구함에 있어서 자그마한 도움이라도 될 것이다.

(무) 행동조

이른바 행동조라는 것은 완전히 뛰어다니는 일이었다. 요새 장사의 날씨는 많이 흐리고 적게 개이는 데다 찬바람까지 울부짖고 있어 행동조의 작업은 더욱 어려워졌다! 눈꽃이 흩날리거나 큰 비가 억수로 퍼붓거나 지면이 어떻게 질퍽거리거나를 막론하고 매일 왕복 30리 길을 한 걸음도 적게 걷지 않았다. 천여 부의 가두신문을 뿌리고 벽보와 표어를 붙이는 작업은 반드시 완수해야 하였다. 우리가 이렇듯 끊임없이 제때에 작업을 하였으므로 우리의 친애하는 독자들은 언제나 일정한 지점에서 미리 대기하고 있었다. 어느 날 우리의 장문해 동무는 벽보를 붙이러갔다가 날씨가 하도 추워 열 손가락이 꽁꽁 얼어서 움직임이 자연스럽지 못해 그 벽보를 어떻게 해도 붙일 수가 없었다! 결과 옆에서 기다리고 있던 독자 한사람이 이를 발견하고 곧 뛰어가서 그를 도와 잘 붙여주었다! 그리고 장동무에게 "동지들! 당신들은 정말 너무 수고합니다! 당신들의 이와 같이 의연한 봉사정신은 참으로 우리가 감탄하는 바입니다!" 라고 말하였다.

여러가지 경기

"제9전투구역 정치부"에서는 일꾼들의 흥미를 높이기 위해 12월20일부터 25일까지 경기대회를 거행하였다. 여러 단체에서는 자유로 경기에 참가하였으며 종목은 논문, 서예, 회화, 야외달리기(크로스컨트리 레이스), 등산 등 다섯 가지가 있었다. 우리는 이 다섯 가지 경기에 모두 열렬히 참가 하였는데, 상당히 훌륭한 성과를 거두었다! 우리는 원래 논문, 서예 두 가지 종목에 참가하지 않으려고 하다가 임시로 구계소 동무를 파견한 결과 뜻밖에 제2위와 제5위를 획득하였다! 논문 제목은 〈정치공작일꾼들이 항전 중에서 맡은 책임〉이었다. 서예는 해서체, 행서체, 초서체, 전서체 등 몇 가지 종목이 있었는데, 자기의 장기에 좇아 한 가지 종목에 참가하였다. 회화 한 가지 종목은 21일에 명헌여자중학교에서 거행되어 우리의 장중광 동무가 이 항목의 경기에 참가하였다. 제목은 〈죽느냐 사느냐의 결판〉이었다. 도료와 그림 그리는 도구가 부족하여 다만 먹물과 흰 가루로 그리었다. 그림에는 큰 칼을 든 중국인과 그 밑에 놀라 무서워서 어찌 할 바를 모르는 일본놈이 그려져 있었는데, 표정이 매우 심각하고 붓을 댄 것도 아주 힘이 있어 결국 우승하였다!

야외 달리기와 등산

보슬비가 보슬보슬 내리는 날(12월19일) 우리가 쪼그리고 앉아 밥을 먹고 있을 때 구대장은 "오늘 아침에 정치부의 통보를 받았는데, 내용은 이러하다. 본부에서는 기관의 학교화를 실시하고 사업흥미를 일으키기 위해 특히 일꾼들의 지력과 체력 경기를 거행한다!"고 선포하였다. 동무들은 이 소식을 듣고 대부분 기뻐 어찌 할 바를 몰랐으며 체력시합에 참가할 만반의 준비를 하였다. 이 분야에서 우리는 그래도 상당히 자신이 있었기 때문이었다.

시간은 하루하루 매우 빨리 지나 순식간에 23일이 이미 닥쳐왔다. 야외 달리기에 참가 하는 우리의 우수한 운동선수들은 아침에 동이 틀 녘에 벌써 이불 속에서 기어 나왔다. 잠간 운동한 후 아침밥을 배불리 먹고 행장을 챙겨 악녹산을 향해 떠났다. 걷고 걸어 잠깐 사이에 멀지 않은 악녹산에 도착하였다. 이때는 이미 9시경이 되어 동쪽의 아침 해가 높이 솟고 청신한 아침 기운이 산꼭대기에 스쳐오고 한기를 두려워하지 않는 수풀속의 작은 새들도 맑은 소리로 우짖고 있어 시합에 참가하는 건아들로 하여금 마음이 명랑하고 상쾌하게 하였으며 마치 일부러 와서 고무하는 것 같기도 하였다! 갑자기 플루트소리가 나더니 사령관이 발언하였다. "아직도 10분이 남았습니다! 여러분 준비하시오! 참가자들을 남여 두 그룹으로 나누되 남자 그룹은 10화리이고 목적지는 당가만이며 여자 그룹은 5화리입니다!" 참가하는 남여 건아들은 약속한 듯이 겉옷을 벗고(어떤 이는 러닝셔츠와 팬티만 입었다) 길에 줄을 서서 마지막 나팔 소리를 기다리었다. 시간이 되어 사령관이 신호를 하자 수십 명의 건아들은 곧추 앞으로 광분하였는데, 마치 만마가 내달리고 홍수가 터진 듯 하였으며 사람마다 앞장서려 생각하면서 뒤떨어질까 저어하였다. 노장군 황충과 엄안(왕대대장과 부대대장)마저 남들의 뒤에 떨어지기를 달가와하지 않았으며 이로 말미암아 속도가 더욱 더 빨라졌다! 비록 체력 상에서 차이가 있고 도착한 선후가 부동하였지만 시간이 매우 짧고 성적도 아주 우수하였다! 시합 결과 우리의 조열광 동무가 우승하고 최성장 동무가 준우승하였으며 제2대대의 아무 동무는 꼴찌가 되었다. 한 차례 치열한 투쟁은 이로써 종말을 고하였다. 승리자는 물론 즐거워하였고 실패자도 낙심하지는 않았다. 실패는 성공의 어머니요 승패는 병가의 상사이므로 이겼다고 하여 우쭐해 하지 말고 졌다고 하여 기가 죽지 말아야 한다. 대장부는 우선 싸우고 나중에 공을 말한다. 내일 등산 시합에서 도대체 누가 우승할까!

24일 아침 등산 시합을 거행한다. 우리가 악녹산 밑에 이르렀을 때 갑자기 "윙-윙-"하고 경보 소리가 났다! 우리는 재빨리 분산되어 산 밑의 골자기에 엎드리었다. 얼마 안 되어 묵직한 중형 폭격기의 소리가 이미 구름 속으로부터 귀가에까지 전해왔다! "장사는 이미 함부로 학살할 목표가 없었으므로 문 앞까지 왔다가 가버리는구나." 흉악한 으르렁 소리가 사라지자 우리의 대오는 또다시 집결하였다. 시합에 참가한 건아들은 피콜로소리가 나자 마치 수많은 화살을 동시에 쏜 듯 신속히 원숭이마냥 기어올라 잠깐 사이에 산꼭대기에 이르렀다. 이번에도 여전히 조열광 동무가 우승하여 참말 군관학교 마라손 명장으로 되기에 손색이 없었으며 싸움마다 승리하였다.

민족부흥절

12월 25일은 중화민족부흥절 두 돌 기념일이었다. "9정"에서는 특히 당지의 군정기관 및 민중단체들과 연합하여 성대한 기념회를 거행하였다. 물론 우리는 이렇게 좋은 기회를 쉽사리 놓칠 리가 없었다. 우리는 미리 흰 천에 붉은 글자로 쓴 두 폭의 플래카드를 만들어 놓았다. "민족부흥절을 기념하고 수령을 옹호하며 항전을 끝까지 하자!" "중한 양 민족은 연합하여 일본제국주의를 타도하자!"라는 주련이 주석대 양쪽에 높이 걸려있어 실로 대회에 광채를 적잖이 더해주었다! 대회가 끝난 후 우리 다섯 동무는 화장을 하고 가두연설을 하여 민족부흥의 약사와 의의 및 어떻게 기념할 것인가 등 문제들을 설명하였다. 오후 1시에 연예회가 거행되어 우리는 사전에 만들어놓은 "조선의용대 성립경과와 목전의 과업"이라는 삐라 천여 부를 그 자리에서 관중들에게 뿌렸다. 연예회에는 많은 단체들이 참가하였고 프로그램도 번다하였다. 우리 동지들이 참가한 프로그램으로는 노래, 연극(의용군), 탭댄스 등이 있었는데, 그중에서 한국말노래와 마일신, 왕현순 두 동무의 탭댄스가 관중들의 환영을 보다 많이 받았으며 박수소리가 적잖이 울렸다!

동락회

12월 26일 전체 "9정"에서는 동락회를 거행함으로써 장려품을 수여하였다. 부주임은 "본 부에서는 기관의 학교화를 실현하고 일꾼들의 연구흥미를 높이고자 이번 경기를 거행했던 것입니다. 이후에는 또 사업 경기를 실시함으로써 여러 부문의 사업 성적을 검사할 것입니다! 여러 동무들이 분발해서 제2기 항전의 위대한 과업이 완수되도록 노력하기를 희망 합니다."라고 이야기하였다. 논문, 회화, 서예 등 경기에 참가한 작품에 대하여 평가한 후 곧 이어서 군악소리 속에서 상품을 수여하였다. 수상자들이 주석대로 나아갈 때 사방에서는 박수소리가 우렛소리와 같이 울려 퍼지고 또한 환호가 열렬하므로 수상자들은 되려 부끄러워하였다. …… 연예회는 오후 8시에 비로소 끝났다!

3. 막부산중

민중이 사랑하는 게릴라부대

출발할 무렵 우리와 제1게릴라선전대의 동무들은 산기슭에서 악수하고 작별하였다. 동무들은 애틋한 눈길로 서로 바라보았고 두 발은 마치 천근 무게나 되는 듯 한걸음 두 걸음 천천히 이동하였으며 뒷모습마저 보이지 않을 때에야 비로소 걸음을 놓아 걸어갔다. 아! 조선의 건아들이여! 너희들은 미래 새조선의 창시자이며 용감한 혁명전초이다. 그리워하지 말고 용감히 장도에 오르라! 우리 혈전의 시기는 닥쳐왔다!

길에서 보이는 산간마을의 질서는 뜻밖에도 평화시기처럼 조용하였고 수많은 민중소학교들에서는 여전히 수업을 하고 있었다. 우리는 막부산 오지에 도착하자 상탑시에서 필수품들을 수두룩이 사놓았다. 산중턱에 서서 머리를 돌려 바라보니 크고 작은 산봉우리들이 한눈에 안겨 와서 마음이 열리고 기분이 유쾌하였다! 그러나 산꼭대기에 이르자 짙은 안개가 하늘을 가리워 지척의 물건조차 가려낼 수 없었고 손을 뻗쳐도 다섯 손가락이 보이지 않았으며 군복도 푹 젖어버렸다. 정말 기적이었다. 6천 미터나 되는 높은 산에 의외로 외딴집 한 채가 있었으며 많은 사람들이 그 주위에 모여 있었다. 이

곳에 "장"(장터)을 하나 세웠다고 한다. 약 4천 미터 되는 산 아래에는 큰 마을 하나가 있었으며 산세가 견고하고 험하였다. 군대들의 경계가 삼엄하여 바라보기만 해도 게릴라본거지임을 대번에 알 수 있었다. 가까이 가면 사복차림으로 총을 들고 보초서는 장정들이 보이었다. 농민들의 말에 의하면 여기서 30리 떨어진 곳에 곧 적들이 있기는 하지만 그들은 극상해야 도로에서 5리도 감히 떠나지 못하며 이와 같은 험산준령에는 그들이 더욱 올 엄두를 못 낸다고 한다!

도중에 첫 밤을 잘 때 누군가 문을 두드리자 주인은 그에게 문을 열어주었다. 놀랍고 이상한 중에 그들 사이에서 오가는 말을 들어보니 노크한 사람은 게릴라대원이었다. 그는 말한다. "여기서 약 30리 떨어진 곳에 적들의 수송차 한 대가 멈춰서 있는데, 어제 저녁에 우리 40여명 대원들이 습격하였으나 지형을 잘 정찰하지 않았던 탓으로 결국 목적을 이루지 못하고 그들을 도망치게 하였다. 그러나 두 놈을 죽여 버렸다!"

이튿날 여전히 행군하여 산을 넘고 영을 지나면서 하루 종일 산속에 있었다. 걷다가 지치면 곧 길가의 바위 우에 앉아 휴식하였고 어떤 동무들은 유머러스하게 두어마디 이야기 하였으며 혹은 아주 느긋하게 담배를 피우면서 일신의 피로를 저 멀리 잊어버리기도 하였다. 하지만 저 높고 높은 산봉우리와 깊고 깊은 산골짜기와 산마다 들마다 꽉 들어선 푸릇푸릇하고 귀여운 소나무 수풀을 바라보면 또 저도 모르게 산수가 수려한 고향 생각이 떠오른다! 그이는 적들의 쇠발굽 밑에서 신음하고 있으며 잔학하게 짓밟히고 있다! 그러나 중국 이 아름다운 대지의 수많은 산봉들은 적을 매장하는 무덤과 적을 소멸하는 가장 훌륭한 장소로 되었다. 적들의 대포 탱크와 같은 기계적인 살인무기들은 그의 품에 이르면 곧 "이러지도 저러지도 못하고" 아무 쓸모도 없이 돼버린다.

단지 X일만의 행군을 거쳐 곧 목적지에 도착하였다. 적들은 이미 우리 게릴라부대에게 쫓겨서 전부 도로 부근으로 꽁무니를 빼고 말았다. 지금 적들이 부단히 도로선상에서 무력을 과시하고 위풍을 보이고 있는데(?) 그들은 아직 상대를 만나지 못했기 때문이다. 그래서 아주 그럴듯하게 10몇 대의 장갑차가 베틀의 북처럼 왔다 갔다 하면서 드라이브하고 있었다! 그러나 말하자면 적들은 정말로 우습고 가련하였다. 장갑차는 매번 통과하기 전에 꼭 먼저 공병을 대량 파견하여 지뢰나 수류탄이 있는가 없는가를 세밀히 검사한 다음 비로소 통과하였으며 무시로 사방을 향해 부질없이 총 몇 방을 쏘기도 하였다. 물론 장갑차 앞쪽에는 언제든 중기관총이 장치되어 있었으며 표어 한 장을 발견해도 한바탕 마구 내쏘기도 하였다. 보건대 마치 그들의 무기가 충족한 듯 하지만 기실 이는 바로 그들의 꼴이 말이 아님을 엿볼 수 있었다.

우리가 목적지에 도착하던 날 부근의 약 3백여 명의 농민들은 "꽝꽝……" 하고 폭죽을 터뜨리었으며 돼지와 술을 가지고와서 우리 이 한 갈래의 게릴라부대를 환영하였다. 깃발에는 "백성을 사랑하는 X지대장을 환영한다." "민중의 구성 X지대장" "군민은 무장하고 협력하여 잃은 땅을 되찾자……" 등 구호들이 씌어있었다. 그들의 붉고 건강한 얼굴에는 웃음이 가득하였다. 우리가 가지고온 선 전품들을 그들에게 매 사람 한 부씩 뿌려주었더니 그들은 매우 놀랍고 이상해 하였다. 글을 읽을 수 있는 사람들은 넋 없이 보고 있었으며 글을 읽을 수 없는 사람들도 그것을 조심스레 개서 주머니에 넣었다. 아마 돌아가서 다른 사람의 가르침을 받으려는 예정일 것이다. 의탁과 보호를 잃은 적 후방의 민중들은 조국이 필요하고 사랑스러움을 정말 절실히 느끼었다. 그들은 모든 것을 조국에 바칠 작정이었다. 조국의 해방과 자유를 찾을 수만 있다면 그들은 어떠한 희생도 달갑게 받아들인다.

며칠 후 우리 게릴라부대를 위해 적들의 진지에서 적정을 정찰하고 있던 한 농민이 적들에게 발각되어 온 몸에 무수한 칼 상처를 입고 구사일생으로 돌아왔으나 피를 많이 흘려 그야말로 피투성이로 되어있었다. 우리는 차마 그대로 볼 수 없어 비상용으로 가지고 왔던 약을 얼른 꺼내서 그를 치료해주고 나중에는 붕대로 잘 싸매주었더니 그는 감격의 눈물을 흘리었다! 그러나 이 눈물은 약자의 눈물이 아니라 적들에게 복수하려는 눈물 이었다!

게릴라구역으로 가다

우리 일행은 가방, 군용담요, 외투, 총 등을 메고 숙영지를 떠나 게릴라구역으로 전진하였다. 적 대부대의 습격을 피하기 위해 아군은 완전히 막부산속의 궁벽한 오솔길로 걸었다. 대오는 좁은 길에서 한 마리의 긴 뱀처럼 꾸불꾸불 전진하였다. 우리는 뒤에서 그들의 용감한 뒷모습을 바라보니 이상하게 흥분된 감촉을 받았다. 이른바 "우리의 피와 살로 우리의 새로운 장성을 쌓자"라는 말로 이 위대한 대오를 묘사하였다고 말할 수 있다! 아닌가, 그들은 바로 적 후방으로 매진하여 언제나 어디서나 피와 살로써 적들의 맹렬하고 흉포한 침략을 막으려하고 있으며 선혈로써 수 십 년래의 피 빚을 받아내려하고 있다!

게릴라동무들, 비록 그들이 입은 옷은 깔끔하지 못했지만 그러나 그들의 항전 정서와 적개심은 각별히 정연하였다! 우리가 2십여 리나 되는 최고봉에 기어올랐을 때 여러 사람들의 정서도 마치 최고봉으로 고조된 듯하였다. 대장과 게릴라구역의 연락원은 산꼭대기에 서서 손으로 통성 쪽의 적정을 하나하나 지시하였고 여러 사람들의 유력한 눈길은 대장의 손가락을 따라 쏘아보았다. 아무래도 적을 즉각 소멸할 것 같았다! 잠깐 휴식한 후 동무들은 견결하고 흥분하여 적 후방으로 진군하였다. 땀을 훔칠 새도 없이 단번에 5십 리 길을 걸었다. 도로 양쪽에는 수많은 우군이 동북방면의 적을 경계하였고 두 번째 산을 넘는 25리 길에서 매개 부락마다 모두 군대가 있었으며 경계도 마찬가지로 삼엄하였다.

두 번째 산에 기어오르니 방금 지나온 것보다 더 높았으며 산허리에 있는 층층의 논밭에서는 농민들이 평상시와 같이 경작하고 있었다. 이렇게 많은 중국 농민과 광대한 토지는 중국 항전이 승리할 수 있는 가장 유력한 담보이다. 적들은 어쨌든 이렇듯 위대한 잠재적 힘을 이길 수 없기 때문이다. 우리가 이 위대한 힘을 발휘시키기만 하면 적들은 3개 섬으로 도망쳐 돌아갈 수밖에 실로 다른 길이 없다!

석양이 밭에 비낄 무렵 우리는 맥시에 도착하였다. 우선 우리 시야에 비치는 것은 그 붉은 흙으로 쓴 표어 이었다——"우리는 게릴라부대에 참가하러 가자." 그것은 조선의용대에서 만든 것이었다. "우리 동무들 가운데서 누가 먼저 이곳으로 왔을까?" …… 그것 뿐만 아니라 맥시거리의 여러 곳에 우리의 표어가 있었다. 이것은 분명 우리 제2게릴라선전대의 동무들이 썼을 것이다. 왜냐 하면 그들이 XX게릴라구역으로 가자면 반드시 여기를 지나야 하기 때문이다. 이렇듯 궁벽한 산속거리에서도 우리 '조선의용대'의 이름을 볼 수 있어 참말 각별히 즐거웠다.

게릴라구역의 민중

맥시와 적과의 거리가 10몇 리 길도 안 되었으나 농민들은 평상시와 같이 일하고 있었으며 조금도 놀라서 당황해 하는 기색이 없었다. 참 보기 드문 일이었다. 중국민족의 위대성을 이 점에서도 대개 한두 가지 보아낼 수 있었다. 더욱 사람을 흥분시키는 것은 부상한 장병들이 농민들이 멘 담가에 실려 병원으로 가는 모습이었는데, 대다수 사람들은 또 적의 수중에서 빼앗아온 전리품——38식 보병총, 철갑모, 문서 등을 휴대하고 있었다.

XX사단 정치부에서 꾸린 민중소학교는 사람이 꽉 차서 붐비었다. 우리의 동무들도 매일 몇 시간씩 강의를 담당하고 있었으며 그 꼬마 벗들과 아주 친해져서 마치 자기의 친형제와 같았다. 어떤 때 우리가 꼬마 벗들에게 "너희들은 우리가 어느 나라 사람인걸 아느냐?"라고 물으면 그들은 곧 깜찍하게 "우리는 당신들이 조선의용대라는 걸 알고 있어요."라고 대답한다. 또 "그럼 조선의용대는 무엇 때문에 전장으로 왔느냐?"라고 물으면 "우리의 군대와 함께 일본놈을 소멸하려고 이곳에 왔죠."라고 대답했다. 어느 한번 우리는 사탕과자와 낙화생을 수두룩이 사서 이 천진한 꼬마 벗들과 더불어 동락회를 열었는데, 그들은 너무 기뻐서 어쩔 바를 몰랐다. 이야기도 하고 웃기도 하여 분위기가 매우 활발하였다. 주석 이동무가 "꼬마 벗들!"하고 한마디 말하자 그들은 즉각 6, 7십 쌍의 작은 손으로 박수를 치면서 환영을 표시하였다. "우리는 전선에서 중국의 꼬마 벗들과 더불어 이번 동락회를 개최하니 아주 흥분됩니다! 우리는 당신들이 안심하고 일하는 것을 직접 목격하였으며 당신들의 정신에 매우 감탄합니다. 오늘 우리는 이 기회를 타서 다시금 당신들에게 한 가지 일을 약속합니다. 우리가 평강에 있을 때 한 꼬마 벗이 우리에게 말하기를 안휘 쪽의 꼬마 벗들은 모두 나라와 민족을 위해 노력 분투하고 있으며 그들은 적 점령 구역 내에서 적정을 정탐하여 우리 게릴라부대에 보고하였으므로 우리 게릴라부대는 매일 수많은 일본놈들을 소멸하였다고 합니다! 꼬마 벗들! 이런 일은 얼마나 영광스럽습니까. 우리는 지금 적과의 거리가 극상 해야 10몇 리 길도 안 됩니다. 만일 이 곳이 적들에게 점령되면 당신들도 안휘의 꼬마 벗들을 따라 배워 우리 게릴라 부대를 도와주어야 합니다. ……" 이 귀여운 꼬마 벗들은 사탕과자를 먹으면서 박수를 치기도 하였다. 그들 중의 한 꼬마 벗은 스스로 일어나서 "오늘 조선의용대의 선생들께서 우리에게 의의가 아주 중대한 말씀을 하셨습니다. 우리는 매우 감동될 뿐만 아니라 우리 가슴속의 뜨거운 피도 끓어오릅니다. 우리 자신은 마땅히 안휘의 꼬마 벗들이 분투한 사실을 심각히 기억하여 시시각각 나라와 민족을 위해 성과를 내야 합니다."라고 말하였다. 이렇듯 힘 있는 어구가 꼬마 벗의 입에서 나오니 참말로 사람을 아주 흥분시켰다! 또 한 꼬마 벗은 매우 자신이 있게 일어서서 "저의 집은 워낙 통성에서 장사를 했습니다. 일본놈들이 통성을 강점했을 때 저의 아버지는 일본놈들에게 살해되었습니다! 이 야만적인 행위를 당신들은 알고 있습니까?"라고 말하자 전체 꼬마 벗들은 "알고 있습니다――"라고 힘 있게 외쳤다. "그럼 우리도 안휘의 꼬마 벗들처럼 해 낼 수 있습니까?", "해낼 수 있습니다!", "오늘 집으로 돌아가서 어머니와 누나에게 조선의용대선생들께서 우리에게 들려주신 안휘 꼬마 벗들의 사실을 이야기하십시오!"

어느 날 우리가 상탑시 부근에서 일할 때 7, 8십세 되는 한 할머님을 만났는데, 그는 우리에게 묻기를 "자네들은 조선의용댄가? 수고하네! 수고해! 앉아서 차나 마시게!"라고 하였다. 또 어느 한번 우리는 숭양현에 소속되어 있는 어느 한 이름 모를 마을에 가서 일을 하였는데, 마을 안의 집들은 대부분 타버리고 이르는 곳마다 무너져 내린 담이나 벽이었으며 정형이 아주 비참하였다! 백성들은 우리가 온 것을 보고 매우 두려워하였으며 조금도 우리에게 감히 접근하지 못하였다. 그래서 우리는 큰 소리로 그들에게 "저희들은 중국군대입니다, 무서워하지 마십시오!"라고 말하자 그들은 비로소 안심하고 차츰 우리와 사투리로 "선생! 당신들은 좋은 사람들이군요!"라고 말하면서 우리들을 마시라고 차를 끓여 왔다. 그래서 우리는 이 기회를 이용하여 그들과 오래 동안 이야기를 나누었다. "이 집은 누가 와서 태워버렸습니까?" 한 할머니가 숨결이 가빠하며 대답하였다. "일본놈들이 와서 태워버렸지요! 이전에 그 짐승 같은 놈들이 이 마을을 차지했다가 도망칠 무렵에 태워버렸습니다!" 그는 매우 비분해 하였는데, 아마 그의 집도 꼭 타버렸을 것이다! 우리는 그들에게 알려주었다. "일본놈들은 사람을 죽이고 불을 지르는 너무 터무니가 없는 강도들입니다! 그들은 어디서나 다 간음하고 불 지르고 죽이면서 못하는 짓이 없습니다! 중국의 백성들은 오직 연합하여 군대와 게릴라 부대를 도와 일본놈들을 중국에서 몰아내야 만이 비로소 평안 무사히 지내며 일을 즐길 수 있습니다!", "당신들은 아십니까? 우리는 조선의용대이며 조선사람 입니다! 와서 중국항전을 도와줍니다." 그들은 혹시 우리의 말을 알아듣지 못할 수도 있었을 것이다. 우리가 조선사람 이라고 말해도 그들은 모른다. 그래서 우리는 또 "우리는 고려국사람 입니다."라고 한마디 더 보태기도 하였다. 한 노인님께서 이에 비로소 깨달으셨다! 그는 "그래. 고려사람! 고려에 인삼이 나지"라고 말씀하셨다. 우리는 또 그들에게 "중국과 조선은 형제적 나라이며 벗입니다. 우리도 일본놈들의 압박을 받고 있으므로 와서 중국항전을 도와주고 있는 겁니다!"라고 알려주었다. 이 간단한 담화를 거쳐 우리는 매우 친밀해졌으며 방금까지도 두려워하던 모습들이 온데간데없이 사라졌다! 그는 매우 친근한 태도로 우리에게 "선생 차를 드세요"라고 말하면서 세숫물을 떠다가 우리들로 하여금 손에 가득 묻은 석회를 씻도록 하였으며 나중에는 또 우리들에게 먹으라고 성의가 넘치는 고구마 죽을 내놓았다! 우리는 즐겁게 먹으면서 그들과 더불어 항전에 관한 여러 가지 일들을 이야기하였다. 그들은 넋을 잃고 들었으며 매우 감동해 하였다. 우리가 부대로 돌아올 무렵에 수많은 농민들이 우리를 둘러싸고 "선생, 당신들은 여기를 떠나지 마십시오! 우리는 일본놈들이 다시 올까봐 두렵습니다!"라고 말했으며 어떤 이는 눈물까지 흘리었다!

게릴라구역에서

X부 게릴라구역에 온 이래 우리의 작업은 매우 순리로워 일반 장교와 형제들 그리고 농민들의 머릿속에 이미 심각한 인상을 남겨놓았다. 전체 동무들은 밤 몇 시간의 잠을 내놓고 전부 작업시간이었으며 또한 우리의 생활은 규칙이 있고도 긴장하였다. 비록 적들의 포탄이 끊임없이 우리 병영 부근에서 터졌지만 매개 사람들의 작업과 자습은 평상시와 같이 진행되었다. 적들의 총포소리에 우리는 이미 습관이 되었기 때문이었다. 우리는 매일 5시 반에 일어나고 6시부터 7시까지는 게릴라형제들과 더불어 아침체조와 노동을 하고 노래를 불렀으며 아침식사 후에는 우리 전체의 사업회의를 열고 오늘 의뢰해야 할 일과 사업의 전체계획을 결정하였으며 매개 동무들의 일을 배치하였다. 어떤 이는 표어를 쓰고 삐라를 붙이었으며 어떤 이는 화장하고 적후방에 깊이 들어가 지형과 적정을 정찰하였으며 어떤 이들은 민중들의 집에 가서 가정방문을 하였으며 어떤 이들은 어린이들에게 항전가곡을 배워주었으며 어떤 이들은 출격부대를 따라 가서 대적군 선전사업을 하였으며 또 어떤 이들은 당지의 행정기관을 방문하여 어떻게 일을 벌이며 협동하는 등 문제들을 협의하였다.

게릴라구역의 생활은 비록 정신상에서 상당히 통쾌하였지만 온종일 분주하게 돌아다녀서 신체상으로는 극도로 지쳐있었다. 그래서 우리는 매주 수요일과 목요일 저녁에 과자를 좀 사다가 동락회를 열고 게릴라부대의 장교와 형제들을 청하여 참가시키기도 하였다. 회의 장소는 대부분 적들에 의해 파괴된 가옥 안이었으며 여러 사람들이 미약한 등불 밑에서 먹기도 하고 노래 부르기도 하고 이야기도 하여 참으로 독특한 멋이 있었다. 더욱이 고참 게릴라형제들은 지난날 그들이 적을 소멸한 경험에 대해 장광설을 늘어놓았다. 어떤 때 그들이 사투리와 관화를 섞어 이야기하였지만 그래도 우리는 그들의 그 귀중한 경험을 정신을 기울여 들었다. 따라서 우리는 비록 사업이 성가시고 고생스럽고 또 의식주 여러 면의 물질적 조건도 부족하였지만 정신면에서는 상당히 만족스러운 방법을 찾았던 것이다. 아깝게도 작년 적들이 이곳에 침입한 이래 기편, 선전, 마취 등 수단을 다하여 소수의 무지한 민중들로 하여금 국가민족관념이 없이 복종만 하는 양면파로 되게 하였다. 적아가 서로 대치상태에 있는 XX마을 사이의 민중들은 마치 전쟁의 소용돌이 밖에 선 듯이 영국 "체임버린 식"의 외교 수완으로 양면을 응부하였다. 이를테면 우리 게릴라부대가 어느 마을을 수복하였을 때 전체 민중들이 동원되어 우리를 환영하고 접대하였으며 자발적으로 우리에게 적정을 알려주거나 우리보다 우세한 적들이 우리를 습격할 때 슬그머니 와서 알려주기도 하였다. 반대로 적들이 어느 마을을 쳐들어왔을 때 농민들은 마찬가지로 우리를 대처하던 모든 수단으로 적을 대처하였다. 이는 확실히 엄중한 현상으로서 이로부터 민중에 대한 우리의 사업이 어떻게 부족하다는 것을 알 수 있었다. 후방에 남아있는 수많은 청년들은 매일 전선으로 가자, 적 후방으로 가자, 시골로 가자 ……등의 듣기 좋은 구호만 헛되이 외치지 말아야 한다! 준엄한 항전의 현 단계에 있어서 쓸데없이 외치지만 말고 좀 더 실제사업을 해야 한다! 아닌가? 전선의 민중들이 입장이 확고하지 못한 것은 우리가 책임을 다하지 못한 탓이 아닌가?

매번 게릴라출격부대를 따라 출발하여 선전사업을 할 때면 자신이 보병총 한 자루와 수류탄 두 개를 메야 했고 대적선 전품 따위의 필수품들을 지녀야 했다. 환경이 허락되는 경우에는 벽제대적선전표어를 써야 했고 어떤 때는 또 비교적 높은 지점을 선택하여 대적함화를 실시해야 했다. 뿐만 아니라 우리 게릴라부대의 주소는 또 반드시 자주 변경되어야 했다. 적들이 만일 우리의 주소를 알게 되면 곧 포사격 하므로 우리는 매일 언제나 이동 중에 있었다. 이른바 게릴라부대라는 것은 참말로 명실상부한 명칭이다. 따라서 우리의 사업은 반드시 신속하고 비밀 적이어야 비로소 해낼 수 있었다. 매번 한 곳에 이르면 곧 작은 규모의 군민연예회를 개최하였다. 회의시간은 짧고 내용은 충실하고 차수는 많아 야만이 비로소 신속하고도 보편적인 목적에 이를 수 있었다. 어느 날 우리가 X마을에서 군민연예회를 소집하자 민중들은 과자를 먹으라고 많이 가져왔었다. 78세 되는 한 노인님께서는 매우 흥분하여 이렇게 말씀하셨다. “당신들은 고려국을 아십니까? 고려국은 벌써 망했습니다! 바로 일본놈들이 차지했습니다! 이 몇 분의 동무들은 고려국의 벗입니다. 우리 중국으로 와서 항전에 참가합니다. 고려국의 벗들이 이렇듯 먼 중국으로 고생스레 달려와서 항전에 참가하고 있는데, 우리 자신이 항전을 아니 하면 됩니까? 내일 바로 내 아들과 손자를 게릴라부대로 보내서 그들과 같이 일본놈을 치게 하렵니다!”

적진 앞 4백 미터

어제 저녁부터 보슬비가 내리고 있어 언제 쯤 날이 갤지 누구도 단정할 수 없었다. 하지만 우리의 작업은 여전히 평상시와 같이 진행되었다. 적 진지 앞 4백 미터 가량 되는 곳에서 산봉우리를 차폐물로 삼아 이 산에서 저 산으로 뛰어가서 표어와 삐라를 붙이고 농민들에게 연설하고 적에게 함화하고……, 동무들은 다리가 아프고 몸이 지쳤으나 여전히 자기 일에 몰두하였다. 최씨, 이씨 두 동무와 부분적 중국형제들은 또 사복을 갈아입고 함께 약고산 뒤쪽의 마교부근으로 가고 진씨, 주씨 두 동무는 오동산 오른쪽의 마을에 가서 적정을 정탐하였다. 출발을 앞두고 그들은 권총을 매우 자세히 검사한 다음 장탄하고 서로 약정하였다. “오후 4시에 다시 여기 와서 만납시다! 동무들 주의하시오, 이 일대에는 적들의 사복대도 많습니다!” ……그들이 방금 1리도 채 못 가서 맞은 켠 산꼭대기에서 적들의 포성이 울리었다! 이어서 포탄은 곧 우리 부근에 떨어졌다. 이것은 석산의 적 포병진지에서 쏜 것이었다. 우리는 정신이 극도로 긴장해 났다. 이윽고 그 포성은 되려 우리의 적개심을 더욱 증가시켰다. “동무들! 앞으로!” 멀리 가지 않아 우리의 인솔자가 앞에서 갑자기 놀라 뒤로 물러서자 우리는 꼭 일이 생겼음을 알고 재빨리 엎드렸다. 원래는 적 사복대 7, 8명이 한창 우리로부터 5백 미터 떨어진 마을 뒤쪽의 산으로 도망치고 있었다! 그래서 우리는 곧 우리를 엄호하기 위한 20명의 형제들과 협력하여 폭죽 대신 총소리로 환송하였다! 이 새앙쥐처럼 겁이 많은 황군들은 전진보다도 후퇴가 매우 신속하였다! 삽시간에 도망쳐 그림자도 보이지 않았다.

우리는 또 계속 전진하였다. 마을로 들어가기 전에 주위에서 고지를 엄폐지로 선택하고 보초병을 잘 배치한 다음 마을로 들어가서 민중을 모여 놓고 그들에게 연설도 하고 중국문 삐라도 뿌리고……, 어떤 동무들은 대적선전표어를 쓰기도 하고 대적삐라를 붙이기도 하여 한 시도 채 못 되어 작업을 끝냈다. 온 마을은 가지각색의 표어와 삐라들이었다. 우리는 이 사선에서 얻어온 대가를 보니 참으로 말할 수 없는 만족감을 가지기도 하였다.

전장은 우리의 학교

4월 X일 새벽에 황동무가 갑자기 놀라서 외쳤다. “동무들! 빨리 일어나시오!” 동무들은 아직도 한창 달콤한 꿈나라에 있다가 놀라 깨서 잠에 취한 눈으로 황급히 옷을 입었다. 이때 동쪽의 산머리에서 끊임없는 총소리가 울렸다! “따따!” 두 정의 적 기관총이 아군을 향해 몰 사격 하였다! 아군의 우익분대에서도 경기관총과 보병총으로 적을 행해 저항하였다. 우리 동무들은 대다수가 처음으로 이렇듯 긴장한 상황에 봉착하였다! 그래서 좀 당황해 하였다! 거리가 멀거나 가깝거나를 가리지 않고 권총을 들어 적들에게 사격을 가하였다! 결국 탄알을 소모했으나 효과를 얼마 거두지 못했다. 더욱 아쉬운 것은 오늘 아군의 계획도 완전히 적들에게 부서지고만 것이다! 원래 소수의 적들이 늘 부근 마을에 와서 여성을 간음하였는데, 우리는 오늘 미리 산속에 매복하였다가 몇 놈을 사로잡아서 모욕을 당한 백성들을 위해 복수하려고 준비하였었다. 뜻밖에 적들이 우리 먼저 공격할 줄을 누가 알았으랴? 우리는 목적을 이룰 가망이 없었으므로 천천히 우리 진지로 돌아올 수밖에 없었다. 이때 우리의 마음속도 비교적 온화해졌으며 총을 쏘면서 일본어를 외쳤다. "일본의 형제들, 너희들은 중국형제들에게 총을 쏘지 말라!" "너희들의 진정한 적 일본군벌에게 총을 쏴라!" "우리는 조선의용대이다, 총을 버리고 우리 쪽으로 오라, 우리는 환영한다!"

적들이 물러가고 우리도 원래 자리로 돌아왔다. 참으로 비할 바 없이 비참하였다. 민중들의 집은 타버리고 부림소는 끌려가고 미처 도망치지 못한 여성들과 장정들은 살해되기도 하고 간음당하기도 하였다. 적들이 이른 곳마다 모두 황량한 초토로 돼버렸다! 민중들은 극도로 무서워서 "술잔에 비친 활이 뱀의 모습으로 보이고" "바람 소리와 두루미 울음소리가 나도 적병인가 의심하는" 상태로 되었으며 떼를 지어 아군 진지 후방으로 피난하였다! 우리는 이 모습을 보고 아주 괴로웠다! 다만 "괜찮습니다! 뛰지 마십시오! 적들이 감히 여기로 오지 못합니다!"라는 말로 그들을 위안할 수밖에 없었다! 연세가 많은 한 할머님께서는 숨이 급박해서 땅에 앉아 "하느님! 난 이젠 더 못 걷겠소이다!" "선생 이를 어찌 할까? 먹을 밥도 없는데!"라고 말씀하시니 우리의 마음은 더욱 괴로웠다! 우리는 주머니에서 몇 원밖에 안 되는 돈을 다 꺼내서 그에게 드렸다!

우리가 한창 숙영지로 돌아오는 길에 갑자기 "꽝!" "꽝!"하고 적들의 대포가 우리를 쏘았다! 포탄이 우리의 전후좌우에서 26발이나 터졌으나 우리는 털끝만큼도 손실 없이 여느 때처럼 살아있었다! 또한 우리는 이러한 포탄 속에서 소중한 경험을 섭취하였다! 이 경험은 어떠한 학교에서도 얻을 수 없다! 일반적인 혁명지사는 오직 이렇듯 위험한 장소에서만이 비로소 단련될 수 있다. 전장은 우리의 학교다!

작업중에 적의 사복대를 물리치다

4월 1일(비) 우리는 5명의 형제를 데리고 적 보초선 황가산 밑에 이르러 삐라를 붙이는 한편 붉은 흙으로 벽에 표어를 쓰면서 한창 작업을 하던 중 갑자기 적 사복대 15명의 습격을 받았다! 우리는 즉각 권총으로, 형제들은 보병총으로 반격을 가하여 약 15분 동안 맞서 싸운 결과 15명의 일본놈들은 마침내 꽁무니를 빼고 말았다! 우리는 작업이 긴요했으므로 끝까지 쫓아가지 않고 계속 일을 하였으며 일이 끝난 후에는 또 화부교촌에 가서 수많은 표어들을 붙이고 돌아왔다.

벽상표어

적 진지 앞에서 우리는 정의의 빛을 뿌리는 홍색 표어들을 널리 붙여놓았는데, 그것은 일본의 선량한 형제들의 마음을 비추었고 미쳐 날뛰는 일본파시스트군벌에게 막대한 정신상의 위협을 주어 그들로 하여금 안절부절 못하게 하였다! 그래서 그들은 여러 가지 비루한 방법을 생각해내어 파괴하였는바, 우선 그들은 표어가 씌어있는 집 주인을 위협하고 강박하여 씌어져있는 표어들을 씻어버리도록 하는 한편 이후 다시 같은 사건이 발생하지 않도록 해야 하며 그렇지 않으면 집을 태워버리고 인민들을 학살할 것이라고 경고하였다! 그러나 우리는 적들이 큰 소리 치고 잔돈을 쓰는데 익숙하며 그들의 말은 빈 표와 같아서 아무 쓸모도 없다는 것을 알고 있었다. 우리는 지난날의 여러 가지 사실에 비추어 백성들더러 그 놈들의 일에 상관하지 말며 적들이 만일 감히 온다면 우리가 꼭 당신들을 보호할 것이라고 위안하였다! 기실 적들도 참말로 감히 오지 못했다. 백성들도 적들이 종이범이라는 것을 꿰뚫어보고 후에는 그다지 개의치 않았다.

지금에 이르기까지 적아 쌍방이 서로 대치하고 있는 경계 진지 내에는 아직도 수많은 농민들이 여느 때와 같이 살고 있었다. 이사할 만한 농민들은 대부분 이미 다른 지방으로 피난하였다. 남은 것은 어찌 할 방법이 없는 농민들 뿐 이었다. 적들은 이렇듯 불쌍한 농민들에 대하여 학살하는 외에도 그들의 식품 이를테면 닭이나 계란 따위들을 강탈하였으며 어떤 때는 아무 가치도 없는 군용표를 주고 듣기 좋게 전당물을 산다고 하였으나 기실은 강탈과 조금도 구별이 없었다. 이런 농민들은 적들의 군용표를 가지고는 아군에게 발견되면 어쩌나 해서 매우 두려워하였으며 또 감히 사용하지도 못하였다. 그들의 유일한 식량인 붉은 고구마도 적들이 빼앗을까 두려워서 몰래 밭에 몽땅 묻어두었다가 자기가 먹을 때면 조금씩 꺼냈다. 며칠 전 우리가 황가산 아래 마을에 가서 표어를 썼는데, 사랑스러운 농민들은 우리에게 "일본놈들이 가끔 여기로 오는데, 당신들은 아주 모험을 하시는군요!"라고 말하면서 우리더러 먹으라고 그들의 소중한 붉은 고구마를 꺼내주었고 또한 우리에게 차를 마시라고 주면서 환영을 표시하였다! 한 할머니께서는 한 손에 차물을 들고 울면서 말씀하시었다. "며칠 전 놈들이 여기 와서 내 부림소를 빼앗아 갔어요. 우리가 한결같이 요구한 결과 3원 짜리 군용표를 내던지고는 한사코 끌고 가버렸지요." 또 한 번은 놈들이 손자며느리를 강간하면서 자기의 손자와 같이 옆에 서서 구경하게 하였는데, 사후 그로 하여금 또 한 번 마찬가지로 간음하도록 강박하였다. 그의 손자는 17살의 소년으로 지난해에 결혼하였고 손자며느리는 19살이었다. 그 당시 그의 손자는 극도로 분개하여 호미로 놈들을 때려주자 놈들은 머리를 싸쥐고 도망쳤으며 나머지 한 놈은 발걸음을 좀 늦추었던 탓으로 호미에 얻어맞자 신발도 미처 신지 못한 채 입으로 "아버지, 아버지……목숨……살려주세요." 하고 외치면서 상가집 개처럼 문을 열고 도망쳤다! 우리는 이야기를 듣고 아쉬움을 금치 못하였다. 어째서 그를 도망치게 내버려두었을까? 적어도 그 하나를 때려죽여야 마땅할 텐데! 그 소년은 사후 생각할수록 분통이 터져 중앙은행지폐 30원을 여비로 지니고 군대에 참가하러 가버렸다! 아! 30원! 농민에게는 참으로 소중한 것이다! 거의 대부분의 가산이리라! 이 일은 사람을 너무 비분케 하였다! 해외에서 유랑하는 우리들도 동정의 눈물을 금할 수 없었다. 이 불쌍한 할머님을 보니 적들의 쇠발굽 밑에서 신음하고 계시는 늙은 어머님이 저도 모르게 생각났고 고통을 맛 볼대로 맛 본 주위의 농민들을 보니 고국의 사랑하는 겨레들이 저도 모르게 생각났다. 가령 정형이 허용된다면 우리의 붉은 고구마와 풀뿌리와 나무껍질을 먹더라도 이 농민들과 생사를 같이하고 싶었으며 지니고 온 권총을 그 소년에게 주어 복수하게 하고 싶었다!

적들은 농민들에게 늘 이렇게 물었다. "조선의용대가 온 적이 있어? 온 후 속이고 보고하지 않으면 너희들을 엄중히 처벌 할 테다!" 오늘 이 할머님께서는 우리에게 이렇게 말씀하셨다. "죽을 지언정 놈들에게 보고하지 않을 거우! 그까짓 처벌은 더욱 무섭지 않수다."

농민들은 "무릇 우리 중화민족은 어찌 망국을 원할 도리가 있겠는가! 놈들이 우리 집을 태우거나 우리 여성을 강간하거나 하면 '싸우지' 않고 어찌 살아갈 수 있겠는가? 누가 지도하고 우리에게 총을 주면 우리는 꼭 게릴라 부대를 조직하여 적들과 결판을 낼 것이다."라고 말하였다. 지난날 우리는 신문에서 늘 지도할 사람이 없다는 따위의 소식을 보기도 하였는데, 지금 우리가 목격한 실제 정형도 확실히 그러하였다. 이 불쌍한 농민들은 장차 어떤 길을 택할까! 누가 와서 그들을 적절히 인솔하고 조직할까! 그들도 나라를 위해 희생하려는 한 부분의 증원군이건만은……

우리는 돌아와서 이러한 정형을 중대장에게 은근히 이야기하였더니 중대장도 매우 감동을 받았다. 여러 면의 노력을 거쳐 그리고 보장과 청년들이 적극적으로 선동하자 연대장은 비로소 두 자루의 권총과 약간의 수류탄을 발급하여 몰래 유격대를 조직하도록 하였다. 장보장은 늘 우리를 보고 "일본놈들이 꽃처녀, 닭, 계란 따위를 좋아하므로 우리는 장차 꼭 계략을 꾸며서 이런 것으로 그들을 유인하여 죽여 버리겠다!"고 말하였다.

선전표어 2만장

이 2만장의 선전표어는 완전히 적 경계선 이내에 뿌려졌다. 적들은 병력부족으로 말미암아 저녁이면 대부분 한 곳에 모여 감히 바깥으로 나가지 못했으며 낮이 되어야 좀 먼 곳으로 감히 나가기도 하였다. 그래서 우리는 곧 밤을 이용하여 적 진지로 가서 뿌리거나 심지어 어떤 때는 적 포병진지와 기관총 엄폐호에까지 더듬어갔다. 따라서 낮이 되면 적들이 꼭 볼 수 있었다.

작업중에 불행히 적의 속임수에 들다.

4월7일 오전9시 우리는 또 일부분의 형제들을 데리고 나와서 작업하다가 오후 해가 서산에 질 무렵에야 비로소 중대부로 돌아갈 차비를 하였다. 돌아가는 길에 한 형제가 불행히도 적들이 묻어놓은 지뢰를 밟은 탓으로 그만 그 자리에서 목숨을 잃고 두 사람이 중상을 입었다! 참말 뜻밖이었다. 아침에 나올 때만 해도 튼튼하고 활발하던 형제가 삽시간에 피투성이시체로 되고 말았다. 두개골은 큼직한 구멍이 뚫려 뇌수와 선혈이 솟아나와 비참하기 짝이 없었다! 또한 이렇게 죽고 중상을 입은 형제들 중에서 한 사람은 늘 우리와 같이 나와서 삐라와 표어를 붙이던 아주 충직한 형제이기도 하였다. 4월1일 황가산 밑에서 우리가 적들과 싸울 때 그는 용감히 적들을 물리쳤었다. 그 밖의 형제들도 우리와 감정이 잘 어울렸다. 우리는 매번 일하고 돌아오면 이 충직하고 사랑스러운 형제들을 청하여 국수를 먹거나 술을 조금 마시기도 하였으며 저녁이 되면 그들이 또 답례라도 하듯이 붉은 고구마를 가지고 와서 우리와 같이 먹기도 하였다. 이렇듯 사랑스러운 형제들 중에서 그만 한 사람이 죽고 두 사람이 중상을 입으니 우리는 슬프기 그지없었다! 그들이 이제 곧 적들에게 살해될 판인데 여기에는 붕대마저 없었고 어떻게 응급 치료할 방법도 없어서 우리는 더욱더 조급하였다! 때마침 이대성동무가 급히 필요 되는 약품과 붕대를 가져왔으므로 우리는 얼른 싸매주었다. 그런데 담가가 없어서 우리는 임시로 또 짐꾼으로 되어 그들을 메고 산 아래 5리 밖의 대대부 부설 위생소로 갔다! 우리 몇 사람은 모두 어깨가 눌리워 아파났다! 이튿날 우리가 위생소에 가보니 그들은 이미 생명이 아주 위험하여 살아날 가망이 크게 없었다! 이로 말미암아 우리는 각별히 비통하였다.

전주 전선을 잘라버리고 포탄을 묻다

3월 24일 저녁10시에 우리는 전신무장한 다음 선전물을 지니고 제3중대를 따라 작업하러 갔다. 이 부근에는 게릴라부대가 특히 많았는데, 통성 숭양 통산 3개 현에만 해도 농민들이 자발적으로 조직한 게릴라가 무려 3만여 명 내지 4만 명에 달하였다.

우리는 먼저 도로에서 양 4, 5리 떨어져있는 석옥포에 이르러 그곳의 연보주임 겸 자위 게릴라중대장 진국화 군을 만났다. 우리는 며칠 전에 곧 여러 번 만난 적이 있으므로 지금은 이미 잘 아는 벗으로 되었으며 만난 후에는 물론 더욱 친숙해졌다. 그는 겨우 23살밖에 안되는 열혈청년이었다. 그는 우리에게 "오늘 적들은 제 모친을 붙잡아갔습니다. 그들은 떠나면서 반드시 저 자신과 모친을 교환하며 그렇지 않으면 가혹한 수단으로 늙은 모친을 대처할 거라고 공언하였답니다!"라고 알려주었다. 그는 눈물을 머금고 격분하여 "모친께서는 연세가 많습니다. 어떤 불행이 있더라도 저는 투항하지 않을 겁니다! 저는 아직 쓸모 있는 몸뚱이를 갖고 있으므로 모친을 위해 복수하며 수천만의 동포를 위해 원한을 씻겠습니다!"라고 말하였다. 우리도 그의 말을 듣고 매우 감동되었다. 우리는 이 애국청년의 손을 굳게 잡았으며 그도 마찬가지로 우리 이 조선혁명청년들의 손을 꽉 잡았다! 서로 교류하는 우리들의 시선에는 다 같이 복수하려는 빛이 어리었다!

지금 채가툰 석성만에는 이미 적들의 자취가 없어졌다. 당자의 게릴라 10명의 안내를 맡고 적을 수색하면서 전진하였다. 음침스러운 깊은 밤, 별빛도 달빛도 없고 끝없이 조용한 가운데 형제들의 발걸음 소리만 "뚜벅 뚜벅" 나고 있었다. 이른바 빈 골짜기에서 발소리가 들린다는 말은 바로 이런 정경에 대한 묘사일 것이다. 이곳은 각각 석성만리 2리, 숭양성과 25리, 적주만과 10리, 계구시와 10리 떨어져 있었고 적들과 한 걸음 한걸음 가까워지고 있었으며 수시로 만날 가능성이 있었다. 여러 사람들은 긴장하여 조심스레 적에게 다가갔고 손에는 이미 장탄한 총대를 틀어쥐었으며 천백 개의 유력한 눈빛들은 그들의 목표물을 찾고 있었다. 가령 화가가 이 한 폭의 위대한 야간기습도를 그려낸다면 얼마나 사람들의 심금을 울려주었을까!

긴장한 분위기 속에서 우리는 전부 도로 선에 도착하였다. 용감한 형제들은 삼각식에 의해 추격포탄을 묻었고 우리는 묻은 지점 몇 리 부근에 천여장의 대적 삐라를 뿌렸다. 우리는 전주를 베고 전선을 자르는 작업에도 적잖이 힘을 넣었다. 이밖에 우리는 또 한가지 특수한 작업을 하였는데, 뽑아낸

전주 구멍에다 수류탄을 묻어놓고 전선으로 도화선과 베어낸 전주를 동여매놓았다. 만일 적들이 다음날 와서 검사한다면 반드시 이런 전주 전선을 움직이게 될 것인즉, 움직이기만 하면 터지게 되므로 적들은 저도 모르게 목숨을 잃을 것이다! 옛 사람이 이르기를 "큰 화는 하늘에서 떨어진다."고 하였으나 지금 이와 같이 죽는 방법을 "기이한 화가 땅에서 솟는다."고 말할 수 있다. 이런 방법으로 놈들을 대처할 수 있다는 것을 사실적으로 증명한다면 과연 기이한 효과를 거둘 수 있을 것이다! 수류탄 하나도 적어도 한 놈은 폭사시킬 수 있을 것이다!

지금 우리는 작업을 하면서 마치 놈들이 마지막 비명을 지르는 것을 보는 것 같아서 비록 땀이 흘러도 특별히 재미있었다. 짧디 짧은 40분 동안에 일이 완결되었다. 기실 한 시간만 더 지체한다면 확실히 위험스럽기도 하였다. 전신이 통하지 않는 것을 모르고 곧 자동차를 가지고 순례한다면 우리도 혹시 매복습격을 받아 기습자가 되려 기습당할 수도 있었기 때문이다. 이것은 아주 예산에 맞아들지 않는 노릇이다. 우리는 위험을 벗어나기 위해서도 반드시 재빨리 일해야 하였다. 따라서 매우 서둘러 일을 완료하였다. 돌아올 때 우리는 전주 전선의 일부를 태워버리고 일부를 남겨두고 나머지는 뚱딴지와 같이 가지고 돌아왔다.

밤에 대사평의 적 병영을 기습하다

만일 대적선전이 효과를 내게 하려면 반드시 습격부대와 같이 행동해야 한다. 싸우는 한편 선전하는 것이 가장 좋은 방법이다. 가령 실제 전투를 피한다면 얼마 큰 효력을 거둘 수 없다. 우리가 대적선전의 과업을 완수하기 위하여 전쟁에서 도피한다면 우리의 양심적으로 허용되지 않는다. 따라서 매번 전투가 있으면 우리는 모두 적극적으로 참전을 요구하였다. 그러나 어떤 때는 관계부문의 선의적인 저지를 받기도 하였다. 오늘도 마찬가지로 연대장이 우리의 안전을 염려하여 우리더러 이번 야간기습에 참가하지 말라고 하였으나 우리가 단호히 요구해 나서자 결국 그들과 같이 갈 수 있게 되었다. 약 30리를 밤 행군하여 강가촌에 이르렀다. 강가촌에서 우리의 목적지인 대사평으로 가자면 아직도 10길이 남았다. 대사평과 강을 사이에 두고 서로 바라보면 약 4, 5십 자 되는 곳이 바로 적들의 병영이었다. 우리는 여기서 잠깐 휴식한 다음 적을 향해 몰래 다가들어 줄곧 적 병영부근까지 이르렀으나 적들은 여전히 발견하지 못했다. 병영 안에서는 노래 부르는 소리와 말하고 웃는 소리가 아주 똑똑히 들려왔다. 전체가 매복한 다음 우선 우리는 적들에게 함화를 하였다. "일본형제들, 일본형제들! 우리는 조선의용대다. 너희들은 소수의 군벌들을 위해 괜히 희생하지 말라! 우리 쪽으로 넘어오면 우대를 받는다!"

이 깊은 밤에 우리의 함화소리는 주위의 산골자기를 뒤흔들어놓았으며 여러 곳에서 강대한 메아리가 울렸다. 전체 형제들은 비록 우리와 같이 외칠 수 없었지만 그들이 긴장해하고 있음을 상상할 수 있었다. 적들은 함화소리를 들은 후 잠시 조용해졌다가 오래지 않아 내부에서 떠들썩하더니 곧 기관총으로 우리를 향해 목표 없이 마구 쏘아댔다. 우리는 부득이 그 자리에서 일어나 응전하였다! 약 30분 동안 치열하게 맞서 싸웠다. 우리도 사격하면서 함화하였고 또한 가지고온 삐라도 부근에 다 뿌려놓았다. 우리는 늘 이렇게 생각하고 있었다. 어떻게 하면 몇 놈을 사로잡을 수 있을까? 그리고 맞아죽은 놈들의 총을 어떻게 하면 가지고 돌아갈 수 있을까? 하지만 적 병영에 쳐들어가기는 너무도 어려웠다! 그들은 견고한 방어시설이 있는데다 우리는 또 중무기가 부족 되어 몇 정의 기관총으로는 도저히 목적을 이룰 수가 없었다! 놈들은 또 결사적으로 저들의 소굴을 지키면서 감히 나오지 못하므로 그들을 쏴 죽였다고 해도 그들의 총을 얻을 수가 없었다. 그리고 그들의 소굴을 격파하지 않고는 사로잡을 수도 없었다. 그러나 이와 같이 한다면 우리에게 희생이 너무 클 뿐만 아니라 게릴라전의 목적에도 부합되지 않는다. 그래서 상관은 돌아갈 것을 명령하였다.

게릴라부대의 생활은 저녁에 잠을 잘 수 없다. 온 밤 배를 곯으면서 4, 5십리 길을 행군하는 것은 아주 예상사이었고 또한 매일 주소를 움직이어야 하므로 게릴라부대는 매일 이리저리 이동 중에 있었다.

오늘 밤에 진동무는 한창 산비탈을 걷다가 어떤지 모르고 조심하지 않은 통에 그만 물구덩이에 넘어져 "철렁, 철렁!"하더니 온 몸이 다 젖어버렸다! 대대장이 와서 그에게 자기의 군용담요를 친절히 둘러주었다. 이로 하여 우리는 모두 야릇한 느낌이 들었다! 아! 여기는 중국 호북 숭양이며 또한 깊은 밤이다. 중국 동지는 자기의 옷을 벗어 진동무에게 주었으며 대대장처럼 우리에게 이렇듯 친절하였다. 이는 참으로 대단히 감사하였다.

이만영이 위험을 무릅쓰고 전우를 구하다

아군의 경계진지와 적들의 경계진지는 거리가 겨우 4백자 가량 되어 함화소리를 어렴풋이 들을 수 있었으며 육안으로도 적아 쌍방의 행동을 서로 똑똑히 볼 수 있었다(진지에 국한하여). 우리 쪽의 진지는 적 진지보다 높았으므로 우리에게 매우 유리하였다. 4월 16일 오전 11시에 우리는 차폐물을 찾아 위장하는 한편 10명의 형제들을 데리고 진지 앞 3백 미터 부근의 홍산 으로 기어올랐다. 홍산 맞은쪽 약 30미터 되는 곳에 양가옥이라는 자그마한 마을이 있었다. 우리는 형제들을 홍산에 몇 명 배치하고 나머지 몇 명은 양가옥 주위에 배치한 다음 일할 차비를 하였다. 양가옥은 완전히 빈 동네이어서 사람의 그림자조차 찾아볼 수 없었다. 아주 이상한 것은 집 뒤로부터 개

두 마리가 불쑥 뛰어나왔다가 우리를 보고 곧 적진지 쪽으로 달아났다. 보건대 적 군용견이 분명했으나 그렇다고 만일 권총으로 사격하면 적들에게 발각될 우려가 있었으므로 부득이 달아나는 것을 그대로 내버려둘 수밖에 없었다. 이는 정말 불길한 징조이었으나 일이 이 지경에 이르고 보니 달리 어찌는 수도 없었으므로 그대로 모험적인 작업을 하는 수밖에 없었다. 표어를 쓰고 삐라를 붙이는 작업을 5분쯤 하였을 때 적 쪽에서 총소리가 울렸다! 수류탄이 빗발치듯 날아와 터지면서 집들이 무너져 내렸고 뒤를 돌아보니 40명가량 되는 놈들이 우리를 진공하였다. 형제들은 어디로 갔는지 한 사람도 보이지 않았다. 적들이 기관총과 보병총과 산포가 우리를 향해 몰 사격을 하고 있어 전진할 수가 없었으며 후퇴하기도 쉽지 않았다! 우리는 소나무집을 차폐물로 삼아 권총을 가지고 결사적으로 저항하였다. 적들의 기관총탄알이 씽씽하고 우리의 부근에 떨어지고 있어 참으로 구사일생의 지경에 이르렀다. 다행히 이때 아군의 기관총진지에서 적을 향해 측면사격을 개시(만일의 경우를 고려하여 사전에 매복하였다가 엄호하였음)하자 우리에 대한 위협이 경감되었다. 이만영 동무는 이 틈을 타서 용기를 내어 부서진 집을 떠나 홍산으로 뛰어갔다가 때마침 오른쪽 다리에 부상을 당한 한 형제를 만났다. 이동무는 모든 것을 불구하고 그를 업 은채 뒤로 뛰다가 어찌 된지도 모르고 그만 끊어진 벼랑에서 굴러 떨어져 탄환이 비 오듯 쏟아지는 속에서 오랫동안 신음한 후에 비로소 천천히 걸어 무사히 돌아왔다. 그들 두 사람이 아군 진지로 돌아오자 장병들은 이구동성으로 말하였다. "우리는 당신들 두 사람이 꼭 가망 없는 줄로 알았는데!" "넉 달 동안 이번 싸움은 가장 치열했어!"

전체 장병들은 오늘 맹렬한 전투의 소식을 듣고 더욱이 위험을 무릅쓰고 부상한 형제를 구해온 이동무에 대하여 특별히 경하하였다. 이대대장이 곧 소식을 노 연대장에게 보고하자 노 연대장은 일부러 이 곳 으로 와서 그를 보고 "이동무!" "이동무!" 하면서 그의 손을 꽉 잡고 매우 기뻐하였다! 전체 장병들을 모아놓고 이동무가 어릴 때부터 동북의용군의 전투에 참가한 사실을 여러 사람들에게 소개하였다. 저녁에는 또 그를 청하여 함께 밥을 먹기도 하였다.

이 날(16일)과 17일에 적들은 종일토록 산포를 가지고 끊임없이 우리의 진지를 마구 포격하였는데, 포탄이 적어도 3, 4백 발은 되었을 것이다. 연대장은 "적들은 매번 참패를 당하고도 곧 대포로써 우리 진지를 향해 마구 포격하며 화풀이를 하는데, 이것은 대체로한 습관이 되었어!"라고 말하였다. 이번 우리 때문에 일어난 전투에서 적들이 소모한 탄환과 포탄도 실로 적지는 않았을 것이다!

함화에 대한 적들의 응답

17일 적들에게 함화를 실시할 때 적 진지에서는 간단히 대답하였다.

적: "조선사람이라구?"

아: "그렇다!"

적: "우리도 이 전쟁이 싫어!"

이와 같이 간단히 응답한 외에 다시 외쳐도 아무 대답도 없었다.

상탑시에서 게릴라구역으로

게릴라구역으로 출발할 무렵 나사단장은 전체 장병들을 모아놓고 훈시하였다. "여러 장병과 여러 형제들! 우리는 시시각각 이번 조선의용대의 중요한 대적선전사업을 잊거나 절대 경시해서는 안 됩니다. 나는 당신들이 전선에서 그들의 사업에 대하여 확실히 도와줄 것을 기대합니다. 오직 이렇게 해야 만이 매우 큰 효력을 낼 수 있습니다. 대적선전사업은 바로 포로를 잡는 가장 중요한 한 부분의 작업이라는 것을 반드시 알아야 합니다. 따라서 대적 선전사업은 최후의 승리를 쟁취하는 한 부분의 사업이기도 합니다." 이 말을 듣자 장병들과 형제들의 시선은 모두 우리 몸으로 쏠리었다.

행군하는 길은 완전히 험준한 산봉우리들이었다. 조선국내의 산들도 매우 크지만 이렇듯 험준한 것은 그리 많지 않다. 산을 하나 넘으면 또 하나의 산이 있어 참으로 보기만 해도 겁이 날 지경이었다. 온 힘을 다하여 비로소 산을 하나 넘었으나 전신무장한 몸체는 이미 땀이 비 오듯 하였다! 많은 형제들이 병이 나서 어쨌든 견디어 내지 못하였다. 그들은 두셋씩 길 양쪽에 맥없이 누워 신음하고 있었다! 우리는 이를 보고 매우 괴로워서 〈병사들과 한 덩어리로 되자〉는 우리의 일관적인 신조에 좇아 휴대하였던 상비약인 십적수(十滴水), 금계납환(金鷄納丸) 등을 그들에게 복용하도록 주었다. 그들은 부축해주는 사람이 있는 것을 보고 참으로 매우 기뻐하고 감격하였다! 의약이 부족 되는 군대에서 더욱이 병사들에게 있어서 십적수를 조금 마시게 해도 황량한 대 사막에서 오아시스를 만난 듯이 기뻐하였다.

7십 리 길을 행군하여 맥시에 도착한 후 연대장은 전체 장병들을 모아놓고 다음과 같이 훈시하였다. "적 20명을 쏴 죽이는 것이 포로 하나를 사로잡기보다 중요치 않다. 가령 포로 하나를 잡으면 XX상금 몇백 원, 사단장 상금 몇백 원……몇백 원 하면 합계 2천여 원은 될 것이다! 우리가 만일 이런 돈을 타서 반찬으로 보탠다면 얼마나 좋을까!" 전체 형제들은 통쾌하게 웃음을 터뜨렸다. 하루의 피로도 삽시에 풀린 듯 하였다. 연대장은 또 이지강 동무를 청하여 "조선의용대와 대적선전의 의의 및 그 중요성을 소개하시오." 라고 하면서 연설을 하도록 하였다. 그는 약 4십분 가량 이야기하였다. 전체 형제들은 매우 기뻐하면서 자발적으로 "조선의용대 만세! 중한 양 민족은 연합하여 일본제국주의를 타도하자!"등 장엄한 구호를 외쳤다.

행군이 사흘째 되던 날 연대장은 우리 동무들이 저마다 군용담요와 짐 그리고 선전물 따위를 멘 것을 보고 짐꾼 셋을 불러왔지만 우리는 거절하였다. 우리는 지친 줄을 크게 느끼지 못했기 때문이다. 그리고 길고 짧은 휴식시간을 타서 우리는 프린트한 중국문 삐라를 농민들에게 뿌려주고 설명해주었다. 숙영지 부근에서는 또 붉은 흙으로 2십여 곳에 중국문 표어를 써놓기도 하였다.

깊은 밤에 적 진지를 기습하다

3월 27일 깊은 밤 1시에 아군은 백예교(적 약 천명), 부계교(적병 약 250명), 하세시(적병 약 백명) 등 세 곳의 적들을 향해 동시에 야간기습을 실시하였다. 우리 동무들도 세 부분으로 나뉘어 세 갈래의 야간기습부대에 각각 참가하였다. 저마다 권총 한 자루와 수류탄 두 개, 그리고 선전물, 풀통, 솔 따위의 필수품을 지니고 부대를 따라 적들의 철조망 안으로 들어가 작업하였다. 처음에 적아 쌍방은 맞붙자마자 화력이 무척 맹렬하였다. 적들도 병영 안에서 방어시설에 의지하여 결사적으로 저항하였다. 우리는 거의 처음으로 이렇듯 위대한 전투 장면에 부딪치게 되어 모두 얼마간 침착성을 잃었으며 심장이 부단히 박동하였다. 그러나 얼마 지나지 않아서 곧 평온해졌다. 우리의 보병들은 적들의 병영을 맹렬히 포위 공격하였고 공병들은 부지런히 교량과 둘레의 철조망 그리고 전주 전선 따위들을 파괴하였다. 용감한 마일신 동무는 옷이 철조망에 걸려 해어지고 손도 부상하여 선혈이 멈추지 않고 흘렀다. 아쉽게도 우리는 응급 약품이 없었던 탓으로 후에 마동무는 많은 고초를 겪고서야 완쾌되었다. 그리고 이번 우리 작업은 분산된 관계로 말미암아 사람이 적어 배치하기에 부족 되었고 곤란도 비교적 많았지만 다른 동무들과 지도원 및 형제들마저 자발적으로 도와준 결과 역시 과업을 원만히 완수하였다.

우리는 삐라를 돌에 묶어서 적 진지에로 던졌으며 소나무 장벽과 바윗돌 우에도 풀로써 수많이 붙여놓았다. 그런데 일할 때 반드시 엎드린 자세를 취해야 하므로 이것은 실로 쉬운 일이 아니었다. 적들의 탄알에는 눈이 없으므로 조금만 소홀해도 목숨이 날아날 위험이 있었다!

우리는 작업 중에 적들의 역선전물도 아주 많이 발견하였다. 석인 한 것도 있었고 프린트 및 등사한 것도 있었는데, 그중 등사한 것이 제일 많았다. 우리는 그와 같이 극히 엉터리인 물건들을 발견한 후 곧 사양 없이 손으로 잡아 찢어서 휴대 식량 주머니에 넣거나 찢어버린 다음 우리가 가지고 갔던 정의적인 표어와 삐라를 원래 자리에 정성들여 붙여놓았다. 이것이 바로 이른바 '선전싸움'이었다. 다음의 적 선전물을 보면 그들이 얼마나 도리에 맞지 않는가를 대체로 짐작할 수 있을 것이다.

"게릴라부대 병사들에게 고함(등사)

당신들의 여러 부모처자들은 모두 건강합니까? 당신들이 빨갱이들의 앞잡이노릇을 하면서 의미가 없는 희생 품으로 되고 있을 때 사랑스러운 부모처자들은 가증스러운 공산당 비적들의 고통을 받고 있습니다. 보시오! 이상적인 신흥중국을 건설하려는 용감한 자태로 항전을 끝까지 하며 최후의 승리를 쟁취하자 등은 결코 민중을 구조하는 유일한 경로가 아니라 중앙정부를 도모하려는 공산당 비적들의 구호입니다! 여러 분야에서 중국 측의 모든 첩보는 거짓 보도입니다. 사실을 모르는 사람은 여러분 외에도 여러 곳에서 게릴라부대에 기만당한 사람들입니다. 각성하여 육속 고향에 돌아가서 부모처자를 만나 신정부의 지도하에 평온 무사히 지내며 일을 즐기십시오. 세계적인 반공전선은 뚜렷이 강화 발전되고 있습니다. 일본군대는 빨갱이들의 준동에 대하여 조금도 두려워하지 않습니다. 다시금 의미가 없는 희생품으로 되면 스스로 죽는 길밖에 없습니다.

당신들은 빨리 고향으로 돌아가서 고통 속에서 허덕이고 있는 당신들의 부모처자들을 구하십시오. 공산당을 반대하고 공산당을 소멸하는 당신들은 일본군대의 벗입니다!"

"**공산당원 유계경의 자백**(경은 소련공산당 선전부원임)

소련의 모 군사원조에 대한 목적은 스탈린이 지금 홍군과 공산당을 숙청하는 작업에 종사하고 있으므로 말미암아 내면적 위기에 봉착하였다. 따라서 모모를 강박하여 장기적 항전을 하게 하고 일본군대를 유인하여 중국 영토 안으로 깊이 들어오게 함으로써 일본의 실력을 구속하고 소—만 국경에서의 위협을 완화시키는 동시에 극력 일중 양대 국의 국력을 소모시키고 동양의 문명을 파괴하며 장차 소련이 일본과 지나 양대 국을 침략하려는 것이다."

적들의 이러한 선전물들은 내용이 황당하였을 뿐만 아니라 어구도 조리에 맞지 않았다! 더욱 우스운 것은 기술이 유치한 만화까지 첨부한 것이다.

장문해와 문명철 두 동무가 한창 정의로써 흉포를 대체하는 이 선전 작업을 하고 있을 때 갑자기 적병 7, 8명이 그들의 뒤쪽으로 숨어 들어왔다! 하지만 그 거동을 보니 아직 그들 두 사람을 발견하지 못한 것 같았다(벽이 막혔기 때문이다). 이 아슬아슬한 고비에 그들은 본능적으로 총자루를 꽉 잡았다! 사격할까? 사격하지 말까? 그들은 잠간 주저하다가 별수가 없어 결국 중대장에게 보고하여 처리하도록 하였다. 그들 두 사람으로는 중과부적이어서 3배 이상 되는 적을 대치할 자신이 너무 없었기 때문이었다. 그러나 중대장이 형제들을 파견해왔을 때는 적들이 온데간데없이 사라지고 말았다. 장동무는 아쉬운 표정으로 "그 자리에서 쏴죽이기 보다 못했어……"라고 말하였다.

"하지만 몇 놈을 사로잡았으면 얼마나 좋았을까?……아쉽게도 그들을 헛되이 도망치게 했군!" 장동무는 아주 화가 나서 입으로 끊임없이 투덜거렸다! 형제들은 그의 표정을 보고 매우 재미나서 위안하듯 말하였다. "몇 놈을 쏴 죽이기는 어렵지 않겠지만 몇 개를 사로잡자면 그리 쉽지는 않을 걸."

항구촌의 민중사업

항구에 이르러 가장 축하할 만한 일은 4십 몇 명의 청년들을 만난 것이다. 그들과 그녀들은 모두 중등 이상의 교육을 받았을 뿐만 아니라 지난날 무한과 상해에서 구국운동에 참가한 바 있었다. 어느 날 그들의 소개로 항구촌민 백여 명을 모아놓고 민중대회를 개최하여 사람을 죽이고 불을 지른 적들의 잔학 행위를 폭로하였다(지금 적들은 이 마을 민중들의 집을 몽땅 태워버렸다). 그들에게 이야기를 다한 후 세계지도를 걸어놓고 어느 곳이 조선인가를 가리키는 한편 "이것이 바로 우리나라 입니다. 3십여 년 전에 일본제국주의에 의해 멸망되어 백성들은 적들의 쇠발굽 밑에서 학살되기도 하고 굶어죽기도 하면서 짐승보다도 못한 생활을 하고 있는데, 그야말로 참을 수가 없습니다! 우리는 일본제국주의를 타도하고 우리의 독립과 자유를 쟁취하며 백성들의 고통을 제거하기 위해 중국으로 망명하여 조선의용대를 조직해가지고 이곳에 와서 일본놈들과 싸우고 있습니다!"라고 말하였다. 또한 망국 후의 여러 가지 비참한 정형을 알려주었다. 그들은 다 아주 큰 감동을 받았으며 확실히 조국이 사랑스럽고 필요함을 느꼈다. 따라서 그들은 또 중국지도를 걸어놓고 중국항전이 꼭 승리하며 건국이 꼭 이루어진다는 조건을 설명하였다. 그들의 정서는 매우 긴장하여 백여 쌍의 눈빛은 넋을 잃은 듯 말하는 사람의 입으로 집중되었고 갈색을 띤 붉은색의 얼굴들은 말하는 사람의 말소리에 따라 여러 가지 부동한 표정을 나타냈으며 투박한 주먹도 굳게 틀어쥐어 마치 적에게 덮치려는 듯 용감하고 단호하였다! 나중에 서동무는 또 우리의 정형을 재료로 삼아 격앙해진 연설을 반시간이나 하였으며 적들에게 저항하려는 농민들은 마음이 흥분되어 절정에 이르렀다. 그들은 강철 같은 주먹을 높이 추켜들고 장엄하게 부르짖었다. “중한 양 민족은 연합하자!” “일본제국주의를 타도하자!”

회의 후 사랑스러운 농민들은 진심으로 차와 붉은 고구마를 가지고와서 우리더러 먹으라고 하였다. 참으로 감격스러웠다! 이것은 그들의 귀중하고도 유일한 식량이라는 것을 반드시 알아야 한다! 우리는 농민들의 진심을 받아들여 사양치 않고 별맛 나는 간식을 먹은 다음 또 서동무와 왕, 장 두 여성동무와 협력하여 붉은 흙으로 스무 몇 곳에다 중국문 벽제표어를 써놓았다. 예하면:

(1) 민중은 자발적으로 정탐작업에 참가하라!
(2) 적들은 우리의 게릴라부대를 제일 무서워한다!
(3) 일본놈은 사람을 죽이고 불을 지르는 강도이다!
(4) 창과 총을 들고 와서 우리의 게릴라부대에 참가하라!
(5) 조선민족은 중화민족의 유일한 우군이다!

등은 모두 매우 구체적인 표어들이다. 작업이 완결된 후 우리는 이 청년남녀들과 이후의 활동에서 밀접히 연락할 것을 서로 약속하였다. 평상시 짬이 있을 때면 늘 서로 이야기를 나누기도 하였다. 어느 날 세 여성동무가 우리의 병영으로 찾아왔다. 그녀들은 “당신들은 일이 매우 바쁘시죠? 우리나라가 이렇듯 어려움을 겪고 있을 때 오셔서 참 미안해요, 당신들은 너무 수고하십니다!”라고 말하였다! 이까짓 일이 그다지 대단치도 않았건만 그녀들은 이렇듯 공손하여 되려 우리는 더욱이 불안하였다. 우리는 그녀들의 호의에 답례하고자 과자, 낙화생, 사탕과 과일을 사다가 접대하였다. 한 동무가 우리를 보고 "이 왕동무의 집은 백예교에 있습니다. 그는 오늘 백예교에서 여기로 오면서 적들의 역선전문서를 적잖이 가져왔는데, 보십시오!" 그녀는 문서를 우리에게 넘겨주고 이어서 "이전에 우리는 상해에 있을 때 수많은 조선의 동지들이 우리와 같이 일했어요. 하지만 지금은 그들이 다 어디로 갔는지 알 수가 없군요." 그녀는 말하면서 웃었다! 이전의 동무들은 비록 보이지 않지만 지금 싸움터에서 또 보다 많은 조선동무들을 만났기 때문이었다.

우리는 여기서 두 차례나 군민연예회를 개최하였다. 어느 한번 동유교에서 회의할 때 우리는 수많은 항전가곡을 불렀는데, 이를테면 〈중국은 망하지 않는다〉, 〈군민합작〉, 〈게릴라군대〉, 〈고향을 지키자〉 등을 들려주었고 아울러 〈함락구역의 민중들에게 알리는 글〉을 뿌려주면서 그들의 의견을 물었다. 가장 감동스러운 것은 한 7십여 세 되는 노인님께서 일어나서 하신 말씀이었다. "당신들은 고려국을 알고 있습니까? 고려국은 이미 망했습니다! 바로 일본놈들이 차지했습니다! 이들 몇 분은 고려국의 벗들인데, 우리 중국에 와서 항전에 참가하고 있다는 것을 당신들은 알고 있습니까? 고려국의 벗들이 이렇게 먼 우리 중국으로 고생스레 달려와서 항전에 참가하고 있는데, 우리가 항전을 하지 않으면 되겠습니까?"

연대의 정치훈련회의에 참가하다

연대 지도원 및 각 중대 지도원들은 우리와 같이 한 차례의 연석회의를 개최하여 정치훈련사업에 관한 문제 등을 토의하였다. 결정된 사항 중에서 중요한 것으로는 다음과 같다.

(1) 대적선전사업을 적극적으로 진행할 것.

(2) 당지의 가정방문을 확실히 실시할 것.

(3) 군민연예대회를 개최할 것.

(4) 민중간이학교를 꾸릴 것.

(5) 당지 민중으로 탐정 한간 숙청대를 조직할 것.

(6) 당지의 게릴라부대와 확실한 연락 및 협동을 취할 것.

(7) 여러 장병들은 반드시 간단한 대적함화를 배울 것.

4. 신장하반

1) 통성공격전---(제1진지선전대 소식)

XX사단에 갓 도착한 후 사단장의 인상과 정치부의 환영회

장교든 병사든 모두 우리와 잘 융화되던 XXX사단이 이동하는 바람에 우리는 석별의 정을 나누었다. 그래서 우리는 또 XX사단으로 갔다. 우리에게 준 사단장의 인상은 실로 너무 좋았다. 그는 그렇듯 온화하여 사귀기 쉬웠다. 그는 우리들에 대하여 무슨 문제를 말하거나 글을 쓸 때면 언제나 '조선의용대학우'들이 여사여사하다고 말했다. 다만 이 점에서도 영광과 기쁨과 위안을 충분히 느낄 수 있었다.

X월 X일 오전에 정치부주임은 이렇듯 어려운 싸움터에서도 우리를 위해 훌륭한 다과를 챙겨서 환영회를 열었다. 이 다과회에서 그는 중한 두 민족 혁명의 연대성과 대적선전의 중요성에 관해 반시간 가량 진지하게 이야기하였다. 그는 또 금후의 사업 면에서 우리가 "한 덩어리가 된다"는 슬로건을 내걸고 열심히 해야 한다고 말하였다. 그가 그렇듯 진심이 넘치고 간절하므로 우리는 금후의 사업에 광명이 무한함을 예기할 수 있었다. 즐거운 분위기 속에서 L동무가 친절한 어조로 간단히 답사를 한 다음 이어서 또 여흥 프로

가 시작되었다. 전선에서 용감히 싸우고 있는 10여 명 여성동무들의 멋진 노랫소리는 우리의 쓸쓸한 마음에 한없는 위로와 격려를 주었다. 우리가 G동무의 작품 〈나는 조선을 사랑한다〉를 부르자 여성동무들은 이 노래를 정성껏 배우려고 하였다. …… "조선 땅에 탯줄을 묻고 중국 땅에서 자라났네. 날마다 유랑하는 겨레들을 보니 망국노의 처량한……" 사람마다 즐겁던 얼굴에는 슬픔이 어리었다! 조선의 겨레들아, 왜서 유랑하며 왜서 도망가나? 이 원수를 기억하고 이 핏빛을 잊지 말아. 지금 빚 받을 때가 되었다. 우리는 일본놈들에게서 받아내자!

통성공격전에 참가하다

통성과 철주항을 총공격하게 되자 우리는 사단장이 그만두도록 충고함에도 불구하고 제일선에 참가하였다. 이번 공격전은 주로 육박전이어서 아군도 반드시 상당한 희생이 있게 될 것이므로, 사단장은 선의적인 의도에서 우리더러 참가하지 말라고 충고하였던 것이다. 그러나 이렇듯 좋은 기회를 우리가 어찌 스쳐 지날 수 있는가? 그래서 꼭 참가하려고 단호히 나섰다. 우리는 긴장하면서도 비장하게 결심을 내리고 참전할 수 있게 되었다.

오후 6시 대오를 따라 서쪽 산속으로 전진하여 약 10여 리를 바쁘게 걸어 복녹요에 이르렀다. 여기서 앞으로 10여 리를 더 나아가면 바로 적들의 주둔지인 철주항과 통성과 경산이었다. 우리의 행동을 비밀에 붙여 적들에게 예상 밖의 타격을 주고자 우리는 여기서 휴식하였다. 용감한 형제들은 저마다 정신이 분발되어 적들과 박투를 하려고 만반의 준비를 끝내고 기다리었다. 밤 12시에 또 전진하였다. 기복을 이룬 산골짜기를 넘어서자 앞에 2리 남짓한 개활지대가 나타났다. 우리는 조심스레 강기슭(통성 앞)에 이르러 강을 건널 차비를 하였다.

적들 앞에서 강을 건느다(물 깊이 1미터 4, 너비 3백미터)

이곳은 적들과의 거리가 4백 미터밖에 되지 않았다. 용감한 형제들은 전신무장을 한 채 적들 앞에서 강을 건넜다. 물이 가슴에 닫지 않으므로 적을 향해 용약 매진하였다. 쥐 죽은 듯 조용한 밤중에 "철석 철석" 물소리가 났다. 우리는 적들에게 발각될까 아주 근심하였지만 무슨 방법으로 물소리가 나지 않도록 하겠는가!

적의 보초에서 경보총 소리가 울렸다. 포탄, 기관총탄알이 강우를 몰사격하여 마치 한 치의 공간도 남기지 않으려는 듯 했다. 우리는 탄우 속에 빠졌다. 앞뒤 좌우의 병사들은 부상을 입고 피를 흘리었으며 "어이쿠" 하고 마지막 비명을 지르고는 물속에 넘어졌다. 그들은 본능적으로 안간힘을 써가면서 서로 잡았다! 허나 무슨 수가 있으랴? 물속에 넘어진 시체는 노상 몸에 부딪쳐 참말 놀라서 어찌 할 바를 몰랐다……우리는 신변의 병사들이 몸을 물속에 완전히 잠그고 콧구멍만 수면에 내놓은 것을 얼핏 보았다. 그렇게 하면 목표가 작아져서 강을 빨리 건널 수 있었다. 우리도 조롱박같이 물속으로 들어가 앞으로 헤엄쳐나아 갔다. 하지만 "아! 다음의 탄알은 내 몸에 차례지지 않을까?" 전혀 가망이 없었다.

용감한 형제들의 결사적인 도하는 드디어 성공하였다. 비록 일부분의 형제들이 비장하게 희생되기는 하였지만. 연대장은 최전선에 서서 중대의 산개대형을 지휘하였다. 그는 그렇듯 용감하고 존경스러웠다. 이때 우리의 위치는 대대장의 옆이었다.

우리는 두 개 소대의 병사를 거느리고

철주항에는 3백여 명의 적들이 있었다. 그들의 방어진지도 아주 견고하였다. 세 겹의 철조망이 둘러있고 토치까와 중기관총 진지가 있었으며 또 대여섯 문의 대포까지 갖고 있었다, 우리는 완전히 개활 지대에서 공격하며 전진하였으므로 절대적으로 불리한 정세에 처해있었다. 그러나 형제들의 용감한 공격정신은 모든 곤란을 이겨냈다. 사기가 왕성하여 최고조에 달했는데, 이는 우리가 직접 목격한 사실이다. 어떤 병사나 소대장 중대장이 적탄을 맞고 쓰러지면 다른 병사들은 조금도 주저하지 않고 태연자약하게 공격하며 전진하였다. 더욱이 고참 병사들의 태도와 정신은 그야말로 장난거리를 대하듯 평범하고 용감했다. 아! 경복할 만한 민족해방선구자들이여!

우리는 대대장의 허락을 받고 중대장과 소대장이 잃어진 2개 소대의 병사들을 지휘하여 공격하며 전진하였다. 선전표어, 삐라, 풀과 솔을 들고 병사들을 지휘하며 전진하자고 보니 어딘가 좀 익살스럽기도 하였다. 우리는 지휘하면서 일본어구호를 외치기도 하였다. 총소리·사람소리·구호외침소리가 한데 섞이어 엉망으로 혼란해져 뭐가 뭔지 아무 것도 알아들을 수 없었다. 설사 우리가 삐라를 여기에 뿌렸다고 해도 전혀 효과를 거둘 수 없다는 것은 더 말할 필요가 없다. 대적선전은 반드시 적과의 거리가 가장 가까운 곳까지 접근해야 한다. 거듭 말하면 전투에 참가하지 않고서는 해낼 수가 없다. 우리는 또 과학적인 선전기재가 완전히 부족 되어있었다. 만일 육박전이 벌어지는 위험지대로 진출하지 않는다면 우리의 과업을 완수할 길이 없다. 이 점은 대적선전일꾼들이 말하기 어려운 곤란과 고통이기도 하였다. 직접적인 전투원에 비해도 몇 갑절 더 어렵다. 우리는 실제적인 작업효과를 거두기 위해 아예 구호외치기를 그만두고 삐라(종이 값, 프린터 값 그리고 운반과정에서 겪는 곤란까지 하면 삐라는 참으로 황금같이 귀중했다)를 지니고 결사적으로 전진하여 뿌릴 만한 장소와 기회를 찾았다.

우리가 철주항의 작은 고지인 석벽사를 점령하고 적진지의 교통참호를 차폐물로 삼아 앞으로 더 나아갔을 때 분대장은 왼손이 적탄에 의해 관통되었다! 우리는 재빨리 옷자락을 찢어 분대장의 상처를 싸매주고 그더러 내려가도록 권했으나 그는 되려 "아직 목적을 이루지 못했습니다!"라고 말하면서 기어코 앞으로 나아가려 하였다. 한 병사는 가슴에 적탄을 맞고 땅에 쓰러졌다(지형을 잘 이용하지 않고 반신을 노출시켰음). 우리는 옷을 찢어 상처를 싸매주었으나 피는 끊임없이 흘렀다! 마침내 그는 마지막 피 한 방울까지 홀리고 고이 잠들었다! 이 이름 없는 영웅의 피는 우리의 손을 붉게 물들이었다. 그 찰나 우리의 마음은 죽음에 대하여 지극히 평범한 느낌이 들었다. 가령 우리가 죽은 후 우리가 홀린 피와 중국동지들이 흘린 피가 한데 응결된다면 과연 얼마나 영광스러울까! 싸움터에서 흘린 피는 전우의 결심을 더욱 북돋우게 한다는 것을 반드시 알아야 한다.

우리 우익에서 싸우던 우군의 선봉대가 먼저 철주항을 점령하였고 추악한 적들은 통성 북쪽 문으로 꽁무니를 뺐다! 숱한 무기와 시체를 버리고 간 꼬락서니는 우습기도 하고 가련하기도 했다!

일본어구호를 외치다

적들이 퇴각할 때 참 난잡하기로 이를 데 없었다. 총과 총이 부딪치고 사람과 사람이 부닥쳐서 온통 엉망이 되어 무슨 소리인지조차 분간할 수 없었다. 우리는 이러한 혼란 중에 다만 그들의 한마디 말을 알아들을 수가 있었다. "얼빠진 놈! 어서 도망가지는 않고 뭘 떠들고 있어. 바보 같은 자식." 우리는 이 좋은 기회를 놓칠세라 큰 소리로 외쳤다. "여보시오── 일본의 형제들 도망치지 마시오! 총을 던지고 우리 쪽으로 넘어오면 절대 죽이지 않거니와 우대를 합니다." "총을 던지고 우리 쪽으로 오시오. 우리는 일본의 형제들을 환영합니다!" 우리가 비록 이렇게 일본어구호를 수많이 외쳤지만 우리의 형제들은 한창 쫓아가며 사격하고 있었다. 이런 형편에 일본 병사들은 정말 투항하고 싶어도 아마 방법이 없었을 것이다. 우리의 의견을 따른다면 반전사상을 품고 있는 적병들에게 투항할 기회를 주기 위해 의례 사격을 멈추고 다만 일본어구호를 외쳐 어떻게 되는가를 살펴야 한다. 그러나 우리에게는 이렇게 할 능력이 없었다. 이것은 대적선전사업이 실전 중에서 봉착한 어려운 정형이기도 하였다. 가령 이 어려운 문제가 능히 해결을 본다면 대적선전사업은 꼭 매우 큰 효과를 거둘 것이다.

일본어구호를 외쳐 아군의 사기를 분기시키다.

일본어구호를 외치는 원래의 목적은 적을 상대로 하는 것이었으나 실제로 경험한데 따르면 아군의 사기를 분기시키는 면에서도 그 역할이 아주 대단하였다. 병사들은 자신이 외친 내용이 무슨 뜻인지 잘 모르기는 하였지만 그러나 그들이 전투에서 지쳤을 때 우량한 구호소리를 들으면 그들의 정신이 분기할 수 있으며 피로를 잊고 계속 전진할 수 있다. 이것은 우리 대적선전작업의 부차적 역할이라고도 말할 수 있다.

부상병을 구호하다

다른 형제들의 협력 하에 우리는 부상을 당한 병사들을 업어 안전한 곳으로 옮기었다. 그들의 선혈은 우리의 옷을 붉게 물들이었고 또한 옷에 스며들어 우리의 살갗에 한데 부착되었으나 우리는 전혀 불결함도 피로함도 느끼지 못했으며 되려 영광과 흥분을 느꼈다. 우리가 영광스럽게 부상을 당한 병사들을 업는다는 것은 매우 소중한 일이었기 때문이다!

대량의 전리품

일본파시스트군벌의 강제에 의해 싸움터에 끌려온 일본병사들의 전투사기는 러일전쟁 시기에 비하면 정말 차이가 너무 컸다. 그들은 먼 곳에 있을 때는 정예한 무기로써 용감한 듯이 꾸며대고 있었지만 가까운 곳에서 정작 육박전을 하게 되면 용감하다고는 하나 되려 "도망치는데서 용감하였다!" 모든 것을 다 버리고 다만 결사적으로 도망칠 뿐이었다! 그래서 매번 푸짐한 전리품으로 답례를 하였는데, 이번에도 예외가 아니었다. 도합 하면 대포 1문, 중기관총 2정, 경기관총 2정, 보병총 14자루, 그밖에 세꼬다부대의 작전계획서, 영화촬영기, 통신 비밀번호, 군용지도, 일본돈 몇천 원, …… 선물이 실로 가볍지는 않았다. 우리는 물론 그들의 호의를 저버릴 수가 없어 전부 받아들이었다.

일본병사들이 이렇듯 "죽음을 두려워" 우리에게 선물을 보내온 것은 결코 무리가 아니었다. 그들은 소수의 군벌을 위해 의미가 없는 희생품이 되고 싶지 않았다. 따라서 이러한 행위가 있게 된 것이다. 그러나 중국의 형제들은 민족의 해방과 영원한 자유행복을 위해 싸우고 있으므로 희생을 두려워하지 않고 "죽음을 두려워하지 않는" 정신이 충만되어 있었다. 일본의 병사들과 비하면 참말로 전혀 다른 것이다.

이때는 바로 X월 X일 오전 7시 반이었고 지점은 통성 북문 밖에서 1리 반 떨어진 어느 곳이었다.

점령지를 포기하다

우리는 중대한 희생을 피하기 위해 피로써 바꾸어온 거점——통성을 포기하였다. 적들의 대량 지원병이 이르렀기 때문이었다. 우리가 만일 그다지 요긴치 않는 지점을 고수하기 위해 적과 결사전을 한다면 적에게 완전히 소멸될 위험이 있었다. 우리의 장기적 항전이라는 전략관점에서 보면 이것은 필요가 없는 것이다. 하물며 우리는 이번에 이미 소모전의 목적을 이루지 않았는가? 따라서 우리는 스스로 철퇴하기 시작했다.

삐라 2천장을 뿌리다

우리는 물러갈 때 철주항 고지와 통성 부근의 적 진지 그리고 지나가는 길 양옆에 수많은 대적선전삐라를 뿌려놓았다. 시만이가에 이르러 우리는 불행히도 적들에게 포위되었다! 이틀 동안의 악전고투를 거쳐 야밤에 적들의 포위권에서 벗어나 또 10몇 리를 걸어 하반영 골짜기를 지났다. 걷는 한편 졸면서 이항(우리가 출발한 지점)에 이르렀을 때까지 우리는 이미 사흘 동안 자지도 먹지도 못하여 실로 기진맥진하였다. 이번 싸움에서 적아쌍방은 사상자가 각각 5백여 명이나 되었다.

적병의 일기

우리는 적의 시체에서 수색해낸 일기를 번역하여 사단장에게 드렸다. 그 중 몇 가지 골자를 메모하면 다음과 같다

(1) 적 군수공업은 나날이 늘어나고 노동임금은 나날이 떨어지며 게다가 임금을 조금도 지급하지 않고 전부 저금할 것을 강요한다(적 국내에서 온 편지 내용)

(2) 봄갈이시기가 되면 일손이 모자라서 여러 가지 곤란한 문제들을 해결할 수 없다.

(3) 세꼬다대대가 아군에 의해 전멸되었다.

(4) 중국의 정형은 일본국내에서 들은 바와는 전혀 다르다. 어느 날 고국으로 돌아가겠는지 알 길이 없다.

(5) 적병은 배당된 담배를 중국 민중에게 팔아서 다시 과자를 사 먹는다.

(6) 적병의 매달 급여는 2원 85전인데, 그중 2원을 고향의 늙은 어미에게 부친다. 불쌍한 늙은 어미가 굶주림을 면할 수나 있는지?

(7) 나는 네가 하루 빨리 돌아오기를 고대하고 있다. 지금도 계속 징병을 하고 있으니 도대체 무엇 때문일까? (받은 편지의 내용)

이상은 비록 자질구레한 토막 기록이기는 하였지만 그래도 이로부터 적국내의 일반적 상황을 엿볼 수가 있었다.

사단장의 초청

사단장은 전화로 우리를 초청하였다. 여러 사람들은 흥분과 기쁨에 잠겨 서둘러 사단장한테로 갔다. 며칠 동안의 피로도 가뭇없이 사라졌다. 사단장은 우리를 보자마자 첫마디로 "당신들은 이번에 매우 수고하고 아주 위험했습니다"라고 말했다. 그가 그렇듯 자애롭게 우리를 위로하니 우리는 마음속으로부터 말할 수 없는 위안과 홍분을 느꼈다. "당신들은 위험을 무릅쓰지 마시오. 당신들은 미래 조선혁명 광복의 공로자입니다" 자애롭고 용감한 사단장의 얼굴에는 웃음이 넘치고 있었다. 그는 오늘 하도 기뻐서 여러 가지 아끼고 칭찬하는 말로 우리를 위로하였다. 그는 그렇듯 자애로워 우리가 처음 왔을 때 받은 인상보다도 더 심각하였다. 그는 풍성한 새참을 챙겨 우리가 이번에 출격하여 승리한 공로를 축하하였다.

2) 석산을 공격하다

X월 X일 밤 12시에 두 번째로 석산을 공격하였다. 통성을 공격하는 우군과 동시에 시작한 협동작전이었다. 각 부대에서 일하던 우리 동무들도 이번

전투에 참가하였다.

대대장의 훈시

대대장은 석산 공격전에 참가하는 전체 장병들을 모아놓고 다음과 같은 간단한 훈시를 하였다. "석산을 함락하지 못하면 돌아오지 않으며 물러서는 자는 죽인다! 병사는 분대장을, 분대장은 소대장을, 소대장은 중대장을 총살할 권리가 있다!"

결사대

대대장은 훈시가 끝났으나 더욱 긴장해 하면서 비장한 어조로 말했다.

"결사대가 되기를 원하는 자는 나서라" 그의 말이 떨어지자 병사들은 잠깐 떠들썩하더니 "저도 가겠습니다" "저도 가겠습니다" …… 전체가 다 나섰다! 이렇듯 용감한 병사들을 보면 실로 감동되어 눈물겹게 하였다. 오랫동안 우리의 머릿속에 차있었던 "중국은 망하지 않을 것이다! 중국은 망하지 않을 것이다! 중국은 절대 망하지 않을 것이다!"라는 확고한 신념도 더욱더 강철같이 견고해졌다!

결사대의 인수는 예정보다 초과되었다. 누구나 다 나서는 통에 어찌는 수가 없어서 결국 제비를 뽑았다. 이렇듯 위대한 장면은 위대한 "혁명 중국"에서만이 볼 수 있다. 22명 결사대는 수류탄을 가득 메고 맹세하였다. "내가 적을 죽이지 않으면 적이 곧 나를 죽일 것이다. 석산을 수복하지 않고는 돌아오지 않는다. 일본놈들을 타도하자!" 이 장면을 보고 이국 사람들인 우리는 흥분을 금할 수가 없었다! 우리는 몸속의 뜨거운 피가 이미 끓어올라 22명의 민족영웅들과 친절히 악수를 하였다.

공격개시

22명 결사대가 앞장에 서고 대부대가 뒤에 서서 밤 11시 반에 진지를 떠나 12시에 대대부 지휘위치에 이르렀다(석산에서 3백 미터 떨어졌음). 결사대는 야밤에 첩첩한 심산을 타서 적 철조망 위치에까지 이르렀으나 여전히 적들에게 발각되지 않았으며 다섯 번째 철조망을 파괴하다가 그만 잘못 밟아서 지뢰가 터지는 바람에 적들을 놀라 깨게 하였다. 적들은 당황하여 아무 목표도 없이 난사하면서 수류탄을 던지기도 하였다. 이때 우리의 결사대는 이미 적을 향해 바투 다가들어 수류탄을 던지면서 즉각 돌격하였다! 적 보초는 완전히 소멸되었고 병영과 무기고도 불이 붙어 불길이 하늘을 치솟았으며 총탄, 포탄, 수류탄이 터지는 소리가 산악을 진동하였다. 살아남은 적들은 몽땅 토치까 안으로 모여들어갔다. 이때는 새벽 3시 정각이었고 결사대는 6명이 장렬하게 희생되었다.

일본어구호를 외치다

우리가 만일 석산 절벽 우의 토치까만 함락하면 석산을 다 점령한 것으로 된다. 아군이 적 보초를 소멸해치웠으나 토치까 안의 적을 해결할 방법이 없었다(중형무기를 지니지 않았기 때문이다). 30미터의 거리를 두고 포위하고 있었지만 더 전진할 수도 없어 서로 바라볼 뿐이었다. 토치까 둘레의 철조망은 파괴되었지만 적들의 수류탄과 포탄이 토치까 구멍에서 터져 나왔다. 우리는 비록 구석진 곳에 숨어있어서 손해 보지는 않았지만 그 곳을 떠날 수가 없었다. 적들이 화구로부터 손을 뻗어 총을 쏠 때 우리는 그들의 손에 몰 사격을 가했다. 이와 같이 토치까를 중심으로 하여 30미터나 되는 거리에서 오랫동안 대치하였다. 우리는 곧 이 틈을 타서 일본어구호를 외치기 시작하였다. 적아 쌍방이 사격을 완전히 멈추자 기침소리마저 들릴 수 있도록 그렇게 조용하였다. 우리 동무들은 몇 십 가지나 되는 구호를 겨끔내기로 3시간 남짓이 불렀다. 그동안 적아 생방의 수류탄소리가 가끔 울리기도 하였다. 가령 적들 중에 반전사상을 품고 있어 우리가 외치는 구호 소리에 감동되었다고 해도 아마 구체적으로 표명할 수가 없을 것이다. 그들의 환경이 허용되지 않았기 때문이다. 이때 우리 소수의 사람들이 적 보초선으로 가서 구호를 외쳐 능히 적들의 호응을 받기만 한다면 이미 효과를 거둔 실증이라고 말할 수 있다. 그제께 우리의 두 동무가 적 보초선부근에서 구호를 외치자 적들이 구답으로 "우리도 전쟁이 싫어"라고 하였다. 이것이 그래 매우 가치가 있는 실례가 아닌가? 물론 우리는 조급히 단시일 내에 어떤 큰 효과와 표현을 요구해서는 안 된다. 왜냐 하면 선전공작은 원래 단시일 내에 효과를 볼 수 있는 것이 아니라 반드시 오랫동안 지속적으로 노력해야 만이 조금씩 점차 효과를 볼 수 있기 때문이다. 우리가 대적선전작업을 위해 직접 전투에 참가한지 이미 몇 달이 지났지만 이렇듯 치열한 전쟁은 이번이 처음이었다. 또한 구호를 외치기가 이렇듯 좋은 기회를 만나기도 이번이 처음이었다. 한 마디 한 마디 적들의 마음을 움직일 수 있는 말, 군벌에 대한 증오심을 불러일으킬 수 있는 말, 적극적으로 적들의 정의감을 도발시킬 수 있는 말을 찾아서 이렇듯 조용한 절호의 기회에 적들의 귀로 똑똑히 전해주었다. 우리는 물론 적들이 토치까 안에서 수군거리며 뭐라고 말하는지 분명히 알아들을 수 없었지만 '평화촌'과 와까 바야시의 이야기를 그들에게 차근차근 들려주었다. 오늘의 구호외치기는 꼭 백 프로의 효과를 거두었을 것으로 믿어마지 않는다.

부상당한 유중대장을 업고 돌아오는 길에서

토치카주변의 절벽에서 5겹의 철조망을 파괴하고 있던 제8중대 중대장 유운서(XX연대 제3대대, 31세, 산동사람)는 병사들을 데리고 세 번째 겹까지 파괴했을 때 적 수류탄 파편에 맞아 오른쪽 다리에 중상을 입었다! R, G, Q 세 동무는 유중대장을 업고 약 백여 미터 걸어 방금 산비탈을 넘어서자 뜻밖에 적과 맞닥치었다. 겨우 3미터 밖에 안 되는 거리에서 적은 비록 날 창을 꽂은 채로 있었으나 이렇듯 아슬아슬한 찰나에 우리는 다만 “내가 적을 죽이지 않으면 적이 곧 나를 죽일 것”이라는 느낌뿐이었으며 즉각 번개같이 대들어 총을 쏘았다. 그런데 무슨 영문일까? 적은 맞불질도 하지 않고 다만 뒤를 향해 결사적으로 도망쳤다! 우리는 이구동성으로 외쳤다. “총 내렷! 안 죽여! 우대할거야!” 5십 미터 가량 뛰어간 적은 우리를 향해 꿇앉는 자세를 취하더니 총을 치켜들고 나무에 기대어 앉았다. 우리는 뒤쫓다 말고 땅에 엎드려서 5분 동안 구호를 외쳤으나 아무 대꾸도 없었거니와 아무 동정도 없었다. 뒈졌을까? 혹은 가면으로 꾸미고 있을까? 정말 이상하다! R동무는 그의 곁으로부터 살짝 에돌아 뒤쪽에 가서 자상히 주의 깊게 그를 살펴본 다음 큰 결심을 내리고 날렵한 솜씨로 그를 단번에 틀어쥐고 “이 짐승 같은 자식!”하고 욕설을 퍼부으면서 꽉 그러안았다. “시체였어!”, “뭐? 시체” 여럿은 그제야 긴장된 마음들을 풀었다. 허! 참 우스꽝스럽다. “사로잡자”던 신념이 결국 헛될 줄을 누가 알았으랴! 그의 가슴은 관통되어 있었다. 확실히 우리의 첫 탄알을 맞은 후 결사적으로 5십 미터를 더 뛰어 그 자리에서 죽었던 것이다. 그의 기호에는 데라모도요시오라는 글자가 씌어있었고 군복도 해어져서 그야말로 피사람으로 되어 있었다. 속에는 셔츠마저 입지 않고 있었다. 주머니에는 호신부 외에 아무것도 없었다.

적기는 하지만 명예스러운 전리품

데라모도요시오의 몸과 다른 곳에서 우리는 자그마한 전리품들을 얻었다. 도합하면 38식 보병총 1자루, 망원경 1개, 철갑모 1개, 군용담요 1개, 구두 1켤레, 보병총 탄환 40발, 기관총 탄환 250발, 탄창 4개, 날창 3개, 혁띠 3개, 군복 등이었다.

우리는 유중대장을 업고 이 자그마한 '명예전리품'들을 들고 흥분되어 우리의 주둔지로 돌아오면서 마음속으로 말할 수 없이 즐거웠다! 유중대장을 업은 G동무의 옷이 비록 피에 푹 젖고 또한 영광스러운 피가 살갗에도 물들어 있었지만 우리의 마음은 위안을 받았으며 유쾌하였다.

유중대장의 말

후방병원으로 떠나는 유중대장은 우리들의 손을 으스러지도록 잡으며 말했다. "저는 군대생활을 10몇 년이나 하였지만 오늘과 같은 동지의 사랑에 이렇듯 감동되기는 처음입니다! 더욱이 외국청년들의 손에서 저의 생명을 건졌으니 저는 평생토록 잊지 못할 겁니다! 어떤 곳으로 가든지 우리는 서로 편지로 연락합시다." 말을 마치고 힘겹게 담가 우에 누워 주먹만큼 큰 더운 눈물을 떨구었다.

싸움터에서 돌아온 후

이번 싸움을 지휘하고자 이군단장과 후사단장이 전선으로 와서 우리에게 여러 가지 말로 위로해주고 우리와 일일이 악수를 하였다. 우리도 자그마한 '전리품'을 군단장에게 보여드렸더니 그는 일부러 주의하여 그것을 가지고 돌아갔다.

이군단장은 특히 이번 싸움에서 공로를 세운 제3대대에 상금 천원을 주었다. 우리는 제3대대의 전투행동에 가담하였으므로 우리에게도 상금 35원이 배당되었다. 우리는 이 35원을 가지고 위로 품으로 수건, 양말 따위를 가득 산 다음 부상당한 장병들에게 기증하도록 후사단장한테 부탁하였다.

우리 전체 동무들은 전사한 장병들의 추도회에 참가하여 "그대들의 죽음은 중화민족의 생존을 위해서일 뿐만 아니라 전 세계 피압박민족의 해방을 위해서이다!"라고 씌어진 주련을 영전에 드리기도 하였다.

소련신문기자가 와서 인터뷰하다

따스사의 전선신문기자 위트로브는 진지에 이르러 우선 석산공격전에 참가한 22명 결사대원 중에서 요행 살아 돌아온 병사들과 더불어 진지에 앉아서 사진을 찍었다. 기자는 그들의 이야기를 일일이 메모하는 한편 그들에게 "당신들은 결사대에 참가하여 무섭지 않았습니까?"라고 물었다. 병사들은 이구동성으로 "무섭기는요"라고 대답하였다. 기자는 기뻐서 "하하하" 웃었다. 그는 특별히 큰 손으로 일일이 그들과 다정하게 악수를 하였다.

기자는 또 미소를 짓고 우리를 돌아보며 말하였다. "당신들은 조국의 해방과 생존을 위해 싸우는 만큼 세상에서 가장 고귀하고 영광스러운 사람들입니다. 나는 꼭 당신들의 이렇듯 용감한 정신을 세계에 널리 소개하겠습니다." 그리고 또 우리 전체 동무들과 함께 사진을 찍었다. 그는 특히 우리에게 호감을 가지고 있었다. 우리도 그에게 재료를 있는 대로 주고 또 〈민족혁명길에서의 조선〉이라는 영문 팜플렛 한 책을 주었다. 우리는 그에게 말했다. "당신은 혁명이 완수된 나라의 국민이므로 참 행복하겠습니다!" 그는 대답했다. "당신들도 행복할 그 날이 멀지 않았습니다!" 우리는 다 같이 통쾌하게 홍소하였다!

3) 정신폭탄을 뿌려놓다

적 기관총 앞 2백 미터까지 전진하다

X월 XX일 오전 9시에 우리는 선전물들을 가득 넣은 건량주머니와 권총을 지니고 9명의 엄호대 및 2명의 사복정탐과 같이 청용산 제5중대 중대부를 출발하여 적 진지——양방서로 당당히 전진하였다. 동항(5리 길)에 도착하니 벌써 오전 10시 반이 되었다. 이곳은 적아 쌍방의 사복정탐들이 늘 출몰하는 지역이었으므로 권총 따위의 조우전이 자주 발생하였다. 우리는 사전에 엄호대를 마을 양옆의 수림 속에 각각 매복시킨 다음 우리가 가지고 온 선전물들을 온 마을에 울긋불긋하게 붙여놓았다. 우리는 임잠산 기슭까지 더 전진하였는데, 여기는 완전히 적들이 만들어놓은 군사축성물이었으며 줄곧 그저께 아군이 진공하기 전까지도 적들의 점령구역이었다. 우리는 여기서 마치 군관학교 시절에 연습하듯이 나뭇가지를 꺾어 위장을 하였으며 전진할 때도 조전에서의 방법에 좇아 엎드려 기었다. 우리는 정말 너무 가까이 접근하여 거의 코와 코가 부딪칠 지경이었다! "여봐! 위험해!" 경험이 있는 동무들이 주의를 주기도 하였다. 만일 조금만 실수하면 적들의 탄알이 우리의 몸에다 벌집을 만들어놓을 수도 있었다.

삐라를 돌에 묶어서 던지다

우리는 이미 적과의 거리가 가장 가까운 지점에까지 접근하였음을 자각하게 되자 가지고 온 삐라(약5, 6장)들을 주먹만큼씩 큰 돌에 동인 다음 적을 등진 산마루의 능선 뒤에 엎드려 수류탄을 던지듯 "씽" "씽" 하며 적 진지를 향해 던졌다.

적들은 돌들이 하늘에서 날아오지 않나 의심할 지경으로 놀란 나머지 기관총으로 우리에게 밀집사격을 하였다. "따따" 총구마저 벌겋게 달아올랐다. 탄알은 파괴된 군사축성물에 맞아 붉은 흙먼지를 일으켰다. "제기랄, 일본놈……대장, 반격을 합시다!" 엄호대의 분대장은 분노에 찬 어조로 지시를 청하였다. 우리의 옆 동무는 절반 명령식처럼 말하였다. "안돼! 총을 쏘지 마시오! 퇴각!"

우리는 과업을 완수하였다. 적들은 한 시간 남짓이 기관총을 쏘았다. 아마 소모된 탄환도 꽤 대단했을 것이다! 우리는 총 한 방 쏘지 않고 적들을 크게 놀려주었다! 적들의 총소리가 중단되면 또 삐라가 달린 돌덩이를 몇 개 던지거나 또는 비위를 돋구어 일본말로 "일본형제 제 군! 쏘지 말게! 자네들이 쏜 탄알들은 죄다 자네 부모자매들의 피와 살에서 짜낸 게 아닌가?"라고 외쳤다. 그러면 적들은 또 "따따……" 하였고 중단되기 바쁘게 우리는 또 던지고 외치고 하였으며 적들이 또 쏘면……줄곧 우리의 느낌이 지쳤을 때에야 돌아왔다.

끈으로 처마 밑에 걸어놓은 삐라

돌아오는 길에 우리는 그저께 동항술집 앞에 걸어놓았던 선전물과 순 가다가나로 "일본 형제들! 돌아갈 때 이것을 가져다가 여럿이 함께 보면서 토론들을 하고 반전을 하세"라고 써놓은 일본 문이 생각났다. 결국 반응이 있었는지 그 여부를 알 수가 없었다. 우리는 호기심에 끌려 다시 그곳에 가보려고 하였다. 우리는 이 일을 꾸밀 때 술집주인에게 재삼 당부해놓았다. "이 물건을 움직이지 마시오! 모레 돌아와서 보겠으니 잘 보관하시오!" 지금 어찌 되었는지 알 수도 없었다. "여봐! 이상해! 이건 어찌 된 일일까?" 우리가 동항으로 갔을 때 보갑장과 술집주인과 백성들이 전부 나와서 우리를 맞이하였다! 보갑장과 술집주인은 우리에게 굽실거리는 한편 처마 밑을 보면서 "이 일을 어떻게 합니까?"라고 하며 깊이 한숨까지 쉬었다. 우리는 그들이 오해하였다는 것을 알고 있었다. 그렇지 않으면 일본놈들이 이곳으로 와서 백성들에게 혹시 어떤 위협을 했을 수도 있었다. 우리는 그들에게 물었다. "도대체 어찌 된 일입니까?" 그들은 황송해하며 말하였다. "어제 사복을 한 두 사람이 와서 당신들이 쓴 글을 한참 보더니 그 꾸레미의 물건을 가져갔습니다. 우리는 선생들의 당부를 받았으므로 어찌 그들로 하여금 가져가도록 하였겠습니까? 그래서 대들어 말렸더니 그들도 불문곡직하고 총을 꺼내 들어 '떠들지말어! 죽일테다'라고 하면서 그 꾸레미의 물건들을 몽땅 가져갔습니다." "괜찮습니다. 우리는 일부러 그들로 하여금 가져가게 하였습니다." 이렇듯 사랑스러운 백성들에게 한동안 위안한 다음 그 곳을 떠났다.

우리가 생각해보니 미련한 놈들은 참 우습기도 하였다. 자그마한 꾀를 살짝 부려도 그들은 곧 올가미에 걸려들었다. 우리는 또 더욱 훌륭한 방법을 준비하여 그 얼간이들로 하여금 정신 차리게 할 것이다.

종이매(연)로 하여금 삐라를 적 진지로 가져가게 하다

X월 XX일 낮 바람이 한창 적 쪽으로 불고 있었다. 우리가 오랫동안 계획했던 삐라 종이매 전송법을 써볼 수 있게 되었다. 먼저 종이매를 삐라(너무 많으면 불가함)에 동여서 그것을 하늘에 띄워 적 진지 앞까지 날아간 다음 삐라를 동였던 끈을 끊어버리면 삐라가 떨어지는 힘에 의해 그것이 적 진지에 떨어지도록 계산하는데, 이것은 그다지 쉬운 일이 아니었다. 그때 우리는 일부러 적 진지——양림사와의 거리가 6백 미터 되는 작은 고지에까지 잠입하여 엎드린 자세로 준비했던 종이 매를 띄웠으나 아쉽게도 바람방향이 약간 왼쪽으로 기울어져 적 진지에 바로 향하지 못하였다. 그러나 적들은 이미 뭐가 뭔지 모르고 있었다! 도대체 무슨 일인지도 모르고 마침내 "쿵" "쿵" 하고 대포를 마구 쏘았다. 이런 포탄들은 일본인민들의 피땀으로 만들어졌다고 생

각하니 우리가 되려 아쉬웠다! 유감스럽게도 끈이 끊어져 종이매는 적 진지 부근에 떨어지고 말았다. 수많은 놈들이 이상야릇해서 뛰어가 구경하였다!

괜히 한바탕 놀라고 기뻐하다

이튿날 저녁에 마안산 측면 상봉사의 적 진지를 야간기습 하였다. 우리는 먼저 적 진지에 가서 포로를 잡겠으니 부득이한 경우에 이르기 전에는 절대 사격하지 말 것을 사전에 왕중대장 및 2명의 소대장과 약속을 하였다! 우리가 돌아온 후 다 같이 사격하기로 하였다. 우리는 이렇게 철석같이 굳은 약속을 해놓고 곧 두 길로 나누어 적 진지로 전진하였다. 줄곧 적과의 거리가 8십 미터 되는 곳까지 잠입한 다음 한 걸음 한 걸음 살그머니 계속 앞으로 이동하면서 조금이라도 소리가 날까 두려워 발끝을 매우 높이 쳐들었으며 큼직한 돌을 만나면 천천히 미끄러져 내려가기도 하였다. 이와 같이 조심스레 전진하고 있을 때 뒤쪽에 있던 김동무가 갑자기 옆에 있는 동무를 꾹 쥐었다. 이동무가 기민하게 머리를 돌려보니 거리가 2십 미터 되는 곳에 손전등 빛이 있었고 몸을 낮추고 자세히 보니 원래는 한 놈이 나와서 보초선을 돌아보고 있었다. 그들의 행동거지를 보니 아직 우리를 발견하지 못한 듯 하였으므로 재빨리 권총 안전장치를 풀어 손 쓸 준비를 하였다. "도대체 어떻게 처치해버릴까? 사격할까? 아니면 사로잡을까?" 그 세 놈을 함께 잡자고 보니 우리의 힘이 모자랐다(두 번째 그룹이 도착하지 않았음). 가장 좋기는 두 놈을 쏴죽이고 한 놈을 잡는 것이었다. 한창 놀라서 주저하고 있는 찰나에 "따따"하고 연주포 쏘듯한 기관총소리가 울렸다! 침착하지 못한 아군의 기관총수는 손전등빛이 보이자 결국 먼저 사격을 했던 것이다. 중대장의 명령——의용대동무들이 돌아오기 전에는 어떤 경우든지 총을 쏘지 말 것——도 까먹었던 것이다! 일이 이렇게 되자 풀숲에 매복해있던 기관총, 보병총들도 불을 토하기 시작하였다! 적들의 다수 기관총들도 놀랄 만하게 붉은 빛을 뿌리고 있었다! 적아쌍방에서 쏘는 탄알들이 "쉿! 쉿!" 하고 우리의 머리 위를 날아가고 있어 실로 위험하였다! "여봐! 상하지는 않았지?" "아니 동무는?" "나도 아니! 말하지 말어!" 우리는 겨우 차폐물 안으로 들어가서야 비로소 안도의 숨을 쉴 수 있었다. 저쪽 길로 갔던 동무들도 어느 겨를에 기어들어 왔다! 중대장도 왔다. 그는 매우 불안해하였다! "미안합니다! 미안합니다!" 여러 번 곱씹어 사과하였다

"여기서 우리는 한번 더 사격하여 적들의 포탄을 소모시키고 돌아갑시다!" 중대장은 호의로 우리에게 기관총탄알을 많이 주어 쓰도록 하였다. "따따……" 단속적으로 적들의 포성에 호응하였다. 비록 오늘 우리는 최후의 고비에서 실수하여 적을 사로잡지 못했지만 그들의 포탄을 꽤 소모시켰으므로 대체로 만족할 만하였다. 중대장이 또 말한다. "됐습니다!" 소모전의 목적을 이미 이루었으므로 천천히 퇴각하였다.

4) **게릴라생활의 이모저모**(제2진지선전대 소식)

요즘 우리는 사실의 필요에 좇아 부분적 동지들을 게릴라구역으로 나누어 파견하여 일하도록 하였다.

(1) 북항을 야간습격하다

당지의 항일자위대도 이 전투에 참가하였다. 보고에 의하면 북항에는 적 5십여 명이 있다고 한다. X월 XX일 아군은 기습할 준비를 하였다. 오전 9시 반에 교상포에서 출발하여 11시에 모가색에 도착하였다. 모가색에서 북항까지는 20리였고 색공교 까지는 25리였으며 통성까지는 45리였다. 이상 세

곳은 적 주둔지이었다.

오후 6시에 우리는 선전물을 휴대하고 제1, 제2중대와 더불어 모가색에서 출발하여 당지 항일자위단 대대장 오병남 및 대원 4명의 안내를 받아 북향으로 전진하였다. 보슬비가 끝없이 내리는 어두운 밤에 조용한 시골에서 이따금 개 짖는 소리가 들려왔다. 그밖에는 다만 형제들의 가벼운 발걸음소리뿐이었으나 그래도 똑똑히 들어낼 수는 있었다. 아득히 넓은 들에도 다만 용감한 형제들의 몸 그림자 뿐이었으나 그래도 분명히 보아낼 수는 있었다. 밤 내내 비바람 속에서 걷고 있은 우리는 낡아빠진 군복들이 이미 푹 젖어있었다. 감기로 말미암아 참기 어려운 기침소리는 끊임없이 후두를 밀고 나왔다. 하지만 우리는 손바닥으로 입을 꽉 눌러 기관에서 나오지 못하게 하였다. 가벼운 기침소리라도 전군이 궤멸될 위험을 초래할 수 있기 때문이었다. 이렇듯 조심스레 걸어 양가저에서 발길을 멈추고 사복정탐의 보고를 조용히 기다리었다. 그들은 줄곧 야밤 2시가 되어 비로소 돌아왔다. 보고에 의하면 적들은 또 보병 백여 명, 기병 8십여 명을 증원하여 내일 아군을 진공할 예정이라고 한다. 우리는 "당연히 해야 할 일은 자진하여" 즉시 "상대보다 먼저 손을 쓰기로" 하고 새벽 4시 반에 앞질러 적을 진공하였다.

철조망 안에 삐라를 뿌리다

적아 쌍방의 접전이 시작된 후 우리는 자기의 과업을 완수하기 위해 탄우속을 무릅쓰고 포복 전진하여 대적선전 삐라 8백여 장을 전부 적 철조망 안에 뿌려놓았다. 또한 적들이 바로 지척에 있었으므로 수류탄을 던지거나 일본말을 외치는데 있어서 정말 더없이 좋은 기회였다. 그때 우리는 사양치 않고 적들에게 몇 개를 드렸다. 다만 형제들이 한창 수류탄을 맹렬히 던지고 있어 일본어를 외칠 수가 없었을 뿐이었다

날이 밝기 전에 우리는 과업을 완수하고 무사히 귀로에 올랐다. 날이 밝은 다음 미련한 일본놈들이 만일 유혈이 낭자한 자기 동료들의 시체와 평화행복의 대안으로 이끌어갈 교량(뻬라)을 보게 되면 어떠한 느낌이 있을까?

게릴라생활

게릴라대는 대부분 밤에 활동한다. 사람들이 한창 꿈나라에 있을 때는 바로 게릴라부대의 동료들이 활동하는 때이기도 하다. 매일 저녁 5, 6십 리 길을 걷고 큰 산 몇 개를 넘는 것은 밥 먹듯 예사로운 일과이다. 바람이 불고 비가 오는 날씨도 적들을 기습하는 좋은 기회이다. 우리는 실로 비바람을 맞지 않을 이유가 없다. 따라서 우리는 날씨가 나쁠수록 더 활약한다.

식생활은 더 재미있었다. 먹을 밥이 있으면 아주 배불리 먹어서 배가 거반 터질 지경이었고 밥이 없을 때면 하루 이틀 굶는 것은 예사이었다.

옷을 입는 것도 아주 이상했다. 경험이 있는 동무들은 언제나 바지 두 벌을 입는다. 그 까닭을 모르는 사람들은 꼭 그들이 날씨가 추울 때 속옷을 대용하여 덧입는 줄로 알 것이다. 기실 그들의 목적은 결코 여기에 있는 것이 아니다. 그들은 날씨가 아주 더울 때에도 두 벌을 입었는데, 그 목적은 나무가지에 엉덩이가 찔려 찢어지는 것을 예방하려는 데 있었다. 한 벌이 찢어지면 또 한 벌이 있었으므로 엉덩이가 노출되어 나무 가지들이 제멋대로 하는 것을 막아낼 수 있었기 때문이었다!

그리고 가령 병이 생기기만 하면 정말로 재수 없게 된다. 먹을 약도 없거니와 대대를 따라 마찬가지로 활동해야 한다. 그렇지 않으면 반드시 포로의 맛도 보게 되는 것이다. 동무들은 저마다 자기의 과업이 있었으므로 막부득이한 경우를 내놓고는 누가 누구를 돌볼 수도 없었기 때문이다. 어느 한번 우리는 옹근 하루를 굶었는데, 매우 늦어서 비로소 2십 리 밖으로부터 차고 굳어진 밥을 메어 왔다. 여러 사람들은 대들어 게걸스럽게 마구 먹었다! 김동무는 과식을 했는지 밥을 더 먹지 못하고 배가 너무 아파서 산비탈에 누워 이리저리 뒹굴며 극도로 고통스러워하였다! 하지만 우리는 눈을 크게 뜨고도 어찌는 수가 없었다! 다행히 우리의 안내자가 당지에 익숙했던 덕분으로 동향 사람에게서 뭔지 알 수도 없는 약초를 빌어다 김동무더러 먹게 하였다. 과연 신기한 일이었다. 약을 먹은 지 얼마 되지 않아 위가 곧 통하였다. 그렇지 않으면 우리는 김동무가 고생하는 것을 그냥 보고 있을 수밖에 없었을 것이 아닌가? 우리는 종래로 한 곳에서 이틀 동안 머물러본 적이 없었다. 어떤 때는 스스로 약을 지니기도 하였으나 출발이 급하다보니 먹을 수도 없었다. 그래서 우리의 동무들은 병을 가장 두려워하였다.

낮이 되어 일반사람들이 활동하는 시간이면 바로 우리 게릴라부대의 동무들이 '낮잠'을 자는 시간이기도 하였다. 비교적 안전한 곳을 찾아서 산비탈이든 풀무지든 불구하고 눕기만 하면 곧 잠들었다. 잠이 깨면 곧 일어나서 옷을 벗어 이를 잡기도 하고 번갈아 보초서는 동무들과 더불어 마음 놓고 이야기도 나누었으며 어떤 때 재미있으면 감정을 누를 길이 없어 "허허" 하고 웃음소리를 내기도 하였다!

(2) 제1차로 새공교를 공격하다

새공교는 통성과 15리, 육가저와 12리, 북항과 15리, 조양관과 8리 떨어져 있었으며 꽤 중요한 작은 거점이었다. X월 X일 아군은 기습하기로 결정하였다. 출격하기 하루 전에 우리의 최동무와 변중대장은 일부러 화장하고 부근에 가서 정찰하다가 줄곧 출격하는 날 저녁에야 비로소 오가충에서 대대와 상봉하였다.

XX의 민중들

호남과 호북의 접경지대에 자리한 XX는(은) 당지 게릴라부대의 근거지이다. XX중대의 약 1천여 명에 가까운 게릴라들이 여기에 주둔하고 있었으며 주위의 높은 산우에는 전망대와 보초선이 설치되어 있었다. 아군이 도착하던 무렵에 여성들은 차물을 담은 큰 물통을 메고 와서 우리를 환영하였다. 건강하고 아름다운 그녀들은 얼굴에 즐거운 웃음이 가득하였으며 차를 마시는 형제들을 만족스레 바라보고 있었다. 그녀들은 기뻐서 "국군이 왔어요" "국군이 왔어요"하고 외쳤다!

오후 8시에 우리는 또 출발하였다. 당지 15명 게릴라대원들이 안내를 맡았으며 줄곧 새공교 석영산 아래의 석남옥을 바라고 전진하였다. 말하는데 의하면 석영산에 적 보초선이 있다고 하였지만 우리가 올라가보니 아무 것도 없었다! 그래서 아군은 또 예봉을 돌려 새공교에 대한 진용을 포치하였다.

김동무가 적 진지에 숨어들어 삐라를 뿌리다

공격을 시작하기 전에 우리 형제들은 이미 적 병영 70미터 부근에 매복하였다. 김동무가 먼저 적 진지의 철조망 안으로 숨어들어 병영부근에 삐라를 가득 뿌려놓았다. 적들이 낮이든 저녁이든 막론하고 언제나 진지 안에 숨어서 한걸음도 감히 나오지 못했기 때문이다. 부득이 나와서 먹을 것을 강탈할 때는 적어도 한 개 분대가 넘어야 감히 나올 수 있었다. 따라서 우리 김동무는 아주 안전하게 일을 끝낼 수 있었던 것이다. 그가 물러나자 우리 한 개 분대의 결사대가 사정없이 수류탄을 던졌다. 적들의 파수병이 먼저 꿈속에서도 그리던 고향으로 돌아갔다! 한창 병영에서 푹 자고 있던 적병들도 당황하여 수류탄을 마구 내던졌다. 우리의 복병들이 기회를 타서 몰 사격을 가하였다. 이렇게 일장의 치열한 전투가 벌어졌다.

최동무가 기관총수를 대신하다

XX분대의 기관수가 병으로 말미암아 이번에 참가하지 못하게 되자 우리 최동무는 그를 대신하여 기관총을 잡았다. 그는 사격하면서 일본어를 외쳤다. 적 쪽에서도 응답하였다. “너 이 자식, 뭘 마구 외치고 있어? 바가야로!” 장병들은 옆에서 그와 적들이 높은 소리로 서로 주고받는 대화를 듣고 있었다. 그들은 비록 외치는 것이 무슨 뜻인지 몰랐지만 그래도 매우 즐거웠다. “방법이 있어” “방법이 있어” “다시 외치세요” 농담을 하듯 최동무를 재촉하였으며 마치 싸움을 잊은 듯하였다! 우리가 외치는 구호에 대답한 것은 장교인 듯하였다. 그가 우리에게 어떤 욕설을 퍼부었든 상관없이 대체로 대답을 받은 셈이었으므로 우리 자신들도 매우 기뻤다. 따라서 소리를 더 높여 외쳤다.

날이 밝았다. 우리의 부대는 오전 10시 전에 벌써 석영산에서 약 천여 미터 떨어진 소나무 숲으로 전부 이전하여 휴식하였다. 부근의 백성들은 “국군”이 왔다는 소식을 듣자 차물이며 밥이며 죽을 속속 보내왔다. 마치 오랫동안 만나지 못했던 한 집안 식구나 친구처럼 아주 친밀하였다! 때로는 지나간 고통을 하소연 하듯이 적들의 폭행에 대하여 이야기하였다! 한 할머님께서 우리들에게 말씀하셨다. “열 며칠 전에 적들이 부근의 민가를 강요하여 14살부터 16살까지의 소녀 14명을 적 병영으로 보내게 한 다음 윤간을 했다우! 사후에는 왕가파 앞의 늪에서 몽땅 총살했다네!”……

그래서 우리는 곧 이 기회를 타서 백성들과 개별적으로 이야기도 나누고 연설도 하였다. “첫째, 일본놈들은 사람을 죽이고 불을 지르고 간음하고 강탈하는 비적들이다! 둘째, ‘국군’을 도와 그 비적들을 중국에서 몰아내야 한다! 셋째, 당지의 게릴라부대에 참가하며 당지의 게릴라부대를 도와야 한다!”

게릴리전의 성과

게릴라전에서는 적들의 사상자가 매우 많다. 아군에 비하면 거의 5대 1의 비율을 차지한다. 이것은 우리가 목격한 사실이며 또한 실전에서 얻은 경험이기도 하였다. 이번 새공교 기습전투에서 적군의 사상자는 십 몇 명이나 되었으나 아군의 사상자는 2명뿐이었다.

(3) 새공교를 재차 기습하다

X월 X일에 우리는 또 새공교를 사수하는 적들에게 자그마한 '응징'을 주기로 계획하였다. 사전에 파괴 작업을 완벽하게 하지 못했던 탓으로 부분적인 적들이 그물에서 요행 벗어났으며 전멸시키려던 소기의 목적을 이루지 못하였다. 공격하기 전에 도구가 부족하여 철조망을 완전히 파괴할 수 없어서 전화선만 끊어버리고 곧 공격을 시작하였다. 기관총, 수류탄, 박격포가 일제히 사격하고 방화대도 횃불을 높이 들고 적 병영 부근에 불꽃을 널리 뿌려 삽시간에 적 병영이 '불바다'로 돼버렸다! 한 때 세상에 당할 자가 없다고 교만하던 이른바 '황군'은 귀신이 붙은 듯 막다른 골목에 이르니 갈팡질팡하였으며 거개가 아군에 소멸되자 나머지 소수의 적들은 어두운 밤을 이용하여 머리를 싸쥐고 빵소니치고 말았다! 아군은 너그러운 마음으로 끝까지 쫓아가지 않았다.

적들이 꽁무니를 뺀 후 아군은 만일의 경우를 고려하여 즉시 수색대를 적 진지로 파견하여 수사하도록 하였다. 수색대로부터 적들이 이미 물러갔다는 신호를 보내오자 우리 대군은 곧바로 그 진지에 들어가 주둔하였다. 이르는 곳마다 그을은 냄새가 코를 찌르고 온통 수라장이 되어 황량한 정경은 차마 눈뜨고 볼 수 없었다. 그리고 우리가 뿌려놓은 삐라를 어디서나 다 볼 수 있었다. 기관총 차폐물안 및 병영 뒤쪽 수림 속에는 아직도 새빨간 피자욱과 더러운 피가 묻은 붕대가 가득 남아있었다! 오가사당(병영서남쪽) 앞에는 또 두개의 이역 원혼이 묻혀있었는데, 자그마한 나무 팻말에는 각각 조장 다다니로꾸지 오장 마에다다가이찌라고 씌어있었다. 이 가련한 '무주고혼'들을 보더라도 일본파시스트군벌은 천벌을 받아야 한다!

당지 주민 오천해의 보고에 의하면 그저께 아군의 한 차례 기습에서만 해도 적들은 미즈노중대장 1명, 장교 2명, 조장 2명, 오장 1명, 병사 14명이 전사하고 7명이 부상을 당했다고 한다. 그리고 강제로 민부들을 붙잡아 부상병을 메게 하면서 우리의 백성 두 사람을 잔인하게 살해하였다!

미리 삐라를 뿌려놓다

우리는 적정의 변화를 고려하여 아군이 이미 수복한 적 진지와 무너진 병영 벽 및 여러 중요한 지점에다 우리가 가지고 간 삐라들을 2천여 장이나 붙여놓았다.

(4) 재공격을 준비하다---진동무가 야밤에 적정을 탐지하다

새공교의 적들은 이미 도망하였으나 북항에 도사리고 있는 적들은 여전히 준동하고 있었다. 아군은 철저한 '응징'을 주고자 재공격할 준비를 하였다. X월 X일 우리의 진동무와 제3중대의 이소대장은 3명의 형제들을 데리고 농민으로 변장한 다음 북항에 가서 자상히 정찰하였다. 그들은 야밤에 사주옥(새공교에서 10리 떨어져 있음)에 도착하여 새벽 4시쯤 귀신도 모르게 북항 동남쪽의 소나무 숲(북항의 적 진지에서 3백 미터 떨어져 있음)에 숨어들어 낮이 되기를 기다렸다. 붉은 해가 서서히 하늘에 떠오르자 적의 파수병과 병영안의 적병들의 일거일동이 똑똑히 보이었고 진지의 전모가 한 눈에 안겨왔다. 사위에는 세 겹의 철조망이 있었고 바깥에는 또 지뢰가 매설되어 있었다. 서쪽의

세 개 작은 산마루는 중기관총 진지이었으며 진지마다 보초병 2명이 배치되어 있었다. 교통참호 바깥에도 철조망이 설치되어 있었다. 진지 주위는 논밭이었고 동쪽에는 강이 흐르고 있었다.

7시쯤에 2백여 명의 병사들이 나와서 아침체조를 하고 노래를 불렀다. 동네사람들의 보고에 의하면 적들은 도합 4백여 명이었고 산포 2문, 박격포 2문 등이 있다고 한다. 진동무네는 똑똑히 정찰한 다음 자세한 지도를 그려서 대대장에게 바쳤다. 그들은 이번에 적들에게 전혀 발각되지 않고 순조롭게 과업을 완수하였다. 이로부터도 적들이 소홀히 하고 있음을 보아낼 수 있었다.

진동무가 병사들을 거느리고 적 병영을 교란하다

적정을 똑똑히 정찰한 후 진동무는 왕중대장과 함께 2십몇 명의 형제들을 거느리고 X월 XX일에 적들에 대하여 교란사격을 실시하였다. 진동무는 이것이 제2차이었으므로 가벼운 차를 몰고 익숙한 길로 가는 것과 같아서 물론 즐겁게 해낼 수 있었다. 그는 12명의 형제들을 거느리고 적들에게 접근하였고 왕중대장은 10명의 형제들을 거느리고 엄호를 담당하였다. 줄곧 적들로부터 5백 미터 되는 산지까지 갔으나 여전히 적들에게 발각되지 않았다. 그래서 마침내 사격을 시작하였다. 참! 괴상하였다! 무슨 까닭인지 적 진지에서 10여 개의 가스등이 펄럭이고 있어 목표가 아주 뚜렷하였다. 그래 일부러 우리들로 하여금 와서 사격하라는 것일까? 도대체 무슨 영문인지 알 수가 없었다! 그들은 이상야릇하여 사격을 멈추고 조용히 그 동정을 살폈다. 한참 지나서 18대의 적기가 북항의 상공으로 날아오더니 수많은 탄알과 식량을 투하하였다.

1. **군민연예회** (진지선전대소식)

이연대장과 위정훈원의 협력 하에 우리는 악양현 제3구 삼합향 진가대옥에서 군민 연예회를 개최하였다. 공교롭게도 이 날 오후에는 비가 왔으며 저녁에는 더욱 많이 쏟아졌다. 백성들은 모두 비를 무릅쓰고 오다보니 모두 물에 빠진 병아리 격이 되었다. 7시쯤에 백성들은 우산을 들고 한둘씩 육속 오더니 150여 명이나 되었다. 군인은 3백여 명이 참가하였다. 공연프로는 우리의용대동무들을 위주로 연설, 춤, 노래 등이 있었다. 이밖에도 중국형제들의 평극, 노래 등 프로가 있었다. 이런 프로들은 죄다 임시로 준비한 것이기는 하였으나 그래도 꽤 특색이 있었다. 그중에서도 조선민요 〈아리랑〉과 진동무의 '조선춤'이 더욱 인기를 끌었다.

회의 후 이연대장은 또 "조선민족이 어떻게 일본제국주의의 압박을 받고 있는가를 여러분들께 이야기하시오."라고 말하였다. 그래서 최동무는 '아주 유창한' 중국말로 여러 사람들에게 조선민족이 압박을 받고 있는 참상에 대하여 한 시간 남짓이 이야기하였다.

2. **정신연설**

각 중대 병사들에 대한 정신연설은 황동무가 담당하였다. 그가 맡은 부대로는 대대부의 제4, 5, 6 각 중대 및 박격포소대, 기관총중대 그리고 장안교의 1중대가 있었는데, 거리는 거의 4십여 리 길이나 되었다. 그는 이르는 곳마다 아주 환영을 받았을 뿐만 아니라 그 자신의 중국말도 놀라울 정도로 늘었다.

3. **표어쓰기**

이번에 쓰는 2백여 곳의 중문표어는 전번의 일본문표어보다 좀 쉬웠다. 처음 쓴 곳은 오동산 진지부근이었는데, 적과의 거리가 3, 4백 미터밖에 안

되어 충분히 쓸 시간이 없었으며 표어 쓰는 솜씨도 지금보다 못했다. 또한 적 진지 앞이어서 쓸 만한 곳이 매우 많았다. 게다가 우리의 주요한 목적은 많이 쓰는 데 있었으므로 아주 빨리 썼으나 매우 난잡하였다. 이번에 우리는 월전, 만두, 장안교, 황안시 일대에서 중국문 표어를 썼는데, 시간이 충분하였고 솜씨도 많이 늘었다. 그래서 이번에 우리는 중국문 표어를 쓸 때 잘 생각한 다음 썼으며 전번에 쓴 일본문 표어에 비하면 매우 흡족하게 느껴졌다. 다만 표어를 쓸 때 사용하는 붉은 흙을 구입하기 너무 어려운 것 뿐 이었다.

적 통역관이며 대만사람인 뇌소일에게 보낸 비밀 편지

북항에는 적 통역관으로 있는 한 대만인이 있었는데, 이름은 뇌소일이라고 불렀다. 이 선생은 자기의 동포들이 압박을 받고 잔혹히 살해된 깊은 원한을 잊고 어이없게도 적을 도와 조국을 침략하는 일을 하고 있었다! 우리는 제3자의 입장으로 비밀편지를 써서 아군의 정탐을 시켜 그에게 갖다 주도록 하였다. 편지종이의 크기는 사방 한 치이었고 남색 잉크로 쓴 일본문이었으며 비를 맞아도 젖지 않도록 파라핀기름을 발라놓았다. 그 편지의 결과는 어찌 되었는지 알 길이 없으나 어떤 반응이라도 있었을 것만은 분명하다. 그 편지의 원문을 번역하면 다음과 같다.

경애하는 대만 형제에제!

우리는 모두 일본제국주의의 압박을 받는 민족이다. 우리는 당신들이 부득이 적을 도와 자기 조국을 침략하고 있는 그러한 고충을 깊이 이해하고 있다. 그러나 당신네 대만인들도 지금 우리와 마찬가지로 후방에서 대만의용대를 성립하였다. 우리는 당신들이 매우 기뻐할 것이라고 믿는다. 당신들 형제자신이 조직한 의용대에 참가하기 위해 여기로 오려거든 당신들이 일본

제국주의의 쇠발굽 밑에서 벗어나기만 하면 우리 조선의용대는 방법을 취하여 당신들로 하여금 목적을 이루게 할 수 있다. 사이좋은 나라 조선의용대

4. 싸움터의 노래소리

어려운 싸움터에서는 반드시 군민의 항전 정서를 격려해야 한다. 구국에 관한 가요는 이 면에서 역할이 크다. 그래서 우리는 자신이 대중 앞에서 구국가요를 불렀을 뿐만 아니라 이런 가요들을 싸움터의 군민들에게 전수하기로 결정하였다. 이 일은 황동무와 주동무가 담당하였다. 그들 두 사람이 매우 열심히 배워준 보람으로 지금 우리 진지 부근에서는 어디서나 다 우렁찬 구국의 노랫소리를 들을 수 있다.

소학생들의 노래소리

삼합향(우리 주둔지 부근)에는 소학교가 두 개 있으니 하나는 신흥 제1소학교요 다른 하나는 신흥제2소학교이다. 제1소학교는 허씨네 소학교로서 학생이 20여명이나 되었고 제2소학교는 이씨네 소학교로서 학생이 30여명이나 되었다. 황동무와 주동무가 노래를 배워주기 시작한 후 그들은 〈우리 조국 지켜가세〉, 〈고향을 지키자〉, 〈중화민족은 망하지 않는다〉, 〈의용군행진곡〉, 〈동북으로 돌진하자〉 등 가요를 부를 줄 알게 되었다. 지금은 아침이든 저녁이든 막론하고 어디서나 소학생들의 천진스러운 노랫소리를 들을 수 있다.

병사들의 노호

야간자습시간이나 또는 형제들의 휴식시간이면 노호하는 듯한 노랫소리가 수많은 행인들로 하여금 잠시 발걸음을 멈추고 조용히 듣도록 할 것이다.

이것은 분명 우리의 황동무와 주동무가 힘 있게 주먹을 휘두르며 새 노래를 배워주는 것이 아니면 병사들이 흥분하여 노래연습을 하는 것이다. 당신은 수많은 검고 붉은 얼굴들이 얼마나 흥분하고 있는가를 상상할 수 있을 것이다!

목동들도 노래를 부르다

매일 밭에서 모를 꽂거나 산에서 땔나무를 하는 15, 6명의 어린이들은 매일 저녁 또는 휴식하는 시간이면 우리들한테로 와서 놀았다. 간혹 가다 우리는 그들에게 낙화생을 사주기도 하였다. 후에는 월전부근의 수많은 꼬마 벗들이 매일 저녁이면 꼭 찾아와서 때로는 "여보세요! 조선선생, 우리한테 낙화생을 주세요!"라고 하였다. 우리는 아주 친해졌다. 그래서 우리는 이 기회를 빌어 그들에게 노래를 배워주었다. 더욱이 주동무는 꼬마 벗들을 각별히 좋아하여 그들에게 노래를 배워주느라고 쉬지 못한 탓으로 목이 쉬기까지 하였다. 지금 이 꼬마 벗들은 비록 노래를 배운지 25일밖에 안되었지만 이미 〈아리랑(조선민요)〉, 〈고향을 지키자〉, 〈게릴라군대〉 등 가요들을 부를 줄 알았다. 그들은 매일 즐겁게 노래를 불렀을 뿐만 아니라 또한 일반 농민들에게도 배워주었다! 지금은 밭에서든지 산마루에서든지 농민들이 부르는 〈아리랑〉을 다 들을 수 있었으며 마치 자신이 조선국내에 있는 것 같아 조국을 떠난 지 오래된 우리 이 유랑자들로 하여금 감개가 무량케 하였다!

A. **벽제표어를 쓸 때**(게릴라선전대소식)

X월 X일부터 오늘까지 우리는 중대부 부근(호가농)과 진지 앞의 둘레 10리 이내에서 5백여 곳에다 표어를 썼다(대적 및 대민중적인 것). 우리는 스스로 종려나무 잎을 가지고 표어를 쓸 때 사용하는 붓을 만들기도 하였는데, 가게에서 파는 것과 조금도 다름없어 사용하기 아주 좋았다. 우리는 또 표어를 쓸

때 휴식시간을 이용하거나 부분적 동무들을 파견하여 부근의 백성들을 모아놓고 연설하거나 이야기를 나누게 하였으며 우리가 예정한 재료, 이를테면 망국노의 고통, 중국항전승리의 조건, 군민합작의 필요, 게릴라부대의 조직 등에 대하여 내심하고도 자세하게 하나하나 설명하였다. 그리고 감정상에서도 백성들과 점차 친밀해지기 시작하였다.

B. 싸움터의 형제들과 더불어

우리는 아무리 바쁘더라도 매일 꼭 일부분의 시간을 이용하여 경계를 담당하고 있는 싸움터의 형제들을 찾아가서 그들과 몇 사람씩 모여앉아 터놓고 이야기를 나누기도 하고 한가하게 차물을 마시기도 하면서 즐겁게 한담하노라면 그곳이 위험한 싸움터라는 것마저 잊을 지경 이었다! 때로는 저녁에 램프를 켜놓고 유쾌하게 계속 이야기를 나누기도 하였다. 우리들의 이야기는 주로 형제들의 적개심 강화, 대적선전의 중요성, 항전승리의 신심 등 몇 가지 내용에 국한되어 있었다. 형제들은 매일 긴장하고 분망하였으므로 이렇듯 자유로운 방식으로 이야기를 나누어 야만이 비로소 쉽게 받아들였다. 만일 장교식으로 그들을 모아서 줄을 세워놓고 연설을 한다면 의심할 바 없이 좋은 효과를 거둘 수 없다. 그들은 정력이 한정되어 있었고 하루의 작업으로 말미암아 이미 지칠 대로 지쳐있었는데, 다시 그들더러 몇 시간 동안 서서 정신연설을 들으라고 한다면 당연히 귀에 들어갈 수 없을 것이다. 따라서 우리는 완전히 이와 같이 자유로운 방식으로 그들에게 접근하였다. 처음에는 그들도 이상야릇해 하였다. “당신들은 이렇게 지식도 있고 또 연대장, 사단장, 군단장과도 스스럼없이 이야기하고 악수할 수도 있는데, 우리들의 참호에 와서 앉을 이유가 뭔가요?” 그들은 저들 끼리 소곤소곤하면서 무엇인가 말하고 있었으므로 일거일동마저 매우 구속스러웠다! 후에 우리가 아무 구애도 없이 그들과 이야기도 하고 담배를 사서 그들에게 주기도 하자 비로소 처음의 자세를 고쳤다. 지금은 형제들과 마찬가지로 친밀하여 아무 사양도 하지 않는다. 그들은 간혹 우리 동무들을 만나면 "아무개동무, 담배 한 대 주세요."라고 말하였다. 우리도 경제상에서는 곤란한 형편이었으나 그래도 그들보다는 좀 나았으므로 어떻게 해서든지 그들의 요구를 들어주었다. 담배 한 곽에 20전씩 하는 세월에 어려운 생활들을 하고 있는 형제들에게 있어서 그 20전은 부자들의 200원 또는 2000원보다도 더 귀중하였다. 우리들 가운데의 많은 사람들은 지난날 모두 행운아들이었으나 적들의 강요로 말미암아 부득이 사랑하는 고향을 떠났다! 그들은 지금 전선에서 적들과 결사적으로 싸우고 있으며 놈들에 대한 원한을 내놓고 때로는 지난날 행복한 생활에 대한 추억에 잠기기도 하였다. 그래서 그들과 더불어 우리의 지난날을 이야기할 때면 그들도 저도 모르게 눈물을 흘리기도 하였다! 그들은 말한다. "당신들은 대대장, 연대장과 같은 지위에 있지만 저희들과도 서로 평등하게 지내며 더욱이 싸울 때에는 언제나 앞장에 섭니다. 당신들과 같이 이렇게 훌륭한 동무들은 처음 만났습니다. 조선의 동무들은 다 이렇습니까?" "당신들은 매달 급여가 얼마입니까?" 우리는 대답하였다. "우리는 돈이 없습니다. 달마다 입고 먹을 수 있으면 됩니다." 그들은 듣고 나서 매우 괴상해 하였다! "당신들은 중대장과 같은 계급이 아닙니까?" 의연히 납득이 되지 않아 시시콜콜하게 캐어물었다. 우리는 그들에게 말했다. "우리는 혁명사업에 종사하는 사람들로서 병사로도 될 수 있고 대대장, 연대장, 총사령으로도 될 수 있지만 무슨 계급을 나누지 않습니다. 총리께서 혁명하실 때 무슨 계급이 있었습니까!" 그제야 그들은 깨달았다. 지금 장병이든 농민이든 다 우리에게 호감을 품었다. 이것은, 혁명사업에 종사하는 사람들은 오로지 대중과 더불어 고락을 같이하고 적극적으로 분투해야 만이 널리 동정을 받을 수 있고 비로소 성공할 가망이 있다는 것을 실증해주었다.

5) 적군을 교란하다(제2게릴라선전대 소식)

성냥 한가치의 대가

X월 X일 저녁에 아군은 하가대옥의 적들을 교란하게 되어 우리도 따라갔다. 아군은 소수의 병력으로 여러 곳에 매복하여 여기서 한방 쏘고 저기서 한방 쏨으로써 적들을 어리둥절하게 만들었다! 그래서 적들은 탄알이 헐값인 듯 기관총을 가지고 죽기내기로 난사하였다! 우리의 동무들도 각각 산비탈 뒤에 숨어서 양화(성냥)로 적들의 탄약을 소모시켰다. 성냥 한가치를 그으면 적들은 곧 사면팔방에서 중기관총으로 몰 사격을 하여 탄알들이 비 오듯 우리의 머리우를 "씽" "씽" 하고 날아갔는데, 그 소리가 되려 듣기 좋았다. 다만 추악한 놈들이 꾀에 속아 우리의 계책이 성공했을 따름이었다. 계산해보니 우리가 성냥 한가치를 한번 그으면 적들은 적어도 백발의 탄알을 쏘았다! 성냥 한 갑이 겨우 5전밖에 안 되었으므로 탄알에 비하면 그 차액이 꽤 대단하였다. 그리고 우리가 여기서도 한번 긋고 저기서도 한번 긋고 하면 적들의 기관총은 미친 듯이 따라가며 울부짖었다. 그들이 울부짖을수록 우리는 더 많이 그었고 더 많이 그을수록 더 울부짖었다. 어차피 적들이 탄알을 아끼지 않으므로 우리도 양화를 아끼지 않았다! 이번 투우 극은 참 재미있었다. 결국 우리는 횡재하였다! 정말 좋은 장사였다!

거짓 전진과 적들의 진짜 사격

X월 XX일 오늘은 또 그저께와 마찬가지로 적을 좀 놀려주었다! 저녁에 우리는 또 하가대옥 앞의 작은 고지 부근에 가서 매20미터에 형제 한 사람

씩 배치한 다음 우리 동무들도 소대장과 70미터 떨어진 곳에 각각 매복하여 여럿이 함께 거짓으로 전진하는 구령을 외쳤다. “앞으로! 앞으로!……” 적들은 대부대가 와서 공격하는 줄로 알고 “따따!……” 하며 눈먼 사격을 하였다! 한 시간 남짓이 사격해도 동정이 없으므로 그제야 꾀에 빠진 줄을 자각하고 곧 사격을 멈추었다. 그래서 우리는 또 이 기회를 이용하여 “일본형제들! 총 쏘지 말어! 너희들의 탄알은 죄다 일본인민들의 피와 살로 만들어 진 거야!”

삐라깃발로 적군을 거듭 교란하다

삐라들을 모아서 높이 4자, 너비가 1자 반이 되는 20개의 종이깃발을 만들어 상봉사 적 진지 앞에서 180미터 떨어진 작은 고지 위에 꽂아놓았더니 울긋불긋한 종이깃발들이 바람에 펄럭이었으며 마치 적들을 향해 데모하는 것 같았다. 적들은 노했는지 놀랐는지 그 여부를 알 수 없었으나 뜻밖에 기관총으로 사격하기 시작하였다! 적어도 8, 9십 발은 쏘았을 것이다. 만일 가격대로 굳이 계산한다면 탄알 하나를 3전(탄알 1개 = 3전, 0.3×900 = 27.00원)으로 쳐도 적들은 적어도 27원을 소모한 셈이다. 우리의 삐라깃발은 종이 값에 인쇄요금까지 넣어도 1원 50전을 넘지 않는다. 여기서 적들은 적어도 25원을 소모하였다.

진지에서 민중학교를 꾸리다

전쟁 국세가 온정되자 싸움터 부근의 민중들은 점차 돌아오기 시작하였다. 우리는 귀여운 어린이들이 공부하지 못하고 있는 것을 보고 여기에 민중학교를 꾸리기로 작정하였다. 보장 서운 씨와 1, 2, 3, 4갑장들도 아주 찬성하였다. 학교터는 대가옥(진지에서 반리 떨어져있음)에 잡았고 교장은 XXX연대의 노연대장이었으며 교원은 동호동무와 만영동무가 담당하였다. 개학하는 날 학부형들은 연회를 베풀어 우리를 접대하였다. 교사의 청결과 책상 걸상 및 흑판은 죄다 우리가 맡아 정리하였고 교과서도 우리가 등사한 것이었다. 그리고 분필, 연필 따위를 사는 요금은 우리의 생활급여에서 절약하여 얼마간 지급하였다. 소학생은 도합 20여 명이었고 매일 4시간 수업을 하였으며 과목으로는 국어·상식·산술·노래 등이 있었다. 이 민중학교는 비록 설비와 모든 것이 내지에 있는 도시 소학교에 미치지는 못했지만 어려운 싸움터에서는 이러한 소학교도 찾아보기 힘들었다. 노여단장은 성적이 괜찮은 것을 보고 또 20원을 내놓으면서 우리들로 하여금 연대 부근에서 하나 더 세우도록 하였는데, 지금 한창 꾸리는 중이다.

목각판으로 표어와 삐라를 인쇄

교통이 불편하여 인쇄요금이 올라서 대적선전물의 인쇄가 아주 곤란하였다! 이 곤란을 제거하기 위해 우리는 도장을 새기는 노인을 찾아 그에게 목각판을 의뢰하였다. 지금 14가지 목각표어가 이미 완수되었고 14가지 삐라는 한창 조각중인데, 오래지 않아 곧 완수될 것이다. 이로부터 우리는 잉크를 얼마 쓰지 않아도 삐라와 표어를 찍어낼 수 있었다! 또한 목각판은 영구성을 띠고 있어 궁벽한 심산 속에서도 여전히 인쇄할 수 있었다!

적들은 유언비어를 퍼뜨려 우리를 모욕하다

아군의 사복정탐들은 게릴라구역에서 적들이 유언비어를 퍼뜨리는 모임에 직접 참가하여 구경한 적이 있었다. 적들은 우리가 적 진지에 뿌렸던 삐라 및 붙여놓았던 표어를 가지고 일반 민중(함락구역)들에게 이렇게 말했다. "이른바 조선의용대라는 것은 군벌 XXX이 허무맹랑하게 퍼뜨린 유언비어야. 조선에는 그 따위가 하나도 없어!" 그러나 이후 우리는 삐라든 표어든 할 것 없이 표제를 '조선글'로 썼다. 이는 우리 조선민족이 중국항전에 참가하였다는 확실한 증거이다. 간악하고 무치한 왜놈들은 이후에는 다시 이러한 사실을 덮어 감출 수가 없었다.

놈들은 부끄러운 나머지 화가 나서 상금을 걸어 우리 조선의용대대원을 잡으려고 하다.

무치한 왜놈들은 유언비어를 퍼뜨려도 성사되지 않아 철같은 사실을 덮어 감출 수 없었으므로 부끄러운 나머지 화가 났던 것이다. 북항의 적 선무반 반장 히로끼는 유지회에 지령을 내려 엉터리 포고를 발포하도록 하였다. "조선의용대 대원 1명을 사로잡으면 상금 천원을 주고 1명을 쏴죽이면 5백원을 준다." 우리는 당지의 백성들과 감정상에서 부자간이나 한집 식구처럼 매우 친밀하였으므로 소수의 미쳐 날뛰는 한간 주구배들을 내놓고 적들의 이러한 기만술에 절대 속지 않을 것이라고 믿는다! 왜놈들의 이러한 엉터리 포고는 재주를 부리려다 오히려 그 졸렬함을 드러낸 것에 지나지 않는다.

6) 잠산을 기습하다---제1진지선전대 소식

(1) 행군길에서 농부들이 바쁘다

오늘은 80리 길을 행군한다. 지난날 82사단 92연대를 따라 게릴라전을 할 때 걸었던 바로 그 길이었다. 하지만 그 때의 정형과는 전혀 다르다! 처음 이 곳을 지날 때는 눈에 보이는 것이 온통 비참한 모습 뿐 이어서 만치 황량한 사막에 이른 듯하였다. 정말 "개 닭까지 불안하였다!" 농민들이 평온 무사히 지내며 일을 즐길 수 있을까. 감히 이와 같이 생각할 수가 없었다. 그러나 지금은 농민들이 평상시처럼 모 꽂기에 바쁘다!

전선에서는 세월이 너무 빨리 흐른다. 어느덧 '양춘가절'이 지나가고 또 초여름이 되었다. 어린 복숭아는 벌써 주먹만큼씩 자랐고 날씨도 점점 무더워져 우리의 행군에 매우 큰 곤란을 가져다주었다. 그러나 형제들은 우리 외국인들이 그들과 마찬가지로 짐을 지고 땀을 흘리는 것을 보고 크게 격려를 받았다. 또한 우리가 걷는 한편 그들에게 조선과 일본의 기이한 풍속에 관해 이야기해주자 그들은 매우 즐거워서 그야말로 피로를 잊을 지경이었다. 간혹 가다 그들은 자기가 멘 총, 탄알, 배낭 등이 매우 무거웠음에도 불구하고 우리의 물건까지 메려고 하였다! 이것은 절대 허위적인 말치레가 아니라 그들의 진심이었다. 그들의 일거일동은 이를 데 없이 순진하고 솔직하였다. 그들은 말한다. "우리는 그 무슨 부귀영화나 벼슬하여 부자 되는 그따위를 바라지 않습니다. 그저 일본제국주의를 타도하고 중화민족의 자유독립만 얻으면 그만입니다." 이것은 어려운 항전 중에서 분투한 경험과 민족의식의 각성에서 얻은 그들의 적극적인 인생관이기도 하였다.

(2) 만곡창에서 민족영웅---게릴라대장 유씨를 방문하다

행군하여 만곡창에 이르러 이동무와 풍동무는 연대부의 지도원과 같이 본현 게릴라 제1지대 대장 유씨를 방문하였다. 유씨는 용감하고도 유망한 청년지사였다. 그는 항전의 전도에 대해 충만된 신심으로 이야기하였다. 더욱이 그는 대적선전에 관심을 가지었다. 그는 표어와 삐라가 얼마든지 있어도 적 병영부근에 뿌릴 수 있다고 장담하면서 그 자리에서 우리에게 몇 장의 삐라를 요구하였다. 그러나 우리는 여러 가지 원인으로 말미암아 그에게 많이 제공하지 못하고 먼저 3천 장만을 준 다음 후에 다시 많이 제공하기로 약속을 하였다. 그리고 적 정면(부근)에서도 그는 매개 병졸들의 상황까지도 손

금 보듯 잘 파악하고 있었다. 그래서 본 게릴라부대가 성립된 이래 많은 전과를 올리었다. 그들은 거의 천여 명에 달하는 적을 소멸하고 중기관총 4정, 보병총 120자루 등 대량의 전리품을 얻었다. 그리고 그들은 적을 대처하는 소중한 경험을 얻어서 지금 적들에게 사면으로 포위되었다고 해도 태연하게 적들의 포위권을 벗어날 수 있다고 말하였다.

우리는 몇 시간동안 통쾌하게 이야기를 나누었다. 나중에 그는 일부러 '산짐승고기'를 많이 챙겨 우리를 공손히 접대하였다. 7, 8년 만에 처음으로 특색이 있는 음식을 먹었다.

(3) 싸움터부근에서의 보갑장회의

우리는 보갑장회의의 필요성에 관해 보고하여 연대장의 동의를 거친 후 보갑장 8명을 불러놓고 좌담식으로 한차례 회의를 열었다. 내용은 주로 XXX사단이 이곳에 온 목적, 군민합작의 의의와 중요성 및 조선의용대소개, 대적선전의 중요성과 방법 등이었다. 그들은 모두 듣고 나서 몹시 감동되어 흥분하였으며 대적선전물을 달라고 요구하였다. 우리는 적 진지에서 가장 가까운 보장 3명을 선택하여 그들에게 각각 3백 장의 삐라를 나눠주었다.

(4) 병사들에게 대적선전도구에 관해 강의하다

각 중대의 병사들에게 간단한 대적선전함화를 가르치기 위해 우선 이동무와 마동무를 제1중대에 파견하고 풍동무와 문동무를 2중대에 파견하여 매일 한 시간씩 일본어를 가르치도록 하였다. 중대장은 우리를 소개할 때 이렇게 말하였다. "여러 형제들, 주의할 것! 오늘 조선의용대의 동무들이 본 중대에 와서 우리에게 일본어를 가르칩니다. 이 두 분이 가르치는 것은 모두 일본포로를 잡을 때 사용하는 말이므로 똑똑히 기억하시오. 이 두 분이 방금 저에게 알려주었습니다. 지금 일본병사 하나를 잡는 것은 일본병사 열을 죽이는 것보다 가치가 더 크답니다. 첫째로 우리는 적들의 군사비밀을 알아낼 수 있습니다. 둘째로 상급에서 우리에게 몇천 원의 상금을 발급합니다. 그러므로 이 기회를 빌어서 이 두 조선동무에게서 잘 배워야 합니다." 형제들은 매우 신기하고도 재미있게 느껴졌다! 그러나 강의하는 과정에 곤란들이 많았다. 첫째, 형제들은 매일 행군을 하고 경계를 담당하고 전투를 해야 하였으며 또 얼마 안 되는 나머지 시간에는 한동안 자야 하므로 평상시의 훈련계획이나 방법은 싸움터에서 그다지 적용되지 않았다. 둘째, 형제들은 대부분 글을 몰랐고 일본어의 가나마저 잘 가르칠 수 없었다. 그들더러 읽게 하면 마치 구령을 외치 듯 하였으며 글자도 모르고 말 의미도 잘 몰랐다. 그들더러 읽게 하면 염불하듯 하여 발음이 정확하지 않을 뿐만 아니라 둘째 구절을 읽으면 첫째 구절을 까먹었다!

(5) 잠산을 기습하여 승리하다

X월 XX일 밤 10시에 우리는 게릴라부대를 따라 숭—통도로 사이에 있는 잠산 왕가의 적들을 습격하였다. 야밤 12시에 양가무를 지나 채가돈에 이르러 대오는 세 갈래로 나뉘어 강을 건넜다. 강 맞은 쪽 백 미터가량 떨어진 곳이 바로 숭—통도로였다. 천 명을 넘는 게릴라동무들은 강을 건너자마자 풀밭에서 포복으로 전진하였으며 숨소리마저 들리지 않을 정도로 조용하였다. 대대장이 앞장에 서고 형제들이 그를 바싹 따랐다. 풀, 가시, 진흙 따위를 가릴 새가 없었다! 그저 앞으로 기기만 했다! 가시에 찔려 피가 흘렀고 심지어 긁혀서 살점이 떨어지기도 하였으나 이렇듯 긴장한 상태에서 아무것도 느끼지 못하였다! 다만 앞에 원수가 있어 그것들을 전멸해야 한다는 것밖에 몰

랐다! 우리는 재빨리 도로를 넘었는데. 여기는 적과의 거리가 2리길도 안 되었으므로 포위할 태세로 적을 향해 전진하였다.

적들 쪽에서는 죽은 듯이 조용하였다. 아마 꿈속에서 고국으로 돌아갔나 보다! 적들은 하나도 없는 듯 우리의 행동을 전혀 발견하지 못했으며 줄곧 공병들이 전선과 철조망을 전부 파괴했을 때까지도 꿈속에 있었다. 형제들은 신속하고도 조용하게 포복으로 철조망과 장애물을 넘어 더욱 긴장히 적에게 접근하였으며 백 미터가량 되는 거리에 이르렀을 때까지도 적들은 의연히 발견하지 못하였다! 이때 적들은 이미 우리에게 완전히 통제되었다고 할 수 있었으며 사면으로 물샐 틈 없이 포위되어 손을 묶고 죽음을 기다리는 수밖에 다른 길이 없었다! 이런 국세에 대하여 두 가지 표현이 있을 수 있다. 만일 적들이 자주 쓰는 명사로 말한다면 이것을 '주머니속의 쥐'라고 부른다. 우리는 보통 '독안의 자라'라는 어휘로 형용한다! 쥐든 자라든 할 것 없이 우리는 그것들을 요절낼 것이다! 그들은 우리 중한 양 민족의 철천지원수였기 때문이다! 지금은 참말로 일각천금이었다. 형제들은 모두 호시탐탐 하고 있다. 적을 바라보며 죽일 준비는 다 되어 '만사가 다 준비되어 동풍이 불기만을 기다린다.'는 말과 같이 나팔소리만을 기다렸다.

우렁찬 나팔소리는 적들의 단꿈을 깨뜨렸고 한창 돌격하는 형제들의 함성을 대신하였다. 기관총·수류탄·보병총 등 피 빚을 받아낼 수 있는 모든 도구들이 적들의 몸에 집중되었다! 천하무적이라고 자칭하던 황군은 지금 승냥이에게 쫓기는 돼지처럼 똥오줌을 갇기며 갈팡질팡하다가 결국 중국의 대지에 매장되었다. 이를 또 어떻게 설명하면 좋을지 모르겠다. 대체로 '무언의 개선'이라고나 할까? 그렇다. 지금 3백여 마리의 황군들은 이미 영원히 꿈속에서 고국으로 돌아가 사실상에서도 참말로 '무언의 개선'을 완수하였다.

총소리가 멎었다. 날이 희붐히 밝으며 태양이 웃음을 머금고 얼굴을 내밀었다! 승리의 미소를 담은 형제들의 얼굴이 똑똑히 보였다. 그들은 유쾌하게 싸움터를 수습하고 있었다. 우리도 비록 3명의 부상자를 냈지만 이미 위대한 대가를 얻었다. 3백여 명의 적들이 거의 다 소멸(극 소수는 어두움을 타서 도망쳤음)되었을 뿐만 아니라 우리에게 수많은 선물(전리품)들을 남겨놓았다. 도합 하면 일본이 몇십 년래 심혈을 기울여 우생학에 좇아 길러낸 개량종 군마 28필, 대포 포신 2틀, 기관총 10여 정, 그리고 아군의 정형을 엿보던 망원경, 우리를 향해 사격하려던 박격포 포탄, 권총, 보병총 등 정말 꽤 풍성하였다. 뿐만 아니라 적들의 시체에서 아군이 뿌린 일본문 통행증도 수색해냈는데, 거기에는 다음과 같이 씌어있었다.

A. 이 통행증을 휴대하면 아군의 방어지역을 무사히 통과할 수 있다.
B. 이 통행증을 휴대하면 어디에 가든지 생명안전을 절대 담보한다.
C. 이 통행증을 휴대하고 우리 쪽에 참가하면 우대를 한다.
D. 부상자에게는 친절하게 치료를 해준다.
E. 귀국하려는 자에게는 여비를 제공한다.

이로부터 실증할 수 있는 바, 적군 중에도 착한 병사들이 많아 오래전부터 아군에 투항하고 싶었으나 일본군벌들의 단속이 하도 심하여 소원을 이루지 못하고 결국 무의미한 희생물로 되었다. 항전이 연기되어 대적선전을 잘하기만 하면 꼭 수많은 적들이 와서 투항할 것이다.

(6) 승리하고 돌아오다

과업이 완수되어 형제들은 즐겁게 원래 진지로 돌아왔다. 사람마다 손에는 적들의 몸에서 얻은 전리품들이 얼마씩 쥐어있었고 얼굴에는 웃음꽃이 피어있었다! 만족스레 조국의 하늘과 땅과 경치를 바라보니, 모든 것들이 다

끝없이 아름답게만 느껴졌고 무엇에나 다 애착을 느끼었다! 그들은 간혹 감정을 누를 길 없어 노래를 높이 부르거나 한바탕 통쾌하게 웃을 수도 있다! 보니 또 성수와 같은 그 개울 앞에 이르렀다. 그는 아직도 조용하고 부드럽게 흐르고 있었으며 마치 개선한 남편을 맞이하듯 수줍어하였다. 천만가지 사랑은 다 조용하고 말없는 가운데서 표현되고 있었다! 형제들은 그의 부드러운 애무를 받으며 우쭐우쭐 건너왔다. 은밀히 출격하던 때와는 아주 딴 판이었다!

우리의 진지와 점점 가까워지자 부근의 백성들은 이전보다 더 친절하게 우리를 대하는 느낌이 들었다. 그들은 이미 우리가 이번에 출격하여 승리한 것을 알고 있었을까? 그렇다. 아군이 이번에 출격하여 큰 승리를 거두자 부근의 주민들은 매우 흐뭇해하였고 사령장관도 크게 칭찬하고 장려하였으며 또한 많은 돈을 지급하여 각급 장병들을 위로하였다. 무릇 그날 참전한 전투원들은 계급을 나누지 않고 사람마다 상금 3원씩 탔다. 전투에 참가한 우리의 동지들도 마찬가지로 상금을 탔다. 형제들은 전사한 겨레들을 위해 일부분의 피값을 받아냈을 뿐만 아니라 전리품을 얻고 상금까지 타고나니 참말로 갑절 통쾌해 하였으며 장차 마찬가지로 무수한 기습에 참가하려고 만반의 준비를 하였다.

포로를 붙잡기 곤란한 조건

형제들은 말한다. “지난날이든 지금이든 할 것 없이 포로를 붙잡을 기회는 많지만 일단 적과 부딪치면 감정을 누를 길이 없어 죽여버리군 합니다! 자기의 사랑하는 겨레나 전우가 적들의 해를 입었으므로 원수를 만나면 눈이 유난히 붉어져 전혀 고려할 여지가 없이 한 입에 삼켜버리지 못하는 게 오히려 한스러운데, 언제 포로를 사로잡을 궁리까지 하겠습니까?” 이 말은 확실히 실전에 참가한 사람들의 심정을 반영하였다. 서로 총칼을 들고 맞닥뜨린 판에 그들은 복수하려는 감정을 억누를 길이 없어 포로를 붙잡을 기회가 많아도 흔히 죽여 버리고 말았다. 이번 기습에서도 형제 3명이 적병 1명과 맞닥드렸는데, 원래는 사로잡으려고 생각했으나 적병이 좀 고집을 부리므로 아예 날창으로 찔러죽이고 말았다! 이것은 우리가 극력 포로를 쟁취하려는 오늘에 있어서 확실히 아쉬운 일이기도 하였다!

우리의 전리품

전리품은 많든 적든 물론하고 상부에 바치는 것이 규정이었다. 그러나 우리는 특수한 신분이었으므로 그것을 우리에게 남겨두었다. 도합 하면 장교 외투 5별, 장화 1켤레, 병사용 구두 1켤레, 지휘도 1자루 등이었다. 지금 외투는 우리가 착용하고 구두도 신고 있었으며 지휘도는 대장 김XX에게 기념으로 드렸다. 금년 가을철이면 우리는 아마 적들의 멋진 외투로 우리의 솜 외투를 갈아입고 적들의 구두로 우리의 짚신을 갈아 신고 바람이나 쐬게 될 수 있을 것이다!

형제들로부터 고위급 장교에 이르기까지 적들의 전리품을 가지지 않은 사람이 하나도 없었다. 손목시계를 찬 형제, 귀중한 군용담요를 덮고 자는 소대장, 트렁크를 든 특무장, 참으로 이루다 헤아릴 수 없었다. 게릴라부대의 생활은 비록 어렵기는 하였지만 그와 반면에 통쾌하고 재미있을 때도 있었다! 형제들이 게릴라전을 좋아하는 데는 그럴만한 까닭이 있었다. 이와 동시에 우리도 깊이 자각하였다. 가령 우리가 능히 게릴라부대를 조직하여 게릴라전을 실시한다면 우리도 마찬가지로 꼭 적들의 무기를 우리의 무기로 만들고 적들의 식량을 우리의 식량으로 만들 수 있다고 믿는다. 또한 대적선전도 꼭 전투와 협력하면 매우 큰 효과를 거둘 수 있을 것이다. 지금 우리의 작업은 늘 피동적인 지위에 빠져 전투와 잘 협력하여 원만히 진행하지 못하고 있으므로 이상적인 효과를 거둘 수 없다.

(7) 민중들의 환영회

병영부근의 백성들은 우리가 중국항전에 참가한 조선혁명청년들이라는 것을 알게 된 후부터 우리에게 무척 관심을 가지었으며 XX일 저녁에는 또 일부러 풍성한 향연을 베풀어 우리를 환영하였다. 우리는 참으로 분에 넘치는 총애를 받고 매우 기뻤다. 한편으로 또 감동되고 흥분하여 어찌 할 바를 몰랐으며 더욱이 우리의 어깨에 놓인 혁명의 책임이 보다 중대함을 느끼기도 하였다!

환영회가 끝날 무렵 한 50세가량 되는 노인은 이렇게 말씀하였다. "여러분들은 중국 항전에 참가한 이국의 청년들로서 더욱이 적 후방으로 와서 이렇듯 위험한 두메산골에서 게릴라전에 참가하니 정말 무슨 말로 감사를 드려야 할지 모르겠습니다! 20년 전에 나는 북경 공안국에서 근무할 때 많은 한국혁명지사들을 만난 적이 있었습니다.

7) 게릴라구역으로 두 번 들어가다(제1게릴라선전대소식)

(1) 따분한 이동명령

전반 과업도 모르고 확실한 목적지도 모르고 보슬보슬 내리는 보슬비 속에서 통성 쪽의 청용산을 바라고 출발하였다.

이항에 이르러 보니 수많은 피난민들이 한창 길에서 헤매고 있었다. 이곳은 워낙 XXX사단의 주둔지였는데, 어제부터 다른 지역으로 이동하기 시작하였다. 당지 민중들은 어떠한 판국인지 몰라서 우리의 원 주둔지였던 청동

산일대로 피난하였다! 귀밑머리가 희슥희슥한 할머니는 아직도 어린 계집애를 데리고 길에서 한걸음 두걸음 뒤뚱거리는 한편 쉴 새 없이 머리를 돌려 사랑스러운 고향을 바라보면서 미련을 금치 못하였다! 그리고 어떤 여성들은 자기들의 유일한 재산인 짐, 돼지 따위들을 끌고 밭두렁에서 망설이고 있다가 우리의 대오가 지나게 되자 길 양옆으로 우르르 피해갔다. 이날은 내내 비가 내려 흙탕물에 무르팍까지 빠져들어 갔다. 늙은이를 부축하고 어린이를 끌면서 간신이 걸음을 옮겨놓는 저 피난민들은 도대체 어디로 갈까? "언제까지 유랑하며 어디로 도망갈까!" 이 노랫소리는 바로 이와 같이 처참한 상황을 말한 것이 아닌가? 피압박민족의 비애는 뼈에 사무친다! 왜놈들에 대한 모든 중국민족의 원한은 얼마나 심각하랴!

우리는 당신들을 위해 놈들을 치러 왔습니다

우리는 길에서 헤매고 있는 이 무고한 민중들을 어떻게 위안하면 좋을지 몰랐다. 그들은 아군을 구세주처럼 믿고 환영하였다. "선생들! 선생들! 좀 일찍 오셨다면 좋았을 건데! 선생!" 이로부터 실증할 수 있듯이 그들은 이미 조국의 사랑스러움과 필요함을 깊이 느끼고 있었다. 조국의 보호를 받지 못하는 사람들은 생명재산을 보장할 길이 조금도 없다! "무서워하지 마십시오! 우리가 왔으니 당신들은 가지 마십시오. 우리는 당신들을 위해 놈들을 치러 왔습니다." 우리는 다만 이런 말로써 그들을 위안하는 수밖에 없었다.

적들의 봉쇄사격

아군이 전진하는 길에서 적들은 한창 봉쇄 사격을 실시하고 있었다. 머리 위에서는 "씽" "씽" 하고 탄알이 날아가고 있어 약간 조마조마하였다! 그리고 "쉬" "쉬"하고 떨어지는 포탄들은 뒤이어 "쿵" "쿵" 하고 폭발소리를 내면서 번갯불처럼 우리의 전후좌우 백 미터, 80미터, 50미터 부근에서 터졌다! 포탄이 터지면서 일으킨 진흙들이 온몸을 덮었다. 그러나 아군은 포격이 중단되는 틈을 타서 진흙을 털어버리고 다시 기어서 전진하였다! 손실이 매우 적었다. 적들이 아무리 봉쇄하여 가로막고 사격해도 결국 포탄만 허비했을 뿐이다!

거듭 행군하다

행군하여 X시에 이르러 정세가 좀 긴장하므로 다시 후방인 상탑시 부근으로 행군하였으며 전 사단의 장병들도 점차 집결하였다. 지친 몸을 끌고 바라만 보아도 두려워지는 4개의 높은 산을 넘어 야밤 12시에 운계 상보에 도착하여 숙영하였다. 배고파서 죽을 지경이다!

5월 X일 오전 5시에 또 출발하였다. 상탑시 북쪽으로 전진하여 영궁교를 거쳐 통성, 석산, 조보산을 원심으로 반경 40리를 마침 큼직한 호선을 그리며 걸었다. 오늘의 행군은 비록 50리밖에 안되었지만 온통 산길인데다 태양이 이글이글 타오르고 있어 지칠대로 지쳐 버렸다. 주동무는 마동무의 등을 두드리며 말한다. “항전 덕택으로 말도 고생하는구려!” 다른 동무들은 그의 익살맞은 소리를 듣고 모두 기운을 내어 폭소하였다!

(2) 수수께끼가 풀리다

전 사단(82)이 또 게릴라전을 하다

상하백죽에 이르러 전 사단의 집결이 완료되었다. 우리가 소속된 XX사단 488연대는 북항 부근에서 게릴라전투과업을 맡았다. 전체 장병들은 그제야 모든 것을 깨달았다. 5월 27일에 또 상하백죽을 떠나 황안시, 이가하, 육가하를 거쳐 상사산으로 되돌아와 주항 남충에 이르렀는데, 행군노정은 약 60리가량 되었다. 이곳은 우리 연대의 게릴라근거지이다. 우리는 XX사단 126연대의 게릴라전투과업을 대신하였던 것이다.

싸움터에서 전우들을 만나다

우리는 여기서 뜻밖에도 XX사단 126연대를 따라 게릴라전투에 참가했던 제2진지 선전대의 동무들과 상봉하였다! 제1구대 통신과 편지거래를 통하여 피차의 사업정형이나 신체전강여부를 다 알고 있기는 하였으나 몇 달 동안 격리된 게릴라생활을 하다가 오늘 갑자기 의외로 상봉하자 동무들은 기쁜 나머지 격동되어 눈물까지 떨구었다.

무치한 놈들이 또 상금을 내걸다

정탐조 조장 반군이 우리에게 보고한테 의하면 적들은 "조선의용대 대원 1명을 사로잡으면 상금 5백 원을 준다"는 현상 고시를 하였다고 한다.

가증스러운 왜놈들은 우리를 사로잡으려고 혈안이 되어있다. 홍! 두고보자! 누가 누구를 사로잡는가 우리 두고 보자.

(3) 적병들의 일기

이 게릴라구역으로 온 후 5월 30일에 제1대대에서는 처음으로 적을 기습하여 1개 중대의 적을 소멸하고 수많은 경무기와 중무기 및 기타 대량의 전리품들을 얻었다. 우리 제2대대의 형제들은 유감스럽게도 지역관계로 말미암아 이번 전투에 참가하지 못하였다. 전리품 중에는 적병들의 일기가 있었는데, 연대장은 우리들에게 번역할 것을 요구하였다. 그중에는 마에가와 히사하찌, 나가모리 지스께, 다나까 고이찌, 하야시 도꾸메이 등 4명의 일기도 들어있었는데, 내용은 대부분 군사행동경과에 관한 간단한 기록들이었다.

마에가와 히사하지의 일기

제9사단 35연대 3대대 11중대 제1소대 1등병. 악주 통성 사이의 적 병력으로는 제6, 제9, 제13 도합 3개 사단이 있고 또한 소수의 괴뢰군까지 배치되어있다. 3개 사단의 인수는 반수 이상 결원되어있으며 2년 동안 한 번도 귀국하지 못하였다.

전사하기 전 두 주일 경과

밀양부근의 신제 지방에서 오랫동안 경계근무를 맡고 5월 8일에 신제로 가서 임상에 이르러 또 며칠 동안 경계근무를 말았다. 5월 14일 포기에 집결하여 경비를 섰고 19일에 오리패 부근에서 경비를 섰으며 21일에는 충방에 집결하여 신장하를 공격하였다. 감전, 소수산, 석묘 일대에서 격전이 벌어졌다. 22, 23일에는 방산동, 감전부근에 전투가 있었으며 요즘은 격전이 드물다. 26일에 도림 양누사 일대에서 중국게릴라부대의 습격을 받았다. 27, 28일에 충방으로 돌아와 경비를 섰다. 29일에 안영, 남산 왕가산 일대에서 경계근무를 맡고 있다가 30일 새벽에 우리의 488연대 제1대대의 기습을 받아 격살되었다.

연대장의 특별 양해를 얻어 마에가와의 일기 〈영년7요력〉을 우리에게 기념품으로 주었다!

모연대장은 우리가 번역한 글을 보고 매우 기뻐하며 말했다. “이런 일기는 정말 가치가 있어요. 이전에 우리는 싸울 때 이런 서류에는 주의를 돌리지 않고 적이 보이는 족족 죽여버린 다음 비교적 값진 물건과 무기들만 빼앗아냈습니다, 하하……” “개자식! 제기랄! 일등병이 이렇게 잘 기록했는데, 우리는 어떤가? 제기랄, 소대장마저 때로는 옳게 못 쓰거든.” 대대장이 한마디 말참견하자 연대장은 아주 흥분되어 또 이어서 말했다. “그래. 이러구보니 그들의 지식수준이 우리보다는 높지만 그들의 전투정신과 희생정신은 우리와 큰 차가 없어!" "네! 그렇구말구요! 그들은 이제 며칠 남지 않았습니다!" 열 몇 쌍의 붉으레하고 건강한 얼굴들에는 즐거운 빛들이 어리었다. 여러 사람들은 저도 모르게 큰소리로 웃음을 터뜨렸다.

모연대장은 마에가와의 일기 뒤에 한 단락의 감상문을 써놓았다. "군은 뭘 위해 죽었나. 극악한 군벌들은 군 등을 속여 '동아의 영구한 평화를 위하여'라고 말했으나 이 평화를 교란한 책임은 도대체 누가 져야 하는지, 군 등은 물론 생각해보지 못 했으리! 아! 이를 '무언의 개선'이라고나 할까?" 연대부의 정치지도원은 이렇게 썼다. "이 사람은 벌써 죽었구나. 죽을 바엔 왜 왔을까? 이미 죽어서 깨닫지를 못하네! 애통해라!"

(4) 실천중에서 얻은 새로운 경험과 투쟁중에서 배운 새로운 기술

적군 중에는 동북출신의 괴뢰군들이 적잖게 섞여있었다. 지금 우리의 선전물들은 거의 다 일본문으로 씌어있었다. 이 새로운 정황에 대처하기 위해 다급한 중에 방법이 없어 흠동무는 중국문 선전물을 목각판에 새겼다. 그러나 종이문제는 여전히 해결할 길이 없어서 일본문 선전물 뒷면에다 인쇄하였다. 글자의 크기는 대개 1호 활자와 비슷하였고 목각판은 길이 2촌, 너비 8푼이었으며 솜에 먹을 발라 인쇄하였다. 매우 빨리 찍어낼 수 있을 뿐만 아니라 아주 선명하였으며 내용은 "중국 사람들끼리 싸우지 말고 고향으로 돌아가자!" "일본파시스트장병을 때려죽이고 일본파시스트군벌의 노예로 되지 말자!" "중화민족은 단합하여 다 같이 일본에 대처하자!" 등이었다. 그리고 일본문 선전물 뒤에는 목각판으로 "일본형제들! 이것을 휴대하면 중국군대의 수비지역을 통과할 수 있다"라고 쓴 통행증을 가득 찍어놓았다.

(5) 주동무가 사복을 하고 적정을 정찰하다

6월 1일에 주동무는 자원하여 정탐대와 더불어 새공교에 가서 적정을 정찰하였다. 적들은 새공교를 중심으로 반경 약 2백 미터 둘레에 세 겹의 철조망을 가설하여 물샐 틈 없이 만들었을 뿐만 아니라 지금 한창 방어시설을 수축하고 있어 노동자들의 내왕이 아주 빈번하였다. 그들은 곧 이 기회를 타서 노동자로 변장하여 첫 번째 철조망 안으로 들어갔다. 바로 이때 부근의 자그마한 산속에서 기타 아군의 정탐들이 불행히 적들에게 발각되어 불의의 사격을 받았다. 우리의 정탐들도 놀라서 잠시 어안이 벙벙했다. 그러나 그들은 필사적인 결심을 내리고 침착하게 대처하여 마침내 무사히 물러났다. 거리가 약 3백 미터 되는 작은 산까지 왔을 때 적들의 기관총이 우리들에게도 맹렬히 사격을 하였다! 다행히 적들의 포가 작동하지 않았기에 무사히 물러날 수 있었다.

(6) 야밤에 심산에서 포로를 사로잡고자 조용히 기다리다

6월 3일 저녁에 XX연대 제2대대의 각 중대는 지정된 북항 부근의 여러 교통선을 바라고 전진하였다. 과업은 야밤에 산 뒤에 숨어 있다가 지나가는 적병을 사로잡는 것이었다. 왕동무와 주동무는 제6중대와 더불어 촌민의 안내를 받으며 3리가량의 경사지를 걸어서 남강에 도착하였다. 북항 뒤쪽에는 매우 높은 대운산이 있었고 그 앞의 뾰족한 산에는 옛 탑 하나가 있었는데, 분명 적들의 경계선임을 판단할 수 있었으므로 남강에서 이미 몇 사람의 결사대를 파견하여 북항 부근에 잠복하도록 하였다. 우리 앞에는 3명의 정찰병이 파견되어 있었고 제1소대는 우리의 선두에 섰으며 제2소대는 우리 뒤에서 예비대로 있었다. 그리고 제3소대의 2개 분대는 결사대와 같이 전진하였으며 나머지 1개 소대는 연락을 맡았다.

왼손에 삐라를 잡고 오른손에 총을 잡다

황혼이 지나서 백하요에 도착하여 뒤쪽의 작은 고지에 엄호부대를 배치하였다. 주동무와 왕동무는 왼손과 오른손에 각각 삐라와 총을 잡고 사복결사대의 분대장 및 무장한 3명의 병사와 더불어 또 앞으로 3리가량 전진하였다.

개도 한간일까?

우리가 마을을 지날 때 감자기 개가 "왕" "왕" 하고 짖어서 정말 밉살스러웠다! 숨소리조차 크게 내지 못하고 있었다! 조용히 앞으로 기어가고 있을 때 개도 예민하게 알아채고 또 사정없이 짖어댔다! 개의 행위는 비록 무심중이었겠지만 사람을 너무도 화가 나게 하였다! 성마른 사람들의 욕설이 튀어나왔다. "개도 한간일까?" 그들은 서로 낮은 소리로 개에게 마구 욕설을 퍼부었다! 다시 앞으로 나아가니 적들과 더욱 가까워져 얼마간 위험하였다! "여보시오! 왕동무, 지형을 잘 이용하며 겁내지 마시오. 적이 보이면 먼저 총을 쏘되 잘못 쏘면 허탕이 되고 맙니다!" "적이 보이면 즉각 총을 쏠 터인데, 잘못 이용할 리가 있습니까! 손가락을 구부리면 '쾅' 하고 소리 날 터인데, 사양할 리 있습니까!" "그럼, 왕동무 내 엉덩이에 맞히지 않도록 조심하시오! 허허!" 이것은 뚱보 주동무가 앞에서 기면서 하는 말이었다.

모기부대의 공습

장전포에 이르러 길 오른쪽 고지부근에 매복하여 적군이 지나가기를 고대하였다. 이때는 바로 음력 16일. 하늘에는 달빛이 교교하였고 주위는 고요한 중에 벌레의 울음소리가 잔잔히 들려와 되려 시정이 넘쳐흘렀다. 다만 긴장한 싸움터이므로 아름다운 풍경을 한가히 감상할 새가 없을 뿐이었다. 분대장은 그들이 앉아있는 곳으로 기어가서 "여기는 그저께 적들이 휴식하던 곳입니다"라고 소곤거렸다. 모기부대의 공습은 대단히 맹렬하여 한 놈이 맞아죽으면 또 한 놈이 달려들었다. 그들도 앞 놈이 쓰러지면 뒤 놈이 이어가는 전투정신이 있었다! 두려워 위축되어 나오지 못하는 왜놈과 비하면 천양지차다! 왜놈은 작은 벌레보다도 못하다!

부근에는 한 사람의 촌민도 없었으며 무너진 집들이 달 빛 밑에서 더욱 처량해보였다! 아! 왜놈들의 죄악! 분대장이 낮은 소리로 말한다. "주동무 지금 몇 십니까?" 공교롭게 주동무는 시계를 휴대하지 않아서 이 문제에 대답할 수가 없었다. 그러나 나무 사이로 비쳐들어 오는 달빛을 보니 대체로 2시가 넘은 것 같았다. 분대장은 조급한 듯 한마디 욕을 퍼부었다. "개자식 안 올 거야?" 우리가 출발할 때 예정했던 포로사로잡기 작업은 할 수 없게 된 것 같다. 나중에 우리는 형제들과 협력하여 대적선전물들을 길가와 고지부근에 가득 뿌려놓고 귀대하였다!

8) "소탕"희극 (제1진지선전대 소식)

(1) 적 "소탕대"의 준동

적들은 요즘 이른바 '게릴라부대소탕계회'을 세워가지고 아주 그럴듯하게 여러 곳에서 맹렬히 준동하고 있었다. 하지만 진정한 게릴라대원은 한 사람도 보이지 않았다. 이 '소탕'희극에서 결국은 적수공권의 농민들이 당하고 말았다! 간음하고 불 지르고 죽이고 농민들의 돼지와 소를 빼앗아가므로 하루에도 예닐곱 번씩 우리 게릴라부대에 와서 하소연 하였다! 적들은 이르는 곳마다 무릇 게릴라부대가 숙박을 했던 곳이거나 표어 삐라를 붙였던 곳이면 곧 달려들어 불을 놓아 태워버렸다! 그리고 백성들의 재물을 강탈하였으며 심지어 농민들을 함부로 죽이기도 하였다. 그런데 괴상한 것은, 적들이 왔다는 소식을 들었을 뿐 적들의 발자취 하나도 찾아볼 수 없었다! 다른 한편으로는 민중들이 끊임없이 우리 영부 부근으로 피난하는 것으로 보아 적들이 있는 것만은 분명하였다.

이렇게 피난해온 민중들이 후에 만일 고향으로 돌아가면 적들은 곧 "비적과 내통했다"는 구실로 잔혹하게 학살하였다! 적들은 이와 같이 우리 군민간의 감정을 이간시키고 있을 뿐만 아니라 더욱 악독한 방법으로 농민들간의 감정을 도발시키고 있었다. 말하자면 적들이 어느 마을로 가기 전에 백성들이 벌써 다 도망가고 없으면 적들은 곧 기회를 타서 다른 마을의 촌민들로 하여금 그 마을에 가서 가축이나 가구 따위들을, 몽땅 빼앗아다가 쓰도록 강요하였다. 나중에는 집까지 태워버렸다! 적들은 갑촌과 을촌이 세세대대로 서로 가깝게 지내던 사이를 불공대천의 원수로 되게 하였다!

그러나 중국농민들은 적들의 그와 같은 올가미에 쉽사리 걸려들지 않았다. 그들도 게릴라식의 생활을 함으로써 적들의 음모에 대처하였다. 그들은 적들의 총포소리가 나면 먼저 노약자, 여성과 어린이들을 사전에 마련해두었던 심산속의 피난처로 피난시키는 동시에 움직일 만한 재산들도 전부 안전한 곳으로 이동시키고 나머지 장정들은 게릴라부대를 도와 전투에 참가하였다. 만일 정황이 위급하면 온 가족이 다 같이 피난하였다가 정세가 온정되면 다시 돌아왔다. 그래서 적들이 이르는 마을마다 '닭 개가 놀라지 않아' 그 이간술책은 물론 아무 쓸모도 없게 되었다.

(2) 전 연대의 이동

적들의 대포위 공격이 진행될 우려가 있었으므로 전 연대는 이동하기 시작하였다. 출발 직전에 왕대대장은 부근의 농민들을 모아놓고 매사람 당 대양 1원씩 발급하는 한편 그들에게 말하였다. "누가 한간인가를 잘 기억해두었다가 우리가 돌아온 후에 보고하시오!"

대강무를 떠나 25리 길을 행군하여 감하충에 도착하였다. 왕대대장은 미소를 지으면서 말하였다. "이곳으로 이미 두 번째로 왔습니다. 우리는 매우 익숙하므로 지형이 우리에게 아주 유리합니다. 보초병을 두지 않고도 안심하고 잘 수 있습니다. 적들이 와도 두렵지 않습니다." 그렇다. 적들이 중국의 대지에서 싸다닌다고 해도 두려울게 무엇인가? 그들이 어디로 가면 어디에서 소멸해버릴 것이다!

5월 24일 적들이 도강했다는 정보를 받았는데, 이미 우리로부터 8리 떨어진 어느 지점에까지 와서 쏘다닌다고 한다. 우리 전 대대는 즉시 전투준비를 끝낸 다음 짐을 메고 무기를 들고 긴장하면서도 조용히 대기 자세를 취하고 있었다! 만일 적들이 감히 오기만 하면 본때를 보여줄 것이다. 우리를 건드리기 쉽지 않다는 것을 그들에게 알려주는 것도 좋다. 여하튼 적들은 재미를 볼 수 없다. 우리는 만일 승산이 있으면 곧 그들과 싸우기 때문이다. 뜻대로 되지 않으면 어떻게 할 것인가? 곧 우리의 가산을 걷어가지고 이전하여 그들의 다른 약점을 찾아 공격한다. 몇 바퀴 더 돌 뿐이지 대수로울게 뭔가? 우리는 또 짐이 가벼워서 걷자면 얼마 힘들지 않다! 게릴라부대가 항상 이동하지 않고 어찌 공격할 수 있겠는가? 길에서 좀 뛰어다니면 몸에도 유리하다.

적들은 겁이 많은 탓인지 이번에 감히 와서 죽음의 길을 택하지 않고 황급히 도망쳐버렸다. 사후 민중들의 말에 의하면 적들은 매번 한 곳에 이르러 이렇게 말한다고 한다. "홍군이 여기로 왔다간 적이 있어? 너희들은 본 적이 있느냐?" 적들이 말하는 이른바 홍군이란 바로 우리 게릴라부대를 두고 하는 말이다. 적들이 이르는 곳마다 우리를 문하는 것은 결코 우리에게 무슨 특별한 호감이 있는 것이 아니라 우리 이 불청객들이 괜히 와서 그들을 돌보아줄까 두려워서이다! 이로부터 우리는 적들이 게릴라부대를 얼마나 두려워하고 있다는 것을 실증할 수 있다. 그러나 적들의 음흉스러운 정치적 도발 음모에도 주의를 돌리지 않을 수 없다. 중국의 항전은 원래 전국 모든 사람들이 함께해야 할 일이므로 모든 군대는 다 항일하는 군대일 텐데, 무슨 홍군 녹군으로 나눌 필요가 있겠는가? 적들이 거기에 억지로 물감을 들이려는 것은 분명히 도발 이간시키려는 요소가 들어있다. 따라서 이 점에 특히 주의하지 않을 수 없다. 조금만 경솔히 처사해도 그들의 꼬임 수에 빠질 수 있다!

(3) 한가할 때

게릴라부대의 생활에도 한가할 때가 있다! 저녁을 먹고 밖에 나갔다가 50여 세 되는 노인이 한창톱질하고 있는 것을 보고 우리는 군복을 벗은 다음 그를 도와 반나절 켜주기도 하였다.

5월 24일 우리가 도착하던 날 부근의 농민들은 한창 모내기를 하고 있었다. 대대부 소속의 대오는 명령을 받고 농사일을 도와주게 되어 우리도 이 운동에 참가하였다. 병사와 농민들은 우리 이 외국인들도 와서 그들을 도와 모내기를 하자 매우 놀라워하였고 흥분해 하였다! 더욱이 풍동무는 지난날 만주에서 이런 일을 해본 적이 있었으므로 지금 해보니 과연 손이 잽싸고도 모가 가지런하였다. 그들은 누구나 뜻밖이었으므로 그를 볼 때마다 거개가 혀를 끌끌 차며 탄복하였다.

매일 저녁을 먹은 후 우리는 왕대대장의 허락을 거쳐 부근의 촌민들을 모아놓고 그들에게 항전 소식이거나 기타 시사문제에 관한 보고를 하였다. 때로는 왕대대장도 친히 와서 그들에게 게릴라전투에서 놈들을 죽이던 이야기를 들려주기도 하였다. 그들은 듣고 나서 매우 즐거워하였으며 자기들도 게릴라부대에 아주 참가하고 싶다고 말하였다.

(4) 표어를 붙인 후

싸움터에서 적들과 혈전을 하는 중에 정황의 변화는 매우 크다. 어제는 적들의 주둔지였으나 오늘은 우리의 주둔지로 될 수 있었고 오늘은 우리의 숙영지였으나 내일은 적들의 숙영지로 변할 수도 있었다. 따라서 우리의 대적선전은 어떤 곳으로 가든지를 막론하고 우선 병영을 중심으로 힘껏 삐라 표어를 붙여야 한다. 이것은 만일의 경우를 고려하여 사전에 준비하는 방법이기도 하였다. 간혹 우리는 여러 곳에 표어 삐라를 붙여놓은 다음 병영 부근의 십 리 안팎을 돌아다니면서 시찰하였다. 적들은 우리가 붙여놓은 물건에 대하여 태워버릴 수 있으면 곧 태워버렸고 태워버릴 수 없으면(예하면 나무에 쓰지 않은 것) 칼로 도려냈다. 그 속셈을 보아도 꽤 고심하였다고 말할 수 있다! 그러나 우리는 영원히 계속적으로 붙이는 데는 어떻게 하겠는가?

어느 날 (5월 25일) 어찌 된 일인지 적들도 왕가파 부근에 뛰어들어 세 촌민을 붙잡고 우리가 붙인 표어 삐라를 가리키며 물었다. “이 물건은 어떤 사람들이 붙인 거야? 한국인이었어?” 도적눈을 데굴데굴 굴리며 흉살신 같이 촌민들에게 눈을 부릅뜨고 대답을 기다렸다. 촌민들은 놀라서 혼비백산하였으며 겁을 먹은 듯이 대답하였다. “예. 한국인들이 붙였습니다!” 추악한 왜놈! 우리 조선사람들이 여기를 못 올 줄로 알았어? 의심할 것 없다!

여기에 붙일 수 있을 뿐만 아니라 너희들 국내에도 붙일 방법이 있다! 압박 받고 있는 동방의 약소민족들이 붙일 수 있을 뿐만 아니라 압박 받고 있는 너희들 일본국내의 선량한 인민대중들과 정의와 평화를 사랑하는 세계의 모든 인사들도 붙일 수 있다. 너희들은 잘 기억하라! 이것은 결코 세계 인사들이 일부러 너희들을 괴롭히려는 것이 아니다. 참으로 너희들 자신의 잔학한 행동이 이미 세계 인류의 공적으로 되었다!

정의로써 흉포를 대체하다

우리는 표어 삐라를 다 부치고 돌아오는 길에 때로는 적들이 몇 곳에 붙여놓은 선전물들을 우연히 발견할 때도 있어 서로 마주 보며 웃었다! “허!……놈들도 대적선전을 하는구려!” 그러나 가까이에 가서 써놓은 글을 보면 더욱 우스웠다. 완전히 일본식의 중국문이어서 전혀 동이 닿지 않았다! 네가 더럽게도 요해를 차지했구나! “뿍뿍”하고 사정없이 찢어서 우선 주머니에 넣어 쉬도록 하였다. 뒤이어 우리가 지니고 온 정의적인 표어 삐라들을 원래의 위치에다 우리의 가장 큰 성의로 참답게 붙여놓았다.

또 어느 날 한창 비가 내리고 있을 때 우리는 제2중대 병영부근에 표어 삐라를 붙이고 있었는데, 형제들이 한사코 우리 대신 붙이려고 하였다. 여러 번 거절했으나 의연히 고집을 부리므로 결국 그들로 하여금 붙이도록 하는 수밖에 없었다. 순진한 그들은 감격되어 하마터면 눈물까지 떨굴번 하였다!

날씨가 무더울 때면 동무들은 산우에서 내려와 표어 삐라를 다 붙인 다음 산비탈 아래의 샘물에 가서 냉수욕과 일광욕을 하면서 담소하였는데, 참 유쾌하기 그지없었다.

(5) 일본어 함화를 강의한 후

각 중대에 배속되어있는 동무들은 시간만 있으면 총출동하여 일본어함화를 강의하였다. 이른바 강의는 절대 많이 하지 않고 서너 개씩만 배워주었다. 형제들은 평상시 “섯”과 같은 간단한 단어를 가르치면 능히 기억할 수 있어서 우리들을 보기만 하면 “섯” 따위의 일본말을 하였다. 그러나 우리가 만일 “총내렷”과 같이 좀 복잡한 것을 말하면 그들은 마치 기적 같은 말을 들은 듯이 박수치며 웃었다! 이와 같이 강의를 할 때면 중대장은 매번 음식을 챙겨 분에 넘치도록 우리를 접대하였다! 우리는 되려 매우 불안하게 느껴지기도 하였다.

(6) 우리의 처지

군대에서 우리의 처지는 중간 지위였다고 말할 수 있었다. 우리는 평상시 장병 또는 병사의 어느 쪽에도 기울어지지 않았으므로 장교에게 공손히 대하였고 병사들에 대해서도 '한 덩어리로 되는' 방향으로 노력하였다. 평소의 생활에서 연대장, 대대장, 중대장들과 기거며 식사며 담소는 구별이 없었으며 병사들과도 마찬가지였다. 지난날 그들은 보통 정치일꾼들에 대한 인상이 나빠서 한결같이 '고약팔기', '관료', '벼슬하여 부자 되기'라고 말하였다. 그러나 그들은 우리의 이와 같은 새로운 태도에 대하여 처음에는 그저 기뻐만 하였으나 후에는 우리가 언제나 위험한 지대의 앞장에 서고 또 모든 언행도 병사들과 같은 것을 보자 진심으로 경의와 친절을 나타냈다.

확실히 지금 군대에는 아직도 소수의 망나니들이 있어서 도박을 놀거나 오입질에 빠지거나 약담배를 먹는 따위의 악습들이 완전히 제거되지 못하고 있었다. 이런 자들은 진보하려는 생각이 전혀 없었다. 이러한 환경에서 우리는 '민족의 존엄'과 '혁명자의 인격'을 존중하여 상술한 악습들을 금지했을 뿐만 아니라 또한 작업여가를 타서 우리가 가지고간 혁명이론에 관한 서적과 며칠에 한 번씩 보내오는 〈소탕보〉, 〈신화일보〉, 〈구국일보〉, 〈진중일보〉 및 새로 출판된 잡지들을 될수록 열심히 읽고 의논하였으며 시사정치 등 문제에 관해서도 늘 연구 토론하였다. 우리는 부단히 진보하기 위해 노력한다고 말할 수 있다. 그들이 우리에 대하여 경의를 나타내는 것도 아마 우연한 것은 아닐 것이다!

양심적으로 말하면 지금 우리의 생활과 교양은 확실히 다른 사람들보다 장점이 많았다. 그들은 전진하며 향상한다. 그러나 이런 장점은 우리의 천성적인 것인가? 아니다. 그것은 지난날 조직이 있고 규율이 있는 우리의 생활에서 양성한 결과라고 말할 수 있다.

(7) 병사들에 대한 정신연설

대대장은 우리에게 말하였다. "병사들에 대한 우리의 연설은 당신들이 그들에게 이야기하는 것보다 긴장하지 않고 흥미도 없으므로 그들에게 정신연설들을 좀 많이 해주시오." 사실상에도 확실히 그러했다. 우리가 형제들과 이야기할 때면 그들은 특히 재미있어 하였다. 혹시 우리가 외국인이었던 까닭도 있었을 것이다. 이러한 연설을 통하여 우리의 '중국말'도 대단히 늘었다.

(8) 그룹 회의

6월 3일 우리는 노호산 골짜기에서 그룹 회의를 개최하였다. 먼저 이동무가 구대부에서 들은 당무소식 및 최근의 전투상황에 관해 보고한 다음 뒤이어 장차 작업을 진행함에 있어서 모든 기술의 사용, 당지 민중 보갑장과의 연락, 병사들 중에서 대적선전대의 조직 등 문제에 대하여 자세히 토론하고 계획하였으며 나중에는 동무의 입장에서 서로 엄숙히 검토하였다. 이와 동시에 "혁명적 인격을 양성하자", "작업 중에서 스스로 부단히 반성하며 진보하자", "바쁜 중에도 우리의 정치수준을 부단히 높이며 과학적인 사상을 양성하자", "우리당 기율의 엄밀한 집행자로 되자"라고 맹세하였다. 마지막에는 자유가를 높이 부르고 폐회하였다.

9) 자그마한 수확(제2게릴라선전대 소식)

(1) X사령이 명령을 전하고 표창 장려하다

전번에 가장 큰 희생적 결심으로 통성 석산 공격전에 참전한 진, 관, 이 등 동무들은 용감히 적을 물리쳐 모 전투구역 사령장관의 표창 장려를 받았다. 매인당 은질 포장 1매를 증정하였는데, 우에는 "정성과 충심으로 나라를 구하네. 모모가 정중히 표창함"이라는 글발이 새겨져있었고 또한 포장 증명서 1부가 첨부되어있었다. 원문은 다음과 같다.

제 모 전투국역 사령장관사령부 포장 증명서 공자 제45호

조선의용대 대원 관건 등이 석산 전투에서 공적이 뚜렷하므로 특히 정자 제27호로 제1차 공로를 기록하고 포장함으로써 근면함을 격려하는 동시에 증명서를 발급하여 이를 증명한다.

사령장관 대리 모모모

중화민국 28년 5월 일

이동호는 공자 제46호와 정자 제28호였고 진한중은 공자 제47호와 정자 제29호였으며 원문은 상기와 같다.

모 전투구역 정치부에서도 표창 장려하도록 명령하였는데, 원문은 다음과 같다.

자 제1660호 조선의용대 박구대장 사령장관 모 계자 제1996호 진유 특급전보:

모모군사장 모모모가 모모모사단 모모모연대 모대대장 모모모의 보고를 전하는데 의하면 본 대대는 명령을 받들어 석산을 공격하게 되었는바, 대대에서 근무하는 조선의용대의 대장 조열광, 대원 이만영, 지복, 장중광, 관건, 이동호, 진한중 등은 협동작전에서 매우 용감하였으며 특히 제8중대에서 근

무하는 관건, 이동호, 진한중은 그 중대의 유중대장과 더불어 한걸음도 떨어지지 않고 용감히 공격했을 뿐만 아니라 그 중대장이 부상을 입어 움직일 수 없게 되자 관건 등은 몸소 응급조치를 취하여 서로 엇바꾸어 업고 안전지대로 이동하였다고 한다. 그 용감하고 돈독한 정신은 크게 칭찬할 만하여 장려할 예정이므로 보고한 사실이 확실한가를 조사하여 관건, 이동호, 진한중 등에게 각각 공로 1차씩 기록하고 포상하며 조열광 등에게는 명령을 전하여 표창하고 장려하도록 전보로 회답하는 외에 특히 조사한 연후에 승인 허가할 것을 바란다. 이를 즉시 전하도록 통지할 것을 명령한다.

하충한 호월 일동 서명

⑵ 유중대장이 병상에서 편지를 보내다

제8중대 중대장 유운서는 전번에 석산을 공격할 때 적 철조망 앞에서 부상을 입었으나 다행히 관, 이, 진 등 동지들이 결사적으로 응급조치를 취하여 지금 이미 장사의 모병원에서 입원치료를 받고 있다. 유중대장은 감격을 금할 길이 없어 병상에서 봉사단에 간청하여 대신 편지 한 통을 써서 감격함을 전하도록 하였다. 이 편지는 이미 〈진중일보〉와 〈21〉일 신문에 발표되었다. 엮은이의 원문은 다음과 같다.

〈부상을 입은 한 중대장이 조선의용대에게 드리는 편지〉

용감한 한중, 동호, 관전 세 동무에게

저는 이미 무사히 장사에 도착하여 상아병원에서 입원치료를 받고 있습니다. 그러나 저는 매일 전방의 전투상황을 걱정하고 있으며 동지들의 사업도 생각하고 있습니다, 요즘 당신들의 사업은 꼭 더 잘 되어가고 있겠지요? 후방의 백성들은 조선의용대의 말만 나오기만 하면 모두 자기의 형제자매

마냥 매우 관심을 가지고 있습니다. 파시스트를 반대하고 해방을 쟁취하는 전선에서 우리는 참말로 자기의 형제들이었기 때문입니다! 저는 시시각각 저로 하여금 감격으로 눈물겹게 했던 그날의 일을 추억하고 있습니다. 저는 부상을 입고 포화 속에서 당신들에게 업혀 돌아온 후 감격된 심정을 형언할 수가 없었습니다. 당신들이 이렇듯 저를 사랑한 것은 바로 저의 조국을 사랑한 것이었으며 더욱이 인류의 공리와 정의를 사랑한 것이었습니다! 따라서 저는 상처가 빨리 아물어 다시 싸움터로 돌아가 적을 소멸할 수 있기를 기대합니다! 이렇게 해야만이 당신들을 대할 면목이 있습니다. 대만독립혁명당의 이우방 선생께서 하신 말씀이 떠오릅니다. “일본강도들은 미래에도 의연히 출로가 있을 것이다. 그러나 그들의 출로는 정의를 사랑하는 중국, 조선, 대만과 일본 인사들의 손에 있다.” 오늘 우리 이 네 부류의 사람들이 일심으로 분투하게 되자 적들은 이미 한 걸음 한 걸음 더욱 붕괴에로 접근하고 있지 않습니까? 우리가 더 한층 끝가지 분발하기만 하면 그들은 필연적으로 붕괴될 것입니다.

우리의 용감하고 강고한 항전은 전 세계 피압박 민족으로 하여금 더욱 더 강고하게 단합되도록 하였습니다. 우리가 실전 중에서 알게 된 바와 같이 이번에 일본제국주의가 아무 것도 가리지 않고 함부로 우리를 진공하였는데, 그 야심은 우리를 굴복시키고 우리의 땅을 점령하며 전 세계 약소민족의 생존 권리를 박탈하려는 것이었습니다! 따라서 이번 우리의 항전은 중화민족의 생존을 위한 것이며 전 세계 피압박민족의 해방을 위한 것이기도 합니다. 인류의 정의와 공리를 넓히며 영원한 평화를 실현하기 위한 전쟁은 전 세계 피압박민족과 평화를 사랑하는 인류가 침략적인 파시스트군벌과의 싸움입니다.

동무들! 우리는 모두 같은 운명을 타고난 형제들입니다. 우리도 마찬가지로 광명한 전도가 있습니다. 우리는 더욱 손을 긴밀히 잡고 중한 및 전 세계 약소민족의 독립자유를 실현하기 위해 끝까지 분투합시다!

그저께 〈진중일보〉에서 요즘 동무들의 사업정형이 소개된 것을 보았으며 또한 당신들이 저를 구해준 그 사실도 게재되어 저로 하여금 감동과 흥분을 금할 수 없게 하였습니다. 동무들, 저는 저에 대한 당신들의 은혜, 공리와 정의를 위해 모든 것을 불구하는 당신들의 그러한 희생정신에 대하여 더 할 말이 없습니다. 저는 오직 오래지 않아 다시 싸움터로 나아가 적들의 머리를 몇 개 베어 당신들에게 답례하려는 일념밖에 없습니다. 지금 저의 상처는 차츰 아물어가고 있으므로 이것은 꼭 현실로 될 것입니다. 우리가 싸움터에서 두 번째로 악수할 수 있기를 기원합니다! 이에 삼가 드립니다.

민족해방의 경례를 드립니다!

제 모모모사단 모모모연대 모대대 8중대 중대장 유운서 배상

(이 편지는 제가 구술하고 호남 부상병관리처 부상자 장병 봉사단의 하군 동무가 대신 썼습니다)

(3) 팽가하의 민중소학교

우리는 XXX연대 노연대장의 훈시에 좇아 연대 소재지인 팽가하에 민중학교를 꾸렸다. 학교터는 싸움터에서 겨우 4리밖에 안되었다. 5월 31일에 개학하였으며 학생은 23명이었는데, 나이가 대부분 8살부터 13살까지의 어린이들이었고 전부가 농부의 자제들이었다.

전번에 이미 보고한 바와 같이 처음 세운 민중소학교는 진지부근의 대가촌에 있었으므로 대가민중소학교라고 명명하였다. 이번에 꾸린 팽가하소학교는 두 번째인 생이다. 우리의 선전대는 대적선전작업에 종사하는 한편 민중소학교를 운영하였으며 오늘까지 이미 상기 2개의 소학교를 세웠다.

우리가 알다시피 무릇 부모로서 자기 자식을 귀여워하지 않는 사람이 없다. 또한 남들이 자기 자식을 귀여워하는 것을 싫어하는 사람도 없다. 그래서 우리는 자기 자식을 대하듯이 이 천진한 어린이들을 사랑하였으며 우리의 생활요금에서 일부분을 잘라서 그들에게 〈항전교과서〉를 등사해주고 연필, 종이, 문구 따위들을 사주었다. 때로는 흥미를 높이기 위해 그들에게 사탕과자를 사주기도 하였다. 〈항전가요〉도 등사하여 그들에게 발급하였다. 이렇게 하자 소학생 부모들은 우리에게 호감을 가지게 되어 언제나 얼굴에 웃음을 담고 우리를 진심으로 대하였으며 또한 우리에게 완두, 고추 따위의 채소들을 주기도하였다. 이른바 '사람을 사랑하면 다른 사람도 늘 사랑해준다'는 속담이 과연 사실이었음을 실증할 수 있었다. 뿐만 아니라 이로부터 중국 일반백성들의 성실하고 순박하고 사양하는 등 미덕을 엿볼 수도 있었다.

가난한 농가에서 태어난 그들의 경제상황은 확실히 너무 곤란하였다! 연필 깎는 작은 손칼마저 사기 어려운 형편이었으므로 다른 것은 말할 필요도 없었다! 그래서 우리는 그들에게 연필을 사준 다음 또 반드시 일일이 깎아주어야만 쓸 수 있었다. 때로는 손수건으로 그들의 콧물을 닦아주기도 하였다. 그리고 매일 세수를 하지 않고 등교하는 학생들이 반수 이상이나 되었으므로 우리는 또 날마다 그들을 강가로 데리고 가서 준비해온 비누와 수건으로 다시 한 번 얼굴을 깨끗이 씻어주었다.

민중학교는 군민합작의 교량으로 되었다

민중들은 진지의 뒤쪽이거나 진지의 경계선 앞이거나를 막논 하고 조용히 농사일을 하였다. 그들은 마치 가장 위험한 싸움터에 처해있다는 것을 잊은 듯하였다. 그들이 이렇듯 침착한 것은 확실히 우연한 것이 아니었다. 2년 동안의 항전을 거쳐 일본은 종이범이라는 것이 이미 폭로되었고 싸움터 형제들의 용감성은 이미 그들의 신임을 충분히 얻었다. 그들은 일본놈들이 그렇게 무서운 존재로 느껴지지 않았다! 후방으로만 도망하고 유랑하여 도대체 "언제까지 유랑하며 어디로 도망할 것인가?" 물론 이것은 가장 좋은 방법이 아니다! 그들은 각성하였다. 오로지 일심으로 협력하여 일본놈들을 쫓아버려야 만이 평온 무사히 지내며 일을 즐길 수 있다. 따라서 그들은 비단 도망치지 않았을 뿐만 아니라 머리를 돌려 일본놈들과 목숨을 내던지고 싸우기도 하였다! 그들은 극력 정규군의 전투에 협력하였으며 스스로 게릴라 부대를 조직하여 직접 일본놈들을 내쫓기도 하였다! 그리고 전투의 여가에는 농사에 진력함으로써 생산을 늘리고 국가의 경제력을 강화하였다. 그들은 힘도 내고 돈도 내어 나라를 위해 이미 최대의 노력을 다하였다! 그들과 비하면 우리는 발밑에도 못 따른다. 다만 그들의 경제상황이 너무 곤란할 뿐이었다! 대부분은 거의 알몸 신세가 되어 자기 자식들로 하여금 교육을 받게 할 방법이 없었다! 하물며 전투구역의 학교들은 전쟁으로 말미암아 문을 닫거나 또는 후방으로 이전하여 다닐 학교도 없었다! 그래서 자신이 교육을 받지 못해 고통스러운데, 지금은 자식들이 학교 갈 나이에 배움을 잃고 또 문맹의 맛을 보게 되었으니 이것은 정말 슬퍼서 탄식할 일 이었다! 뿐만 아니라 중국의 미래 주인공들의 다수가 다 이와 같이 문맹으로 된다면 나라와 민족의 전도에 있어서도 엄중한 손실이다. 따라서 각 전투구역의 최전선에 있어서 어린이교육문제는 아주 중요하고 긴급하였다. 우리가 꾸린 이 두 소학교는 무슨 구제라고 말할 것은 못되었으나 다만 우리가 한 푼의 힘이라도 다했을 따름이었다. 그들은 물론 짊어질 힘이 없었으므로 우리의 제한되어있는 생활요금에서 일부분을 떼내어 운영할 수밖에 없었다.

우리의 이러한 방법은 군민간의 감정상으로 보면 가정방문이나 연극 선전 따위보다 효력이 몇백 배 몇천 배 더 있었다! 민중들은 실로 충심으로 감격하고 탄복하였다. 이것은 결코 근거 없는 억측이 아니라 확실히 사실로 증명할 수 있다. 농민들은 우리와의 담화에서 감사를 나타냈을 뿐 아니라 우리의 일상 잡무에 대해서도 매우 관심하였다. 이를테면 우리가 평소에 쌀, 채소, 땔나무 따위를 살 때 만일 누가 우리에게 공평하지 못하면 그들은 곧 적극적으로 나서서 우리의 편역을 들면서 자기 일보다 더 관심하였다! 우리가 출발하여 싸우게 되면 민중들은 자발적으로 나서서 안내를 맡았다. 어느 한번 우리는 한 동무가 앓아서 상탑시 사단부 부근으로 가게 되었는데, 소학생들의 부모가 소식을 듣고 스스로 와서 담가를 메었다! 이러한 사실들은 민중들이 우리에게 호감을 가지고 있다는 것을 실증한다! 그 까닭을 따져보면 여러 가지가 있겠지만 그중 가장 중요한 원인은 우리가 민중소학교를 꾸린 것이다. 우리가 민중소학교를 군민합작의 교량이라고 말한 것은 조금도 과장된 것이 아니다.

(4) 저녁의 진지에서

우리는 매일 저녁이 되면 이불잇(밤에 잘 때 씀)을 지니고 산우의 진지 안으로 뛰어가 경계를 서는 형제들의 주소인 숙영지 중간을 왔다 갔다 하면서 그들에게 일본어함화를 가르치고 전투소식, 국제소식 등에 관해 이야기해주었다. 한담하는 방식으로 그들과 이야기하면 그들은 아주 기뻐하였으며 때로는 돌아가지 못하게 할 정도였다! 다만 성가신 모기들이 왔다 갔다 하면서 다리를 물어놓을 뿐 이었다!

어느 한번은 125연대 1대대 2중대 5분대의 부분대장 장진광이 벗에게 보내는 편지를 썼는데, 우리에게 보여주었다. 이 편지는 매우 가치가 있으므로 아래에 소개해도 무방할 것이다. 이것은 우리가 형제들과 한담을 한 자그마한 수확이라고도 말할 수 있다!

장동무:

시대의 거대한 수레바퀴는 용기가 있는 청년들에 의해 추동되며 제국주의침략에 대해서는 정의가 있고 평화를 사랑하는 인사들이 반항할 것이 필요하다! 동무여! 우리는 의지를 굳게 하여 모든 침략세력들과 싸우자! 멀지 않은 미래에 광명이 꼭 닥쳐 올 것을 믿는다. 전 세계 피압박민족의 해방을 위하여! 고개위의 형제들이 항전에 참가한 것은 우리 중화민국 국민의 천직을 다했을 뿐이다!

(5) 양면파

6월 2일 장동무는 소대장 진귀우, 병사 진학관과 함께 적 보초병을 사로잡으러 적 진지로 가게 되었다. 그들은 농민과 상인으로 변장하고 한 바퀴 정찰하였다. 적 보초선은 앞뒤로 두 개가 있어 전혀 손 쓸 방법이 없었다. 마침 이때 옆에서 한 농민이 오고 있으므로 그를 데리고 돌아왔다. 적 정형과 한간의 활동을 알아보려고 자상히 심문한 결과 그는 이름을 정유도라고 불렀고 나이가 30살이었으며 석당촌에 살고 있었다. 괴상한 것은 그의 몸에 두 개의 난민증이 있었는데, 하나는 적들이 발급한 것이었고 다른 하나는 우리가 발급한 것이었다. 자세한 조사를 거쳐 그는 양면파라는 것이 폭로되었다. 그는 어느 면이 자기의 행동에 유리하면 곧 그 쪽으로 기울어졌고 이해관계를 행동의 표준으로 삼았으며 나라와 민족의 이해에 대해서는 아랑곳도 하지 않았다.

(6) 석당촌에서 갑자기 적의 습격을 받다

어느 날 우리는 석당촌의 적 진지에서 약 백여 미터 되는 곳에 종이폭탄(삐라)를 뿌려놓고 일이 완결되자 무사히 귀로에 올랐다가 위험한 습격을 받았다! 적들은 우리가 매일 그 부근에 가서 일한다는 것을 알고 미리 매복하여 우리를 사로잡으려고 꾀했던 것이다. 지금 적들이 오면 우리는 그들을 물리치고 즉시 산비탈을 넘어 각각 뒤쪽에 엎드려서 준비했다가 우선 처음 만나는 선물로서 탄알을 몇 개 보내는 한편 그들이 다른 기도가 있지 않는가를 감시할 것이다. 적들은 새앙쥐처럼 겁이 많다는 것을 세상이 다 아는 사실이다. 우리가 사람이 적음에도 불구하고 그들은 감히 추격하지 못하고 도리어 우리가 뿌려놓은 삐라들을 몽땅 가져가버렸다. 이것은 우리가 바라던 바이이므로 우리는 이 틈을 타서 10여 분 동안 일본어구호를 외쳤다. 적들은 교통호와 참호 안에서 "와" 하며 떠들고 있었으나 무엇을 말하는지 알 수가 없었으며 한참 후에야 비로소 조용해졌다! 정말 아무 동정도 없는 것을 보고 우리는 거드름을 피우며 천천히 귀대하였다.

(7) 허수아비싸움

적들은 병력이 부족 되었던 탓으로 늘 저들 진지 부근에다 가죽 또는 짚으로 만든 허수아비를 세워둠으로써 보초를 대신하였다. 어느 한번 우리는 방가산 앞에서 4개나 발견하고 즉시 적 진지에 숨어들어가서 그것들을 하나하나 끌어다가 조선의용대, 중국정규군, 일본인민 3명이 일본군벌(배가 큰 것)을 진공하는 모습으로 바꾼 다음 그것을 다시 원래 지리에 세워놓았다.

열흘 후에 또 가보니 적들은 일본군벌이라고 씌어있는 그 배 큰 허수아비를 고쳐서 "XXX!"라고 써놓았다. 그때 우리는 또 사양 없이 원래대로 바꾸어놓은 다음 "일본군벌의 말로"라는 일곱 글자를 써놓고 부근에다 삐라를 가득 뿌려놓았다. 며칠 후에 또 가보니 적들은 분통이 터져서 허수아비들을 몽땅 태워버리고 삐라도 가져가버렸다.

(8) 종이매가 비행기를 대신하여 또다시 삐라를 뿌리다

종이매로 비행기를 대신하여 삐라를 뿌리기는 이번이 제2차이다. 제1차는 경험이 부족했던 탓으로 연까지 적 진지에 떨어지고 말았다. 이번에 우리는 다른 방법을 생각해냈다. 먼저 끈으로 삐라를 연 우에 동이고 끈의 끝 쪽에 향불을 달아매어 연이 하늘에 뜬 다음 끈이 향불에 타버리면 삐라가 바람에 날려 육속 적 전지에 떨어지도록 하였다.

6월 11일 이 날은 마침 순풍이었다. 우리는 일부러 적 진지 앞 4백 미터 가량 되는 곳에 숨어들어 작은 고지 뒤에 몸을 감추고 우리가 특별히 만든 연을 천천히 풀어놓았다! 이번에는 정말 뜻밖에 성공하였다. 연이 약 3백 미터까지 떴을 때 삐라가 분분히 떨어져 내렸다. 마치 만 가지 꽃이 일시에 떨어지듯 뭇 꾀꼬리가 마구 날아예듯 하였다. 볼수록 통쾌하여 우리는 저도 모르게 박수를 치며 홍소하였다! 위험한 적들의 진지 앞이라는 것마저 잊을 정도였다.

이런 방법으로 삐라를 뿌리는 것은 진짜 비행기로 뿌리는 것과 별반 차이가 없었다. 하지만 한 가지 문제가 있었는데, 삐라를 너무 많이 달아매면 연이 쉽게 뜨지 못하는 것이었다. 오늘 적들은 우리가 띄운 연을 분명 똑똑히 보았을 터이지만 아무런 동정도 없었다. 제1차 때처럼 대포를 마구 쏘지도 않았다.

(9) 어두운 밤에 또 적들의 습격을 받다

6월 14일 저녁에 우리는 종이폭탄(삐라)을 지니고 낮에는 사람이 없고 밤에는 보초병이 많은 적들의 보초선으로 진출하여 백여 장의 삐라와 50여 장의 우대증을 돌 우에 알뜰히 붙여놓고 그대로 돌아가려던 차에 갑자기 20여 명 적들의 습격을 받았다. 그때 급한 김에 우리는 재빨리 맞은쪽의 고지에 기어올라 큰소리로 일본어를 외쳤다. 일본형제들, 우리는 모두 일본군벌의 압박을 받고 있는 형제들이므로 추격하지 말라! 그렇지 않으면 우리도 사양하지 않고 너희들을 대처할 테다! 적들은 대개 각성했을 수도 있었거니와 더 추격하면 위험하다는 것을 느꼈을 수도 있었다. 그때 우리는 중과부적이므로 사로잡힐 가능성이 매우 많았다. 그러나 또한 야밤이어서 허실을 알 수도 없었으므로 우리가 한번 외치자 추격을 중지하였다. 돌아오는 길에서 백성들은 우리에게 적들이 늘 매복하여 우리를 사로잡으려 한다고 알려주었다. 우리는 물론 새앙쥐처럼 겁이 많은 그 일본놈들에게 사로잡히지 않겠지만 그러나 어두운 구석에 숨어 몰래 일을 꾸밀 수 있었으므로 반드시 조심해야 하였다. 만일 조금만 방심하면 그들의 쓴 맛을 볼 수도 있기 때문이다!

劉金鏞 編譯, 火線上的朝鮮義勇隊, 朝鮮義勇隊 原作, 1939.9.
崔鳳春 飜譯, 朝鮮義勇隊血戰實記, 密陽文化院, 2006.9, pp.39-117.

호북의 북부와 하남의 남부에서(제2구대)

1. 사업의 서곡

중국 관내에서 활약하고 있는 조선혁명자들은 중국의 위대한 항전에 참가하기 위하여 또한 이 항전과정에서 조국의 독립과 자유를 쟁취하기 위하여 '조선민족전선연맹'의 기치하에, 동방혁명 수령 장위원장의 지도하에 작년 중국국정일인 10월 10일에 한구에서 조선의용대를 조직하였다.

지난날의 침통한 역사가 우리에게 알려주듯이 오직 통일되고 단합되어야만 비로소 영광스럽고도 어려운 과업을 완수할 수 있다. 조선의용대의 성립은 바로 이 과업을 실천하는 첫 걸음이었으며 조선혁명이 새로운 단계에로 들어선 첫 소리이기도 하였다.

동일한 적의 압박 하에 있는 우리 중한 양 민족은 혁명의 목적이 동일하다. 따라서 항일이 첫째라는 기치 하에 조선민족이 통일되고 단합되어야 할 뿐만 아니라 또한 중한 양 민족도 마땅히 보다 긴밀히 손을 잡아야 한다. 지난날 조선혁명청년들은 중국의 모든 혁명 사업에 참가하였으며 더욱이 국민혁명군의 북벌전쟁 및 동북항일연군에서도 그들은 이미 영광스러운 공적을 남겨놓았다! 이것은 중한 양 민족이 연합함에 있어서 튼튼한 토대로 되었다. 지금 우리가 항전진영에서 단독으로 한 갈래의 대오를 조직하여 최전선에서 적들과 박투할 수 있게 된 것도 바로 이러한 토대가 있었기 때문이었음은 의심할 나위가 없다.

적을 쳐부시는 중대한 과업 중에서 조선의용대가 담당한 사업은 "적군을 와해시키고", "적군을 쟁취하는 것"이다. 중국의 이번 항전은 민족의 해방과 자유를 위한 것이고 인류의 정의와 평화를 옹호하는 것이며 또한 위대한 혁명전쟁이기 때문에 그들의 인민은 굴하지 않을 것이며 그들의 사기는 떨어지지 않을 것이다! 종국적인 승리를 취득하기 전에 항전은 하루도 정지되지 않을 것이다! 그러나 일본 측을 놓고 말하면 이 전쟁은 소수의 군벌 재벌들을 위한 침략전쟁으로서 병사들은 할 수 없이 싸워야 했으며 인민들은 군벌의 압박 하에 생명을 보존하기 위해 피땀으로 벌어온 돈을 군벌들의 군비로 제공하지 않으면 안되었다! 이렇듯 뚜렷이 상반되는 쌍방의 대비를 보아도 승리가 누구에게 속한다는 것은 말하지 않아도 분명하다. 그러나 이것은 다만 객관적 조건이 중국에 유리하다는 것을 말해 줄 뿐이다. 종국적 승리는 결코 싸우지 않고도 자연적으로 이루어진다는 것이 아니라 우리의 주관적인 어려운 노력으로 쟁취해야 한다! 따라서 위대한 항전은 여러 면에서의 어려운 작업이 필요하며 더욱이 일본군벌의 기만성을 까밝히고 침략전쟁의 본질을 폭로하고 적들의 사기를 떨어지게 하는 대적선전을 일각도 유예할 수 없다. 일본군대중에는 이미 반전요소가 포함되어있기 때문에 우리가 대적선전을 잘하기만 한다면 꼭 일본의 형제들을 중국의 항전진영으로 이끌어 동아의 평화를 보위하며 일본파시스트군벌을 반대하는 기치 밑에서 총구를 돌려 일본군벌의 몸에 쏠 수 있다!

우리 조선의용대는 이러한 대적선전의 중요한 과업을 맡고 있다, 이때문에 무한보위전의 험악한 환경에서 2개 구대로 나뉘어 각 전투구역의 싸움터로 달려가 과업을 완수하기 위해 분투하였다! 제1구대는 제X전투구역에 배속되었고 제2구대는 제X전투구역에 배속되었다. 제2구대의 대원들은 '조선청년전위동맹'에 예속된 동지들이다. 우리는 작년 10월 22일에 무한을 떠나 전선으로 출발하였으나 유감스럽게도 도중에 아군이 이미 XX쪽으로 방향을 바꾸는 바람에 우리도 철수하는 대군을 따라 서쪽을 바라고 나아갔다. 다행히 진가점에 이르렀을 때 우연히 제5전투구역 장관사령부를 만나 귀착점을 찾게 되었다! 후에 또 열 며칠 동안의 어려운 행군을 거쳐 비로소 양번에 이르렀다.

양번에 도착한 후 우리는 곧 장관사령부 및 정치부에 작업포치를 청구하였으나 여러 가지 까닭으로 말미암아 갑자기 정식으로 결정할 수가 없었으므로 우선 다른 할 만한 일들을 찾아 하였다, 우리는 〈악북일보〉에 〈제5전투구역 군민들에게 알리는 글〉을 발표하였다. 이와 동시에 우리는 현지의 사정에 밝지 못했으므로 금후의 작업을 준비하기 위해 현지의 모든 정형을 조사하였다. 일주일 후 11월 14일에 우리는 한 차례의 전체 회의를 개최하여 조사한 정형 및 여러 면에서 수집한 재료에 좇아 토론하는 한편 금후 과업의 방침을 결정하였으며 정식으로 작업을 벌이기 전에 먼저 힘을 다해 양번의 모든 정치선전사업에 참가하기로 결의하였다. 우리의 토론이 다음과 같은 결과로 되었기 때문이었다. 지금 중국의 항전은 이미 제1기로부터 새로운 단계에로 들어갔고 적들은 중국군대가 무한에서 스스로 철수한 후 중국의 광대한 영토에서 이미 깊고 깊은 진흙땅에 빠졌으며 이르는 곳마다 그들의 병력이 부족한 약점과 종이범의 추태가 폭로되고 있다. 특히 중국 전장의 일본하급군관 및 병사들은 전쟁을 싫어하고 고향을 그리는 기분이 이미 행동단계에 이르렀다. 우리는 마땅히 이 기회를 타서 적들의 약점을 틀어쥐고 "적군을 와해시키며", "적군을 쟁취하는" 작업을 다그쳐 진행해야 한다. 그러나 이 작업을 벌이기 전에 우리도 수시로 중국민중에 대한 선전사업을 해야 한다. 그저 기회만 기다리는 것은 시간에 대한 일종의 낭비이기 때문이다. 그리고 중국 현 단계 항전의 주요과업은 적과의 대치국면을 쟁취하여 반공격 역량을 준비하는 것이다. 구체적인 작업으로 말하면 이것은 군대정치 사업을 강화하고 민중의 힘을 동원하는 것이다, 따라서 우리는 시간을 타서 중국민중에 대한 작업을 하는 것도 매우 필요하다.

이 결정에 비추어 우리는 곧 민중과 병사들에 대한 사업을 시작하였다. 우리는 언제나 어디서나 시간과 공간을 놓치지 않고 여러 가지 방법으로 선전을 진행하였다. 이를테면 개별담화, 가두연설, 벽보, 삐라, 만화, 노래, 연극 등 써보지 않은 방법이 없었다! 11월 15일부터 21일까지 일주일 동안 양양과 번성 두 곳에서 동시에 성대한 선전주활동이 있었는데, 우리는 대회마다 열성분자의 하나이기도 하였다. 더욱이 우리의 입장으로 여러 가지 모임에 참가하면 번마다 열렬한 환영을 받았다! 이번에 우리는 여러 가지 사업에 적극적으로 참가한 외에 연극 〈망명〉을 공연하였다. 동무들이 노력하고 또한 연기가 아주 익숙하여 상당히 성공했다고 말 할 수 있었다! 그래서 각 분야의 좋은 평가를 받기도 하였다.

2. 양양과 번성에서 활약하다

사업을 시작한지 오래지 않아 우리는 장관사령부의 명령을 받았다. "부분적 동무들이 양번에 남아 일하는 외에 그 나머지 동무들은 XXX군단으로 가서 싸움터의 일을 하라……" 그래서 우리의 활동은 두 가지로 나뉘어 진행되었다. 양번(양양 번성)에서의 사업은 이러하였다. 대적선전을 실시하려면 반드시 전반적인 지도기관이 있어야 하며 구체적인 총 계획에 좇아 진행해야만 비로소 급속히 확대되어 좋은 효과를 거둘 수 있다.

포로의 교양

우리의 항전 중에서 중요한 방침의 하나는 포로를 쟁취하고 포로를 우대하는 것이다. 적병들은 이미 군벌들의 악독한 선전을 받았기 때문에 진상을 잘 모르고 있다. 불쌍한 병사들은, 중국은 포로를 참살하며 포로를 학대하는 줄로 알고 있었으므로 매번 싸움이 치열할 때 이미 사면으로 포위되었다고 해도 그들은 죽을지언정 총을 바치려 하지 않았으며 결사적으로 마지막까지 발악하였다! 기실 이것은 그들의 사기가 왕성하거나 또는 민족의식과 국가 관념이 확고해서가 아니라 그들이 군벌의 기만적인 선전을 받은 결과이다. 따라서 우리는 마땅히 방법을 강구하여 그들로 하여금 중국은 포로를 죽이지 않을 뿐만 아니라 포로를 우대한다는 것을 알도록 해야 한다. 이것은 포로를 쟁취하는 가장 좋은 방법이기도 하다. 이 사업을 실시함에 있어서 만일 적 포로 중에서 우수한 분자를 선발하여 담당하게 할 수만 있다면 그 이상 더 좋은 방법이 없을 것이다. 그들은 동료들의 심리를 잘 알고 있을 뿐만 아니라 또한 그들 자신도 우대를 받아 왔기 때문에 가령 그들의 입으로 적 병사들에게 알려준다면 이와 같이 동아의 평화를 유지하는 새로운 길은 꼭 매우 큰 효과를 발생할 수 있을 것이다. 그래서 우리는 이 방침에 좇아 포로들에 대한 교양을 실시하였다. 이 무렵 본 전투구역에서의 포로는 이또스스무를 비롯한 3명뿐이었다. 11월 20일부터 12월 15일까지 거의 한달 동안 우리는 선후로 18차나 방문하고 위로하였으며 개별적으로 이야기를 나누는 방식으로 그들에게 중일전쟁의 진상을 알려주는 한편 중일 양 민족 간의 원한을 해소시킴으로써 그들로 하여금 지난날 여러 가지 죄악은 바로 군벌들의 한손으로 빚어냈다는 것을 알게 하였다. 이번 단계에서 그들은 재빨리 설득되었다. 그들은 자발적으로 감상문을 써서 우리에게 발표해줄 것을 의뢰하였으며 사업에 참가할 것을 적극적으로 요구하였다. 그들은 비록 각성하였지만 그들의 지식 기능면에서 의연히 문제로 되고 있었다. 더욱이 그들은 중국말을 전혀 몰랐으므로 확실히 작업에 참가할 방법이 없었다. 그래서 우리는 또 허락을 받은 후 그들 3명을 헌병대대로부터 우리 쪽으로 인도하여 우리와 같이 생활하면서 원래 방침에 좇아 교양하였다. 그러나 그들은 이미 전선에서 부상을 입고 곡절을 겪으며 헌병대대에 와서 또 몇 달 동안이나 수감되어있었던 탓으로 신체가 이미 극도로 허약해져 엄격한 훈련을 받을 수가 없었으므로 방법을 강구하여 건강을 회복하게 하는 한편 간단한 방법으로 약간의 교양을 받도록 하였다. 이러한 상황이었음에도 불구하고 그들 중의 이께다시로는 워낙 신장병이 있은 데다 악성감기에 걸려 불행하게도 그만 타향에서 승천하고 말았다!

나머지 두 포로 중에서 이또스스무는 특히 각성하여 일을 아주 열심히 하였다. 그는 지금 늘 우리를 도와 여러 가지일을 하고 있으며 또한 기타 각 분야의 여러 가지 모임에도 참가하고 있다. 그는 융중훈련반의 전체 동락회 석상에서 자기의 새로운 신념에 관해 연설을 발표하면서 금후부터 일본군벌들과 박투하는 새로운 생활을 시작하기로 결정하였다고 이야기하여 열렬한 환영을 받기도 하였다. 그 후 2월 사이에 그는 양번의 여러 분야에서 조직한 위로단에도 자발적으로 참가하였고 우리의 전선과 후방에서 활약하고 있으며 이르는 곳마다 파시스트 일본군벌을 반대하는 연설을 함으로써 군민들을 크게 격려하고 있다.

두 가지 일을 동시에 하다

양번은 후방이었으므로 우리는 작업을 두 부분으로 나누어 진행하였다. 한 부분은 적들에 대한 것이었고 다른 한 부분은 중국민중에 대한 것이었다. 대적 면에서는 포로를 교양하는 외에 또 다음의 일들을 경상적으로 하였다.

ㄱ. 적들의 방송을 청취하다

매일 저녁 우리의 동무들은 라디오를 통해 적들의 방송소식을 들은 다음 그 날 저녁으로 그것을 번역 정리하여 장관사령부 참모처 정보과와 문화사업위원회 및 〈악북일보〉 등 기관에 보내주어 참고자료로 이용하도록 하였다.

ㄴ. 적들의 서류를 번역하다

전투 중에서 아군은 적들의 중요한 서류들을 많이 노획하였는데, 만일 재빨리 번역해놓으면 적정에 대한 판단 및 아군의 전투에 매우 큰 도움이 될 것이다. 그러나 사람이 부족하여 이 일을 원만히 해내지 못하였다. 우리 동무들은 이 일을 맡은 이후 이미 적들의 중요한 서류를 십 몇 가지나 번역하였으며 지금 또 대량의 자료들이 육속 들어오고 있어 금후의 작업은 꼭 보다 만족스러운 발전을 가져올 것이다.

ㄷ. 일본어를 강의하다

대적선전사업을 전개하는 과정에서 일본어간부인재를 양성하는 것은 가장 기본적인 과업이었다. 이에 비추어 우리는 일본어인재를 훈련하는 조직을 내오도록 적극적으로 추진하였다. 이와 동시에 여러 분야에서도 이와 같은 요구가 절박하므로 우리는 규모가 비교적 큰 조직을 내오도록 추진하는 외에 여러 분야 이를테면 간부훈련단 등 단체의 요청을 받고 주일마다 늘 일본어강의를 담당하였다.

민중에 대한 선전에서 우리는 보통 여러 가지 기회를 이용하여 구두와 문자, 서예 등 여러 가지 방법을 취하였다.

ㄱ. 구두강연

양번군민연예회, 왕정위성토대회, 구국단체동락회 등 여러 가지 모임 석상에서 우리는 "중한 양 민족의 연대"문제를 중심으로 중국항전의 전도·조선혁명·대적선전 등 문제들을 해석하여 꽤 좋은 평가를 받았다.

ㄴ. 벽보

11월 15일부터 우리는 벽보 〈조선의 호소성〉을 출판하여 매기 80부씩 내어 지금 이미 제8기에 이르렀다. 내용은 우리가 여러 곳에서 연설한 체재와 비슷하였으며 대체로 중한연대문제·조선혁명운동소개·중일전쟁의 여러 문제 등이었다.

ㄷ. 만화

일반 민중들이 가장 보기 좋아하는 만화는 사람들의 주의를 일으킬 수 있고 내용도 매우 간단명료하여 글을 모르는 사람이 보아도 능히 이해할 수가 있었으므로 민중에 대한 선전 면에서 가장 효과적인 도구로 사용되어 사람들에게 지울 수 없는 심각한 인상을 남겨놓았다! 그래서 우리는 민중에 대한 선전 면에서 이를 특히 중요시하였다. 더욱이 무한에 있을 때 우리는 이미 아주 좋은 성적을 거두었으며 지금 지난날의 훌륭한 전통을 계승하여 우리의 비교적 익숙한 솜씨로 적들의 폭행과 우리 쪽 민중이 동원된 정형 및 게릴라 부대와 적들 간의 혈전사실 등을 체재로 삼아 90여 폭의 커다란 천에다 그려 만든 만화를 양번의 여러 중요한 곳마다 다 붙여놓았는데, 잠시 관찰하려 해도 아주 붐비었으며 앞 다투어 보려고 만 사람이 골목에 선 듯하였다

ㄹ. 문자와 표어

문자선 전면에서 우리는 선후로 〈악북일보〉와 〈항전도보〉를 빌어 〈조선의용대의 과업〉, 〈조선농민의 생활〉 등 6편의 보고문장을 발표한 외에도 우리 자신의 등사잡지들인 〈산 신문〉, 〈한글 월간〉 등에 우리의 생활상황, 사업경과와 경험, 사업방법의 검토 등을 게재함으로써 여러 분야와 밀접히 연락하여 함께 사업을 토론하고 추진하였다.

표어도 간단하고 하기 쉬운 선전방법이었다. 방금 이곳에 왔을 때 우리는 석회로 몇 개의 특대 표어를 육속 써놓았는데, 그중 양양 어구의 "중한 양 민족은 연합하여 일본제국주의를 타도하자"라는 표어가 전 양양에서 이미 가장 주목을 끄는 가장 큰 표어로 되었다! 그리고 여러 가지 대회가 개최되면 우리는 또 종이로 만든 여러 가지 표어들을 붙여놓았다.

3. 수현과 조양 전선

작년 11월 24일 우리가 명령을 받들어 두 부분으로 나뉘게 된 후 전선으로 가는 동무들은 곧 번성에서 여산으로 출발하여 XXX군단부에 도착한 다음 진군단장과 종참모장을 면회하고 우리의 사업계획요강을 드렸다. 진군단장과 종참모장은 크게 칭찬하면서 전선의 모든 정황을 우리에게 소개함으로써 우리의 작업에 적잖은 편리를 주었다. 이때문에 우리는 수현과 조양에서 매우 순리롭게 이번 단계의 작업을 진행할 수 있었으며 우리가 예기했던 목적을 원만히 실현할 수 있었다.

적들은 무한을 점령한 후 지칠 대로 지쳐 군사력을 배치하기에도 부족하였으며 이르는 곳마다 약점이 드러났다. 물론 수현과 조양전선에서도 예외없이 그들의 연약성과 무능함을 나타냈다! 몇 차례의 무기력한 진공은 아군의 견고한 반격에 의해 죄다 패배하고 말았다! 그래서 그 무치한 자들은 마지막 수단까지 사용하였다! 매일 비행기와 대포로 아군의 진지를 교란함으로써 우리의 반공격을 막으려고 하였다. 그들은 일본육군 제3사단(또다부대), 가와이부대(제6연대)에 소속된 적들로서 "8·13"상해전쟁에 참전한 이래 재작년 12월 10일까지 사상자가 이미 1만2천여 명에 달하였다! 서주전투 때 그들은 또 진포선 남단의 경계와 회남로를 공격하는 임무를 수행하였다. 무한전투 때 그들은 안휘의 육안과 엽과 집으로부터 주력부대를 황천에 집결시켜 신양을 진공하여 10월 24일에 신양을 점령하였고 29일에는 서쪽으로 응산을 침범하였으며 11월 5일에는 또 석하를 침범하였다. 이 석 달 동안의 침범과정에서 그들은 누차 아군의 견고한 저항에 부딪쳤으며 연도에 또 게릴라부대의 기습을 받아 사상자가 특히 많았다! 사기는 여지없이 떨어져있었다. 그리고 대부분은 새로 보충한 소년병이었으며 이전보다 더욱더 전쟁을 싫어하고 고향을 그리었다. 게다가 전염병이 성행하여 다수의 적들은 숨이 겨우 붙어있을 정도로 그 전투력이 부족해 있었다. 그래서 원래 강한 군대로 알려져 있던 이 적들은 지금 수현과 조양 전선에서 이미 전투력을 잃고 간신히 방어를 하고 있을 뿐 적극적인 행동이 있을 수 없었다.

XXX군단은 이 지역의 방어임무를 이어 맡은 이래 적들에게 여러 차례 호된 타격을 주어 수현과 조양의 국세로 하여금 위험에서 벗어나도록 하였다. 목전 적아 쌍방은 대치상태에 처해있었다. 총반공격시기가 되기 전에 아군은 두 가지 전략적 과업을 수행해야 하는 바, 부서를 정돈하고 훈련을 강화하는 외에 민중을 조직하고 민중을 훈련시키며 게릴라부대를 조직하여 훈련을 다그쳐 시키기도 해야 하였다. 요즘 정규군은 늘 적 후방에 들어가 게릴라전을 벌이고 있으며 민중들이 조직한 게릴라부대도 선후로 몇 십차의 치열한 전투를 진행하여 상당한 승리를 취득하였다.

요컨대 우리가 수현 조양 일대에 와서 일할 무렵 적아 쌍방의 상황은 대체로 위에서 서술한 바와 같다. 그리고 적들은 함락구역에서 지난날처럼 완전히 불태우거나 죽이는 수단을 쓰지 않고 때로는 작은 혜택을 베풀기도 하면서 회유수단으로 민중을 기만하고 있다. 그보다 더 가증스러운 것은 소수의 민족망나니들과 무치한 한간들이 적들의 앞잡이로 도어 민중을 속이고 민중을 압박하고 있는 것이다. 그런데 일부 무지한 민중들은 간혹 그들의 올가미에 걸려들기도 하여 행동 면에서 의식적으로 또는 무의식적으로 항전원칙을 위반하였으며 객관적으로 적을 도우고 있다! 이것은 확실히 매우 엄중한 문제로서 특별히 주의하지 않으면 안된다.

우리가 이 일대에서 일하게 된 것은 상술한 여러 가지 객관정세에 비추어 결정한 것이다. 우선 적들은 오래 싸웠으나 성과가 없었고 부대 또한 지칠 대로 지쳐 내부에는 충분한 반전인소가 포함되어있었다. 우리는 주관 면에서 노력하여 보편적으로 강화하기만 하면 "적군을 와해시키고" "적군을 쟁취하는" 과업을 꼭 완수할 수 있을 것이다. 따라서 우리는 군대 중에서 일본어 일본문 훈련을 보편적으로 강화시킬 것을 결정하였다. 다음으로 민중면에서 상술한 바와 같은 엄중한 현상이 존재하고 있었으므로 우리는 일본어 강의를 힘껏 강화하는 외에 될수록 기타 구국단체들을 도와 민중을 조직하고 훈련시키는 사업을 해야 하였다.

이 일대에서 진행한 우리의 사업을 종합해보면 비록 기일이 짧기는 하지만 이미 상당한 효과를 거두었다. 물론 우리는 반드시 고쳐야 할 결점들이 아직도 많기는 하지만 그러한 것들은 점차 극복할 수 있는 것들이다.

일본어훈련

우리는 XXX군단에서 제X, 제X, 제X 3개 사단을 상대로 일본어훈련을 시켰는데, 훈련생은 5095명이었고 강의시간은 662시간이었으며 수강정형도 꽤 좋았다. 이것은 강의 담당자와 수강자 쌍방에서 다 같이 적극적으로 노력한 결과라고 말할 수 있다. 우선 강의 담당자 측을 말하면 우리는 모두 "일본제국주의의 쇠발굽 밑에서 단련 받은 혁명청년들로서 사업에 대하여 열성껏 노력하였다." 뿐만 아니라 우리는 모두 중국의 여러 군사학교에서 엄격한 군사훈련을 받은 있었으며 생활습관상에서도 수강자들에 비교적 접근하였다. 이러한 것은 우리가 강의를 담당함에 있어서 매우 편리했던 점들이다. 다음으로 수강자 측을 말하면 그들은 실전 중에서 이미 대적선전의 필요성을 실감하였고 또한 그러한 고충을 받은 적이 있다. 적들은 이미 전투력을 상실하였으나 언어가 통하지 않음으로 말미암아 완강히 저항하고 있다! 더욱이 싸움터에서 적들이 중국말로 "광서형제들 싸우지 말자!" "우리 다 같이 국민당 공산당을 치자!" 등 구호를 외치면 그들은 굉장히 화를 냈다. 그래서 그들은 매우 열심히 아주 적극적으로 배운다. 우리는 이 사업을 원만히 해낼 수 있었지만 다른 한편으로 우리에게도 반드시 고쳐야 할 약점들이 매우 많다. 첫째, 우리 자신들은 지난날 우리의 생활방식 및 풍속습관 등이 중국과는 좀 다르므로 생활상에서 간혹 서로 어울리지 않는 경우도 있었다. 둘째, 우리의 대부분 동무들은 중국의 언어문자를 좀 알고는 있었으나 그렇게 정통하지는 못하였다. 그래서 강의하게 되면 말뜻이 잘 통하지 않을 때도 있었다. 셋째, 수강자 측을 말하면 그들은 환경 상에서 최전선에 나와 있었으므로 대부분 전투에 분주하였으며 설사 전투가 없다 해도 늘 공사수축이나 경계근무를 해야 하므로 학습할 충분한 시간이 없었다. 그리고 그들 중 극소수의 사람들은 적을 와해시키는 사업의 중요성을 철저히 이해하지 못하고 있었으므로 때로는 소극성을 보이고 있다. 이것 역시 정치선전과 일어강의를 동시에 추진하면서 바로잡아야 한다.

형제들과 같이 생활하다

우리가 일본어 일본문 훈련확대에 대하여 중요시하는 것은 아군의 대적 선전으로 하여금 보편화되고 강화되게 하여 진정으로 “적군을 와해시키고”, “적군을 쟁취하는” 목적에 이르기 위해서이다. 그러나 이러한 대적선전은 반드시 어렵고도 장기적인 분투를 거쳐야 만이 비로소 좋은 효과를 거둘 수 있으며 절대 일조일석에 목적을 실현할 수 있는 것이 아니다. 따라서 이 작업을 맡고 있는 형제들은 반드시 비교적 높은 정치적 수양과 견인성을 구비해야 한다. 그러나 사실상에서 아직도 일부분 형제들은 포로를 쟁취하는 중요성을 이해하지 못하고 이렇게 말하였다. “일본놈들은 우리 중국을 침략하고 이르는 곳마다 불 지르고 죽이고 간음하였으며 우리 형제들을 잡으면 모조리 잔혹하게 살해하였다! 우리가 그들을 잡으면 우대할 필요가 무엇인가! 우리는 꼭 피값은 피로 받아야 한다! 그들을 죽여 조난당한 겨레들을 위해 복수하자!” 이런 사상이 확실히 많은 형제들의 머릿속에 존재하고 있었으므로 전투 중에서 포로를 사로잡을 기회가 많았지만 그들은 단순히 복수하려는 관념에 이끌려 결국에는 죽여 버리고 말았다! 이런 약점은 시급히 고쳐야 한다. 그래서 우리는 여러 가지 기회를 이용하여 일본문을 강의하는 외에도 정치사업을 진행하여 그들을 설복하고 있다.

우선 우리는 형제들과 같이 생활하면서 두 가지 감정의 벽을 제거하여 우리 자신들로 하여금 그들 단체 중의 일원으로 되게 함으로써 언제나 어디서나 사업할 수 있었으며 그밖에 다시 몇 가지 비교적 고정적인 방식, 예하면 쌍방으로 진행되는 시사보고, 좌담회, 개별담화 등을 통하여 상당히 원만한 결과를 거두기도 하였다.

시사보고

우리는 일본어를 훈련시키는 시간 또는 기타 기회를 이용하여 형제들에게 시사보고를 하거나 여러 가지 곤란한 문제들에 대하여 해답을 주었다. 전방에서 그들의 생활은 매우 무미건조하였고 더욱이 정신적 식량이 부족하였으며 외부세계의 정형과는 아주 벽을 두고 있었으므로 여러 면의 소식들을 절박히 알고 싶어 하였다. 그래서 우리는 일부분의 시간을 타서 그들에게 시사를 보고하여 아주 환영을 받았다. 특히 그들에게 조선과 일분국내의 인정세태, 풍속습관 등에 관해 이야기하면 그들은 더욱 흥미를 가지었다. 때로는 우리도 그들에게 구체적인 문제를 제출하고 그들에게 연설하거나 그들로 하여금 대답하게 하거나 또는 의견을 발표하도록 하였다. 이를테면 조선청년들은 무엇 때문에 중국항전에 참가하는가, 일본강도들은 무엇 때문에 중국을 침략하는가, 조선반일운동의 개황, 일본의 반전운동, 항전 이래 중국이 싸울수록 강성해지고 있는 원인, 무엇 때문에 "포로를 죽이지 않고" "포로를 우대 하는가" 하는 문제들이었다. 그들은 매번 열띤 토론을 벌이었고 용감히 의견을 발표하였으며 절대 이전처럼 구애되거나 좀스럽지 않았다. 생활상에서 우리는 이미 한 덩어리가 되었기 때문이었다.

좌담회 및 개별담화

좌담회와 개별담화는 문제를 토론하고 여러 면의 의견을 청취하며 정치훈련을 실시하는 가장 좋은 방식이다. 이런 방식을 통하여 우리는 적잖은 일들을 하였는데, 예하면 중국의 이번 항전문제에 관하여 그들의 대다수는 이미 정확히 인식하고 있었으며 중국의 항전은 생존해방을 다투는 혁명전쟁으로서 어쨌든 마지막 승리를 거둘 수 있다는 것을 이미 이해하고 있었다. 그들은 말한다. "전투 중에 때로는 식량공급이 중단되어 며칠 동안 밥을 먹지 못하는 것도 예상사이다. 평상시 적기의 교란이 매우 심하므로 식량공급이 중단되지 않았다고 해도 밥 먹는 시간은 대부분 저녁이었다. 그러나 우리는 군인인 만큼 완강한 인내력으로 이러한 여러 가지 곤란들을 극복해야 한다. 왜냐 하면 우리는 나라와 민족의 생존을 위해 싸우며 어느 한 부분 또는 개인을 위한 것이 아니기 때문이다. 가령 우리가 싸움에서 패배하여 나라가 망한다면 우리의 자자손손은 영원히 다른 사람들의 우마 노예로 될 것이다. 따라서 우리는 꼭 이를 악물고 항전을 끝까지 진행하며 마지막 승리를 거두기 전에는 그만둘 수 없다!" 이와 동시에 포로를 쟁취하고 포로를 우대하는 문제에 대해서도 그들은 대부분 비교적 잘 인식하고 있었다. 그들은 말한다. "우리는 포로들의 몸에서 중요한 정보를 얻을 수 있고 그들을 훈련시킨 다음 우리의 일을 도와 다 같이 일본군벌을 타도할 수 있다!" 그러나 아직도 극소부분의 형제들은 시종 복수하려는 생각을 품고 포로우대를 반대하면서 포로를 우대할 필요가 없다고 인정하고 있다. 중한 양 민족의 원한은 확실히 너무 깊으므로 그들이 그렇게 고집을 부린다고 해도 나무랄 수는 없다! 일본군벌들이 중국경내에서 저지른 모든 행위들을 보면 어찌 이를 갈며 미워하지 않을 수가 있겠는가? 그러므로 단시일 내에 그들의 이런 관념을 전변시킨다는 것은 역시 쉬운 일이 아니다. 우리는 장기적인 노력으로 그들을 설복시켜야 한다.

적 후방에 종이폭탄(삐라)을 뿌리다

우리는 이미 거듭 지적하였다. 일본파시스트군벌들은 일관적인 기만선전으로 병사들과 민중들을 마취시키고 있었지만 중국의 엄중한 타격을 거쳐 그 무슨 빨리 싸워 빨리 결론을 내리며 빨리 화의를 이루어 빨리 친선을 맺는다는 등 여러 가지 음모독계가 완전히 실패로 돌아간 다음부터 그러한 기만정책은 결국 그들의 여우꼬리를 덮어 감출 수 없게 되었다. 따라서 민중들의 반전정서는 나날이 높아지고 전쟁을 싫어하고 고향을 그리는 병사들의 사상도 나날이 보편화되었다. 그렇다면 그들은 무엇 때문에 아직도 대규모의 적극적 행동을 보이지 않고 있는가? 그것은 그들이 이미 그러한 기만선전정책의 여독을 받아 중국의 정형을 몰라 감히 움직이지 못하기 때문이다! 이 면에 관해서는 우리의 주관적 노력으로 쟁취할 것이 필요하다. 그래서 우리는 대량의 대적선전물(삐라표어)들을 인쇄하여 적 후방에 가져다 뿌림으로써 오래전부터 투항할 의향이 있는 일본병사들에게 한 갈래의 살길을 가르쳐주었다. 도합 하면 삐라 52040부와 표어 4900부를 인쇄하였다. 뿌리는 방법은 대부분 정탐들과 게릴라부대의 동무들을 이용하여 적 후방으로 가져다 뿌리기도 하였으며 또 한 부분은 우리의 동무들이 직접 유격대의 동무들과 같이 적 후방으로 가서 뿌리기도 하였다. 뿌린 지역을 보면 수현·조양·절하·화원·마안산·구양·양가만 등 일대를 포괄하였다.

큰 천으로 만든 표어로 적군을 놀리다

어느 한번 우리는 천을 가지고 편액식으로 대폭의 표어를 만들었다! 우에는 일본문으로 뚜렷하게 써놓았는데, 의미는 이러하였다. "침략전쟁을 반대하자! 일본의 형제들!" 다 만든 다음 우리는 밤을 타서 그것을 석하의 적군진지에서 2백 미터 떨어진 위장진지우에 걸어놓았다. 이튿날 적들은 보고 부끄러워 노해서인지 아니면 놀라서 당황해서인지 알 수 없으나 뜻밖에 몇 정의 중기관총으로 "따따따……" 하고 그 표어를 향해 몰 사격을 하였다! 중국에서 음력설을 쇨 때의 폭죽소리보다 더 떠들썩하였다. 형제들은 우리 진짜 진지의 참호 안에 숨어 적들의 이렇듯 어리석은 자아소모전을 구경하면서 박수를 치며 폭소를 하였다. 한동안 전반 싸움터가 발칵 뒤집혔다. 후방의 백성들도 이것을 담소거리로 삼았다. 아군은 이러한 방법으로 적들의 무기를 대량 소모할 수 있었고 또한 한참 유쾌하게 전쟁 놀음을 구경할 수 있었으므로 후에 이런 방법으로 적을 희롱하여 한 때 진지에서 치열한 전투가 벌어진 듯 총소리가 대작하였다. 기실 그 총소리는 적들의 일방적인 것이었으며 아군은 그저 만족스럽게 웃기만 하였다! 적들은 이러한 표어가 총을 쏠수록 많아져 다 쏠 수 없는데다 탄알소모도 너무 많아 비로소 꾀에 속은 줄을 알게 되자 괘심하게 여기고 마침내 모습을 감추고 말았다!

포로를 잡도록 민중을 격려하다

우리 동무들이 응산 일대의 게릴라구역으로 온 후 적군을 와해시키는 선전작업을 하는 한편 당지의 민중 및 게릴라부대로 하여금 포로를 사로잡도록 격려하였다. 어느 날 우리의 사복정탐은 적 병영부근에 가서 적정을 정찰하고 돌아오는 길에 적 경계병 2명이 얼빠진 모양으로 뒤도 돌아보지 않고 아군 진지 쪽을 바라보고 있는 것을 발견하였다! 틈을 탈 만한 기회라고 생각한 우리는 각각 뒤쪽의 차페지로부터 두 경계병을 바라고 포복 전진하여 그들을 사로잡을 차비를 하였다. 말하자면 우습기도 하다. 우리가 이미 곁까지 기어갔으나 그들 두 사람은 여전히 나무 인형처럼 앞을 바라보면서 전혀 느낌이 없었다. 그래서 그들은 사정없이 덮쳐들어 총을 빼앗아내고 두 적병을 사로잡았다! 그러나 불행하게도 절반 길까지 왔을 때 적들의 순찰대를 만났다. 그들은 자기의 동료가 우리에게 잡힌 것을 보자 극력 뒤쫓아 오면서 내버려둘 것 같지 않았다! 두 포로도 우리를 따라서 빨리 뛰려고 하지 않았다. 부득이한 정황 하에서 우리는 먼저 포로 두 사람을 고국으로 돌려보냄으로써 그들 자신이 말한 과업 즉 "무언의 개선"을 완수하도록 하였다! 그래서 이번에 포로를 사로잡으려던 연극은 결국 '38식' 보병총 두 자루를 가지고

를 붙이는 외에 적들과 가까운 지역에서 부대적으로 일본어선전물을 붙이기도 하였다. 사업성과를 말하면 인민들의 문화정도가 너무 낮은 데다 일꾼들이 너무 적은 탓으로 아직 뚜렷하게 나타낼 만한 것은 없다. 이것은 금후 우리가 계속 괴로움을 견디고 참으며 노력해야 할 바이다.

맺는말

우리는 제5전투구역 이사령장관의 지도하에 지난 석 달 동안 사업 중에서 매개 동무들이 자기의 일터에서 이미 마땅히 해야 할 노력을 다하였다. 이 사소한 사업성적에 대하여 우리는 물론 만족스럽게 생각하지 않는다. 왜냐 하면 아직도 수많은 결점들을 개정해야 하기 때문이다. 이를테면 사업이 보편화되지 못하고 심도가 깊지 못하며 단기적인 사업이 예기한 희망에 이르지 못한 것 등은 무엇보다 뚜렷한 약점이라고 하겠다. 도탄에 빠져 허덕이는 조국 3천만 겨레들의 부탁과 용감히 분투하는 중국 4만만5천만 형제들의 기대를 저버리지 않기 위하여 우리는 최대한의 열성으로 지난날 사업의 산 경험과 교훈들을 받아들여 우리의 약점을 바로잡고 날로 짙어지고 있는 적군들의 전쟁을 싫어하는 정서와 반전운동의 고양 및 날로 온정 되고 있는 전쟁국세 등 유리한 객관조건들을 파악하여 예정한 제2단계의 구체적인 중요사업들을 완수할 것을 맹세한다.

첫째, 전투구역의 일반 대적선전사업을 보편화하고 심각화 한다.

둘째, 장관사령부소재지에서 일본어강의를 다그쳐 대량의 대적선전간부를 양성한다.

셋째, 대적선전간부인재는 반드시 질적, 양적 양 면으로 주의해야 한다. 양적인 면에서는 일반 병사들로 하여금 구호를 외칠 수 있게 하는 것을 원칙으로 한다. 질적인 면에서는 표어대와 구호대를 조직하여 외치고 쓰고 가르칠 수 있게 하여 기타 병사들을 교육할 수 있는 정도에 이르도록 하는 것을 원칙으로 한다.

넷째, 적전과 적후에서의 사업을 강화하고 전쟁을 싫어하는 적군들의 정서를 환기시키며 그 전투력을 감소시킨다.

다섯째, 게릴라구역의 사업을 확대하고 적 후방으로 깊이 들어가며 "적군을 와해시키고", "적군을 쟁취하는" 사업을 강화한다.

여섯째, 포로운동을 확대하여 새로운 포로를 잡고 오래된 포로를 훈련시킨다.

일곱째, 압박을 받고 있는 조선의 사실을 가지고 중국민중에게 선전함으로써 항전정서를 강화하고 최후 승리의 신념을 확고히 한다.

여덟째, 중한 양 민족의 감정을 촉진함으로써 우리의 사업을 뉴대로 삼아 영원히 친밀한 정감을 건립한다.

5. 새로운 발전

말하자고 보니 이미 작년 10월 사이에 있은 일이다. 무한이 위급한 풍랑 속에서 조선의용대 제2구대의 동무들은 용감히 장도에 올랐다. 우리의 목적지는 제5전구였다. 그러나 우리가 방금 화원(북평—무한철도의 한 역)에 이르렀을 때 침략자의 마수는 이미 평한철도를 차단하였다. 게다가 광주가 함락되고 무한에서는 철수하고 있어 전방의 정황을 똑똑히 알 수 없으므로 철퇴하는 차대를 따라 서쪽으로 갈 수밖에 없었다. 그런데 때마침 제5전투구역 장관사령부도 XX에 도착하여 우리는 비로소 약속 없이 귀착점을 찾게 되어 재빨리 제1기 구국사업을 활발히 벌일 수가 있게 되었다. 쓰고 그리는 솜씨가 상당히 익숙한 우리는 이르는 곳마다 조선의용대의 만화를 그리고 표어와 벽보를 써놓았으며 아주 유창한 일본말과 능숙한 일본문으로 적들에게 선전하고 일본포로들을 훈련시키기도 하였다. 이번 제1기의 사업시간은 비록 매우 짧았지만 우리는 상당한 효과를 거두고 귀중한 경험을 쌓게 되었다. 중국의 항전이 새로운 단계—제2기에로 들어섬에 따라 이 새로운 정황에 배합하기 위하여 우리의 사업도 새로운 결정과 새로운 발전을 보게 되었다.

병사들에 대한 위로

우리는 제1기의 사업을 진행하는 과정에서 중국의 용감한 병사들이 피를 뒤집어쓰고 분전하는 것을 목격하였다. 그들은 굶주림과 추위에 시달릴 때나 영광스럽게 부상을 입었을 때나 그 어떤 천신만고 앞에서도 원망 한번 하지 않았다. 이렇듯 위대한 정신은 참말로 사람을 감동케 하였다! 이와 같이 용감한 투사들에게 조금이라도 위안을 주려고 위로단을 조직하여 이 사업을 추진하였다. 이러한 이웃 나라의 친선적인 의거는 곧 중국의 여러 계층과 여러 구국단체들의 열렬한 동정과 원조를 받게 되었다. 8개 구국단체의 42명 단원들이 가입한 이 조직은 각 계층에서 보낸 많은 위로품들을 받았다. 우리는 면밀히 처사함으로써 이 사업으로 하여금 더욱 큰 효과를 거두게 하기 위하여 단원들을 한 주일동안 집중적으로 훈련시킨 다음 비로소 싸움터——수현일대로 출발하도록 하였다. 더욱이 일본포로 이또스스무도 자발적으로 이 사업에 참가하여 적잖게 이채를 띠었다.

이 위로단은 2월 3일부터 시작하여 약 한 달 동안의 사업과정에서 물심양면으로 병사들을 위로한 외에 어디서나 수시로 그들에게 "포로를 우대하고", "포로를 쟁취하는" 의의를 설명해주었다. 이와 동시에 포로 이또 동무도 이르는 곳마다 일본파시스트군벌을 반대하는 연설을 발표하여 병사들로 하여금 실례를 통해 교육을 받도록 하였으며 그 의의에 대하여 더욱 심각히 이해할 수 있게 되었다. 매번 이또의 연설이 끝날 때마다 병사들은 스스로 진심에서 우러나오는 우렁찬 목소리로 "일본파시스트군벌을 타도하자", "포로를 우대하자"는 일본말구호를 외쳤다. 이 또는 이와 같이 열렬한 환영을 받게 되자 더 열성적인 태도로 사업하였다. 이것은 포로훈련과 병사교육을 결부시켜 얻은 좋은 결과라고 할 수 있다.

대적선전 도구를 확대 강화하다

항전이 제2기에 들어섬에 따라 전반 책략에도 변동이 생겼다. "선전이 전투보다 더 중요하다"는 것도 역시 우리의 중요한 책략의 하나였다. 이 사업을 확대 강화하기 위해 우리 대와 표어대를 조직하여 훈련시킴으로써 그들로 하여금 이 사업에 직접 참가할 수 있게 하는 동시에 기타 병사들을 교육할 수 있는 책임을 감당할 수 있도록 하였다. 그리고 XX의 간부훈련단과 XX 사령부의 장관 및 현병대대 등 단체들에서도 자발적으로 일본문 강습반을 조직하여 이 기술을 배우고 연마하였다. 따라서 우리의 대적선전사업은 보다 보편화되고 확대되었다.

적 후방에 가서 활동하다

제1기 사업경험을 통하여 적 후방에 가서 사업하는 것은 자못 중요할 뿐만 아니라 충분한 가능성이 있다는 것을 실증할 수 있다. 그래서 우리는 일본문 삐라와 표어를 인쇄한 다음 이 대량적인 정신폭탄을 지니고 적 후방으로 가서 활동하였다. 우리는 늘 수현 응성과 신양 일대에 진출하여 이르는 곳마다 이 정신폭탄을 뿌려놓았다. 작업을 하다가 가끔 적들의 습격을 받기도 하였다. 어느 한번 대원 왕극강 동무는 계하신점에서 아군과 8백 명의 적군 사이에 벌어진 조우전에 참가한 바 있었다. 완강한 일본놈들은 선후로 5차나 맹렬히 돌격해 왔으나 우리의 용감한 형제들은 유리한 지형과 우세한 화력에 의거하여 적을 격파하였다. 추악한 황군은 무사도의 결정체——3백여 구의 시체를 내버렸다.

진지에서의 연설전

우리는 제1기의 작업을 통하여 다만 참호에서 구호전에 의한 선전이 그다지 심각하지 못하다는 것을 느끼고 마침내 연설전이라는 새로운 무기를 들고 나왔다. 3월 13일 저녁에 대원 호유백 동무는 일본 도꾜출신의 포로 가또스스무로 위장한 다음 적과의 거리가 가장 가까운(80미터) 수현 어가강 진지에서 가또스스무의 신분으로 이렇게 말하였다. “일본국내에서는 우리가 이번 중국에 대한 전쟁을 동아의 평화를 위한 성전이라고 선전했습니다. 하지만 이와 같이 비행기와 대포로 중국의 평화적인 민중을 잔혹하게 학살하고 중국의 땅을 침점해서는 어쨌든 목적을 이룰 수 없습니다. 일본이 이 침략전쟁을 계속해 나간다면 목적을 이루기는커녕 꼭 나라가 망하게 될 겁니다.” 호동무는 또 많은 실례와 통계수자들을 들어가면서 자상히 설명하였다. 추악한 적들은 이치에 닿지 않아 말이 막혀 아무 대꾸도 못하였다. 그러나 이와 같이 높은 확성기 소리가 그들의 귀가에 똑똑히 전해졌을 것이므로 어떻게 해도 귀머거리나 병어리인 체 할 수는 없었다. 그래서 다음 날 저녁에 일본군관인 듯한 자가 나와서 뻔뻔스럽게 도리고 무어고 없이 대답하였다. 그는 말했다. “일본은 동아의 영구한 평화를 위해 와서 평화의 파괴자인 중국공산당과 장XX정권을 타도한다. 그래서 성전을 하고 있는거야.” 우리의 호유백 동무는 사리가 바르게 반박하였다. “일본군대가 정말로 동아의 영구한 평화를 위해 와서 중국공산당과 장XX정권을 타도한다면 어째서 일본국내의 공산당과 파시스트정권을 타도하지 않고 괜히 중국으로 뛰어와서 성전을 하느냐? 그 결과 수십만 일본의 훌륭한 청년들이 무의미한 희생 품으로 되고 말았다. 이것도 그래 평화를 위해서냐?" 이 뻔뻔스러운 일본군관은 이치가 닿지 않아 더 변명하지 않았다. 그래서 부끄러운 나머지 화가 나서 급기야 군벌의 흉악한 진면목을 드러내고 무치한 말투로 우리에게 욕설을 퍼붓기 시작하였다. 사흗날 저녁에는 우리의 김철원과 박무 두 동무도 명령을 받들고 싸움판에 뛰어들어 더욱 큰 전투를 준비하였다. 대담하게도 적들은 우리에게 전쟁을 걸면서 가또스스무더러 출진하라고 요구하였다. 우리의 호동무는 즉시 분발된 정신으로 진지 앞에 떨쳐나서서 적들과 치열한 설전을 벌이었다. 박동무와 김동무도 뒤지지 않고 각각 양익으로부터 뛰쳐나와 정신을 가다듬어 산을 허물고 바다를 메울 듯한 기세로 적을 진공하였다. 원래부터 이치가 통하지 않던 일본놈들은 당할 수가 없어 크게 패하고 모습을 감추고 말았다. 결국 나흗날 저녁에 적들은 휴전패쪽을 내걸 수밖에 없었다. 그러나 우리의 동무들은 조금도 늦추지 않고 단단히 포위하여 그들을 진공하였다. 일본놈들은 무가내로 나중에 정말 난폭한 짓을 하였다. 화력을 집중하여 우리 동무들을 사격하였다. 우리의 호동무가 몸을 낮추고 탄알을 피하고 있을 때 뜻밖에도 착한 일본병사 1명이 그가 있는 참호로 기어와서 우리의 호동무를 해치지 않고 되려 그 곳이 너무 위험하니 그더러 어서 그 곳을 떠나라고 권고하였다. 이러한 적들의 우정은 항전가운데서 실로 희소한 미담이 아닐 수 없다.

열렬한 우정

전투구역에서 일하는 우리 동무들은 이르는 곳마다 중국민중들의 위대한 사랑과 열렬한 동정을 받았다. 이런 위대한 우정은 우리들로 하여금 멸적의 결심을 더욱 굳게 다지도록 하였으며 우리의 전투 용기를 더욱 북돋우어 주었다. 어느 한번 김철원 동무는 발에 부스럼이 생겨 교회병원으로 처치하러 떠났다. 그런데 그가 도착했을 때는 이미 병 보는 시간이 지났었다. 그래서 거기에 앉아 잠깐 쉬고 돌아가는 수밖에 없었다. 이때 한 서양 여의사가 우연히 '조선의용대'라는 영문글자가 있는 그의 휘장을 보고 김동무를 매우 존경하면서 아주 감동되었던지 파격적으로 특히 그를 치료해 주었다. 또 한 번은 김경운 동무가 적 후방에 깊이 들어가 일할 때였다. 어느 날 저녁에 그는 수현의 한 예배당에서 숙박하게 되었다. 행군의 편리를 위해 군용담요 하나만 가지고 간 그는 거북스레 마루에 누웠다. 그 널찍한 마루청에서 많은 여성들이 몰래 그를 훑어보고 있었다. 꼴이 말이 아닌 모양을 보고 여러 사람들은 그가 피난민이 아니면 용감한 병사일 것으로 지레짐작하고 있었다. 이렇듯 한기가 쌀쌀한 긴긴 밤에 그는 어찌 고통스럽게 지낼까? 누군가 동정심이 들어 두툼한 솜이불을 덮어주었다. 우리의 김경운 동무는 아주 쾌적하게 푹 자고 해가 매우 높이 솟았을 때에야 비로소 깨어났다. "아! 이상해! 누가 나에게 솜이불을 덮어주었을까? 참 고마운 일이군!" 그런데 누구에게 고맙다는 인사말을 드릴까? 사람들은 이미 보이지 않았고 방도 이미 비어있었다! 그는 솜이불을 바르게 개어놓고 그 친절한 주인에게 묵묵히 감사를 드리면서 즐거운 심정으로 그 곳을 떠났다.

황하북안으로 사업을 발전시키다

제1전투구역에서 일하는 우리 동무들 가운데서 문정일과 오민성 두 동무가 장관사령부에 남은 외에 고봉기·백정·이세영 등 동무들은 이미 황하북안에 이르러 XX군단에서 사업하였다. 요즘 일본놈들의 강제에 의해 전선으로 온 한 조선인 포로가 그들에게 맡겨져 매우 짧은 시간 내에 순리롭게 훈련을 완료하였다. 조선의 겨레들은 국내에서 이미 일본놈들의 압박을 받을 대로 받았고 천신만고를 겪었으며 부득이 고향을 떠났다. 그러므로 그들은 원수가 누구라는 것을 모를 리가 있겠는가? 그는 일단 조국의 구성인 조선의용대라는 것을 알게 되자 기뻐서 어쩔 줄을 몰라 하였으며 오히려 우리 동무들보다 더 적극적이고 더 열성적이었다. 그는 고난 속에서 허덕이고 있는 더욱 많은 조선겨레들을 우리 전선으로 데려오기 위해 매우 큰 위험을 무릅쓰고 이세영 동무와 함께 다시 적 근거지인 신향부근으로 떠나갔다. 그들은 꼭 수많은 조국의 겨레들과 함께 우리 전선으로 돌아오리라고 나는 굳게 믿는다. 그리고 간도대성중학교를 졸업한 두 조선겨레는 어디서 조선의용대의 소식을 얻어들었는지 생사를 무릅쓰고 중국의 진지를 통과하여 낙양에 도착한 후 조선의용대에 입대할 것을 청구하였다. 노호하라, 조국의 겨레들, 조국이 광복할 때가 되었다, 겨레들! 아직도 주저하고 의심할 것인가? 조선의용대는 이미 조국광복의 기치를 높이 추켜들었다! 광명은 이미 우리를 향해 손짓을 하고 있으며 적들은 곧 무덤으로 들어가게 되었다! 우리의 위대한 힘으로 그들을 재빨리 쓰러뜨리자. 이 인류 평화의 살인자는 백번 죽어 마땅하다!

이미 승리의 토대를 마련하다

조선의용대는 비록 나이가 아직 어리지만 항전의 대시대에 이미 재빨리 성장하여 중국민중들에게는 친선의 정을 주었고 일본 놈들에게는 무자비한 타격을 주었다. 이 모든 것은 장차 승리할 수 있는 토대를 마련하였다. 더욱이 우리 제1·제5 두 전투구역에서 활동하고 있는 여러 동무들은 조국의 강산과 더욱더 가까워지고 있으며 다시 한 걸음 더 나아가면 조국의 아름다운 강산을 볼 수 있다! 동무들 노력하자! 떠난 지 30년이 되는 조국의 금수강산, 오래지 않아 우리는 너의 품으로 돌아갈 것이다! (끝)

劉金鏞 編譯, 火線上的朝鮮義勇隊, 朝鮮義勇隊 原作, 1939.9.
崔鳳春 飜譯, 朝鮮義勇隊血戰實記, 密陽文化院, 2006.9, pp.39-117.

중국전장에서의 조선의용대

총대장 김약산 서문

중국의 항전은 중국 자체의 생존 자유를 위한 것뿐만 아니라 또한 동방의 모든 피압박 민족, 더욱이는 직접 일본제국주의 압박 하에 있는 조선, 대만 민족의 독립해방을 위한 것이기도 합니다. 따라서 우리 민족이 중국항전에 참가하는 것은 필연적인 것이며 마땅한 것입니다. 그렇다고 해서 조선의 독립을 완전히 중국에 의뢰하여 자신은 되려 하찮은 위치에 서 있는 다는 것이 아니라 반대로 우리는 모든 힘을 다하여 중국의 항전을 도와 중국항전의 승리를 쟁취하며 우리 중한 양 민족의 굳게 단합된 힘으로 우리들의 공동한 적을 까부시고 소멸해야 합니다. 가령 일본군대가 중국본부와 만주에서 전부 소멸되기 전에 우리가 일시 우리의 탄압할 가능성이 있으므로 우리가 하루 속히 완강한 적들을 곧 만주로부터 군대를 이동시켜 우리를 탄압할 가능성이 있으므로 우리가 하루 속히 완강한 적들을 소멸하기 위하여 중국과 더불어 그들을 동아 대륙에서 몰아내자면 중국항전에 참가할 것이 필요합니다. 중국에 있는 적 부대의 붕괴는 시간적 문제에 불과합니다. 그러나 이것은 중국에 있는 적 부대의 붕괴에만 그칠 가능성이 있으며 적들은 조선을 쉽사리 포기하지 않을 것입니다. 그러므로 중국항전이 승리한 직후 조선의 혁명과업은 여전히 결속될 수 없는바, 우리는 여전히 자기의 무력무대로 조선반도에 남아있는 적들을 쫓아내거나 소멸할 것이 필요합니다.

중국항전에 참가하기 위하여, 조선혁명을 완수하기 위하여 우리는 곧 우리 자신의 무력부대를 다그쳐 창설하지 않을 수 없습니다. 조선의용대는 바로 이러한 요구 하에 성립된 것입니다.

조선의용대는 성립된 지 이미 1년 남짓한 역사를 가지고 있습니다. 이 한 해 동안 우리는 중국당국의 열렬한 후원과 중국군민의 친절한 도움을 받아 중국전쟁터에서 약소한 사업이나마 할 수 있었으며 아울러 조선혁명의 기반으로 되는 역량을 마련하였습니다. 우리는 흐뭇하고 부끄러운 나머지 우리의 가장 충실하고 가장 믿음직한 우군——중국민족의 수령 장위원장과 전 중국의 군민들에게 숭고한 경의를 삼가 드립니다.

마지막으로 설명하게 되는 이 팜플렛은 본 대의 사업에 참가한 중국동지 왕계현씨가 집필하였는데, 그의 이와 같은 열정에 대하여 나는 감사의 뜻을 삼가 나타내는 바입니다.

약산이 계림에서 서문을 씀.

1940년 2월 25일

王繼賢 編著, 中國戰場上的 朝鮮義勇隊, 朝鮮義勇隊 原作, 1943.3.
崔鳳春 飜譯, 朝鮮義勇隊血戰實記, 密陽文化院, 2006.9, pp.39-117.

자서

중한 양 민족은 이미 같은 전선에 서 있다. 조선의용대의 성립 및 중국전쟁터에서 싸우고 있는 사실은 바로 이러한 정신의 구체적 체현이다. 우리는 이러한 국제 벗들이 중국항전을 도우는 데 대하여 감사를 드린다. 그들의 반일정서와 투쟁정신은 우리가 영원히 존경할 바이다. 그들의 이러한 정신을 모든 중국겨레들에게 전파하며 평화를 사랑하는 세계의 모든 인사들에게 널리 전파하기 위하여 나는 특히 그들이 한 해 동안 혈전한 사실을 기록하여 이 팜플렛으로 만들었다.

일본놈들은 일찍 중한 양 민족의 감정을 파괴하기 위하여 모든 무치한 방법들을 다 써왔는바, '9·18'사변 전의 '만보산사건'은 바로 이 음모에 대한 설명이다. 지금 게릴라구역인 화북, 상해 일대에서 일본놈들은 조선의 유민과 낭인들을 대량 매수하여 그들로 하여금 나쁜 일이란 나쁜 일을 죄다 하게 함으로써 중국 사람들이 조선 사람들에 대하여 악감정을 품도록 자극하고 있지만 이것은 오히려 그들의 입장이 더욱 난처하게 될 뿐이며 소수의 망나니들은 결코 중한민족의 단합에 조금도 영향을 주지 못하였다. 〈중국전쟁터의 조선의용대〉는 바로 일본놈들의 음모에 대한 유력한 대답이다.

"세계상에서 우리를 평등하게 대해주는 민족들과 연합하여 공동히 분투하라." 총리의 이 위대한 명시는 우리 전국이 다 같이 항전하는 오늘에 있어서 보다 심후한 의의를 가지고 있다. 실천으로 총리의 유언에 따르기 위하여, 항전 중에서 더욱 많은 우군을 쟁취하기 위하여, 일본놈들의 붕괴에 박차를 가하기 위하여 우리는 모든 힘을 다하여 조선의용대를 돕고 조선혁명을 후원해야 하며 중한 양 민족이 서로 단합하여 일본군벌을 소멸하고 동아의 평화를 실현하는 위대한 사명을 완수해야 한다.

조선의용대는 지난 한해 남짓한 동안 시종일관 투쟁 중에서 성장하고 있다. 그들의 피와 땀은 호남의 북부, 호북의 남부, 호북의 북부, 하남의 남부, 광서의 남부, 강서의 북부 및 산동평원에까지 다 뿌려져있다. 이 팜플렛의 기록은 그들의 혈전 중에서의 한두 가지에 불과하다. 우리는 여기서 그들이 지난날 희생분투의 정신에 좇아 계속 노력하며 중국항전의 승리와 그들 조국의 독립을 위하여 마지막 피한방울까지 흘리며 싸우기를 삼가 희망한다.

부대가 오래지 않아 곧 중경으로 이동하게 되어 나는 창졸간에 이 팜플렛을 써서 인쇄에 부치었으므로 내용상에서 혹시 부족한 점이 있더라도 의용대의 동무들과 독자들께서는 양찰 있으시기 바란다.

민산 동무가 재료 수집을 도와주고 위화 동무가 많이 바로잡아주고 금용 동무가 표지를 설계해준 데 대하여 여기서 함께 감사를 드린다.

계현

1940년 3월 1일

계림에서

王繼賢 編著, 中國戰場上的 朝鮮義勇隊, 朝鮮義勇隊 原作, 1943.3.
崔鳳春 飜譯, 朝鮮義勇隊血戰實記, 密陽文化院, 2006.9, pp.39-117.

조선의용대창립선언

목전 동방의 강도 일본파시스트군벌은 아세아를 삼키고 세계를 정복하려는 저들의 미몽을 실현하고자 미친 듯이 중국에 대한 침략전쟁을 실시하고 있다. 그들은 가장 야만적이고 잔학한 수단으로 중국의 항일중심지 무한을 진공하고 있다. 이와 동시에 전체 중화민족은 국가와 민족의 독립자유를 쟁취하기 위하여, 더욱이 인류의 정의와 평화를 옹호하기 위하여 위대한 항일혁명전쟁을 결연히 진행하고 있다. 바로 이때 우리 재중국 조선 혁명자들은 이 정의적 전쟁에 직접 참가하기 위하여, 더욱이 이번 항전 중에서 조국의 독립을 쟁취하기 위하여 우선 '조선민족전선연맹'의 기치 하에 한결같이 단합하여, 또한 위대한 동방 항일 최고수령 장위원장의 통솔 하에 조선의용대를 조직하였으며 마침 중국국경기념일인 27돌 쌍십절에 정식으로 성립을 선고하였다. 의심할 바 없이 이는 중한 양 민족 해방 운동사에 의의가 위대하고 심장한 한 페이지를 영광스럽게 기록한 것이다.

27년 전의 오늘 위대한 동방혁명의 도사이신 손중산 선생께서는 4만만5천만 민족의 독립자유와 세계 인류의 평화를 실현하기 위하여 중화민국의 기초를 정하였으며 더욱이 이 위대한 혁명사업을 철저히 완수하기 위하여 전 세계 약소민족의 연합을 적극적으로 제창하였다.

그러나 중한 양 민족의 공동한 원수 일본제국주의자들은 가장 가혹한 수단으로 조선민족의 혁명운동을 유린하고 있을 뿐만 아니라 또한 가장 야만적이고 흉포한 침략정책을 채납하여 중국혁명의 발전을 저지하고 있으며 더욱 나아가서 중한 양 민족의 연합전선을 방해하고 있다. 바로 중국의 혁명이 완수되지 못하였기 때문에 조선민족에 대한 일본제국주의의 압박이 더욱 심해지고 있으며 조선민족이 해방을 받지 못하였기 때문에 중국에 대한 일본제국주의의 침략이 보다 흉포해지고 있다.

9·18사변 이래 일본제국주의자들은 전 중국을 병탄하려는 기도를 실현하기 위하여 수천만 조선 대만민족 및 본국 노고대중들의 고혈을 다그쳐 짜내고 있으며 중국에 대한 대규모적인 침략전쟁을 개시하였다. 노구교 사변에 이르러 마침내 전 중국 4만만5천만 민족의 완강한 저항을 받았다. 지난 한 해 동안 중국민중은 위대한 민족 수령 장위원장의 지도하에 한 결 같이 단합하여 비할 바 없이 용감한 저항을 실시하였다. 이와 같이 아세아대륙을 병탄하려던 일본제국주의자들의 미몽을 이미 까부셔놓았다. 이번 전쟁에서 조선민족 내지 동방의 모든 약소민족은 마땅히 중국의 입장에 서서 모든 힘을 다하여 중국의 항전을 지원해야 한다.

이렇게 보면 오늘 성립된 조선의용대의 과업은 아주 중대하다. 우리는 식민지노예가 되기를 원치 않는 천백만 조선 겨레들을 불러일으켜 조선의용대의 기치 밑에 모이게 함으로써, 더욱이 파시스트군벌의 압박 하에 있는 모든 민중들과 연합하여 우리의 진정한 적인 일본파시스트군벌을 타도함으로써 동아의 영구적인 평화를 실현해야 한다!

우리는 영광스러운 중국 쌍십절 국경기념일에 조선의용대의 기치를 높이 들었다. 용감한 중국형제들과 손을 잡고 필승의 신념을 품고 정의적인 항일전선을 향해 용감히 전진하자! 우리는 우리의 신성한 과업을 관철하기 위하여 최후의 일각까지 분투해야 한다. 우리는 외친다.

중한 민족은 연합하자.

일본제국주의를 타도하자.

동방항일 수령 장위원장을 옹호하자.

조선민족전선연맹을 옹호하자.

중국항전승리 만세.

조선민족해방 만세.

조선의용대

1938년 10월 10일

王繼賢 編著, 中國戰場上的 朝鮮義勇隊, 朝鮮義勇隊 原作, 1943.3.
崔鳳春 飜譯, 朝鮮義勇隊血戰實記, 密陽文化院, 2006.9, pp.39-117.

총대장 김약산 약력

조선의용대 총대장 김약산 선생의 이름은 일찍 조선국내인민들에게 익숙히 알려져 있는 한편 적들의 정부와 경찰국에서도 무서워 부들부들 떨고 있다. 그의 위대한 혁명정신은 벌써 2천3백만 조선인민의 머릿속에 깊이 새겨져있다. 조선혁명에 대한 그의 공헌은 조선혁명사에 영원히 빛나고 있다. 그는 확실히 우수하고 진보적인 혁명수령이다.

김선생은 소년시절부터 비범한 총명과 드높은 애국정서를 가지고 있었다. 그는 소학교와 중학교시절에 부단히 반일복국선전을 하였는데, 그것은 혁명사상의 맹아였다.

1918년에 그는 처음 중국으로 와서 적극적인 혁명 활동에 종사하려고 생각하였다. 1919년에 조선에서는 세상을 진감하는 반일 '3·1'운동이 폭발하였다. 그 운동은 조선민족이 10년 동안 쌓였던 분노를 한꺼번에 터뜨린 것이다. 그것은 조선 각 지역과 각 계층의 민중을 동원시켜 다 같이 일본제국주의를 반대하는 전쟁을 벌이도록 하였다. 이 운동은 김선생에게 매우 큰 격려를 주었다. 그는 즉각 해외로 도망해온 우수한 조선 청년 동지들을 모아 중국 길림에서 의열단을 조직하였다. 그는 즉석에서 단장으로 선출되었다.

그 무렵 의열단은 곧 중요한 선언—〈조선혁명선언〉을 발표하였다. 수천만부의 선언이 전 조선에 뿌려져 일본놈들은 놀라서 당황해하였다. 이 선언은 일본군벌의 죄악을 심하게 질책하였으며 조선민족은 오로지 투쟁 중에서만이 비로소 독립해방을 얻을 수 있다고 지적하였다. 이로 하여 일본군벌은 더욱 화가 나서 수사하도록 명령하였다. 도꾜의 여러 신문들도 이 선언을 크게 비난하였다. 그러나 이 선언의 정신은 벌써 모든 조선 사람들의 머릿속에 스며들었으며 일본놈들이 아무리 고압적인 수법을 써도 오히려 입장이 더욱 괴롭게 될 뿐이었다.

그 무렵 의열단의 구체적 과업은 폭동 암살과 파괴였다. 암살의 상대는 일본천황, 조선총독과 이하의 문무 관리이었으며 조선의 매국적, 친일파, '자치파'의 거두와 모든 한간 적탐정들도 암살 범주에 들어있었다. 파괴의 상대는 조선총독부, 경찰서, 동양척식회사와 각 중요한 왜적기관이었다. 이 모든 암살과 파괴는 모두 김선생이 주재하고 계획하였다. 이로 하여 김선생은 곧 테러분자로 세상에 소문났다.

의열단이 성립 된지 오래지 않아 조선총독부가 먼저 폭파되어 총독 사이또는 요행 목숨을 구했으며 그 나머지 문서부, 회계부는 모두 파괴되고 중요한 서류는 죄다 타버렸다. 이번 사이또 습격은 비록 실패하였지만 그러나 적들에게 엄중한 타격을 주었으며 아울러 전 조선민족에게 강한 자극을 주었다.

그 후 얼마 있다가 김선생은 천진과 상해 사이를 다니면서 계속하여 암살을 책동하였다. 오래지 않아 적군 벌의 우두머리이며 중국을 침략하는 대륙정책의 작성자인 다나까기이찌는 상해에서 저격을 받아 탄알이 모자를 꿰뚫었으나 죽지 않았다. 이어서 일본 황궁 이중교도 폭파되었다. 이밖에 전 조선경찰기관이 파괴된 소식을 가끔 들을 수 있었다. 조선의 한간들도 적잖이 목숨을 잃었다. 이와 같이 연속적으로 세상을 떠들썩하게 한 암살사건은 조선혁명사에 피의 한 페지를 써놓았다.

1919년부터 1925년까지는 김선생이 테러행동을 계획하고 조직하고 지휘한 한 시기라고 말할 수 있다.

1925년에 김선생은 사업의 방향을 전환하였다. 그는, 조선민족은 철혈테러의 자극 속에서, 들끓는 혁명열화속에서도 모두 혁명의 길로 나아가야 하며 그들을 혁명적 간부와 대중으로 전환시키려면 수완이 있는 혁명중견분자들이 선도의 역할을 해야 하는 바, 또 이러한 중견분자들은 반드시 정확한 혁명이론과 숙달한 혁명기술을 구비해야 한다고 인정하였다. 따라서 그는 '암살' '파괴'의 혁명수단을 단호히 버리고 다수의 동지들을 거느리고 결연히 중국혁명의 책원지——광주로 가서 중국혁명의 도사 손중산 선생을 면회한 다음 황포군관학교에 들어가 정치군사학을 연구하는 한편 혁명선진들의 교육을 공손히 들었으며 졸업한 후에는 곧 중국국민혁명군의 북벌에 참가하였다. 이와 같이 김선생은 이론과 실천을 통일시켰으며 사업의 기반을 마련하였다.

일본파시스트가 적극적으로 전쟁을 준비하고 또 조선에 대한 그들의 압박과 착취가 날로 가혹해짐으로 말미암아 조선민족으로 하여금 날로 혁명화의 길로 나아가도록 하였다. 김선생은 이 시기를 파악하고 객관 환경의 수요에 적합한 간부를 양성하기로 결심하였으며 마침내 북평에서 비밀정치학교를 꾸려 군사정치인재를 훈련시키기로 결정하였다. 김선생은 약 2년 동안 이 학교를 고심히 운영하여 다수의 신진혁명간부를 양성하였으며 졸업 후에는 조선으로 파견하여 혁명대중을 조직시키도록 하였다. 이 무렵의 조직은 이미 점차 구체적인 조직으로 발전하였으며 지나간 역사의 교훈과 실천중의 경험 및 당시의 객관적 수요에 따라 조선국내 각 중요도시의 학교, 공장과 농촌을 상대로 '세포조직'을 진행하기 시작하였으며 아울러 파업 및 지조 납부를 거부하기 운동을 일으켰다.

김선생은 1931년에 남경으로 갔다. 그 무렵 9·18사변이 발생하였다. 선생은 일본이 중국을 끝없이 침략하면서 전 중국을 멸망시키려는 것을 보고 중국은 꼭 항전하게 되는 날이 있을 것이며 그때는 꼭 조선민족이 독립해방을 쟁취하는 좋은 기회일 것이라고 단정하였다. 그래서 틈을 타 조선국내 여러 지역에서 사업하고 있는 부분적 동지들을 불러들이는 한편 원래 있던 간부들과 회합하여 남경에서 '조선혁명간부학교'를 꾸려 군사정치인재를 양성함으로써 금후의 수요를 만족시키고자 계획하였다. 이 계획에 대하여 장위원장은 극구 칭찬하는 동시에 후원해주도록 허락하였다. 이와 같이 학교는 마침내 정식으로 꾸릴 수 있게 되었다.

김선생은 이 학교를 고심이 운영하였는바, 약 3년 동안에 도합 3기를 꾸려 졸업자가 수백 명에 달하였다. 중간에 적들은 일찍 파괴하려고 누차 음모한 적이 있었다. 상해주재 왜총영사 스마는 중국에 여러 번 교섭을 제출하였고 왜정부에서도 해마다 수십만의 특무비를 소모하면서 파괴를 음모하였으나 끝내 달성하지 못하고 말았다. 김선생은 졸업한 매 기의 학원들을 각각 조선과 동북으로 파견하여 조직의 기초를 확대하도록 어려운 투쟁을 벌이게 하였다

세계적으로 유명한 일본놈들의 경찰 망에 의해 간부학교에서 조선과 동북, 상해 등 지역으로 파견된 부분적 동지들은 검거되었다. 지금까지 백여 명의 동지들이 장렬히 희생되었거나 여전히 적들의 형무소에 갇혀 있다.

조선혁명사업은 어렵기로 짝이 없다. 그것은 한꺼번에 곧 이루어지는 것이 아니라 장기적인 투쟁과 견고한 힘이 필요하다. 따라서 그는 혁명을 하려면 반드시 분산되어있는 혁명역량을 통일시켜야 한다고 인정하였으며 사방으로 분주하면서 단결을 촉성시키기로 결정하였다. 그 결과 1935년 하기에 마침내 성공을 보게 되었다. '신한독립당' '한국독립당' '대한독립당' '조선혁명당' '조선의열단'이 합병하여 오늘의 '조선민족혁명당'을 집성하였다. 이 어려운 사업의 완성은 미래 조선혁명의 완성을 상징하고 있다.

1937년에 중국은 과연 위대한 항전을 벌이었다. 김선생은 즉각 중국관내의 우수한 조선청년동지들을 호소하여 X에서 엄격한 군사훈련을 받도록 하였다. 1938년에 전쟁이 내륙에까지 연장되어 중국의 군사정치기관은 대부

분 이미 무한에 집결하였다. 김선생이 지도하는 조선민족혁명당도 무한으로 이동하였다. 동시에 관내의 조선 각 혁명당들도 객관적 요구에 적응하여 무한에 집결하였다. 이 무렵 중국의 항전은 이미 싸울수록 강해졌고 중국인민은 이미 강철처럼 단합되었다. 김선생은 얼마 안 있어 중국항전의 최후 승리가 닥쳐올 것이며 그 때가 바로 조선독립을 쟁취하는 가장 좋은 기회라고 인정하였으며 마침내 X지역에서 훈련을 받고 졸업한 X백 명의 청년들과 무한에 있는 여러 동지들을 모아 조선의용대를 조직하여 중국항전에 참가하기로 계획하였다. 이 계획은 곧 장위원장의 허가를 받았다. 조선의용대는 결국 대무한을 보위하는 소리 속에서 10월 10일 한구에서 정식으로 성립되어 김선생이 총대장으로 선거되었다.

김선생은 조선혁명을 위해 20여 년이나 분주하였으며 중간에 비록 누차 실패를 받았지만 그것은 분투하려는 그의 결심을 조금도 좌절시키지 못하였다. 그는 하루도 그의 혁명사업을 멈춘 적이 없었다. 그의 분투정신은 20여 년을 하루와 같이 변함이 없었다. 이것은 조선혁명으로 하여금 광명한 전도가 있도록 하였다.

王繼賢 編著, 中國戰場上的 朝鮮義勇隊, 朝鮮義勇隊 原作, 1943.3.
崔鳳春 飜譯, 朝鮮義勇隊血戰實記, 密陽文化院, 2006.9, pp.39-117.

조선의용대가 탄생한 의의

1938년 10월 적들이 이미 무한에 박두하여 대무한을 보위하는 떠들썩한 소리가 마음에 드높이 울리고 있을 때 한구의 거리에는 한 갈래의 새로운 대오가 나타났다. 이 대오의 사람들은 견고한 신체와 정신을 가지고 있었고 혁명적인 투쟁정신을 가지고 있었고 풍부한 학식을 가지고 있었으며 동요하지 않는 의력도 가지고 있었다. 이들은 바로 쌍십절에 조선의용대를 성립하였다. 이 사람들은 결코 조선의 '유랑아'가 아니라 조선민족혁명의 투사들이다. 그들의 나라는 비록 30년 전에 이미 망해버렸지만 그러나 이것은 일본군벌에 대한 그들의 뼈에 사무치는 원한을 증가시킬 뿐이며 조선의 독립을 회복하려는 그들의 절박한 전투심을 제고시킬 뿐이다. 기실 일본군벌들은 1894년의 중일갑오전쟁시대에 벌써 조선을 일본제국주의의 낭중물로 간주하였다. 1904년의 일러전쟁을 거쳐 일본놈들은 더욱 제멋대로 하였다. 일본군벌들은 동아 대륙을 침점하고 중국을 병탄하고 북쪽으로 러시아를 공격하려면 반드시 조선에 대한 독점권을 빼앗아야 한다고 인정하였다. 1910년에 조선은 드디어 일본의 식민지로 되었다. 조선의 매국적 이완용이 한 손으로 체결한 조약에 의해 조선의 동맥이 끊어지고 말았다.

조선은 망국하여 지금에 이르기까지 벌써 30년이 되었다. 이 30년 동안 조선민족은 시종 일본군벌의 총포에 무릎을 꿇은 적이 없었다. 반대로 조선민족의 해방을 쟁취하는 기치 밑에서 줄곧 어려운 투쟁을 하고 있다. 이것은 1929년 11월 3일의 조선광주학생운동과 1919년에 전 세계를 진동한 조선민족의 반일투쟁인 '3·1'운동에서 표현되며 1909년에 안중근이 하얼빈에서 이또히로부미를 암살한 것과 1932년에 윤봉길이 상해 홍구에서 시로가

와 대장 및 전 일본외무상 노무라 대장을 저격한 사건에서 표현될 뿐만 아니라 주요하게는 오늘 중일전쟁 중에서 조선국내의 민중들이 이미 끌 수 없는 불꽃을 당겨 조선에 있는 일본공장들이 불에 타버리고 교량이 파괴되고 여러 곳에서 무장반전을 진행하고 여러 곳에서 무장폭동을 일으키고 또한 중국관내에 남아있는 조선혁명분자들이 더욱이 중국정부의 후원 하에 직접 중국의 항일전쟁에 참가한 데서도 표현된다. 지금의 조선의용대는 바로 이러한 단체이다. 조선의용대의 매개 전사들과 매개 혁명분자들은, 조선의용대는 중국항전에 참가하여 중국항전과 일본혁명을 서로 배합함으로써 일본제국주의 총 붕괴를 촉성시키는 목적을 수행하기 위한 산물이라고 깊이 자각하고 있다. 오늘 중국의 항전은 그들 조선의 독립과 민족의 부활에 대하여 중대한 의의를 가지고 있다. 따라서 그들이 오늘 조선의용대를 조직하여 중국의 항일전쟁터에서 싸우고 있는 것도 중대한 의의를 가지고 있다. 조선의용대 총대장 김약산 선생은 조선의용대가 탄생한 의의에 대하여 상세한 설명을 하였는데, 지금 그의 말을 간단히 아래에 기록한다.

"일본제국주의 압박 하에 식민지 노예생활을 하고 있는 조선민족의 유일한 살길은 일본제국주의를 타도하고 민족의 해방을 쟁취하는 데 있다.

지난 30년 동안 조선민족은 민족의 해방을 얻기 위하여 계속적으로 반일혁명투쟁을 실시하였다. 이러한 투쟁가운데서 우리의 수천수만의 겨레들은 적들의 잔학한 총칼 밑에서 계속적으로 피를 흘리고 있다. 무수한 혁명의 지도자, 의인, 열사 등 민족의 우수한 분자들도 적들의 단두대에서 또는 형무소에서 계속적으로 희생되고 있다. 그러나 조선민족은 이로 말미암아 절대 그들의 투쟁을 멈추지 않는다. 조선민족은 일본제국주의가 꼭 몰락할 것이며 정의를 위해 투쟁하는 우리가 꼭 최후의 승리를 얻을 것이라고 깊이 믿고 있다. 따라서 적들의 압박이 가혹해질수록 우리는 확고한 신념과 용기로 투쟁을 확대하고 발전시킬 것이다.

중국항전이 일어난 후 조선민족해방운동은 가일층 광명한 전도를 향해 나아갔으며 위대한 4만만5천만 중화민족의 항일전쟁은 의심할 바 없이 중한 양 민족의 공동한 적인 일본제국주의를 소멸하는 신성한 전쟁으로 되었으며 동시에 조선민족이 독립자유를 쟁취하는 결정적인 시기로 되었다. 이러한 시기에 망국노예로 되기를 원하지 않는 조선민족의 유일한 출로와 급선무는 가장 강한 민족단합과 가장 큰 혁명투쟁으로 다 같이 중국의 항전에 참가하는 한편 중국의 항전에 배합하고 지지하여 공동한 원수를 타도하고 공동한 승리를 획득하는 데 있다. 우리 조선의용대는 바로 이러한 조선민족의 유일혁명노선과 과업 하에 탄생되어 직접 중국항전에 참가한다.

중국의 항전은 일본제국주의를 타도하는 항전일 뿐만 아니라 또한 중화민족의 자유 독립을 영원히 담보하는 위대한 삼민주의 신 중국을 건설하는 항전이기도 하다. 이 점에서 조선의용대의 탄생은 보다 특수한 의의를 가지고 있다.

자고로 중한 양 민족은 같은 문화를 가지고 있는 형제민족이며 또한 밀접한 역사적 관계를 가지고 있다. 뿐만 아니라 최근 반세기 동안 양 민족혁명의 관계는 더욱 절실한 공통성을 가지고 있다. 따라서 이 양 민족은 이번 항전에서 같은 전선에 서서 함께 전진할 수 있다. 바로 이렇기 때문에 중국항전의 승리는 조선민족을 해방시킬 뿐만 아니라 또한 삼민주의 신 중국의 건설로 말미암아 동방민족의 영구한 평화 친선의 토대를 건립할 수 있다. 이러한 중한 양 민족의 역사적 조건하에서 우리 조선의용대의 탄생은 양 민족의 영구한 발전과 동방 여러 민족의 진정한 평화를 위함에 있어서 더욱 큰 의의를 가지고 있다.

더 나아가서 중국의 항전은 동방의 유일한 강도 일본제국주의를 반대하는 전쟁일 뿐만 아니라 또한 세계평화를 파괴하는 야만적인 파시스트 일본을 반대하고 세계평화를 수호하는 전쟁이다. 이 점에서 조선의용대의 탄생은 더욱 풍부한 의의를 가지고 있다.

전 세계의 평화와 정의의 상실로 말미암아 가장 가혹한 희생과 고통을 받은 조선민족은 필연적으로 가장 열렬한 평화의 갈망자이며 가장 충직한 정의의 옹호자이다. 우리 조선의용대는 전 세계의 정의와 평화를 사랑하는 인사들과 손을 잡고 직접 중국의 항전에 참가해야 한다. 이 점에서 조선의용대는 항전 중에서 국제종대의 선구자적 과업을 집행할 수 있다."

이로부터 우리는 조선의용대가 탄생한 의의가 얼마나 중대하다는 것을 보아낼 수 있다.

王繼賢 編著, 中國戰場上的 朝鮮義勇隊, 朝鮮義勇隊 原作, 1943.3.
崔鳳春 飜譯, 朝鮮義勇隊血戰實記, 密陽文化院, 2006.9, pp.39-117.

조선의용대의 과업과 사업

조선의용대의 창립선언에는 이러한 말이 있다. "우리 재중국 조선 혁명자들은 이 정의적 전쟁에 직접 참가하기 위하여, 더욱이 이번 항전 중에서 조국의 독립을 쟁취하기 위하여 우선 조선민족전선연맹의 기치 하에 한결같이 단합하여, 또한 위대한 동방항일 최고수령 장위원장의 통솔 하에 조선의용대를 조직하였다." "오늘 성립된 조선의용대의 과업은 아주 중대하다. 우리는 식민지노예가 되기를 원치 않는 천백만 조선 겨레들을 불러일으켜 조선의용대의 기치 밑에 모이게 함으로써, 더욱이 파시스트군벌을 타도함으로써 동아의 영구적인 평화를 실현해야 한다!" 조선의용대는 이와 같이 중대한 과업을 가지고 있는 바, 이 과업은 매개 대원들이 짊어질 것이 필요하다. 따라서 조선의용대의 매개 대원들은 바로 이러한 과업의 집행자이다. 이러한 집행은 구호나 선전이 아니라 확실한 사업표현이다.

조선의용대는 도대체 무슨 사업을 해야 하는가? 중일 전쟁 중에서 중국 측은 반침략적인 정의전쟁이고 일본 측은 침략적인 야만전쟁이다. 조선의용대가 창립된 시기는 바로 중국 항전 제1기가 끝나고 제2기 항전에서 군삽보다 정치가 중대하고 전투보다 선전이 중대한 시기이다. 조선동지들은 모두 일본말을 유창하게 할 수 있고 일본사회, 생활, 풍속, 습관, 군대병사정형에 대하여 잘 알고 있다. 따라서 대적선전은 목전 그들에게 있어서 가장 알맞은 사업으로 되었다. 그들의 대적선전사업은 소극적으로 일본병사들에게 전쟁을 정지하도록 요구하거나 단순히 전쟁성격에 대한 설명을 할 뿐만 아니라 주요하게는 적극적으로 적 병사들의 느닷없는 각성을 촉진하는 데 있으며 적군 진영에서 자기의 우군을 건립하여 조선혁명을 위한 배합적 행동을 함으로써 일치하게 연합하여 일본파시스트의 광포한 정권을 뒤엎는 것이다.

1년 남짓한 동안 그들은 시종 전선의 맨 앞장에 서서 담당 장소에서의 사업을 진행하고 있다. 민중을 동원하는 면에서, 병역선전 면에서, 부상병과 피난민을 구호하는 면에서 그들은 최대의 노력을 다하였다.

王繼賢 編著, 中國戰場上的 朝鮮義勇隊, 朝鮮義勇隊 原作, 1943.3.
崔鳳春 飜譯, 朝鮮義勇隊血戰實記, 密陽文化院, 2006.9, pp.39-117.

조선의용대 1년래의 사업 대략

1. 계림에서의 총대부

광서성정부 소재지인 계림은 조선의용대가 무한에서 철수한 후의 총대부 소재지이다. 의용대 총대부는 대내로는 각 전투구역으로 파견된 각 구대를 지휘하고 감독하는 책임을 담당하였으며 대외로는 전반 의용대를 대표하여 외교 및 일체 필요한 교섭을 하는 책임을 담당하였다. 총대부는 바쁜 중에 짬을 내서 기타 사업도 집행하였다. 1939년에 총대부가 방금 계림에 도착하였을 때 당지 12월의 광서일보는 〈중국의 벗――조선의용대를 방문〉이라는 제목으로 조선의용대를 소개하였다. 일반적인 중국 인사들은 모두 중국항전에 참가한 조선의용대를 가지고 중국항전이 고립되지 않았다는 것을 실증하였다. 중국의 항전은 중국 자체의 독립해방을 쟁취하기 위한 것일 뿐만 아니라 전 세계 특히는 직접 일본제국주의 압박 밑에 있는 약소민족의 독립해방을 위한 것이기도 하다. 중국혁명의 도사인 손중산 선생께서는 "세계상에서 우리를 평등하게 대해주는 민족들과 연합하여 공동히 분투하라"고 유언하였다. 오늘 중한 양 민족이 공동한 적의 압박 하에 손을 잡은 것은 바로 이러한 정신의 구체적 표현이다. 그래서 조선의용대는 이르는 곳마다 모두 열렬한 환영을 받았다. 총대부가 계림에 온지 오래지 않아 각 계층의 인사들은 모두 열렬히 그들을 방문하고 그들을 환영하였다. 그러나 그들은 이로 하여 자만하지 않았다. 총대부의 동지들은 모두 사업으로, 사실로 이러한 친선에 대답할 수밖에 없다고 인정하였다. 이와 같이 매개 동지들이 열렬히 일하는 마음을 분기시켰으며 열성스레 일하였다.

우선 그들은 계림에 도착한 후 초보적인 선전을 하였는데, 이를테면 벽보 만화 등이다. 그러나 "중한 양 민족이 연합하여 항일하는 문제를 토론하고 사업상의 경험과 교훈을 서로 교환하며 더욱이 사업상의 결점과 장점을 서로 비판하기" 위해서는 (《조선의용대통신》 제1호 발간사를 참조) 하나의 간행물을 꾸리는 것이 필요하다. 이리하여 곧 〈조선의용대통신〉이 탄생하였다. 이 간행물은 1939년 1월 15일에 정식으로 출판되었다. 그는 중국 2기항전중에서 피압박민족의 목소리를 대변하는 자태로 나타나 존재하고 있다. 그가 탄생한 의의는 기실 조선의용대의 기관지일 뿐만 아니라 "조선의 혁명과업을 충직하게 집행하며 더욱이 반일사업을 활발히 벌이기" 위해서이다. (앞의 것을 참조) 그는 모든 식민지의 반항을 위해 후원하였다. 그러므로 그는 모든 피압박민족의 충직한 벗이며 정의와 평화를 사랑하는 모든 인사들의 아낌과 보호를 받았다. 의용대의 어려운 물질적 조건하에서 그는 시종 출판을 유지해 왔으며 지금 이미 33기까지 출판하였다.

편집자면에서 의용대의 동지들은 집단적인 힘으로 이 간행물을 위해 봉사하였다. 그들은 편집위원회가 있으며 다수 사람들의 의견에 좇아 매기의 내용을 결정하였다. 그들은 또 외부 인사들이 그들에게 의견을 제출하는 것을 환영함으로써 개진하는 표준으로 삼았다. 발행 면에서 그것은 매우 광범하였는바, 각 전투구역과 각 성시에는 모두 그의 발자취가 있었다. 해외 여러 나라에서도 마찬가지로 그것을 볼 수 있었다. 그들은 일찍 계림에서 프랑스 기자 이몽부부와 미국기자 스팅선생을 초대한 적이 있었다. 이 국제 벗들은 그들에게 무한한 공감을 나타냈다.

이밖에 그들은 또 일본 반전지사들과 연락하기 위하여 6월 2일에 각성한 일본포로들을 초대하였다. 즉석에서 중국·조선·대만·일본인민들은 함께 동방의 피압박민족은 연합하여 일본군벌을 타도하자고 높이 외쳤다. 총대부의 동지들은 사업을 하루도 중단한 적이 없었다. 그들의 투쟁하는 정신은 전선과 마찬가지였다.

2. 호남북부와 호북남부에서 혈전하는 제1구대

조선동지들은 대부분 일본말을 유창하게 할 수 있고 일본의 일반정형에 대하여 잘 알고 있으므로 대적선전이 그들에게 가장 알맞은 사업으로 되었다. 1년래 그들은 줄곧 대적선전사업을 계속하고 있으며 아울러 놀라운 효과를 거두기도 하였다. 그들은 이 과업을 순리롭게 집행하기 위하여 지역에 좇아 '진지선전대'와 '케릴라선전대'로 나누어 대치·돌격·게릴라 등 기회를 타서 대적선전을 진행하였다.

조선의용대 제1구대는 호남북부와 호북남부에서 사업하였다. 그들이 활약한 지대는 통성·악양·구령 좌우와 동정호 주위였다. 호남북부와 호북남부의 적군들은 누구나 머리 속에 조선의용대의 이름이 새겨져있었다. '조선의용대 대원의 머리 하나에 상금 500원', 이것은 곧 조선의용대의 사업이 어떠한 역할과 영향을 발생하였다는 것을 실증하고 있다.

1) 교묘한 전술과 승리적인 무기

대적선전사업은 대적전투와 마찬가지로 전략전술을 강구해야 할 뿐만 아니라 무기 또는 기재상에서도 알맞은 설비가 필요하였다. 조선의용대 제1구대 동지들의 대적선전사업방침은 적들의 약점에 맞추어 적병들의 심리로부터 대책을 제정하고 선전전술을 연구하였다. 기재설비 면에서 그들에게는 삐라를 뿌리는 전문적인 비행기가 있을 수 없었으며 대적연설을 하는 확성기도 있을 수 없었다, 그러나 탁월한 조선동지들은 결코 이로 말미암아 사업을 중단한 적이 없었으며 반대로 그들의 총명한 재질로 사업 중에서 여러 가지 새로운 대용무기들을 창제하였고 새로운 선전풍격을 창조하였다.

△ **인형전투**

통성일대의 적들은 병력배치가 부족 되었던 탓으로 늘 아군 및 게릴라부대의 기습과 통제 하에 있었다. 적들은 병력의 공허함을 숨기고 우리 게릴라부대를 꾀어 무대가적인 습격을 시키기 위하여 늘 진지 부근 및 경계선의 여러 요지에다 짚으로 만든 허수아비병사를 배치하였는데, 멀리서 바라보면 보초서고 있는 적병과 흡사하였다. 어느 날 우리의 진지를 지키고 있던 병사들은 방가지의 적 경계선에서 군복을 입힌 허수아비 4개를 발견하였다. 보고를 받은 조선의용대 게릴라선전대 제2대의 동지들은 1개 분대의 무장한 형제들과 함께 몰래 그곳에 잠입하여 허수아비들을 슬쩍 끌어다가 그 형상을 바꾸어놓았다. 하나는 배뚱뚱이를 만들어 그 우에 일본군부 폭력파라고 써놓고 그 나머지 3개는 각각 중국사람, 일본사람, 조선사람으로 만들어 사람마다 손에 참대 칼 한 자루씩 잡게 한 다음 그것을 다시 원래 자리에 가져다가 배뚱뚱이는 그 중간에 놓고 나머지 셋이 참대 칼로 그것을 찌르는 모습으로 바꾸어놓았다. 이튿날 오전 10시에 다시 사람을 파견하여 가서 살펴보니 적들은 '일본군부폭력파'라는 글자를 지워버리고 거기에 '장XX'이라고 고쳐 써 놓았다. 조선의용대대원들도 즉시 세 글자를 지워버린 다음 '일본군벌의 말로'라고 고쳐 써 놓고 아울러 부근에 일본 문 삐라 수백 장을 뿌려놓았다. 사흗날에 다시 가보니 삐라는 이미 보이지 않았고 허수아비들은 죄다 타버렸다.

△ 종이비행기가 삐라를 뿌리다

그들은 삐라를 뿌리는 목적을 달성하기 위하여 연으로 삐라를 놓아 보내는 절묘한 방법을 생각해냈다. 동지들은 즉시로 너비 5자, 길이 4자 되는 연 하나를 만들어 우리 양가첨 좌우익에서 시험해 보았다. 여기는 적군진지와 5백여 미터 떨어져 있었고 보내는 목적지는 석산 및 통성이었다. 그때 마침 순풍이었다. 수많은 무장한 동지들은 기뻐 날뛰면서 새 비행기를 시험하듯이 기상천외로 그것의 성공을 바라보고 있었다. 연의 끈은 3백 미터 가량 되었고 연과 5미터 거리를 둔 곳에 길이 1미터 되는 끈을 동인 다음 꼬리에 2백여 장의 크고 작은 삐라 꾸러미 몇 개를 매달았으며 끈과 종이꾸러미의 매듭을 진 곳에 향불 하나를 묶어놓았다. 모든 준비가 끝난 다음 목적지 산병선을 행해 시험해보았다. 연이 하늑하늑 하늘로 솟아오르자 여러 사람들은 너무 좋아서 어쩔 줄 몰라 외쳤다. 연 끈이 다 풀린 것을 확인한 다음 그것을 나무에 동여 놓고 성과를 기다리었다. 약 40분가량 지나서 삐라가 어지러이 흩날리어 공중에서 마구 춤을 추면서 전진하여 적 쪽에 떨어졌다. 그 자리에 있던 장병들은 모두 기뻐 날뛰었다. 이틀이 저나 아군정탐의 보고를 듣고 그 삐라들이 전부 통성남문일대에 떨어진 것을 알게 되었다. 그 후 우리는 또 몇 차례 이런 선전방법을 운용하였다.

△ 성냥 한가치로 무수한 탄알을 바꾸어오다

적병들과 직접 대화하여 그들로 하여금 전쟁을 싫어하며 항복하도록 하기 위해 구호를 외쳐 항복하도록 그들을 격려하였다. 어느 날 밤 열시가 넘어서 그들의 부분적 대원들은 1개 분대의 무장한 형제들과 같이 하가대옥의 적군진지로 출발 전진하였다. 11시쯤 목적지에 도착하여 한 그룹에 세 사람씩 다섯 그룹으로 나눈 다음 여기저기 흩어져서 총을 쏘자 적들은 당황하여 반격하였으며 10분 후에 총소리가 멎었다. 대원들은 곧 나와서 일본어로 함화를 하였다. 적들은 대꾸하지도 않고 총 쏘지도 않았다. 들은 바에 의하면 적 쪽에서는 몇 번 나와 대답하였다고 한다. 그들에게 "당신들은 무엇 때문에 누구를 위해 싸우는 거요?"라고 물으면 그들은 낮은 소리로 "우리도 방법이 없어."라고 대답하였다. 조선의용대대원들은, 만일 적 장교가 옆에서 감시하면 적병들은 감히 대답하지 못한다는 것을 잘 알고 있었다. 그날 밤도 대개 그런 형편이었던 것이다. 그래서 그들은 함화를 정지하고 여러 그룹으로 나뉘어 성냥불을 켰다. 불빛이 야밤에 번쩍거리자 적 쪽에서는 즉시 기관총으로 몰 사격을 하였다. 그들이 그 자리를 떠나 멀리 간 후에도 적들의 총소리는 여전히 멈추지 않고 있었다.

△ 삐라 깃발과 돌 삐라

진지선전대는 적아 쌍방이 대치하고 있는 때를 타서 선전사업을 벌이었다.

그들은 길이 2자, 너비 1자 반 되는 백지에 여러 가지 일본어 표어를 써서 20폭의 깃발을 만든 다음 새벽 전에 십 몇 명의 민첩한 대원들을 파견하여 적 진지 앞에 잠복시켜 약 180미터 되는 자그마한 흙 언덕 우에 20쪽의 깃발들을 3자 간격으로 꽂아놓게 하였다. 날이 밝자 적들은 발견하고 곧 밀집한 화력으로 깃발을 겨누어 사격하였다. 대원들은 옆에서 구경하면서 웃음을 금치 못하였다. 그들은 늘 큼직한 흰 천 표어를 몰래 적 시선이내의 고지에 세워놓음으로써 마구 쏘아대는 놈들의 탄알과 바꾸었다. 그들은 또 하동항에서 돌로 삐라를 수송하였다. 이 지역은 적아 쌍방의 적탐과 보초병들이 가끔 충돌하는 곳이었다. 그들은 생명의 위험을 무릅쓰고 적과의 거리가 2백 미터 되는 곳까지 들어가서 산비탈에 기어올라 준비해온 삐라들을 5장 또는 10장씩 돌에 동여 맨 다음 수류탄을 뿌리는 방식으로 적진지를 향해 던져 넣었다. 이윽고 적들은 발견하고 곧 기관총으로 사격하였다. 그들은 돌 뒤에 엎드려 있다가 적들이 사격을 멈춘 다음 적군을 향해 다음과 같은 함화를 하였다. “쏘지 말아, 너희들이 쏜 탄알은 죄다 군부 폭력파들이 너희 부모형제자매들의 몸에서 짜낸 피와 살이다.” “일본의 형제들! 밤낮으로 바라고 있는 너희들의 부모와 처자는 지금 한창 너희들을 돌아오라고 부르고 있다!” 이러한 말들은 고향을 멀리 떠나 참호 속에 갇혀 고생하고 있는 일본병사들을 확실히 자극하였다! 이밖에 그들은 또 강에 삐라를 띄워 보내기도 하고 삐라를 나무에 달아매기도 하였으며 적들이 지나갈 가능성이 있는 곳이면 다 이용하였다. ‘궁하면 꾀가 생긴다.’ ‘사업 중에서 경험을 늘인다.’ ‘투쟁 중에서 전술을 쟁취한다.’는 것은 조선의용대로 하여금 전항의 이론을 실천하는 기회와 가능성이 있도록 하였다. 이러한 선전전술과 무기는 이전에도 그렇고 지금도 가장 좋은 효과를 내고 있다. 화중의 적들이 전쟁을 싫어하고 전쟁을 반대하는 사상이 만연하게 된 공로의 대부분은 이와 같이 어려운 전투를 하고 있는 여러 국제 벗들에게 돌리지 않을 수 없다.

2) 전투로 선전을 하다.

조선의용대는 사업하는 투쟁 중에서 ‘선전이 곧 전투’라는 하나의 원리를 발견하였다. 거듭 말하면 어려운 선전사업은 전투성을 띠고 있는바, 싸울 줄 아는 사람만이 선전의 가장 좋은 효과를 창조할 수 있다. 조선의용대 대원들은 다 선전과 전투는 갈라놓을 수 없다고 인정하고 있다. 이 의미는 우리가 제창하고 있는 ‘전투보다 선전이 중하다’는 것과 더욱 진리적인 현실성을 가지고 있다. 따라서 그들은 천신만고를 물리치고 흉포한 포화와 생명의 위험을 다 무릅쓰면서 전투적 행동으로 그들의 선전사업을 설계하고 시작하였다. 그들은 선후로 '통성전투', '잠산왕가전투', '만가평전투', '북항기습' 및 '새공교혈전'에 참가하였다. 매번 전투에서 그들의 행동은 영용 과감하였다. 그들은 무장한 중국형제들과 함께 산에 기어오르고 함께 강을 건너고 함께 나아가거나 물러섰고 자기가 조선 사람이라는 것을 잊었으며 서로의 마음과 마음, 피와 피가 한데 융합되어있었다. 그들과 중국 앞에는 오직 하나의 원수——일본제국주의가 있을 뿐이다. 그들도 일찍 돌격을 하였고 "죽여라"를 외치며 수류탄을 뿌리고 기관총을 휘둘렀으며 적 후방으로 들어가 적군을 교란하였다. 그들은 언제나 제1선에 섰다. 때로는 우리 형체들이 불행하게 희생되면 그들은 곧 죽은 사람의 무기를 잡고 적을 무찔렀다. 때로는 중국형제들이 부상을 입으면 그들은 즉시 구호하여 후방으로 보냈다. 피물이 그들의 옷을 물들였으나 부상당한 전사를 업은 채 산을 넘고 개울을 건넜으며 기구한 산길을 걸었다. 땀과 피가 옷과 등에 스며들어도 그들은 종래로 피로하여 지쳤다거나 비명을 지른 적이 없었으며 언제나 침묵하거나 미소를 지으면서 그들의 위대한 과업과 어려운 사업을 수행하였다. 그들은, 중국과 한국의 적은 오직 하나——일본강도라는 것을 누구보다 잘 알고 있다. 그들은 중한혁명이 성공하자면 우선 중한의 공동한 적을 타도해야 한다는 것을 더욱 잘 알고 있다. 더욱이 '통성', '새공교' 2차의 전투에서 그들은 "전투로 선전한다."는 용감한 행동을 과시하였다.

△ 철조망에 돌진하여 삐라를 뿌리다

적정을 정찰하여 아군의 반격에 편리를 주기 위하여 어느 날 오전 9시에 조선의용대 제2진지선전대의 최동무는 모 중대의 변소대장과 함께 토착민으로 위장하고 먼저 개공교에 가서 적정 및 지형을 정찰하였다. 그들은 오솔길로 걷고 또 땔나무를 하는 농민으로 변장했기 때문에 자연히 적들의 주의를 일으키지 않았다. 그들은 몇 고개를 넘고 가시덤불을 지나 목적지에 이른 다음 지형을 정찰하여 간단한 약도를 그려가지고 어느 지역으로 돌아와 아군이 오기를 기다리었다. 오후 8시가 지나서 우리 부대가 과연 호남성과 호북성의 경계를 접하는 곳에 도착하였는데, 여기는 우리 게릴라부대 본거지이었다. 여러 사람들은 회합하여 잠깐 차를 마신 다음 15명 게릴라 장병들의 안내를 받아 땅거미가 질 무렵에 하무를 물고 전진하였다. 전사들마다 마음속으로 신선한 갈망을 품고 이번 기습에서 놀라운 전과를 얻었으면 하는 기대를 걸었다. 안내자들과 조선의용대 동무들은 앞에서 걸었고 구불구불 이어져 나아갔다. 산길에 무성하게 자란 애기 풀들을 스치는 발걸음소리는 마치 출정곡을 반주하는 듯하였다. 1시간 후 이미 새공교 북단의 석잠산에 도착하여 곧 진용을 바로잡고 계획을 예정하였다. 먼저 석잠산을 맹렬히 기습하자 적들은 미처 막아내지 못하였으며 불빛이 마구 번득이고 총소리가 자지러졌다. 반시간의 맹렬한 전투를 거쳐 아군은 이미 석잠산을 공격 점령하고 곧 승승장구하여 새공교의 적 병영을 포위 공격하였다. 이때 조선의용대는 1개 분대의 결사대와 함께 적들이 전력으로 석잠산 주력을 대처하는 틈을 타서 적 철조망 안에 재빨리 잠입하여 맹렬히 공격하는 한편 삐라와 작은 표어들을 뿌렸으며 종잇조각과 탄환 빛이 다 같이 날리었고 외침소리와 폭발소리가 만곡된 산들을 진동하였다. 전투가 치열할 때 우리 중기관총수가 갑자기 부상을 입고 넘어져 움직이지 못하자 조선의용대 제2진지선전대의 최성장 동무는 그를 대신하여 과업을 수행하였다. 여러 차례의 돌격을 거쳐 적세는 이미 쇠퇴해졌고 쌍방은 화력을 정지하였다. 진지선전대의 동무들은 부상당한 동무를 구호하는 한편 함화를 시작하였다. 10분 후에 적측(대개는 장교임)에서는 일어나 욕설을 퍼부었다 "어, 뭘 지껄이고 있어. 제기랄!" 조선의용대동무들은 적들이 이미 그들의 함화를 들었다는 것을 알고 마음속으로 매우 통쾌해 하였으며 옆에 있던 무장한 동무들은 "하하, 방법이 있어, 방법이 있군"라고 말하였다. 공격의 과업을 이미 완수하였으므로 새벽빛을 빌어 그곳에서 물러나왔다. 붉은 노을이 산간마을에 퍼졌을 때 그들은 이미 송림 속에 이르러 휴식하였다. 당지의 촌민들은 차물이며 밥을 가지고 와서 위로하였다. 조선의용대 동무들은 즉시 촌민들을 소집해놓고 연설을 하였다. 그들은 회화가 중국 사람처럼 유창하지 못하여 온 머리가 땀투성이가 되었으나 여전히 열성스레 선전하였다. 촌민들은 그들이 조선 사람이라는 것을 알고 매우 감동하였다. 7십여 세 되는 한 할머니는 연설을 듣고 백발머리를 흔들면서 아주 감동하여 말씀하였다. "당신들도 우리를 도와 일본놈들을 치고 있으니 우리는 꼭 이기고야 말 거네."

△ **적 토치까를 까부시고 화력 속에서 연설하다**

때는 바로 영광스럽고 위대한 5월 4일이었다. 조선의용대 게릴라선전 제2대는 자발적으로 모 대대의 통성 석산 전투에 참가하였다. 위험하므로 가지 말라고 대대장이 두세 번이나 권고하였는데, 이는 그들의 결심을 저지하지 못했을 뿐만 아니라 도리어 그들의 전투 정서를 더욱 높여놓았다. 그날 오후 그들은 부대를 따라 양가령에 도착하였다. 아군의 부서를 보면 제1선은 결사대, 제2선은 매진대, 제3선은 공격대이었는데, 조선의용대 동지들은 모두 제2선에 참가하였다. 하루 밤의 노력을 거쳐 제1선 결사대는 5일 새벽 전에 이미 통성의 적 보초선을 몰래 통과하여 양가루까지 뛰어 올라 적 보초를 전부 소멸하고 즉시 토치까를 향해 맹공격을 하였다. 제2선 매진대도 곧 제1선을 따라 공격에 참가하였다. 조선의용대 동지들은 적들의 포연탄우를 무릅쓰고 우리 전사들과 더불어 적 보초를 소탕하고 또한 적 보초막과 적 탄약고를 태워버렸다. 적들은 당황하여 진지로 들어갔다. 우리 결사대와 매진대는 신속한 행동으로 적 진지를 진공하였다. 적들은 지탱해내지 못하고 토치까 안으로 들어갔다. 이번 진공전투에서 조선의용대 동지들은 시종 전투에 협력하는 과업을 수행하였다. 그들이 쏜 탄알과 던진 수류탄은 모두 적들에게 막대한 압력을 주었고 아울러 계속하여 아군과 더불어 토치까 주위에 설치되어있는 다섯 겹의 철조망을 파괴하기 시작하였다. 비록 매우 견고하였지만 2시간의 악전고투를 거쳐 끝내 돌파하였다. 항거하기 어려운 화력을 무릅쓰고 석산의 최고봉을 향해 공격하였다. 중대장이 부상을 입었다. 장병들은 앞사람에 이어서 뒷사람이 차례차례 돌진해 나아갔다. 조선의용대 동지들은 피를 뒤집어쓰고 부상당한 우리 장병들을 구호하였으며 총을 잡고 분전하였다. 쌍방이 잠시 화력을 멈추자 아군은 반공격을 하려고 원조를 기다리고 있었다. 아군은 사격이 미치지 못하는 지대를 차지하고 있었으므로 적들은 화력을 발휘하기 힘들었다. 이때를 타서 조선의용대 동지들은 곧 일어서서 포연탄우 속에서 적들을 향해 큰소리로 함화를 하고 번갈아 연설을 하였다. 반시간이 지나 적측에서 누군가 대답하자 여러 동무들은 비로소 우리의 대오를 따라 원 진지로 돌아왔다. 그 부상당한 중대장은 전투가 치열할 때 조선의용대 동지들이 응급조치하여 업고 십 몇 리 길을 걸어 부대로 돌려보냈다.

집단적으로 전투행동에 참가한 외에 개별적인 동무들이 자발적으로 전투에 참가하고 적후에 깊이 들어가 정찰한 이야기는 더욱 많아 다 할 수가 없다. 그러므로 그들의 전투선전행동은 사업상에서 우월한 효과를 거두었을 뿐만 아니라 군민대중 사이에서 보다 큰 영향을 발휘하였다. 이러한 영향은 백성들의 의기와 병사들의 전투정서를 매우 충분히 격려할 수 있었다. 그들은 "선전원이자 전투원"이라는 구호를 행동으로 실현하였다.

△ 전투에서 용감하여 X사령이 명령을 전하고 표창 장려하다

가장 큰 희생적 결심을 내리고 통성 석산 공격전에 참전한 진한중, 이동호, 관건 등 동무들은 용감히 적들을 물리쳐 모 전투구역 사령장관의 표창 장려를 받았다. 매인당 은질 포장 1매를 증정하였는데, 우에는 "정성과 충심으로 나라를 구하다. 모모가 정중히 표창하다"라는 글발이 새겨져 있었고 아울러 포장 증명서 1부가 첨부되어있었다. 원문은 다음과 같다.

제 모 전투구역 사령장관사령부 포장 증명서 공자 제45호

조선의용대 대원 관건 등이 석산 전투에서 공적이 뚜렷하므로 특히 정자 제27호로 제1차 공로를 기록하고 포장함으로써 근면함을 격려하는 동시에 증명서를 발급하여 이를 증명한다.

사령장관 대리 모모

중화민국 28년 5월 일

이동호는 공자 제46호와 정자 제28호이었고 진한중은 공자 제47호와 정자 제29호이었으며 원문은 상기와 같다.

모 전투구역 정치부에서도 표창 장려하도록 명령하였는데, 원문은 다음과 같다.

자 제1660호 조선의용대 박구대장 사령장관 모 계자 제1996호 진유 특급전보:

모모 군사장 모모모가 모모모 사단 모모모 연대 모 대대장 모모모의 보고를 전하는 데 의하면 본 대대는 명령을 받들어 석산을 공격하게 되었는바, 대대에서 근무하는 조선의용대의 대장 조일광, 대원 이만영, 지복, 장중광, 관건, 이동호, 진한중 등은 협동작전에서 매우 용감하였으며 특히 제8중대

에서 근무하는 관건, 이동호, 진한중은 그 중대의 유중대장과 더불어 한걸음도 떨어지지 않고 용감히 공격하였을 뿐만 아니라 그 중대장이 부상을 입어 움직일 수 없게 되자 관건 등은 몸소 응급조치를 취하여 서로 엇바꾸어 업고 안전지대로 이동하였다고 한다. 그 용감하고 돈독한 정신은 크게 칭찬할 만하여 장려할 예정이므로 보고한 사실이 확실한가를 조사하여 관건, 이동호, 진한중 등에게 각각 공로 1차씩 기록하고 포상하며 조열광 등에게는 명령을 전하여 표창하고 장려하도록 전보로 회답하는 외에 특히 조사한 연후에 승인 허가할 것을 바란다. 이를 즉시 전하도록 통지할 것을 명령한다.

하충한 호월 일동 서명

3) 군민을 교육하는 동시에 군민대중을 따라 배우다

"선전이 곧 교육이며" "부대를 가정화한다." 조선의용대동지들은 이 훈시에 내포되어있는 함의와 진리를 잘 이해하고 있었다. 그들은 중국 군민대중의 문화수준이 너무 낮으며 부대생활이 너무 어렵고 단조로우며 더욱이 오락과 문화식량이 없다는 것을 더욱 잘 알고 있었다. 그래서 그들은 여러 가지 방법을 계획하여 위의 이론을 실시하였다. 그들은 부대에서 '좌담회', '간친회', '오락회', '함화회', '간이일본어훈련반' 등을 발기하였다. 민간에서 그들은 '여성', '아동', '난민' 등 임시 또는 단기 학교를 꾸렸다. 또한 부상병구호·피난민위로·문자예술·방문 등을 비롯한 일반적인 선전사업을 벌이기도 하였다. 그들은 일각도 한가히 보내지 않고 유쾌하게 용감하게 낙관적으로 사업에 투신하고 군민대중 속에 깊이 들어가 필로써 입으로써 행동으로써 그들을 도와주고 그들을 교양하였다. 그들은 참으로 사업 속에서 생활하고 생활 속에서 학습하며 '사업'과 '생활'이 일체가 되었다. 그들은 병사 민중들과 같이 생활하고 같이 사업하고 같이 오락을 즐겼으며 군민대중의 오락이 곧 그들의 쾌락이었고 군민대중의 고통이 곧 그들의 고통이었다. 군민은 그들을 훌륭한 벗으로 삼았고 그들은 군민을 형제자매로 삼았다. 정황이 이러했으므로 그들은 자연히 대중의 생활과 심리를 잘 파악하였다. 그들의 사업 방침과 방법은 바로 이러한 인식에 좇아 제정되고 실시되었다. 따라서 그들의 사업은 비로소 군민들에게 접수되고 환영을 받았던 것이다. 그들의 경제적 조건이 매우 어려웠다는 것은 두말할 것도 없다. 하지만 그들은 절약하여 남긴 얼마 안 되는 생활비로 낙화생이며 사탕과자며 위로품이며 약품을 사서 백성들의 병을 봐주고 무장한 동무들과 같이 좌담회와 간친회를 열기도 하였다. 때로는 문화식량을 인쇄하여 군민들로 하여금 열독하도록 하였다. 그들은 군민대중의 벗일 뿐만 아니라 군민대중의 보모이기도 하였다.

△ 위로의 위로

어느 한번 모 사단장은 조선의용대 동무들이 사업에 노력하며 누차 참전하고 적정을 정찰한 것을 알게 되자 그들의 수고를 위로하고 그들의 공적을 장려하기 위하여 그들에게 몇십 원을 상으로 주었다. 그들은 즐겁게 받았지만 결코 자기들이 향수하지 않았다. 여러 사람들이 함께 상의한 결과 또 돈을 좀 더 끌어 모아 합하여 수건, 비누와 식품을 사서 부상당한 전사들을 친히 위로하였다. 수건에는 "정의와 평화를 위해 피 흘리는 전사들에게"라는 붉은 글씨가 새겨져있었다. 전사들은 감동된 나머지 눈물을 흘리었고 장교들은 그들의 이렇듯 위대한 동정과 의롭고 용감한 정신에 더욱 감복하였다. 이 이야기는 하나 둘 전해져 동정호반의 아군과 백성들이 다 알게 되어 장병들을 크게 격려하였으며 또 민심을 분기시키기도 하였다. 많은 백성들은 다 이렇게 말하였다. "외국 사람들마저 우리의 장병들을 위로하는데 우리 백성들은 으레 가서 위로해야 한다.” 그래서 촌민들은 발기하여 ‘건고구마’ (주: 호남·호북 민간의 유일한 토산물로서 붉은 고구마를 엷게 썰어 기름에 튀겨 만든 것인데, 아주 입맛에 맞음) ‘짚신’, ‘대나무모자’ 따위를 거두어가지고 앞을 다투어 우리의 부상병과 장병들을 위로하였다. “군민은 합작해야 한다.” 이러한 가사는 조선의용대동무들의 사업과 행동으로 실현하였다.

△ 난민을 구제하다

때로는 갑자기 전략적인 철수로 말미암아 미처 도피하지 못한 우리 민중들이거나 또는 함락구역에서 적과 괴뢰들의 억압을 받아 살 집이 없고 요기할 밥이 없고 추위를 막을 옷이 없어 유랑하며 울부짖는 겨레들은 모두 난민으로 전락하였다. 조선의용대 동무들은 이와 같이 적들의 구박에 시달려 살아갈 수 없는 겨레들을 보고 특히 동정하고 분개하였다. 조선[동무]들은 원래부터 아주 자각적이고 용감하였으며 아주 정열적이고 친선을 중시하였다. 그들은 일찍 일본강도들이 그들 조국의 겨레에게 준 이루 다 말할 수 없는 모욕과 고통을 실컷 맛보고 많이 보았으며 오늘 또 중국의 유랑자들을 보았으므로 동정심이 유달리 짙었다. 그들은 그들을 맞이하였고 그들을 도와주었으며 모든 방법을 다하여 그들을 위로하고 그들의 짐을 메주고 질병을 봐주고 어린이를 안아주고 숙소를 찾아주고 음식을 마련해주었으며 또 그들에게 노래를 배워주고 그들에게 연설을 하고 그들을 조직하였다. 이렇듯 지극한 사랑과 동정에 대하여 어찌 필묵으로 다 써낼 수 있겠는가? 어느 한번 조선의용대의 한 동무는 침울하게 말하였다. “수난 속에 있는 그 백성들을 보니 마치 자기의 부모형제가 적들에게 잔혹이 살해되는 듯이 비통하다.” “우리는 구제할 힘이 없어서 참으로 부끄럽고 괴롭기 짝이 없다.” 그들은 난민구제를 자기의 책임으로, 자기의 과업으로 간주하였다.

△ 군민을 교육하다

그들은 '간친회', '좌담회', '군민구락부' 등 방식으로 군민을 교육하는 외에도 아군 및 게릴라 본거지에서 선후로 '대가민중학교', '함화대', '간이일본어훈련반'을 성립하였으며 자체로 교과서를 편찬하고 자체로 교재를 인쇄하여 전투의 여가를 타서 군민을 교육하였다. 민중들은 졸업한 후 대부분 직접 또는 간접적으로 전시 사업에 참가하였다. 함화대 대원들은 누구나 다 일본어구호를 외칠 수 있었으며 매번 진지에 도착하게 되면 기회를 타서 외치기도 하였다. 간이일본어훈련반의 학생들은 모두 일본문 자모를 알았으며 또한 일본문으로 표어를 쓸 수 있었다. "선전 즉 교육", "이론과 실천." 그들은 철과 같은 사실로써 우리에게 이를 실증하였다. "정치는 군사보다 중요하며", "정치는 부대의 영혼이다." 조선의용대동무들은 커다란 노력을 들여 이를 실천하고 있다. 아울러 그들의 실천은 우리의 항전에 따라 개진되고 있으며 발전되고 있다.

그들은 전투적인 생활로 전투적인 사업을 실천하고 있으며 전선과 적 후방에서 우리 군민들에게 좋은 영향을 주었고 적과 괴뢰들에게 중대한 위협을 주었다. 그들의 피는 영원히 우리들의 항전과 자신의 해방을 위해 끓어오를 것이다. 그들의 힘은 영원히 우리들의 항전과 조국의 독립을 위해 장성할 것이다. 그들의 사업은 계속 전개되고 그들의 정신은 부단히 광대한 영향을 발휘할 것이다.

4) 계남의 한 분대

1939년 11월 사이에 적들은 최후의 발악을 하기 위해 대부대를 움직여 광동 남쪽의 북해에 상륙하여 재빨리 남영을 점령하였다. 이로 말미암아 광서에는 한 전쟁터가 늘어났다. 조선의용대 제1구대는 이 시기를 틀어쥐고 즉시 한 분대를 계남전장으로 파견함으로써 우군의 매차 전투에 참가하고 계남의 적군을 와해시키는 대적선전사업을 수행하였다.

그들은 계남전선에 도착하여 곧 백숭희 장군과 양한조 주임의 회견을 받았다. 백장군과 양주임은 그들의 사업에 대하여 자상히 지시하였으며 또한 그들이 내내 기대했으나 입수할 수 없었던 화성기를 빌려주었다. 그들은 격동되어 미칠 듯하였다. 이어서 그들은 중국 제2기 항전에서 정예군대로 불리우는 제X군단으로 파견되었다. 제X군단은 현대적 장비를 갖춘 기계화 부대이었는데, 이는 또한 그들의 사업에 적잖은 편리를 주었다.

곤륜관의 혈전은 벌어졌다. 이 전투는 전례 없이 치열하여 적군의 정예한 제5사단이 곤륜관의 방어를 담당하였다. 곤륜관의 공사도 금성철벽처럼 견고하였다. 그러나 이것은 우리 장병들의 결사적인 돌격을 막아내지 못하였으며 결국 제5사단은 전부 소멸되었다. 아군은 곤륜관을 함락시키는 과업을 영광스럽게 완수하였다.

이번 전투가 맹렬히 진행되고 있을 때 조선의용대의 동무들은 위험을 무릅쓰고 고개에 올라섰다. 그들은 확성기를 가지고 산꼭대기에 엎드려 적군을 향해 연설을 하고 구호를 외치고 반전가요를 불렀다. 처음에 적들은 즉시 기관총으로 사정없이 사격해왔으나 한 차례, 두 차례 내지 세 차례의 방송을 거쳐 적진지가 되려 잠잠해졌다. 적 병사들은 참호 안에 숨어 이쪽의 방송을 자세히 듣고 있었다. 며칠 후 아군이 곤륜관을 함락시키고 사수한 적군의 일기에는 우리 쪽의 방송을 들은 기록이 많았다. 특히 〈아리랑〉의 노랫소리는 보편적으로 전쟁을 반대하고 고향을 그리는 그들의 정서를 불러일으켰다.

설 전날에 의용대의 동무들은 달빛 아래에서 다시 최전선으로 나아가 적과의 거리가 겨우 2백 미터 되는 곳에서 방송을 시작하였다. “내일은 설이다. 너희들이 참전한 이래 네 번 째 설이다. 너희들은 무미건조한 느낌이 없어? 이렇듯 유쾌한 날에 너희들은 왜 고통을 받고 있는 거냐? 너희들이 사랑하는 부모처자들은 다 어디에 있느냐? 전쟁이 연장될수록 너희들의 이러한 나날들이 많아질 거야." 조용한 밤중에 적들은 아무 소리도 없었다.

지금 계남의 적군은 붕괴되고 와해되었다. 남영의 적들은 이미 패배하여 뿔뿔이 흩어져 당황망조해서 도주하고 있다. 조선의용대 계남분대는 승리 소리 속에서 귀로에 올랐다.

3. 호북북부와 하남남부에서 활약하는 제2구대

조선의용대 제2구대는 대무한의 철수에 따라 호북 북부와 하남 남부를 향해 나아갔다. 그들의 사업구역은 수조전선 즉 평한로 측면과 대홍산 기슭 및 황하 북안이었다. 1년 남짓한 동안 그들은 시종 최전선과 적 후방에서 투쟁하였다. 그들은 조선의 독립을 위해 투쟁하는 정신을 충분히 발휘하였으며 그들에게는 말살할 수 없는 영광스러운 전적이 있다. 이는 기재해야 하며 또한 대서특필해야 할 일이다.

1) 일반사업

△ 포로교양

포로를 쟁취하고 포로를 우대하는 것은 우리의 항전 중에서 중요한 사업의 하나이다. 적병들의 대부분은 이미 군벌들의 악독한 선전을 받아 중국에서는 포로를 잔혹하게 살해하고 포로를 학대하는 줄로 알고 있었다. 따라서 전투가 치열한 무렵에 그들은 사면으로 포위되어도 항복하려 하지 않고 목숨을 걸고 마지막까지 발악한다. 이것은 결코 그들의 사기가 왕성하거나 또는 민족의식과 국가 관념이 강해서가 아니라 일본군벌들의 허위적인 기편 선전의 결과에 지나지 않는다. 그러므로 마땅히 방법을 세워 그것을 알게 해야 한다. 중국은 포로를 죽이지 않을 뿐만 아니라 포로를 우대하는데, 이것은 포로를 쟁취하는 가장 좋은 방법의 하나이다. 이 사업을 실시함에 있어서 가령 적 포로 중에서 일부분의 우수한 자들을 선발하여 이를 담당하게 한다면 이보다 더 훌륭한 방법이 없을 것이다. 왜냐하면 그들은 자기 동료들의 심리를 잘 알고 있는데다 그들 자신이 포로우대를 친히 경험하였기 때문이다. 만일 그들의 입으로 적병들에게 알려준다면 꼭 매우 큰 효과를 발생할 것이다. 조선의용대 제2구대의 동무들은 이 방침에 좇아 포로교양사업을 실시하였다. X전투구역에는 이또스스무를 비롯한 3명의 포로가 있었다. 거의 한달 동안에 그들은 선후로 18차나 방문과 위로사업을 하였는바, 개별적으로 담화하는 방식으로 그들에게 중일전쟁의 진상을 알려주는 한편 중일 양민족 사이에 맺혀있는 원한을 힘껏 해소시킴으로써 그들로 하여금 일본군벌들이 중국에서 저지른 여러 가지 죄악을 알게 하였다. 포로들은 이번 단계의 설득사업을 아주 빨리 접수하였다. 그들이 자발적으로 쓴 감상문을 의용대의 동무들이 번역하여 발표하였다. 그들은 사업에 참가할 것을 적극적으로 요구해 나섰다. 후에 그들은 마침내 헌병대대로부터 인도되어 의용대 동무들과 같이 있었으며 의용대동무들이 예정된 방침에 좇아 교양사업을 실시하였다.

교양 받고 있는 세 포로 중에서 이또스스무가 가장 각성하였다. 그는 이미 의용대동무들을 자주 도와 여러 가지 일을 하였으며 또한 외부 각 계층의 여러 가지 집회에도 참가하였다. 융중훈련반동락회 석상에서 그는 공개적으로 자기의 새로운 신념에 대하여 연설을 하였다. 그는 금후 일본군벌들과 박투하는 새로운 생활을 시작하기로 결심하였다고 말하였다. 그는 양번에서 조직한 각 계층 위로단의 군대위로사업에도 적극적으로 참가하였고 우리의 전선과 후방에서 활약하면서 이르는 곳마다 파시스트 일본군벌을 반대하는 연설을 함으로써 군민들을 크게 격려하였다. 이또의 이러한 전변은 조선의 용대의 포로교양이 성공하였음을 실증하였다.

△ 적 방송을 기록하다

2구대의 동무들은 매일 저녁 무선전 라디오로부터 적들의 방송소식을 기록한 다음 그날 저녁으로 번역 인쇄하여 장관사령부 정보과와 문화사업위원회 및 〈악북일보〉 등 기관에 각각 송부하여 참고자료로 삼게 하였다.

△ 적 서류를 변역하다

전투 중에서 아군은 수많은 적 서류를 얻었다. 가령 재빨리 번역할 수만 있다면 적정판단 및 아군의 전투에 매우 큰 도움이 될 것이다. 2구대의 동무들은 이 사업을 분담하였다. 이미 번역한 적들의 서류는 몇 백가지나 되며 놀라운 수확을 거두었다.

△ 일본어를 강의하다

대적선전을 진행하는 중에서 일본어간부인재의 양성은 한 가지 기본적인 사업이었다. 의용대의 동무들은 이에 비추어 일본어 인재를 훈련시키는 조직의 성립을 적극적으로 추진하였다. 이와 동시에 여러 분야에서도 이에 대한 요구가 절박하였다. 그래서 그들은 규모가 비교적 큰 훈련조직의 성립을 추진하는 외에도 여러 분야 이를테면 간부훈련반의 요청에 호응하여 주일마다 일본어를 자주 강의하였다.

△ 구두선전

양번군민연예회, 왕정위성토대회, 구국단체동락회, 여러 가지 집회 석상에서 의용대의 동무들은 '중한 양 민족의 연합'을 중심으로 하여 중국항전의 전도, 조선혁명, 대적선전……등 문제들을 천명함으로써 민중들로 하여금 이러한 문제에 대하여 가일층 인식하도록 하였다.

△ 벽보 만화

2구대의 동무들은 벽보 〈조선의 외치는 소리〉를 출판하여 주일마다 80여 부를 냈는바, 내용은 대부분 중한연합문제와 조선혁명문제를 위주로 하였으며 중일전쟁문제에 대하여 많은 분석과 보도도 하였다. 만화는 일반 민중들이 가장 즐겨 보았는바, 그것이 민중선전에 대하여 가장 쉽게 효과를 거둘 수 있었으므로 의용대동무들은 이 면에서 특히 주의하였다. 내용은 대부분 적들의 폭행, 우리 쪽의 민중동원정형, 게릴라부대와 적들의 혈전 등 사실이었다. 그들은 더욱이 천으로 만든 90여 폭의 대형 만화를 그려 양번으로 통하는 장소마다 가득 붙여놓았다. 민중들은 먼저 보려고 앞을 다투었으며 만사람이 골목에 선듯하였다.

△ 문자와 표어

문자선전 면에서 그들은 일찍 〈악북일보〉와 항전도보를 빌어 선후로 〈조선의용대의 과업〉, 〈조선농민들의 생활〉 등 조선문제에 관한 글들을 발표하였다. 이밖에 그들은 또 스스로 〈산 신문〉 및 〈한글 월간〉 등을 비롯한 등사인쇄한 잡지를 발간함으로써 생활을 보고하고 사업경험을 교류하고 사업방법을 검토하였다. 표어도 간단하고 하기 쉬운 선전방법이었다. 그들은 석회로 몇 개의 특대 표어를 썼는데, 그중 양양성 어구에 있는 "중한 양 민족은 연합하여 일본제국주의를 타도하자"라는 표어가 전 양양에서는 이미 가장 주목을 끈 가장 큰 표어로 되었다.

2) 혈전실기

△ 큰 천으로 만든 표어로 적군을 놀리다

2구대의 동무들은 호북 북부의 최전선에서 대적선전사업을 하였다. 어느 한번 그들은 천을 가지고 편액식으로 대폭의 표어를 만들어 위에는 일본문으로 뚜렷하게 써놓았는데, 의미는 "침략전쟁을 반대하자! 일본의 형제들!" 이었다. 다 만든 다음 밤을 타서 그것을 석하의 적군 진지에서 2백 미터 떨어진 위장진지 우에 걸어놓았다. 이튿날 적들은 보고 부끄러워 노해서인지 아니면 놀라서 당황해서인지 뜻밖에 몇 정의 중기관총으로 "따따따……" 하고 이 표어를 향해 몰 사격을 하였다. 중국에서 음력설을 쇨 때의 폭죽소리보다 더 떠들썩하였다. 형제들은 우리 진짜 진지의 참호 안에 숨어 적들의 이렇듯 어리석은 자아소모전을 구경하면서 박수를 치며 폭소를 하였다. 이 일로 한동안 전반 싸움터가 발칵 뒤집혔다. 후방의 백성들도 모두 이것을 담소거리로 삼았다. 아군은 이러한 방법으로 적들의 무기를 대량 소모할 수 있고 또한 한참 유쾌하게 전쟁 놀음을 구경할 수 있었으므로 후에 이런 방법으로 적을 희롱하여 한 때 진지에서 치열한 전투가 벌어진 듯 총소리가 대작하였다. 기실 이 총소리는 적들의 일방적인 것이었으며 아군은 그저 만족스럽게 웃기만 하였다! 적들은 이러한 표어가 총을 쏠수록 많아져 다 쓸 수 없는데다 탄알소모도 너무 많아 비로소 꾀에 속은 줄을 알게 되자 괘씸하게 여기고 마침내 모습을 감추고 말았다.

△ 진지에서의 연설전

어느 날 저녁에 대원 호유백 동무는 일본 도꾜출신의 가또스스무로 위장한 다음 적과의 거리가 80미터 되는 수현 어가강 진지에 나타났다. 그는 가또의 신분으로 이렇게 말하였다.

“일본국내에서는 우리가 이번 중국에 대한 전쟁을 동아의 평화를 위한 성전이라고 선전했습니다. 하지만 이와 같이 비행기와 대포로 중국의 평화적인 민중들을 잔혹하게 학살하고 중국의 땅을 침점해서는 어쨌든 목적을 이룰 수 없습니다. 일본이 이 침략전쟁을 계속해 나간다면 목적을 이루기는 커녕 나라가 꼭 망하게 될 겁니다.” 호동무는 또 많은 실례와 통계수자들을 들어가면서 자상히 설명하였다. 추악한 적들은 이치에 닿지 않아 말이 막혀 아무 대꾸도 못하였다. 그러나 이와 같이 높은 확성기소리가 그들의 귀가에 똑똑히 전해졌을 것이므로 어떻게 해도 귀머거리나 벙어리인 체할 수는 없었다. 그래서 다음 날 저녁에 일본군관인 듯한 자가 나와서 뻔뻔스럽게 도리고 무어고 없이 대답하였다. 그는 말한다. “일본은 동아의 영구한 평화를 위해 와서 평화의 파괴자인 중국공산당과 장XX권을 타도한다. 그래서 성전을 하고 있는 거야.” 호동무는 사리가 바르게 반박하였다. “9본군대가 정말로 등아의 영구한 평화를 위해 와서 중국공산당과 장XX정권을 타도한다면 어째서 일본국내의 공산당과 파시스트 정권을 타도하지 않고 괜히 중국으로 뛰어와서 성전을 하느냐? 그 결과 수십만 일본의 훌륭한 청년들이 무의미한 희생 품으로 되고 말았다. 이것도 그래 평화를 위해서냐?” 이 뻔뻔스러운 일본군관은 이치가 닿지 않아 더 변명하지 않았다. 그래서 부끄러운 나머지 화가 나서 급기야 군벌의 흉악한 진면목을 드러내고 무치한 말투로 우리에게 욕설을 퍼붓기 시작하였다.

사흗날에는 의용대의 김철원과 박무 두 동무도 명령을 받들고 싸움판에 뛰어들어 더욱 큰 설전을 준비하였다. 대담하게도 적들은 우리에게 전쟁을 걸면서 가또스스무더러 출진하라고 요구하였다. 호동무는 즉각 분발된 정신으로 진지 앞에 떨쳐나서서 적들과 치열한 설전을 벌이었다. 박동무와 김동무도 뒤지지 않고 각각 양익으로부터 뛰쳐나와 정신을 가다듬어 산을 허물고 바다를 메울 듯한 기세로 적을 진공하였다. 원래부터 이치가 통하지 않던 일본놈들은 당할 수가 없어 크게 패하고 모습을 감추고 말았다. 결국 나흗날 밤에 적들은 〈휴전패쪽〉을 내걸 수밖에 없었다. 그러나 의용대의 동무들은 여전히 조금도 늦추지 않고 단단히 포위하여 적들을 진공하였다. 일본놈들은 무가내로 나중에 정말 난폭한 짓을 하였다. 화력을 집중하여 우리 동무들을 사격하였다. 호동무가 몸을 낮추고 탄알을 피하고 있을 때 뜻밖에도 착한 일본병사 1명이 그가 있는 참호로 기어와서 호동무를 해치지 않고 되려 그곳이 너무 위험하니 그더러 어서 그 곳을 떠나라고 권고하였다. 이러한 적들의 우정은 항전가운데서 실로 희소한 미담이 아닐 수 없다.

△ 무장선전

적 후방에서 선전을 할 때면 수시로 기습을 당할 가능성이 있었다. 만일의 경우를 고려하여 그들은 매번 한 손에 총을 잡고 한 손에 선전물을 잡았다. 만일 적들이 정말 와서 그들을 '돌보아준다'면 그들도 반드시 즉각 '답례'를 해야 하였다. 그렇지 않으면 그들도 적들의 포로가 될 수 있었다. 어느 한번 그들의 한 동무가 사복을 한 형제 3명을 데리고 좁은 길에서 적과 부딪쳐 사로잡힐 가능성이 많았다. 적들은 그들보다 3배나 더 많아서 정세가 아주 위험하였기 때문이다. 그래서 그들은 급한 김에 먼저 손을 쓰기로 하였다. 적들은 손 쓸 틈 없이 불의의 습격을 당하고 도망치는 수밖에 없었다. 그들은 적들이 허둥지둥 패주하여 도망치는 것을 보자 더욱 용기를 내어 적들

이동무와 여동무는 XX연대의 강서북부의 봉신기습에 참가하였고 구대장과 문, 유 두 동무는 XX연대의 건주가 기습에 참가하였다. 그날 오후 1시에 전선으로 출발하였다. 15리 오솔길을 걷자 치열한 총포소리가 들려왔다. 그들은 이미 후방의 연대부로부터 전방의 연대부로 이동하였다.

용감한 전사들은 이미 적들과 백열전을 벌이고 있었다. 그날 저녁 적을 습격하는 부대는 이미 적을 소멸할 모든 준비를 끝내고 포화가 미치지 못하는 우묵한 곳에 은폐하여 출격명령을 대기하였다. 연대장은 지휘가 바쁜 중에도 의용대동무들을 보고 말하였다. "동무들! 너무 수고합니다. 우리는 여러분들의 이러한 열성에 매우 감복합니다. 중한 양 민족은 진정으로 같은 전선에서 손을 잡았습니다."

대지에 어둠이 깃들기 시작하였고 총소리는 희박하던 데로부터 점차 멎기 시작하였다. 다만 폿소리가 간혹 가다 산야 사이의 대기를 뒤흔들어 적막을 깨뜨릴 뿐이었다. 연대장은 야간습격부대를 모아놓고 행군 및 전투부서를 자상히 선포하였다. 의용대의 동무들은 10명의 장병들을 따라 출발하였다. 적들의 경계선을 살짝 돌파하여 적들의 후방에 잠입하였다. 장사진을 이룬 부대는 무인지경으로 들어가듯 용감히 앞으로 전진 하였다. 의용대의 동무들은 계획하고 있었다. "우리 몇 사람이 협력하여 적병 하나를 사로잡고 망원경, 권총, 군용담요를 빼앗아 적의 물건으로 우리를 무장하자!" 마음속의 욕망은 용기가 늘도록 촉진하였다. 교교한 달은 씻은 듯이 맑았고 달빛은 끝없는 들판을 비추고 있었으며 공기는 이미 죽은 듯이 고요하였다. 동무들은 대부분 숨을 죽이고 정의적인 외침을 기다리었다.

예정한 길은 하나하나 걸어왔으며 나중에 마침내 적과의 거리가 5리쯤 되는 요공태에 도착하였다. 연대장은 사단장에게 정황을 보고하였다. 의용대동무들은 연도에 대적 삐라를 뿌리기 시작하였으며 아울러 10여 곳의 땅에 대적표어를 써놓았다. 그들이 적과의 거리가 약 10미터 되는 곳까지 들어갔을 때 적들의 보초병은 그들이 온 것을 발견하였으며 기관총과 보병총이 사격을 시작하였다. 이와 동시에 적들의 신호탄도 공중으로 날아올랐다. 하지만 그들은 빠른 걸음으로 적보초선을 에돌아 건주가의 적 본대부로 통하는 도로에 이르렀다. 공병들은 도로연선의 20여 개 전선대를 베어 눕히고 저선을 수습하였다. 의용대의 동무들도 이때를 타서 도로 옆에 대적표어를 붙여놓은 다음 연대장과 같이 계속 전진하였다. 연대장은 구대장에게 말하였다. "김동무, 적들이 이미 우리를 발견하였소. 하지만 우리는 이 건주가를 꼭 탈취해야 하오." 연대장은 이미 필사적인 결심을 품고 있었다.

몽롱한 달밤에 천여 명의 장병들은 적들의 철조망 밑에 모여 있었다. 건주가는 이미 멀지 않았다. 연대장의 명령에 좇아 돌격을 시작하였다. 의용대의 동무들도 부대를 따라 전진하였다.

갑자기 적 철조망 뒤쪽에 매복해있던 적병들이 떼지어 일어났다. "돌격(도즈게끼)……" 한참 광기의 외침소리가 나더니 이어서 수류탄이 비 오듯 날아오는 동시에 기관총도 울부짖기 시작하였다.

쌍방의 거리는 수십 미터밖에 안되었다. 적들의 수류탄은 그들의 머리우를 넘어 10여 미터 되는 곳에서 폭발하였다. 원래 그들은 적 보초선을 통과할 때 이미 적들에게 발각되었던 것이다. 이 뜻밖의 습격을 받고 용감한 장병들은 땅에 엎드리는 한편 수류탄을 꺼내어 침착하게 저항하였다. 의용대의 몇 동무들도 연락을 잃고 서로 부르고 있었지만 끝내 반응을 들을 수가 없었다.

전체는 퇴각을 시작하였다. 의용대의 동무들도 모여서 틈을 타 삐라를 뿌리고 일본어구호를 외쳤다. 이번 전투에서 의용대의 문동무가 경상을 입었으며 그 나머지는 다 무사하였다.

귀로에서 그들은 계속하여 도로부근의 마을에 목탄과 분필로 적잖은 일본어표어를 써놓았으며 교량, 철도와 적들이 꼭 거치게 되는 기타 지방에 7백여 장의 삐라를 뿌려놓았다. 거기서 적들의 '정치사업'은 아주 어리석은 추태가 드러났다. 여러 마을에는 늘 한두 개의 도리에 맞지 않는 표어와 한 장의 엉터리 〈포고〉가 붙어있었다. 의용대의 동무들은 모두 분개하여 그것을 찢어버렸다.

XX연대를 따라 봉신습격에 참가한 이동무와 여동무가 그 연대에 도착했을 때 그 연대의 출격대대는 이미 적 후방으로 출발하였다. 그래서 그들 두 사람은 연대부를 따라 직접전선으로 나아갔다. 전선에 이르니 우군은 한창 적들과 치열하게 싸우고 있었다. 두 동무는 매우 흥분하여 즉각 이웃 연대의 대대, 중대, 소대를 거쳐 최전선의 분대에 이르렀다. 그들은 총포소리가 중단되는 틈을 이용하여 일본어구호를 높이 외쳤다. 적군은 들은 후 이치가 맞지 않아 화가 나서 기관총을 크게 쏘았다. 하지만 동무들은 여전히 계속하여 적들에게 내심하게 설명하였다.

그들은 고생과 곤란을 두려워하지 않고 시종 적들의 치열한 포화 속에서 어려운 투쟁을 진행하였다. 군단부와 사단부에서는 모두 그들에게 따뜻한 위문을 보냈다. 그들은 강서 북부에서 이미 간고분투로 명성이 높았다.

王繼賢 編著, 中國戰場上的 朝鮮義勇隊, 朝鮮義勇隊 原作, 1943.3.
崔鳳春 飜譯, 朝鮮義勇隊血戰實記, 密陽文化院, 2006.9, pp.39-117.

조선의용대 금후의 사업방향과 발전전도

조선의용대 금후의 사업방향은 어떠한가? 금후 그들의 사업 중심목표는 무엇인가? 이 문제는 전반 조선의용대 발전의 전도와 관계되어 있으며 우리가 관심하는 바이다. 조선의용대의 탄생은 중국항전에 참가하여 반일적인 연합전선을 구성하는 것인 만큼 반드시 전 조선민족의 역량을 동원하여 이 전선을 충실히 하고 공고히 해야 하는 바, 이렇게 하자면 의용대 자체의 역량을 충실히 할 것이 필요하다. 이것은 조선의용대가 목전에 반드시 자체를 무장하며 적 후방으로 발전해야 함을 결정한다.

1) 무장화문제

빈손으로 선전만 해서는 부족하며 문자선전과 구두선전에만 의뢰해서는 일종의 역량을 구성하기에 부족하다. 자신을 무장하여 하나의 유력한 기간대오를 건립하는 것은 이미 절박한 요구로 되었다. 그들은 지난날처럼 대오를 여러 전투구역에 너무 분산시키면 거대한 성적을 거둘 수 없다고 자각하였다. 따라서 그들은 금후 하나의 중심사업을 확정하고 대부분의 동지들을 한 곳에 집중시켜 사업하기로 하였다. 그들은 집중하지 않으면 큰 역량과 발전이 있을 수 없고 무장하지 않으면 하나의 기간대오를 구성할 수 없다고 인정하였다. 그러나 이 무장부대는 중한 양 민족의 전투분자로써 조직할 수 있으며 오로지 무장적인 대적선전사업에 종사한다. 그것은 중한 양 민족이 목전 전선에서 연합한 구체적인 표현이며 더욱이 장차 전투적 무장대오의 기초로 될 수 있다. 그의 과업은 전선에서 전투부대에 협력하여 대적선전사업에만 종사하는 것이 아니다. 적 후방에서 게릴라식의 작은 전투도 할 수 있고 게릴라구역의 조선민중을 쟁취할 수도 있으며 대적선전사업은 이로 말미암아 적 후방에 깊이 들어갈 수 있다.

2) 게릴라구역사업문제

적 후방은 조선의용대의 생명원천이다. 금후 의용대가 능히 확충 강화될 수 있는가 없는가, 사업을 능히 벌일 수 있는가 없는가, '혁명세균'이 능히 적들의 뱃속에 침투하여 부식될 수 있는가 없는가 하는 것은 모두 적 후방에서 벌인 그들의 사업정도가 어떠한가에 의해 결정된다. 항전 후 평진, 상해, 석가장, 신향 등 여러 도시로 온 조선민중은 이미 10만으로 증가되었으며 그 성분은 세 가지로 분류할 수 있다. 첫째, 대량의 유랑청년. 둘째, 생계를 위해 종군하여 부역하는 자. 셋째, 소수의 부정당한 장사아치. 이러한 정황은 객관적으로 그들의 발전에 아주 유리한 조건과 최대의 가능성을 제공하였다. 적 후방사업을 적극적으로 발전시키고 의용대의 대오(적 후방에 혁명연락처와 활동본거지를 건립해야 함)를 확충해야 만이 비로소 관내의 조선혁명운동은 고립에서 빠져나와 동북 및 조선의 혁명운동과 연락할 수 있다. 그러나 이 사업은 결코 간단한 문제가 아니다. 그것은 주밀한 계획과 일정한 보조가 있어야 하며 또한 적 후방의 게릴라 부대와 밀접한 연락을 가질 것이 필요하다.

조선의용대 금후의 발전문제에 관해서는 앞에서 이미 언급하였다. 의용대는 절대 순수한 선전사업범주에 머물러 있을 것이 아니라 무장전투부대로 나아가야 한다. 그러나 이것은 객관적 조건과 중일전쟁의 발전과정에서 가능성과 현실성을 찾아야 한다.

① 일본의 침략전쟁은 필연적으로 일본국내의 모순을 더욱 더 첨예화할 것이다. 예하면 인민들과 병사들의 반전운동 등은 그것의 가장 뚜렷하고 필연적인 추세이다.

② 전쟁의 연장은 필연적으로 통치자와 식민지 간의 모순을 더욱 더 험악해지게 할 것이다. 조선만 놓고 보더라도 전쟁을 일으킨 후 조선인민의 번중한 부담과 작년 대한재로 말미암아 받은 엄중한 손실은 필연적으로 조선혁명으로 하여금 더욱 더 앙양되게 할 것이다. 왜냐하면 혁명투쟁은 늘 심각한 경제공황과 야만적인 탄압을 비롯한 여러 가지 조건하에서 폭발하므로 조선과 일본제국주의 간의 모순은 만구 할 수 없는 전쟁으로 발전할 것이다.

③ 중국항전역량의 강화에 따라 동방 약소민족의 반일통일전선은 보다 구체화되는 동시에 조선혁명운동에 대한 중국의 물심양면의 원조도 그에 따라 증가될 것이다.

④ 게릴라구역 내에는 더욱이 화북에는 조선교민들이 매우 많으며 아울러 날로 증가되고 있다. 일본제국주의의 이 정책(그 목적은 중한 양 민족의 감정을 이간시키려는데 있다)은 필연적으로 상반되는 결과 즉 중한 양 민족의 연합을 초래할 것이다.

이것은 조선의용대의 혁명활동에 대하여 절대적으로 유리한 객관조건이다.

상술한 몇 가지 점에 따르면 조선의용대는 오래지 않아 필연적으로 전투부대로 발전할 가능성이 있으며 또한 반드시 관내 조선혁명운동의 중심으로 될 것이다. 이렇게 되어야 만이 오랫동안 고립되어있는 관내 조선혁명운동을 만구 할 수 있고 조선의용대의 활동으로 하여금 중국항전정세의 변화에 적응할 수 있으며 조선혁명운동의 기초로 하여금 지면을 떠난 공중누각으로 되지 않게 할 수 있다. 그들은 이 총적방향으로 전진하고 있으며 혁명투쟁의 화염 속에서 금성철벽과 같은 혁명보루로 단결되어 중한민족의 불공대천의 원수 일본제국주의를 타도할 것이다.

王繼賢 編著, 中國戰場上的 朝鮮義勇隊, 朝鮮義勇隊 原作, 1943.3.
崔鳳春 飜譯, 朝鮮義勇隊血戰實記, 密陽文化院, 2006.9, pp.39-117.

부록

1. 유동선전대

유동선전대는 조선의용대가 중국 여러 전투구역과 대후방의 여러 도시 및 시골에서 선전하기 위해 성립한 것이다. 그들의 선전내용은 조선혁명과 조선의용대에 관한 문제 뿐만 아니라 일반적인 선전도 하였는데, 이를테면 일본놈들이 무엇 때문에 중국을 침략하며 최후의 승리는 무엇 때문에 중국에 속하는가 등이다.

유동선전대는 의용대대원 김창만 동무가 지도하며 대원은 몇 명 있다. 그들은 광서 여러 지방에서 한동안 사업하였다. 작년 '3·1'기념 때 그들은 계림에서 〈조선의 딸〉을 공연하였다. 그들은 심지어 또 묘족 겨레들을 방문한 적이 있었다. 지금 그들은 이미 X전투구역으로 가서 사업하고 있으며 노하구에서 〈조선의 딸〉을 공연하였는데, 관중이 수천 명에 달하였다. 지금 그들은 꾸준히 노력하여 사업하고 있다.

2. 여성봉사단

여성봉사단은 조선의용대 제3구대와 동시에 건립되었다. 이 단체는 도합 XX명이며 단장은 박철애 여사이다. 단원의 일부분은 원래 있던 의용대의 여성대원들이었고 다른 일부분은 새로 의용대에 참가한 동무들이다. 새로 참가한 이 여성동무들은 제3구대의 동무들과 마찬가지로 1년 전 심지어 몇 달 전까지도 여전히 적들의 압박과 착취를 받았다. 지금 그들은 해방되었다! 그들은 이미 조선의용대의 기치 밑에 서서 새로운 삶을 시작하였다. 그들은 지난날 적들의 쇠발굽 밑에서 암담한 생활을 하였으므로 교육 같은 것은 말할 수 없다. 그래서 그들은 장차 중임을 담당하기 위해 이미 엄격한 훈련을 받고 있다. 수업과목으로는 조선국문과 중문을 내놓고 상식·조선역사·창가 등이 있다. 예측컨대, 그들은 오래지 않아 크게 진보할 것이며 건실하게 성장할 것이다.

3. '3·1'소년단

소년단은 중경지역의 아동계에서 상당히 활약하고 있다. '3·1'소년단은 작년 1월 사이에 건립되었으며 단원은 도합 17명이다. 가장 작은 것은 6살이고 가장 큰 것은 15살이다. 그들 속에는 중학생 3명이 있으며 대다수는 소학생이다. 그들은 모두 조선의용대 동무들의 자제들인데, 누구나 다 총명하고 활발하며 능히 노력하고 책임지며 누구나 다 미래의 과업이 위대함을 인식하고 있으며 모두 '3·1'혁명선열 또는 그들 부모들의 혁명정신과 독립자유를 위해 끝까지 분투하려는 결심을 가지고 있다.

그들의 조직은 민주집권제이다. 단장과 간부는 모두 그들 자신이 선거하였다. 단장 김상엽은 15살의 소녀인데, 연설을 아주 잘하고 활동력이 매우 강하다. 서무는 김건옥이 담당하였고 훈련은 최동수가 담당하였는데, 모두 아주 유능하다. 그들 세 사람은 어린이들의 독서와 사업을 지도하고 있다.

그들은 일찍 일치해서 결의하였다. 첫째, 겨울휴가를 타서 매일 2시간 수업하되 어른을 모셔다 연설하게 하거나 또는 외부사람을 모셔다 연설하게 하고 노래를 배워주게 한다. 둘째, 매주에 1회씩 단무회의를 개최하여 자기의 사업을 검토한다. 셋째, 2주에 1회씩 좌담회 또는 원족여행을 한다. 넷째, 중국 어린이들의 항전사업에 적극적으로 참가한다.

그들은 이러한 결의를 다 집행하였다. 이와 같이 말 한 대로 하는 정신은 감복할 바이다. 매개 단원들은 모두 이러한 결의의 집행자로서 한 사람도 위반한 적이 없었다.

'3·1'소년단 성립대회 때 그들은 우선 조선의용대에 숭고한 경의를 드렸으며 아울러 편지를 써서 그들을 위로하고 격려하였다. 이는 의용대의 동무들로 하여금 크게 감동케 하고 기쁘게 하고 위안을 느끼게 하였다.

중경에 있는 군사위원회정치부 어린이극단과 '7·7'소년단에서는 '3·1'소년단이 건립되었다는 소식을 듣고 즉시 줄을 지어 방문하였다. 이번 방문을 거쳐 그들은 서로 알게 되었고 손을 잡게 되었다. 이번 방문은 중한의 꼬마벗들이 영원히 친밀하게 합작하는 기반을 마련하였다. 따라서 이번 방문은 깊은 의의를 가지고 있다.

중경시의 11개 아동단체는 한 주일 동안의 좌담회를 조직하였는데, '3·1'소년단은 이 좌담회의 한 분자이기도 하였다. 2월 사이에 중경시 아마추어 청년좌담회는 새로 중경에 온 청년단체들을 환영하였는데, '3·1'소년단도 환영석상에서 자아소개를 하였다. 단잔 김상엽이 소년단을 대표하여 인사를 할 때 온 장내의 주의와 환영을 받았다.

작년 초에 그들은 중경시 아동단체의 여러 가지 사업에 적극적으로 참가하였는데, 예하면 음악대회, 가두선전, 시골사업, 부상병위로, 절약과 현금헌납 등에서 조선의 어린이들은 중국항전을 옹호하는 정열을 보였다.

중경에서 그들의 노랫소리, 연설, 표어는 이미 중국의 꼬마벗들과 일반시민들에게 지대한 자극과 격려를 주었다.

그들은 매일 학습하며 사업한다. 그들의 일체일체는 모두 발전하고 있다. 이것은 새로운 조선이 성장하고 있음을 상징하고 있다.

4. 재중경조선여성회

재중경 조선여성회는 '남경조선부인회'의 후신인데, 작년 2월 사이에 재조직 되었으며 회원은 도합 XXX이다. 그들의 남편은 조선의용대에서 사업하는 분들도 더러 있다. 그들은 자지레한 가무로 말미암아 혁명 사업에 직접 투신할 수 없었다. 여성회의 주요과업은, 첫째, 조선의용대를 후원하는 것이고 둘째, 중국 항전장병들을 위로하는 것이며 셋째, 집단적인 자아교육을 하는 것이다.

여성회에는 집행위원 3명이 있다. 장희수 여사는 총무를 담당하고 이소원 여사는 선전을 담당하고 김명숙 여사는 조직을 담당하였다. 그들 셋은 국내에서 여성운동에 참가한 바 있었다. 그밖에 또 후보위원 2명이 있는데, 한분은 장수연씨이고 한분은 이금상씨이다. 그들은 모두 나중에 나온 여성간부들이다.

그들의 제1회 사업은 중경시 여성계의 현금헌납 운동에 참가한 것이다. 그들은 어려운 생활조건하에서 20원 50전을 절약하였다. 이 돈은 비록 많지는 않지만 중국항전을 옹호하는 그들의 정열을 충분히 보였다.

3월 8일은 국제 여성의 날이다. 그들 수십 명 회원은 대열을 짓고 가서 그날의 기념대회에 참가하였다. 대회에서 그들의 대표가 연설하자 열렬한 박수가 일어났다. 회의 후에 그들은 또 데모에 참가하여 "중한 여성들은 연합하자"라는 큰 깃발을 높이 들었다. 이번 중경 여성들의 대규모적인 데모는 압박 받고 있는 전 세계의 여성들이 여성들의 진정한 해방을 쟁취하기 위하여 이미 강철처럼 단합되었다는 것을 충분히 보여주었다. 그날 그들은 또 〈중국여성동포들에게 알리는 글〉을 발표하였으며 아울러 위로편지를 써서 중국 항전장병들과 조선의용대에 드렸다.

자신을 건전히 하기 위하여 그들은 또 단기 훈련반을 꾸려 엄격한 훈련과 교육을 받았다. 그들은 이미 투쟁생활 속에서 일떠섰다.

5. 북미한교조선의용대후원회

북미한교 조선의용대 후원회는 재미한교들이 조선의용대와 중국항전을 후원하기 위해 건립한 것으로서 이미 조선의용대의 인정을 받았으며 뉴욕, 로스안젤스(Los Angeles)와 하와이에는 모두 분회가 있다. 1년래 그들의 사업은 놀랄 만하다.

(1) 1938년 11월 사이에 후원회는 중국동자군 대표 양혜민 여사를 환영하는 성대한 모임을 가졌다. 그들은 '8·13'항전 때 양여사가 위험을 무릅쓰고 몸소 사행창고에 가스 8백 명 용사들에게 기를 바친 용감한 거동에 경의를 표시하였다. 이번 모임에 참가한 중한 인사들은 도합 80여 명에 달하였다

(2) 같은 해 12월말 할리우드 영화배우의 사회 하에 일본상품을 배격하는 대회를 개최하였는데, 모임에 참가한 대중이 6천여 명에 달하였다. 의용대 후원회의 수십 명 여학생들도 참가하였다. 그들은 모두 조선복을 입고 손에 조선 국기를 들고 반일데모를 진행하였다. 신진 영화배우 안필립(조선의 노혁명가 안창호선생의 장자)은 그 자리에서 연설을 발표하여 전체 아메리카 인민들이 일본상품을 배격함으로써 동아의 평화를 만구 할 것을 요구하였다.

(3) 작년 정월 15일 후원회의 사회 하에 로스안젤스 공회에서 '한국의 밤'을 거행함으로써 지난날 조선의 문화 및 동아의 평화에 대한 가치를 역사적으로 지리적으로 선전하였다. 그리고 연극 〈조선의용대〉를 공연하였는데, 관중이 7백여 명에 달하였으며 그 자리에서 중국 원조의연금 2만 원을 모집하였다. 이 돈은 이미 중국항일 후원자금 모집처에 전달되었다.

(4) 후원회 회원들은 일찍 여러 번 반일데모에 참가하였는바, 연도에 "군용품 일본 수출 금지"라는 깃발을 높이 들고 화교들과 같이 행진하였다. 이

것은 중한 교민들로 하여금 더욱 견고히 단합되게 하였다.

(5) 금년(1940년) 1월 28일에 뉴욕 조선의용대 후원회에서는 뉴욕의 한교들을 소집하여 전체대회를 거행하는바, 그 자리에서 미국 중의원에 간청하여 일본에 대한 무기 수출을 금지하도록 호소하기로 일제히 결의하였다. 편지 원문은 다음과 같다. "중국항전이 시작된 이래 미국은 해마다 일본에 군수품을 수출하였으며 일본 군수품 수입총액의 57%를 차지하였다. 일본은 가령 이 항목의 공급원이 없다면 중국침략전쟁을 지속하기 어려울 것이다. 우리는 원동에 대하여 실로 지대한 관심을 가지고 있는바, 다만 미국 제76회 의회에서 일본에 대하여 수출을 금지한다고 선포할 것을 희망할 뿐이다."

그들은 비록 인수가 비교적 적고 역량도 부족하였지만 언제나 중국항전과 조선혁명을 위해 선전하며 후원하지 않는 적이 없었다. 미국 인민들은 그들의 선전으로부터 중국의 항전은 실로 동방 약소민족의 해방과 동아의 평화를 수호하기 위한 것임을 인식하였다. 그들은 전체 아메리카 인민들의 동정과 후원 하에 장성할 것이다.

(끝)

王繼賢 編著, 中國戰場上的 朝鮮義勇隊, 朝鮮義勇隊 原作, 1943.3.
崔鳳春 飜譯, 朝鮮義勇隊血戰實記, 密陽文化院, 2006.9, pp.39-117.

엮은이 소개

김 강(金剛)

중국 연변대학교 조선언어문학학과 전임강사. 연변대학교 조선언어문학학부를 졸업하였고 동 대학원 석·박사 과정을 졸업했다. 다년간 한국 근현대문학 및 한중 비교문학에 대한 연구를 진행하고 있으며 연구논문으로는 「김안서의 격조시형론과 중서시학 관련연구」(2016) 등이 있다.

김병민(金柄珉)

문학박사, 교수, 연변대학교 총장을 역임했다. 주요 학술 저서로는 『조선근대소설에 대한 역사적 고찰』(1984), 『신채호문학연구』(1988), 『조선중세기 북학파 문학연구』(1990), 『조선문학사』(1994), 『한국 실학파문학과 중국관련연구』(공저, 2007), 『근대 망명 문인들의 문학연구』(2021) 등이 있으며 평론집 『민족문학에 대한 통합적 조명』(2003), 회고록 『와룡산일지』(2013) 등이 있다. 이 외 다수의 평론과 수필이 있다.

'한국근대문학과 중국' 자료총서 ⓯
정론 · 실기 · 수필 · 희곡 I

초판 1쇄 인쇄 2021년 9월 17일
초판 1쇄 발행 2021년 9월 27일

지은이 신규식 외
엮은이 김 강·김병민
기 획 『한국근대문학과 중국' 자료총서』 편찬위원회
펴낸이 이대현
편 집 이태곤 문선희 권분옥 임애정 강윤경
디자인 안혜진 최선주 이경진
마케팅 박태훈 안현진
펴낸곳 도서출판 역락
주 소 서울시 서초구 동광로 46길 6-6 문창빌딩 2층
전 화 02-3409-2060(편집), 2058(마케팅)
팩 스 02-3409-2059
등 록 1999년 4월 19일 제303-2002-000014호
전자우편 youkrack@hanmail.net
홈페이지 www.youkrackbooks.com
字 數 440,825字

ISBN 979-11-6742-030-5 04810
979-11-6742-015-2 04810(전16권)

* 책값은 뒤표지에 있습니다.
* 파본은 구입처에서 교환해 드립니다.